国 家 出 版 基 金 项 目

湖北省社会科学基金重点项目
湖北省学术著作出版专项资金项目
湖北传承发展优秀传统文化重点项目
湖北省荆楚文化研究中心重点支持

荆楚文化史

秦汉魏晋南北朝卷

湖北省荆楚文化研究会组织编写

总 主 编：刘玉堂
本卷主编：叶　植

长江出版传媒 | 湖北教育出版社

图书在版编目（CIP）数据

荆楚文化史. 秦汉魏晋南北朝卷 / 刘玉堂主编 ; 叶植本卷主编. -- 武汉 : 湖北教育出版社, 2022.12(2025.2重印)
ISBN 978-7-5564-5609-3

Ⅰ. ①荆… Ⅱ. ①刘… ②叶… Ⅲ. ①文化史－湖北－秦汉时代-魏晋南北朝时代 Ⅳ. ①K296.3

中国版本图书馆CIP数据核字(2022)第239256号

荆楚文化史.秦汉魏晋南北朝卷
JINGCHU WENHUASHI.QINHANWEIJINNANBEICHAO JUAN

出品人 方 平　　策 划 刘 艺
责任编辑 黄佑志　　责任校对 李庆华
封面设计 李 枫 何亦明　　责任督印 刘牧原

出版发行 长江出版传媒　430070　武汉市雄楚大道 268 号
湖北教育出版社　430070　武汉市雄楚大道 268 号
经 销 新 华 书 店
网 址 http://www.hbedup.com
印 刷 武汉中远印务有限公司
地 址 武汉市黄陂区横店街货场路粮库院内
开 本 710mm×1000mm 1/16
印 张 30
字 数 470 千字
版 次 2022 年 12 月第 1 版
印 次 2025 年 2 月第 2 次印刷
书 号 ISBN 978-7-5564-5609-3
定 价 126.00 元

《荆楚文化史》编纂委员会

主　任：王生铁

副主任：武清海　李佑才

委　员（按姓氏笔画为序）：

王树华　尹弘兵　叶　植　任　放　刘玉堂　安向荣　杜建国

李德华　吴成国　邱久钦　张　武　张　硕　张继才　陈昆满

罗运环　胡嘉猷　柳菊兴　姚伟钧　袁北星　夏日新

主　编：刘玉堂

副主编：李德华　陈昆满　杜建国

总　　序

刘玉堂

“地利西通蜀，天文北照秦。风烟含越鸟，舟楫控吴人。”诗圣杜甫笔下的荆楚大地，令多少人为之心驰神往！而这方神奇土地孕育的荆楚文化，又令多少人为之梦萦魂牵！

荆楚文化的空间范围大致与今湖北行政区划相当，时间范围从远古到当代。之所以称荆楚文化，是因为其源头和主干楚文化是以湖北为中心发展壮大的，而且荆、楚又往往互称并举。荆楚文化史研究的主要范畴是湖北文化诞生、发展和演变的历史。至于本书称《荆楚文化史》而不称《湖北文化史》，主要由于“湖北”的概念是宋代才有的，始于北宋初年以洞庭湖为界分荆湖南、北二路，其中荆湖北路即指湖北。“荆楚”的概念则始于先秦，有族类名和地域名之分，前者如《诗·商颂·殷武》：“维女（汝）荆楚，居国南乡。”后者如《楚辞·大招》：“自恣荆楚，安以定只。”无论是族类名还是地域名，其对应的空间范围虽略有出入，但基本上都是以今湖北为中心，鉴于本书的时间跨度为远古至当下，故名之为《荆楚文化史》更为切近。

《荆楚文化史》的编撰兹事体大，因而对相关问题的说明尤为必要。

一是荆楚文化的时间界限。当代人治国别史或地域史，一般止于晚清或民国，而本书则上起远古，下至当下，突破了史学界心照不宣的“当代人不治当代史”的传统。本书如是考量，无意于标新立异，只是想把荆楚文化的最新面貌展示出来，以增强现实感，突出时代性，进而坚定文化自信。

二是荆楚文化的空间界定。本书的空间范围固然是以今湖北行政区划为主，但现今的湖北省境，基本上是明清以来逐步规范形成的，在此前的数千年中，湖北与周边诸省之间的行政归属变动不居。因此，本书虽然明确强调研究的空间范围原则上不超出当今湖北行政区划，但如涉及思想影响、文化交流、人物迁徙、商旅流通乃至政治背景和经济状况等问题，尤其是牵涉到湖北局势发展的重要事象时，有关叙述或分析会越出今湖北省界的范围。

三是荆楚文化的内容定位。一般文化史研究，视角有宏观和微观之分，也即通常所谓广义文化与狭义文化之别，前者包括物质文明成果和精神文明成果的总和，后者仅限于精神文明成果。如采取宏观视角，难免失之于宽泛，而且极易与《湖北通史》一类著述雷同；如采取微观视角，则未免失之于狭窄，以致某些重要的文化内容不能得到应有的反映。有鉴于此，本书采取了介于宏观与微观之间的“中观”视角，即除重点考察微观层面的思想、学术、文学、艺术、教育、科技、宗教、民俗之外，还涉及时代变迁的社会背景和生态、移民、城建、商旅、交通等文化事象。当然，由于各个时代的文化状貌不尽相同，故允许各卷在保持基本内容一致的前提下合理取舍。

概而言之，《荆楚文化史》旨在经由多维度和全方位的考察，梳理出荆楚文化发生、成长和演变的线索，揭示出荆楚文化的基本特征、分衍状态和流迁趋势，勾勒出荆楚文化与其他区域文化乃至外域文化间多向的碰撞、交流和融合的轨迹，进而客观地评价荆楚文化在中华文化发展过程中所起的强大而持久的作用与影响。

一、荆楚的自然环境与民族氛围

在人类生存的地球上，有一条神奇的纬线——北纬30°线。它既是旧大陆古代文明的中轴线，又是长江流域的中轴线。中国的荆楚地区，埃及的古都孟菲斯，号为“神之门”的巴比伦，波斯帝国极盛时期的首都苏萨，以及南亚最早的两座古城之一哈拉巴，都无一例外地聚集在这一纬线附近。

从自然环境来看，荆楚正好处在东西之中、南北之间。说荆楚处在东西之中，这是因为中国的地势从西到东由高变低，呈三级阶梯之状：青藏高原为第一阶梯，南起云贵高原、中经四川盆地和黄土高原、北至内蒙古高原为第二阶梯，华中迤东的丘陵和平原为第三阶梯。荆楚正好处在第二阶梯与第三阶梯交接地带：鄂西在第二阶梯的东部，鄂中迤东在第三阶梯的西部。说荆楚处在南北之间，这是因为鄂北连接着秦岭、大巴山、桐柏山和大别山，鄂中迤南则为江汉平原和江南低山丘陵。荆楚整个地貌呈箕形：中部的江汉平原既平又低，西部、北部、东部是山地，只有南部向洞庭湖敞开。山环水绕的自然环境，温暖湿润的气候特征，不仅使荆楚的山郁郁葱葱，而且在境内形成不同流量的河流，汇入横穿其腹地的中国第一大河长江，众多水系如银练飘舞在广袤的荆楚大地上，构成纵横交错的水网，古云梦泽淤积遗留的大小湖泊，似明镜镶嵌于辽阔的江汉平原，调节着长江中游的旱涝。得中独厚的自然环境，不能不说是天赐荆楚。

就民族氛围而言，荆楚也恰好位居东西南北之中。汉藏语系的四大语族，最迟在周代已具雏形。汉语族的先民在北，壮侗语族的先民在东，苗瑶语族的先民在南，藏缅语族的先民在西。四个语族相互接触、彼此交错的中心，就在荆楚。北来的姬、姜等姓和殷人的遗民是汉语族的先民，东部的扬越属于壮侗语族的先民，南方的楚蛮多数应是苗瑶语族的先民，西部的巴人属于藏缅语族的先民。正是在这壮丽的民族景观中，蕴含着盎然勃兴的历史机缘。

荆楚独特的自然环境和民族氛围，既有利于接纳来自四面八方的文化信息，又能保持强大的定力，外求诸人以博采众长，内求诸己而独创一格，从而在某种程度上形成了大同小异的风气，其主体居民沉浮与共、休戚攸关，桀骜多于驯顺，狂放多于拘谨，独创多于固守，喜游心于天人之际，驰骋于艺文之间，不乏苦志慧心和奇思丽想。

二、荆楚文化的演进轨迹

居东南西北之中，当四通八达之会，荆楚历史波谲云诡，荆楚文化异彩纷呈，令人兴“大江东去，浪淘尽，千古风流人物”之叹。

属于“人猿相揖别”的旧石器时代遗址，在今湖北郧阳、郧西、丹江口、长阳、五峰、宜都、枝江、建始、大冶等县市区及荆州、神农架、襄阳、咸宁、武汉等地共发现200多处，涵盖了旧石器早、中、晚三个不同的发展阶段，其中最有代表性的是建始直立人和江陵鸡公山遗址。建始直立人距今215万年至195万年，早于元谋人、蓝田人、北京人，填补了中国人类发展史上从猿到人进化史中“直立人”这一关键环节的空白，对于探索人类的起源与演化具有重要价值。江陵鸡公山遗址下层的上限为距今5万年，其上层的下限为距今1万年。先前所发现的旧石器文化遗址大多在洞穴内，江陵鸡公山旧石器文化遗址却处于弥迤平原和汪茫水乡中。我们可以确信，江陵鸡公山旧石器文化的主人，只要没有因遭遇特别严重的天灾人祸而灭绝，应该属于后世荆楚人的远祖之列。

在“只几个石头磨过”的新石器时代，荆楚地区的文化遗址近3000处，更重要的是文化谱系相对完整：年代最早的是距今8000年的城背溪文化，继之大溪文化兴起，其后是屈家岭文化和石家河文化相继勃兴。屈家岭遗址是我国长江中游地区发现最早、最具代表性的大型新石器时代聚落遗址，也是长江中游地区第一个以遗址发现地命名的新石器文化。比屈家岭稍晚的石家河文化，不仅出现了初具规模的城址，而且发现了冶金的遗迹，代表了长江中游地区史前文化的最高水平，成为探索中华文明起源的一个重要标本。据《战国策·魏策》记载：“三苗之居，左彭蠡之波，右洞庭之水，文山在其南，而衡山在其北。”尽管关于文山和衡山的地望古今学者多所稽考而莫衷一是，但对于荆楚地区曾为三苗部落的腹地，则是学术界比较一致的见解。因此，荆楚地区先后诞生的大溪文化、屈家岭文化和石家河文化，庶几可以视作三苗部落的文化遗迹。

夏禹执政前后，一度效法尧舜对三苗实行的怀柔政策，却未能产生预期效果，三苗仍不愿服从夏王朝的统治，一场征伐三苗的战争不可避免，而双方实力的悬殊早已注定了三苗失败的结局。禹在征服三苗后，同样采取了尧舜流徙三苗之君的方式，迁徙三苗上层统治集团于西北边陲的“三危”，历经变服从俗，很可能成为后世羌族的祖先。对于三苗故地的遗部，禹则委派夏族人前往统治，意在对其实行严密的监控，达到巩固夏王朝统治地位的目的。涉及夏代荆楚地区经济社会状况的文献寥若晨星，仅有《尚书》《墨子》《世本》《帝王世纪》的相关零星记载，使我们依稀获得以上并非完整的信息。

殷商之世，以荆楚为中心的长江中游一带被殷人称作“南土”或“南乡”，前者见之于《左传·昭公九年》，后者见之于《诗·商颂·殷武》。从商汤起，经太甲到太戊的三代六王，是商王朝的巩固时期，统治者致力于内政，对方国部落则以羁縻为主，局势相对平静，荆楚地区也未见重大战争发生。从商王中丁开始，内患频生，中丁被迫迁都于隞。可能是荆人趁商都新迁而发难，也可能是中丁出于长治久安的考虑，总之在中丁都隞不久，荆楚东部的今武汉北部黄陂出现了商朝移民，继而建立了长江流域已知最早也是最大的早商城邑——盘龙城。盘龙城的建立，促进了中原商文化与荆楚文化的交流与融合，考古发现的江陵荆南寺遗址和沙市周梁玉桥遗址的商代文化层，就是以土著文化为主体并吸收中原商文化及其周边地区同时期文化因素而形成。尽管后来商王武丁曾大举征伐荆楚，商王朝与荆楚地区的文化交流则未曾中断，早熟的中原青铜文化南下，激活了荆楚固有的文化因子，促进了荆楚地区铜的采冶和铸造，以及城邑设置和农业区域经济中心的萌芽。

跌宕起伏的周代，从周初楚人嫡祖季连后裔鬻熊因辅佐周文王有功被徙“居丹阳”，至公元前 278 年秦将白起拔郢止，今荆楚地区一直是楚国的腹地。虽说春秋早期以前荆楚地区也曾诸国林立，其中不乏殷商遗民建立的权国和周王的同姓姬姓随国（曾国）这类颇有影响的封国，以及罗、卢、鄢、邓、谷、庸、麇（微）、鄂、唐、厉、绞等国，但权国春秋早期已被楚灭国改设为县，随国约春秋中期已成为楚国的附庸，其他国家要么亡于楚国，要么望风归附。从某种程度上说，周代荆楚地区的文化即楚文化。楚人在八百年的漫长岁月中，创造了震古烁今的文化，不啻与中原文化并肩而立，甚至与西方的古希腊文化难分轩轾。东西方文化各自从不同的方向出发，分别登上了人类文明轴心时代的巅峰，楚文化对中华文明乃至世界文明的贡献，足以令世人称奇。如果将中华文明比作浩瀚无垠的宇宙，那么，作为荆楚文化源头和主干的楚文化，就是宇宙中一条璀璨夺目的星河，澎湃于其中的"筚路蓝缕"的进取精神、"大象无形"的开放气度、"一鸣惊人"的创新意识、"上善若水"的和谐理念、"九死未悔"的爱国情怀和"一诺千金"的诚信品格，以其巨大的能量，穿越时空，生生不已！

"秦王扫六合，虎视何雄哉！"在秦王朝的统治下，荆楚文化惨遭洗劫，创巨痛深。先前济济多士，此时流失殆尽，自由活泼的文化气氛，被秦朝的坚甲利兵和严刑峻法扫荡一空。幸有云梦睡虎地秦简出土，才使人们得以了解秦代荆楚文化的些许信息。这批秦简包括《语书》《为吏之道》《秦律十八种》《效律》《秦律杂抄》《法律答问》《封诊式》《日书》《编年记》，尽管内容涉及秦朝政治、经济、法律、文化诸方面，仍然留下了荆楚文化的烙印。其中《为吏之道》作为一部官吏指南，吸收了源于荆楚的道家思想，如"强良不得"，与马王堆帛书《老子》甲本"强良者不得其死"如出一辙。从艺术风格来看，《为吏之道》与荀子"成相辞"毫无二致，而荀子曾任楚兰陵县令，其著作当受楚文化浸润，从《荀子·成相》到《为吏之道》，似可寻绎楚地民歌的传承脉络。通过秦简《编年记》，我们得以掌握秦始皇南巡经过故楚地安陆的确切时间和路线。秦简《日书》中的"秦楚月名对照表"，表明秦代荆楚地区因国家强制官方不得不使用秦历，但民间仍习惯沿用楚国旧历。从秦简展示的秦代隶书原貌观察，其"蚕头燕尾""一波三折"的特征，显然受到战国中期荆门包山楚简书法艺术的渗透。

文化多承楚制的汉代，伴随着经济社会的恢复发展，荆楚文化也逐渐复苏，在思想与学术、文学与艺术、科技与教育等领域都获得长足的进步。西汉时荆楚地区的经学如“离离原上草”，虽荣枯无常，却绵延不绝，至东汉时马融任南郡太守，荆州的经学已蔚然成风。东汉末年刘表任荆州刺史期间，养士抚民，推崇学术，遍注群经，广求遗书，荆州成为全国最大的学术中心，官府藏书甲于天下。汉代是“铺采摛文”的文学体裁——赋的鼎盛时期，荆楚虽少见汉赋名家，但汉赋的名篇佳作无不同荆楚有千丝万缕的联系。它们或搁笔于荆楚，或从内容和形式上“拓宇于楚辞”，或直接以描绘荆楚山川之美和人文之胜为题材，此即《文心雕龙·辨骚》所谓“枚、贾追风以入丽，马、扬沿波而得奇”。汉代乐舞广纳博采，荆楚地区独领风骚，崔骃《七依》描绘的“振飞縠以舞长袖，袅细腰以务抑扬”，分明是楚舞“长袖细腰”的再现。当阳汉墓的画像石和老河口汉墓的画像砖，其雕刻技艺相较于南阳画像石毫不逊色。在当阳、襄阳、云梦等地东汉墓中发现的陶楼，展示了汉代官僚豪族风格各异的庭院式建筑。汉代荆楚学校教育“庠序盈门”，科技尤其是数学和医学成果丰硕，江陵张家山汉墓出土竹简《算数书》是比《九章算术》更早的数学专著，而《脉书》和《引书》则堪称汉代荆楚医学的上乘之作。

魏晋南北朝是中国历史上一个战乱频仍、朝代迭更的特殊历史时期，荆楚地区先后处于孙吴、东晋和南朝宋、齐、梁、陈的统治之下，其文化冲突中有交融，碰撞中有演进。东汉末年至三国时期最著名的三大战役，就有两大战役即赤壁之战和夷陵之战都发生于荆楚；西晋灭吴的战略谋划，也是在荆州襄阳形成。真可谓“一部三国史，半部荆州书”。释道安襄阳弘法、习凿齿撰《汉晋春秋》和盛弘之《荆州记》的编撰，象征着荆楚学术于乱世中别开生面。与之相映生辉，“清新庾开府”“俊逸鲍参军”均为荆楚文学奉献出扛鼎之作，前者《哀江南赋》把骈赋创作推向了巅峰，后者《登黄鹤矶》开创了山水诗派峻厉奇矫的新风。被称为“清商曲辞”的西曲歌《石城乐》《襄阳乐》《江陵乐》，成为乐府诗中最能撞击人们心扉的歌曲。艺苑的盛事，不啻是儿童及女子歌舞“襄阳白铜鞮”舞动京华，更有宗炳的画论独步一时。南朝荆楚画家宗炳是著名的山水画家兼理论家，不仅创立了“应会感神，神超理得”的绘画美学理论，而且在技艺上提出了“竖划三寸”“横墨数尺”的山水画透视学原理。至于庾亮在武昌建立学舍和设置学官，无疑是东晋时期荆楚教育的一抹亮色。

隋唐是我国文化发展的黄金岁月，统一且相对稳定的政治格局，使社会经济得到了空前发展，政治中心的东移与经济中心的南移相互交织，共同演奏出波澜壮阔的盛世华章，混同南北的隋唐文化因之具有朝气蓬勃、兼容并收的恢宏气象。凭借独特的区位优势，荆楚大地成为南北、东西文化碰撞与融合的重要平台。在道教被视为国教的唐代，江陵已成为南北道教文化交流的中心。隋代智顗于当阳创建玉泉寺，其佛学理论也成熟于斯；分别以慧能和神秀为代表的禅学南北两宗，分流于荆楚蕲黄的东山，是隋唐时期荆楚文化的突出成就。在哲学和美学上，禅宗虽说未必超越道家，但常有突兀冷峻的奇想妙得，甚至使儒家瞠乎其后。如果说，段成式《酉阳杂俎》、余知古《渚宫旧事》、皮日休《皮子文薮》和孙光宪《北梦琐言》代表着荆楚博大精深的学术，那么“冲淡之中有壮逸之气”的孟浩然、“语奇体峻”的岑参、“不雕自饰”的张继和“酒隐安陆，蹉跎十年”的李白等人的诗篇，则交织出荆楚文学的万丈锦绣。唐代民间歌舞盛行，荆楚百姓在努力创造物质财富的同时，也尽情享受着“竹枝歌”、“郢中田歌”和“起舞激楚”的“采莲”舞带来的精神愉悦。“书中仙手”李邕和“落笔洒篆文，崩云使人惊”的李阳冰，则分别以其行书、篆书神品，成为书坛“示来者以轨则”的树立法度之人。荆楚唐代官学可考的有荆州州县学和襄阳州学，培养出的进士刘洎、岑文本、张柬之均官至相位。唐代竟陵陆羽撰写的世界第一部茶学专著《茶经》，不仅使饮茶成为朝野风尚，而且使得东西方“俱受其惠”。

宋元时期中国由南北分裂至天下一统，荆楚地区社会经济一直在曲折中前行。与之相应，学术包容、文学开新、书艺立宗、教育振兴、科技精进，无不浸染时代气息。经学上“学《易》醇深”的朱震、补程颐之缺失的项安世、传理学于北方的“隐君”赵复和“江汉同调”的砚弥坚等，营造了荆楚思想学术界云蒸霞蔚的景象。文学上张景力主文学革新、安陆“二宋”（宋庠、宋祁）为文“无一点尘气”，尤其是苏轼谪居黄州“驰骋翰墨，其文一变”，荆楚文坛新风劲吹；“江西诗派”中坚潘大临、北宋词人魏玩和僧仲殊以及南宋词人王质、杨冠卿等，在宋代词苑各擅风流；“填词不减宋人之工”的滕斌，使“渐于衰”的元词为之一振。艺术上，武昌湖泗窑把白瓷和青瓷分别向南北推移，在中国陶瓷发展史上的地位尤为重要。米芾书法如“天马脱衔，追风逐电”，米氏父子绘画“不取工细，善用水墨”，创造了被世人称之为“米氏云山”的独特表现手法。宋代荆楚官学的稳定发展和书院功能的演变，构成了荆楚教育的双璧。科技上庞安时“尤精于伤寒，妙得长沙（即张仲景）遗旨”，其《伤寒总病论》补张仲景《伤寒杂病论》之缺失。英山毕昇发明的活字印刷术，标志着印刷史上一项重大变革的完成，对中国乃至世界文化的影响既深且巨。

明清两朝，看上去似乎政治中心再度向北转移，经济中心继续向东倾斜，但荆楚地区毕竟处于绾毂中华的地位，仍不乏荦荦可观者。以学术观之，则有“嘉鱼二李”（李承芳、李承箕）和“黄安（或天台）三耿”（耿定向、耿定理、耿定力）傲然而立；特立独行的“异端”思想家李贽，在大别山麓的黄安、麻城写下了惊世骇俗的《藏书》。经学名宿则有“穷经巨擘”郝敬、“不为泛滥卮言”的陈士元和首倡“学统”的熊赐履，以及“根柢于诸经”的胡承诺。刘子壮的经世实学、熊伯龙的无神论和程大中、秦笃辉的“汉宋兼治”皆名重一时。史学方面也有章学诚的方志学和杨守敬的历史地理学风靡史林。以文学而论，不仅有“独抒性灵、不拘格套”的“公安派”和力倡“尖新幽冷”的“竟陵派”，而且有“触物感兴，陶写自如”的明初诗人魏观、王廷陈、吴国伦等人掀起的文学复古思潮。清代词曲盛行，荆楚虽未见自成一统的流派，但仍有杜濬、顾景星、徐石麟等感时伤怀的词人。就艺术而言，以画家吴伟为领袖的“江夏画派”名动天下，张裕钊和杨守敬的书法饮誉东瀛，而最突出者莫过于汉调同徽班进京促成了京剧的诞生。在教育领域，传统官学教育和私学教育两个体系已臻定型，义学的推行和宗学的发端也并行不悖。科技领域最突出的成就在医药学，李时珍呕心沥血撰成的《本草纲目》，无疑是荆楚对中国乃至世界医药学的杰出贡献。

近代伊始，长江中游地区经历了惨烈的战祸，南皮之学乘势而起。导致清朝覆灭的辛亥首义，爆发于湖北武昌。五四运动前后，荆楚大地成为新旧文化博弈的主要战场之一，恽代英创办的利群书社、董必武创立的武汉中学、中华大学主办的《光华学报》、华中大学开设的时政讲堂，已然成为传播新文化的重要阵地。此后南军北伐，先取长江中游，继取长江下游，荆楚始终得风气之先。以“朴诚勇毅”著称的荆楚子民，始终冲锋在新民主主义革命前沿：江岸铁路的风雷、汀泗桥头的硝烟、农讲所里的火种、“八七”会议的宣言，无一不是惊天动地的壮举；在红安七里坪、洪湖瞿家湾、阳新龙港、大悟宣化店……无不展现出荆楚儿女气壮山河的风范。抗日战争爆发，武汉一度成为全国的文化中心；解放战争的帷幕，在大别山南麓的鄂北拉开。无数事实证明，近代以来中国几乎所有重大变革的起点都在荆楚。一个有辉煌历史传统的省份，一个有深厚文化蓄积的地域，在革故鼎新之际，必有出类拔萃的思想学术和文学艺术。清代末年和民国期间的荆楚，就处在这么一个龙从云、虎从风的历史转折阶段，其文化呈两极发育的趋向：一极是政治与哲学思想的际会风云，其代表是张之洞的《劝学篇》和熊十力的《新唯识论》；一极是文学与艺术的异峰突起，其代表是闻一多的《红烛》和曹禺的《雷雨》。二者都是一流的水准，分别伫立于所处时代的高峰。近代荆楚的教育、科技，也在战火纷飞中勉力赓续，甚至出现了一些意想不到的成果。

自中华人民共和国成立至 2018 年，荆楚文化焕发出新的生命活力。坚持科学理论导航，以马克思主义为指导的哲学社会科学竞辉齐光：李达的马克思主义哲学研究、周鲠生和韩德培的国际法研究、黄焯的语言文字研究、唐长孺的中国历史研究、吴于廑的世界历史研究、张舜徽的中国历史文献研究和皮高品的图书馆学研究，以及《汉语大字典》的编纂、两届“荆楚社科名家”的学术成果，无不是站立在所在学科的前沿。紧扣时代脉搏，社会主义文艺园地鲜花怒放：依文学创作而论，小说有姚雪垠的《李自成》、报告文学有徐迟的《哥德巴赫猜想》、散文有碧野的《情满青山》、诗歌有曾卓的《悬崖边的树》，还有数位茅盾文学奖和鲁迅文学奖得主的作品，充分展示了文学鄂军的雄厚实力；就艺术创作而言，以高百岁为开山的京剧、以陈伯华为领军的汉剧、以沈云陔为旗手的楚剧、以王玉珍等主演的《洪湖赤卫队》为标志的歌剧和以夏雨田为代表的曲艺，以及以“杂技皇后”夏菊花为灵魂人物的汉派杂技和以中国画变革“三面旗帜”之一的周韶华为表率的荆楚绘画等，赢得了荆楚艺苑的满园春色。进入 21 世纪，荆楚文化在全国的影响力与日俱增：第八届中国艺术节、第六届中国京剧节、第二届中国歌剧节和第八届中国舞蹈大赛等大型文化活动相继在湖北举办，荆楚已然成为神州大地的一方文化高地。发挥资源优势，深入挖掘和大力整合荆楚文化资源，加强荆楚文化的保护与传承，《荆楚文库》这一迄今湖北规模最大的文献整理研究出版工程正顺利实施。与此同时，荆楚文化“走出去”的步伐铿锵有力，足迹遍及全球。立足创新驱动，致力于荆楚优秀传统文化的创造性转化和创新性发展，推动文化事业和文化产业快速前行，为实现全省经济社会发展提供思想保障、智力支持和道德滋养，让生生不息的荆楚优秀传统文化的文脉延续到文化创造中、血脉激活在生命智慧里、根脉滋长于社会生活间，为更加坚定文化自信、不断铸就中华文化新辉煌做出荆楚新贡献。

三、荆楚文化的主要特征

探讨荆楚文化的主要特征，离不开对楚文化特质的把握。由张正明先生率先提出并经众多学者不断完善的楚文化的“六大支柱”和“五种精神”，堪称楚文化特质的精练概括，前者即炉火纯青的青铜冶铸、绚丽精美的丝织刺绣、巧夺天工的木竹漆器、义理精深的老庄哲学、惊采绝艳的屈骚文学、恢诡谲怪的美术乐舞，后者即筚路蓝缕的艰苦创业精神、追新逐奇的开拓进取精神、兼收并蓄的开放融会精神、崇武卫疆的强军爱国精神、重诺贵和的诚信和谐精神。正是这“六大支柱”和“五种精神”，对荆楚文化特征的形成产生了重大而深远的影响。

在楚文化的根基上发展而来的荆楚文化，其鲜明特征最突出者有如下数端。

一是尊天重人。“天即自然”，尊天，即尊崇和顺应自然，这是源于楚地的道家思想的精髓，老子就力主“道法自然”，其名言就是“人法地，地法天，天法道，道法自然”。庄子也强调“毋以人灭天”，追求一种“天地与我并生，万物与我为一”的境界。荆门郭店出土楚简中有一部道家佚籍《太一生水》，比今本《老子》更为系统地表达了道家的宇宙生成论和生态文明观，主张“圣人无为，故无败……是以成辅万物之自然而弗敢为”，极力强调尊崇和顺应自然。重人，即尊重人的天性和重视民生。早期生息于湖北随州一带的炎帝神农为改善民生“播种五谷”“身亲耕，妻亲织”，为解除民疫“遍尝百草”“一日遇七十余毒”。早在春秋初期，随国大夫季梁就提出“民为神主”的观点：“夫民，神之主也。是以圣王先成民，而后致力于神”，“所谓道，忠于民而信于神也”。季梁的这一观点，比孟子的“民贵君轻”早300多年，虽誉之以石破天惊亦不为过。

二是尚和贵诚。《老子》极力推崇的“上善若水”的理念，既是老子万物“冲气以为和”的智慧结晶，又是荆楚文化崇尚和谐的绝妙象征。尚和的终极目标，在于实现社会和谐与人类和平。楚相孙叔敖断然中止造成市场混乱的“以小改大”的钱币的流行、撤销劳民伤财的“升高车厢”的政令，堪称力促社会和谐、维护国家稳定的明智之举。如果说，楚庄王大力倡导的“止戈为武”“禁暴戢兵”，代表了古代战争与和平关系的最先进的思想观念，那么，楚共王奉行的“抚有蛮夷，以属诸夏”，则是这种思想观念的有效践行，而为汉匈睦邻“和亲”异域的王昭君，更是致力于民族团结和人类和平的光辉典范。贵诚，以诚信为安身立命之本，这也是荆楚文化的一个优良传统。伯牙、子期“高山流水”的琴台知音典故，将人世间的诚信演绎到极致；在楚国边境昭关偷渡伍子胥的渔夫为解除其疑虑而投身江流，用血肉之躯见证了诚信至高无上的价值；楚人后裔季布“一诺千金”的故事，已成为中华民族诚信品格的经典表达；“中国考古学之父”李济对前辈学者学术观点的大胆质疑，充分显示出荆楚学人诚信处世、严谨治学的精神风范。

三是狂放达观。荆楚雄奇的高山峡谷、浩渺的江水湖光是狂放达观特征产生的地理因素，而崇尚个性的价值取向和狂野梦幻的原始巫风则是狂放达观的人文因素。如果说，狂放在楚狂接舆和伟大爱国主义诗人屈原以及闻一多身上体现得淋漓尽致，那么，达观则通过庄子“鼓盆而歌”和六祖慧能的偈语“本来无一物，何处惹尘埃”已见端倪。无论是释道安和习凿齿的襄阳晤对“弥天释道安”和“四海习凿齿”，还是以“醉吟先生”自号的皮日休的诗歌和呈“风樯阵马”之势的米芾的书法，乃至历代流寓荆楚的文坛巨擘笔下的诗词如以“我本楚狂人”自诩的李白的《七绝·黄鹤楼送孟浩然之广陵》、“老夫聊发少年狂”的苏轼的《念奴娇·赤壁怀古》，无不展露出狂放的天性和达观的襟怀。自许“楚人”的张之洞为奥略楼所题楹联“昔贤整顿乾坤，缔造多从江汉起；今日交通文轨，登临不觉亚欧遥”，则于欣慰中透出自信，达观中尽显超迈。

四是兼容并蓄。荆楚居神州之中，可谓“九省通衢”，人口交流的频率和规模远在其他地区之上，从而表现出多元混融的价值取向。夏商之际楚国的公族从中原南下“南土”，与江汉地区土著先民三苗遗裔融合，形成了具有独创精神的楚人。魏晋南北朝时期，大量北方移民夹杂着西域胡人以侨州郡县的形式居于荆襄之地，催生出胡音汉韵的西曲歌。元末明初和明末清初的先后两次“江西填湖广”和“湖广填四川”

大移民，更是激发了荆楚文化的活力，汉口镇因之从“天下四聚”之一一跃成为“驾乎津门，直逼沪上”的长江中上游地区最大都市。正是由于荆楚文化具有兼收并蓄的特质，所以，在晚清以来中西文化的激烈碰撞中，荆楚文化对西方文化显示出较强的兼容性，从而在中国近代文化转型中勇立潮头。

五是守正图新。守正指不忘初心、坚守信念、秉持正义、追求真理。秦将白起拔郢之时，屈原毅然纵身汨罗，以生命诠释其爱国恤民的赤胆忠心。楚国将亡之际，楚人南公发出惊天誓言：“楚虽三户，亡秦必楚。”言犹在耳，楚人陈胜、吴广揭竿而起，刘邦、项羽奋力亡秦。荆楚文化中这种坚守信念、不忘初心的基因，个性鲜明，薪尽火传。辛亥革命爆发前一周年，楚人后裔冯特民在《汉声》杂志上发出振聋发聩的呐喊：“我坚信，推翻封建帝制，只有推翻秦朝的楚人来完成！”一年后的辛亥武昌首义，验证了这位先哲的预言，这并非偶然的巧合，而是历史的必然。图新，指善开风气、敢为人先、开拓创新、追求卓越。荆楚文化凭借其区位优势和创新主体所特有的精神，在不同历史阶段的不同领域都不乏创新之举。春秋初年楚武王首创县制，是制度层面的重大创举；春秋五霸之一楚庄王“始为军政”，是军事体制的重大革新；禅学南北两宗在荆楚黄梅东山形成并分流，是学术文化领域的重大创造；被达尔文誉为“东方医药巨典”的《本草纲目》，属于科技文化领域内的重大创获；晚清张之洞督鄂期间大力实施的“办实业、兴教育、练新军、修铁路、通商贸”的“湖北新政”，更是一种全方位的创新。

四、荆楚文化在中华文明发展史上的地位与影响

习近平总书记2018年4月27日参观湖北省博物馆精品文物展时指出，“荆楚文化是悠久的中华文明的重要组成部分，在中华文明发展史上地位举足轻重”。这是对荆楚文化的精辟阐释和高度评价，是我们继承和弘扬荆楚优秀文化乃至中华优秀传统文化，促进其创造性转化和创

新性发展的自信之基、立足之本和动力之源。

荆楚文化在中华文明史上的地位与影响，在政治与伦理、思想与学术、文学与艺术、科学与技术等诸多领域都有突出表现。

首先看政治与伦理。

屈原风骨对中华民族精神锻造所起的巨大而深远的作用，是荆楚文化对中华文明最显著的贡献。楚国伟大的政治家、思想家、文学家屈原，堪称跨越时空而体现中华民族精神的光辉典范。他“志洁行廉”的政治品格、“九死未悔”的爱国精神、“上下求索”的创新意识、“哀民多艰”的民生情怀，在不同的时代、不同的社会、不同的国度，都具有异乎寻常的感染力和影响力。正是因为如此，1953 年世界和平理事会所倡议纪念的“世界四大文化名人”中，屈原赫然在列，是中国也是亚洲唯一的入选者，这是中华民族的荣光，也是荆楚儿女的骄傲！

楚国首创县制对中国行政建制设置的发凡起例作用，是荆楚文化对中华文明的重要赋能。春秋早期，楚武王熊通在灭掉位于江汉平原西部的权国后，在其基础上设立了权县，这是中国历史上第一次将县作为一级行政单位设置。自秦王朝统一以来，作为地方行政机构的州、郡、府、县等时有变易，唯有县一直保存至今（州之名虽存，但其政区意义已变，即仅用作少数民族地级行政区名称），成为中国行政建制中一个最关键的环节和最具标志性意义的文化符号，而其发明者正是极具开创精神的楚人。

“湖北新政”对中国近代社会转型的促进，是荆楚文化对中华文明的重大影响。在晚清“新政”中，湖广总督张之洞的“湖北新政”独树一帜，其内容主要有办实业、兴教育、练新军、修铁路，无一不是开中国近代社会转型风气之先，真可谓“缔造多从江汉起”。尤其是他组建的汉冶萍公司，是当时亚洲第一家大型钢铁联合企业，曾经得到毛泽东主席的高度评价：提起中国民族工业、重工业，不能忘记张之洞。“湖北新政”对中国近代社会转型影响之大由此不难想见。

被誉为“此复神州第一功”的辛亥武昌首义对中国制度变革的推

动，是荆楚文化对中华文明做出的一个十分突出的成就。辛亥革命推翻了中国两千多年的君主专制制度，以巨大的震撼力和深刻的影响力推动了近代中国社会变革。首义后颁布的第一个近代宪法性质的文件《鄂州约法》，在我国法制史上第一次公开承认人民民主权利，开启了民主共和建设的大门。这一破一立所体现的中国政体变革，对中国政治的影响十分深远，是中华民族伟大复兴征程中一座巍然屹立的丰碑。

荆楚文化对中华伦理的浸润，从荆楚"五孝"已足可寻绎。孝老爱亲是中华民族的传统美德，由此形成的孝亲文化是中华传统文化的重要组成部分。在我国广为流传的"二十四孝"中，就有"五孝"同荆楚密切相关，即老莱子"彩衣娱亲"、丁兰"刻木事亲"、董永"卖身葬父"、黄香"温衾凉席"和孟宗"哭竹生笋"。故老相传，老莱子是春秋晚期今湖北荆门人，丁兰是汉代今湖北南漳人，董永虽为汉代今山东人，但其卖身葬父则事发今湖北孝感。据文献记载，黄香是东汉时期今湖北云梦人，孟宗是三国时期今湖北孝昌人。毫无疑问，荆楚是中华孝文化典型最集中、底蕴最深厚、影响最深远的地区之一。

其次看思想与学术。

季梁"民为神主"学说和楚庄王"止戈为武"的理念，分别代表着荆楚文化在中国古代民本意识和人类和平思想形成过程中无可替代的地位。

季梁是春秋早期位于今湖北随州一带的随国的一位思想家、政治家和军事家。据《左传·桓公六年》所记，季梁的学说以"民为神主"为中心："夫民，神之主也……故务其三时，修其五教，亲其九族，以致其禋祀，于是乎民和而神降之福，故动则有成。""上思利民，忠也；祝史正辞，信也。"根据此前的认知，是神为民之主，民须忠于君而信于神。而按照季梁的理论，则是民为神之主，君须忠于民而信于神。这种意识出现在春秋早期，可谓空谷足音！战国中期孟子著名的"民贵君轻"的理论，很可能受到了季梁的启发。

如果说"民为神主"是民本意识的先声，那么，楚人"止戈为武"

的理念，则是人类和平思想的前导。“止戈为武”，是春秋五霸之一楚庄王的名言。“止”，即停止；“戈”，即干戈，指兵器，象征战争。“止戈为武”的字面意思是说“武”这个字由“止”和“戈”两个字构成，实际上是指使用武力的目的是停止战争，换言之，战争的目的不是挑起更大的战争，而是为了实现和平。楚庄王对战争与和平关系的认识，堪称人类和平思想的经典表达，不仅代表了中国古代战争与和平观念的最高认知水准，即使在当下乃至未来，仍然具有十分重要的世界性的理论意义和实践价值。

荆楚文化对中华学术的贡献，突出体现在茶文化和佛道文化两个方面。

虽说神农氏已发明茶饮，但将饮茶上升到学术层面则始于唐代竟陵人陆羽。陆羽醉心茶事，遍访神州，写下了世界上第一部茶学专著——《茶经》。其内容从茶的起源到种茶、制茶、烹茶之法，从饮茶器具到名茶产地和品茗之道，条分缕析，广博精深，标志着中华茶文化的形成，陆羽也因之被世人称为“茶圣”。《茶经》还被译成英、法、俄、日等多种文字出版，打开了中华茶文化海外传播的门户。19 世纪前后，以蒲圻（今赤壁）羊楼洞砖茶为标志的湖北茶叶开始输往俄、英等国，中外“茶叶之路”正式开通，全国最大的茶叶贸易市场汉口也被称为“东方茶港”。

禅宗唐代初期正式形成于今湖北黄梅东山，因而又称“东山法门”。其始于四祖道信，兴于五祖弘忍，成于六祖慧能。唐玄宗时，慧能的弟子神会入洛阳大行禅法，禅宗因而成为中国佛教最大的宗派，以至有“天下禅林，皆出东山法门”之说，其影响及于宋明理学。武当山位于今湖北十堰市，自唐太宗李世民敕建五龙祠始，历代帝王极力推崇武当真武神。明成祖朱棣更是奉真武为护国之神，依“皇室家庙”的规格和法式广建宫观，武当山由此以“治世玄岳”的崇高地位成为全国道教中心。

再次看文学与艺术。

楚辞和“优孟衣冠”“汉调进京”，分别代表着荆楚文化对中国文学和艺术巨大而深远的影响。

以屈原、宋玉为代表的楚国作家群体所创作的楚辞，既是同《诗经》并峙的中国文学的两大高峰之一，又是中国文学的两大源泉之一。相比于《诗经》，楚辞的节奏韵律更善于变化，状物写景更富于想象，表情达意更趋于委婉。历代第一流的人文学者，几乎没有不受楚辞浸润的，用刘勰《文心雕龙·辨骚》的话说，是“气往轹古，辞来切今，惊采绝艳，难与并能”，“其衣被词人，非一代也！”

春秋时期，楚国乐人优孟以善于模仿人物声形表演而闻名于世，“优孟衣冠”因之成为中国戏曲表演艺术的代名词。清代乾隆时期，荆楚“汉调”偕徽班进京，京城流传的京剧“班曰徽班，调曰汉调”，正是指的京剧唱腔主要承袭汉调皮黄腔即西皮、二黄而来。京剧界享有盛誉的“荆楚三杰”，即崇阳米应先、罗田余三胜和江夏谭鑫培，对京剧的成熟和发展做出了举世公认的成就。不仅如此，与京剧、越剧、评剧、豫剧并称为中国五大剧种的黄梅戏，也因清代中晚期发源于鄂皖赣交界处的黄梅多云山而得名。荆楚文化对中国戏曲艺术的贡献由此可见一斑。

最后看科学与技术。

荆楚文化对中华科学与技术的贡献，集中体现在农耕、青铜、活字印刷术和医药几个方面。

炎帝神农氏是与黄帝轩辕氏并称于世的两位中华民族人文始祖之一，是海内外中华儿女景仰的我国原始社会氏族部落的杰出首领。众多文献记载表明，湖北随州是炎帝神农部落的发祥地，该部落正是以随州为中心，沿汉水向长江流域和黄河流域南北拓展的。相传炎帝神农有八大功绩，其中最重要的是制造生产工具和种植五谷，不愧为中华农耕文明的开创者，为中华民族和中华文明的绵延壮大做出了卓越的贡献。

湖北大冶铜绿山古铜矿上起商末，下至汉初，是我国迄今发现的开采时间最长、矿石品位最高、采冶技术最先进、炼炉保存最完整、青铜产量最大的古铜矿遗址。青铜是上古时期的头等经济资源和战略资源，大冶铜绿山古铜矿的开发，对楚国的迅速崛起和保障周王朝以及中原地区的用铜需求，尤其是古代中国青铜文明的繁荣发展，乃至近代汉冶萍公司的组建等，都发挥了十分关键的作用，在中华青铜文明发展史上的地位至关重要。

宋代今湖北英山人毕昇发明的活字印刷术，标志着印刷史上重大变革的完成，极大地促进了文化传播的速度。这一重大技术还相继传到日本、朝鲜和欧洲各国，对世界印刷业发展和文化传播与交流都产生了难以估量的影响，马克思称其变成科学复兴的手段，变成精神发展创造的必要前提和最强大的推动力。

明代荆楚蕲州（今蕲春）人李时珍穷尽毕生心血撰写的《本草纲目》，在海内外影响巨大，被达尔文誉为“中国古代百科全书”和“东方医学巨典”。宋代荆楚蕲水（今浠水）人庞安时所著《伤寒总病论》、明代荆楚罗田人“医圣”万全所著《万密斋医学全书》、清代荆楚广济（今武穴）人杨济泰所著《医学述要》等，无一不是中国医药史上的杰作，对中国医药学的贡献令世人瞩目。

五、结语

从某种意义上说，荆楚地域是南方的“中原”，早在春秋战国时期，就有作为长江文明表率的楚文化横空出世，不仅与中原诸夏文化竞相媲美，而且与西方古希腊文化争奇斗艳。秦汉以后，这里仍有丰厚的文化积淀、宽松的文化环境和应时的文化机缘，因而得以成为道家的摇篮、禅宗的温床、南学的中心和新学的重镇，在科技领域和艺文园地也不乏奇思妙想和佳构鸿篇。

体大思精、源远流长的荆楚文化，生于钟灵毓秀之地，长于人文荟萃之乡，成于风云际会之域，沐风栉雨，傲雪凌霜，含英咀华，明丽天然。其和以直，旷以逸，文而质，博而精，浩瀚若海，厚重如山，大而弥新，久而弥坚，傲然卓立于中国地域文化之林，摇曳多姿，纷华照眼！

人以文化，文以人兴。荆楚的灵山秀水、世风民情和人文氛围，塑造了荆楚历史上奇特的人才景观，所谓“惟楚有材”，就是对荆楚人才盛况的艳羡！拭净岁月的铅华，打开绚丽多姿的中华文明长卷，荆楚大地风华绝代的英雄豪杰、贤哲逸士、墨客骚人接踵摩肩：中华民族人文始祖之一炎帝神农氏，伟大的爱国诗人屈原，汉赋鼻祖宋玉，音乐家钟仪、钟子期，和平使者王昭君，政治家熊绎、熊通、季梁、孙叔敖、刘秀、张居正、杨涟，军事家熊侣、孟珙、熊廷弼、徐海东、王树声，边塞诗人岑参、山水田园诗人孟浩然和忧国恤民诗人皮日休，茶圣陆羽，著名宗教人物道信、弘忍、神会和胡紫阳、张君房，书画双绝的米芾和“江夏画派”开山吴伟，活字印刷术发明者毕昇，医圣李时珍，文学家“安陆二宋”“公安三袁”“竟陵钟谭”，历史地理学家杨守敬、曹廷杰，民主斗士闻一多，哲学大师熊十力、汤用彤，经济学家王亚南，语言文字学家黄侃，散文家兼书法家张裕钊，作家废名、聂绀弩、张光年、欧阳山，文艺理论家胡风，剧作家曹禺，思想家鬻熊、环渊、鹖冠子、朱震、赵复、徐复观、殷海光，历史学家习凿齿、宗懔、段成式，方志学家王葆心，考古学家李济、黄文弼，天文学家甘德，数学家李潢，地质学家李四光，气象学家涂长望和无产阶级革命家陈潭秋、李汉俊、董必武、李先念……荆楚的山水因他们而增色，荆楚的文化因他们而生辉，荆楚的历史因他们而丰满！

九万里风鹏正举，三千年楚凤腾飞。试看今日之荆楚文化，正如庄子笔下的大鹏，乘天地之正，御六气之辩，“水击三千里，抟扶摇而上者九万里”，“绝云气，负青天”，雄姿英发，气冲河汉！

目　录

绪　论

一、秦汉魏晋南北朝荆楚文化史的时限

秦汉魏晋南北朝开始于公元前221年秦统一中国，结束于开皇九年（589）隋灭陈重新统一中国，历时810年。然而，荆楚地区核心区域早在秦昭王时期就被纳入秦国的版图。秦昭王十五年（公元前292）大良造白起攻取楚国的北大门宛城（今河南南阳市），二十六年（公元前281）攻占上庸（治今湖北竹山西南）汉北地，次年攻占楚国的西大门巫郡（治今重庆巫山县，辖今渝东、鄂西长江两岸地区）和黔中郡（治今湖南常德，辖今湘西北、鄂西南、渝东南一带），二十八年（公元前279）发起了攻占楚郢都之战，"跿跔科头，贯颐奋戟"的虎狼秦军血战两年，突破楚军殊死守卫的从邓、西陵至郢都的庞大纵深防线，攻占楚国核心地区鄢（今湖北宜城东南）、郢（今湖北荆州市）和先王宗庙陵墓所在的夷陵，接着攻取楚国的汉东地区。在这一过程中，楚国损失惨重，仅鄢郢一役，就死亡数十万人。楚国剩余精英和王室贵族悉数迁往淮泗地区，汇集陈城（今河南周口市淮阳区）重新立国，余下的是一些死里逃生、失去东迁能力的底层民众。秦在原楚国的核心地区设立南郡、南阳郡，并迁入大量"罪人"以补充当地人口的极度不足，强推严酷的秦制，为秦国担负着灭亡业已东迁的但仍强大的楚国和南下岭表的基地与行廊作用。云梦睡虎地出土的两件木牍家书的内容（记载秦于灭楚前夕强征楚故地安陆的惊和黑夫兄弟至淮阳服兵役之事），是这一现象的反映。至此，除人烟稀少的东部少数地区和楚顷襄王二十三年（公元前276）夺取过被秦国占领、地点尚难确指的江旁十五邑外，荆楚核心地区已并入秦国。因此，本书虽以秦朝建立为荆楚秦汉历史的起始年，

但为了与先秦卷紧密衔接，不得不适当上溯。

历史的诡谲之处往往在于有众多的巧合，南北朝后期荆楚核心地区又充当了北朝灭南朝的前方基地。梁武帝太清二年（548）十月，侯景焚建康，所剩无几的建康士人西奔江陵。四年后（552）三月，王僧辩攻入台城，“收图书八万卷归江陵”。[①] 荆州刺史湘东王萧绎受密诏于江陵称帝，梁朝国祚与学统在荆楚得到赓续。此前（太清三年），萧绎攻杀昭明太子之子湘州刺史河东王萧誉，萧誉之弟雍州（治襄阳）刺史岳阳王萧詧为复兄仇和自保，以雍州归附西魏，西魏派于谨出兵占领荆楚的雍、郢、司、安等地，以萧詧为梁王，建台置百官，设立于襄阳近两百年的（南）雍州一朝废除，改设襄州总管府。其时，萧绎梁朝所控制的荆州北界仅及于今荆门、京山北的武宁、齐兴二郡。承圣三年（554），萧詧引西魏军攻陷江陵，杀萧绎。西魏于安州、江陵设总管府，扶植萧詧于江陵建立傀儡梁朝政权，意在宣示梁朝法统正朔如常存在，史称后梁。次年，萧渊明称帝。今鄂东江北地区没入北齐版图。不久陈霸先废掉萧渊明，立萧方智为帝，是为梁敬帝。太平二年（557），陈霸先废敬帝自立，建立与后梁分庭抗礼的陈朝，其时“西亡蜀汉，北丧淮肥，威力所加，不出荆扬之域”，仅控有荆楚地区的江南边陲瘠薄之地。[②] 荆楚地区并入已统摄着华夏、三分天下有其二的北朝。质言之，荆楚魏晋南北朝文化史没有陈朝的位置，荆楚南朝的实际迄止时间为公元554年。然而，南朝文化还在西魏、北周、杨隋版图上的后梁、荆襄、随安地区得到较好的继承和一定程度的弘扬，后梁王室以梁朝学统和文化正宗自居，一如既往地传承着南朝文化，继续推动文化学术宗教在荆楚地区发展，宣帝萧詧、明帝萧岿、靖帝萧琮三人各擅雕龙文采，

① 《南史》，中华书局1975年版，第2014页。

② 王鸣盛：《十七史商榷》，上海古籍出版社2013年版，第690页。

皆能广纳贤才，荟萃荆楚杰出人才于一朝。[①] 后梁秩序井然，颇有几分王朝气象，较萧绎令人心寒齿冷的残暴统治贤明得多。更由于荆楚大部分地区因北方移民众多，占据着各方面的优势地位，使其并入北朝的过程极为平顺，文化较少受到改朝换代的伤害和影响。

秦汉魏晋南北朝荆楚文化史设定的时间，上起公元前 221 年，下迄公元 589 年，历时 810 年。从秦统一中国开始，以隋灭陈结束；以荆楚融入多元一统的国家文化发展格局中开始，以国家长期分裂局面终止，融入国家主流文化中发展结束。

二、秦汉魏晋南北朝荆楚文化史的地理范围与演变

秦汉至魏晋南北朝时期，是中国社会由强大统一的中央王朝，到分裂动荡、民族迁徙融合和新的统一王朝孕育完成的历史时期。

秦汉魏晋南北朝荆楚文化史撰写的地理范围限定为今日的湖北，但今日湖北版图的形成有一个历史演变过程，撰写中不得不经常涉及相邻关联地区。先秦时期，楚国是一个国土辽阔、独立发展的南方大国，荆襄及其东北二面的随枣走廊与南阳盆地是其核心地区。秦汉帝国巩固统一的系列措施，将广袤的楚国疆域分割成直接由中央统一管理的诸多郡县。在此期间，荆楚地区的地理面貌与格局发生了五大变化：一是云梦泽萎缩过半，长江航运日益得到利用，颍汝与蕲黄、江夏间的道路递次开通，交通网络初步完善，郡县城邑增多，整体开发全面发力。二是秦汉之际，项羽封吴芮为衡山王，衡山国以邾（今武汉新洲区）为都城，极大促进了东部地区经济社会的发展，汉武帝在故衡山国基础上设立江

① 《周书·萧詧传》载："（萧詧）以蔡大宝为股肱，王操为腹心，魏益德、尹正、薛晖、许孝敬、薛宣为爪牙，甄玄成、刘盈、岑善方、傅准、褚珪、蔡大业典众务，张绾以旧齿处显位，沈重以儒学蒙厚礼，自余多所奖拔，咸尽其器能。及岿纂业，亲贤并用，将相则华皎、殷亮、刘忠义；宗室则萧欣、萧翼；民望则萧确、谢温、柳洋、王湜、徐岳；外戚则王凝、王诵、殷琏；文章则刘孝胜、范迪、沈君游、君公、柳信言；政事则袁敞、柳庄、蔡延寿、甄诩、皇甫兹，故能保其疆土而和其民人焉。"见《周书》，中华书局 1971 年版，第 866 页。

夏郡，使得吴头楚尾的鄂东地区与荆襄地区之间的联系变得日益紧密而逐渐与扬（江）州趋于疏离。三是秦汉延续了战国晚期的地理形势（战国晚期，楚南阳曾短暂被韩国占领），于原楚国北部核心地区南阳盆地中北部设立南阳郡，南阳与中原地区的联系变得更为紧密而与荆楚地区相对疏离，三国时隶属曹魏和西晋。而东晋南朝时与荆楚地区分合不定而隶属荆楚的时间居多，为南北双方周旋对抗的前沿地区，连绵不熄的战火让南阳陷入战乱之区，不少民众和大量世家大族纷纷迁往荆襄地区。四是中游大镇江陵在秦汉时失去昔日的大国都邑地位，人口数量与素质剧降且恢复缓慢，以后数百年相对平庸落寞，东晋南北朝时又因居绾毂之区而再度崛起，成为当时的特大都督府，极盛时加督益、宁、雍、梁四州，或兼统江州和交广二州，甚至还兼领过司、秦、湘诸州，南朝实土大半隶其麾下，辖域、人口、赋税占天下过半。[①] 五是刘宋时强拆荆州为荆州、雍州、郢州三州及湘州、江州、司州的一部分，改由宗王出镇管治，湖湘一体的湘州首次从荆州划出。析分后的荆、雍、郢三州并皆成为南朝举足轻重的强州，对南朝历史影响巨大。荆楚地区的政治、军事中心从此在今江陵、襄阳、武昌三大支点间转移。加督梁、南北秦三州及荆州竟陵、随二郡的雍州因其突出的前沿要塞地位和强大移民武力，地位获得迅速跃升。元嘉二十六年（449），宋文帝“以襄阳外接关、河，欲广其资力，乃罢江州军府，文武悉配雍州，湘州入台税租杂物，悉给襄阳”。[②] 雍州担负起中游国防的重任，也是北朝统一南方的战略要冲，淝水之战前一度为前秦侵占，是北魏孝文帝迁都洛阳后两次亲征的主要目标。分荆州、湘州、江州、豫州之八郡设立郢州，成为荆州、雍州与建康间的缓冲地带，与湘州、江州构成一个铁三角，极大地化解了中游尾大不掉的被动局面，先后成功挫败了中游督府的多起反

① 参见胡阿祥：《六朝疆域与政区研究》中篇《六朝政区制度研究》，学苑出版社 2005 年版，第 230 页。

② 见《宋书》，中华书局 1974 年版，第 2025 页。

叛。荆楚地区拥有扼形胜以临四方的发展优势，也兼具四战之地而屡遭兵燹的严重祸患。南北分裂战乱时，荆楚地区的军政地位立见显重，管治措施旋由寻常的发展经济文化转向军政优先，其对下游和江南具有扞蔽与制衡作用；承平时期荆楚地区的地位回归寻常，是长江中游地区的经济文化中心与交通枢纽。

三、秦汉魏晋南北朝荆楚文化发展演变的时代背景与特征

秦汉魏晋南北朝是中华文明发生重大变化的历史时期，荆楚文化的发展繁荣远非一帆风顺，战乱与和平交替出现。和平则人文蔚起，亮点纷呈，生机盎然；战乱则生灵涂炭，满目疮痍，水流花谢。经历两落两起的艰难曲折之后形成了相对稳定的共同文化与生活习俗。

自公元前 312 年丹阳、蓝田之战楚国战败，至公元前 273 年秦军占领汉东，荆楚地区近半个世纪的抗秦战争使其经济文化遭受严重打击。秦将自商鞅变法以来在本国成功实施的弱民愚民等治国方略强推至新占的荆楚地区，与楚文化大异其趣且相形失色的秦文化在与楚文化交融碰撞中强势植入，荆州高台、云梦睡虎地、宜城跑马堤、襄阳邓城等地出土的这一时期的文物都是秦楚两套风格器物同坑。

秦统一以后，统一的政治、经济、文化等治国政策在荆楚地区得到贯彻落实，出土文献基本为当时通行于全国的有关法律、赋役、兵役、吏治等社会管理方面的文书。刘邦新建的汉政权亦以巩固统一的国家为要务，行政上“汉迪于秦”。[①]

刘邦对楚“三户”深怀戒心，强迁昭、屈、景、怀等贵族于关中以绝后患，且未在荆楚核心地区封建王国级诸侯。荆楚地区思想、文化与学术影响力大为缩小，陷入近百年的困顿。

汉初的无为而治让国家逐渐恢复生机，汉武帝“罢黜百家，独尊儒术”，确立以儒家思想为宗旨，以严酷法令为保障的一套教育、诏令、

① 《汉书》，中华书局 1962 年版，第 4241 页。

选官、考绩等“外儒内法”的系统性制度，使这一立国纲领获得卓有成效的落实并日益深入人心。建立在天人感应、君权神授、天命循环、五德始终、谶纬学说基础理论上的纲常礼法成为专制社会的行为准则，一套维护皇权专制的权威文化理论体系于斯建立，以血缘关系为基础建立的家长制乡里社会秩序小系统也在此根基上呱呱坠地，茁壮成长。文化从此成为皇权政治的附庸，主流学术被局限于今古文之争和循环往复、烦琐无穷的六经义疏考注。天文历算因变成为皇权服务的权威工具得到重视，资源高度集中也让地方文化的发展势头受到削弱，崇尚老庄哲学的楚人及迁入关中的原楚宗室豪族受到的打击较三晋齐鲁地区更大，被实际排斥于西汉主流社会之外，荆楚地区经历了两个多世纪的相对沉寂，留下的文献资料极少。

然而历史的巨轮从不曾止息，经过战国末期和秦汉四百余年发展，荆楚地区经济获得较为均衡的全面开发，人口得到相当程度的恢复，士农工商辑睦，文化也在融合碰撞中艰难曲折地发展。

西汉前期以地域、宗法、阶级为核心结成的官僚地主阶层率先在南襄盆地快速崛起，形成一股不断膨胀的地方经济文化力量。在衡山国基础上兴起的江夏郡，成为新兴的区域中心。西汉后期王莽封国南阳新野（今河南新野），舂陵侯刘仁北迁舂陵侯国于南阳蔡阳（今湖北枣阳），借先秦古国、汉阳诸姬、楚国持久开发的坚实基础，刘秀集团龙飞白水，“以柔道治天下”，开创了“光武中兴”之局，南襄盆地成为东汉毗邻帝都的帝乡，政治经济军事文化地位大为提高，一大批有一定文化素养、以军功起家的功臣勋旧响应光武帝号召，与时偕行，追求经世致用，偃武修文，官私学并重兴办文化教育，催生出一个庞大的以家族势力支撑的杰出地方文化学术集团和一批文化学术世家，开士族文化教育的先声。江夏儒学也在衡山国文化建设的基础上异军突起，黄氏成为名动天下的儒宦世家，文化学术蔚然在楚国故地核心地区重焕生机，曾备受推崇而被战国秦汉间破坏的士文化得到一定程度的恢复，为魏晋南北朝文化的发展繁荣奠定了基础。

东汉末，受光和七年（184）张曼成组织的黄巾起义、初平元年（190）孙坚屯军宛城（今南阳）、建安二年（197）至三年（198）张绣与曹操两次大战的影响，南阳盆地逐渐衰落。

初平元年（190），出身宗室的刘表单马入宜城，在荆楚地方大族势力的拥戴支持下，诱杀宗贼魁渠，收编地方武装，平息阻兵作乱的郡县守令，迁荆州州治于南郡偏狭的襄阳。小城襄阳从此崛起为一级地方政区首府和汉水流域最重要的中心城市。初平三年（192），刘表将袁术势力逐出南阳，将其祖地章陵县提升为章陵郡，以荆州大员出任郡守，荆州由七郡变为八郡。荆州在刘表的治理下，迅速安定为汉末的乱世宁州，近悦远来，数以千计的海内俊杰会聚荆州，刘表于斯大兴文教，奖掖学术，搜罗整理文化典籍，制定雅乐，一时成为取代洛阳的全国学术文化教育中心，催生了影响甚大的荆州学派，培养出一大批青年才俊，是开启三国鼎立局面的要因，对三国格局的形成、三国进程的演变、三国历史的终结皆具有举足轻重的作用。王仲宣、诸葛孔明、庞士元、徐元直、繁休伯等士子，以其风流博学的君子形象，和建安学子一道，开倜傥俊逸之风尚。

自建安十三年（208）赤壁之战曹操败退以后，曹、孙、刘三家瓜分荆州，三方势力的角逐遂重点围绕着对江陵、襄阳的争夺展开。建安二十四年（219），关羽兵挫樊城，刘备集团痛失荆州与房陵、上庸、西城三郡。蜀汉章武二年（222）刘备败于夷陵，蜀汉势力从荆楚大地逐出，荆楚地区成为魏、吴双方持久角力的主战场之一。东吴加强了对荆州地区的控制，增加上游军力，一度建都武昌（今鄂州），于中游沿江河险要之交通节点极力推进军镇、交通、烽燧等基础设施建设，大兴屯垦，于下雉（今阳新一带）至巫县（今巫山县一带）的长江沿线建立起一系列军事据点并逐渐发展成为城镇，武昌、邾城、江夏、蒲圻、宜都、西陵等一批重要城邑或于此时兴起，或于此时复兴。曹魏、西晋则退守襄阳，与之对抗，荆楚地区的城市与交通格局于时奠定。

晋泰始、咸宁间，朝廷先后以朝中重臣羊祜、杜预出镇南夏，于襄阳开设庠序，厉兵秣马，作混一宇内的准备。太康元年（280），贾充坐镇襄阳，指挥西晋六路大军南下东进平吴，三国结束，实现了国家的短暂统一。①

西晋永嘉元年（307），司徒王衍因天下将乱，派同宗王澄出镇荆州，以控制江汉，经营南方，为家族外援。王澄将汉末以来之荆州治所从襄阳（有时治南阳、新野）南移江陵，晋武帝设立于襄阳的南蛮校尉也随州治南迁（安帝时于襄阳另设宁蛮校尉），江陵再次成为长江中游的大州首府。

东晋南北朝时期，建都建康的王朝为了巩固政权、进伐中原和抵御北方入侵，依旧沿袭东吴的军政格局，荆州土广民众，兵倍王室。王敦、陶侃以荆州督府的力量威胁着建康，庾翼、庾亮、桓温以方伯之任专擅朝政并较居建康中朝者更有作为，桓温得以张挞伐、行土断、丰国用，刘骏、萧衍借此登基御极，萧绎以此平定侯景之乱、西移鼎祚，桓温、刘裕还以之取得过不俗的北伐战绩。东晋以上游荆州军和下游扬州军并重，刘宋依靠京口北府军为立国基石，萧齐依恃青徐豪族集团为统治支柱，只有雍州武装是一支自始至终不可或缺的常备军力，是萧梁政权建立与巩固的主要支撑力量，占据着几乎所有的军事重镇与要津。荆楚，尤其是雍州的得失直接关系到南北军事形势的消长甚至双方政权的存亡，保持着政治连续性的南朝王室频繁更迭的振幅对荆楚的实际影响不大。

秦汉魏晋南北朝人口迁徙对荆楚文化影响甚大。荆楚地区处于南北交会、东西连通的枢纽位置，是一个移民频繁的区域。荆楚核心地区在先秦时期的发达得益于先秦古国、巴濮群蛮、汉阳诸姬尤其是楚人的

① 三国实际开始于公元220年曹丕称帝（221年刘备于成都称帝，229年孙权在武昌称帝），迄于公元280年孙吴灭亡，前后60年。史学界对三国历史的起始时间大致有公元190年关东诸侯起兵讨董卓、建安元年（196）曹操迁汉献帝都许、208年赤壁之战曹操退回北方三说。对公元280年晋六路大军东进南下灭吴为三国结束年则无异议。经历了汉末混战→三国鼎立→晋吴对峙三个阶段近百年历史。

迁入。楚人进入吴越尤其是战国末期的王室东迁不仅极大地加速了江淮地区的开发繁荣，还让“皋陶庭坚”之后、一向以徐偃王行仁义相标榜的柔弱松散、暮气沉沉的当地民风豹变。江淮地区的楚人抗秦军领袖在“张楚”的旗帜下，将兵勇武善战、刚劲剽悍，展现出横扫一切的非凡气势与担当，让关东先秦诸国嗣裔之军莫不慑服，反而当年楚国核心地区表现得较为平静，足见暴秦对荆楚地区破坏之巨大，控制之严密，改造之彻底。

楚人东迁使秦汉以后长江下游迅速超过原本较其先进得多的中游。汉初为关照那些建国元勋，将衡山国、淮南国、庐江国分封于江淮地区之东楚故地。这是后续江夏、庐江、九江郡设立的基础，可以在相当程度上视为楚人势力与文化的延续。曹操核心同盟之夏侯氏，青徐军主力之徐军都是楚人。江东土居和移民大族具楚人血统的当不在少数，孙吴集团中活跃着一支助孙策“平定吴会，诛其英豪”的强大楚人力量。[①]他们使孙氏势力在江东站稳脚跟。出自江淮地区的谋臣将帅更是群星闪烁，或是强大的荆州势力落败于江东孙氏集团的深层原因。自东吴立国建康以后，下游开发进一步超过中游，“淮南楚子，天下精兵”是六朝立国南土的底气所在。[②]一代枭雄桓温出自谯郡，其子桓玄建立的短暂王朝以楚为国号，南朝宋齐梁政权均由江左楚子集团所建，淮泗强兵的勇武表现仍可隐见当年楚人的雄风。

上游方面，后汉初岑彭率荆楚大军进入益州，汉末“南阳、三辅民数万户流入益州”，摇身转变成刘焉东州兵的主力。[③]刘表荆州势力覆亡后，荆州精锐或投入曹魏，或加入东吴，而以进入益州的最为整齐庞大，他们是蜀汉政权的核心力量，极大促进了巴蜀地区的开发。

西晋建立，荆楚外迁士族有所回流，但接着先后遭遇种种变乱。杜

---

① 《三国志·吴书·宗室孙韶传》注引《会稽典录》之《盛宪传》，见《三国志》，中华书局1959年版，第1214页。

② 《宋书·殷琰传》，见《宋书》，第2207页。

③ 《后汉书》，中华书局1965年版，第2433页。

预屠江陵，张昌啸聚荆楚，叠加永嘉之乱后连绵不绝的王如、李骧、杜曾、杜弢、周昌、王敦之乱，羯人石勒横掠江汉，中原和益州的变乱，导致数十万雍州流民涌入南阳，汉中地区的人口也大量转入荆沔，流入梁、益的饥民又东向会于荆州，“巴蜀流人……数万家布在荆湘间”。[①]两路流民大军会集荆州，史称“于时流人在荆州十余万户”。[②]蜀中李特之乱引发的流民，流徙至荆襄者，人数亦有十余万口，荆楚惨遭连绵浩劫，不少两汉以来的荆楚大族瞬间覆没，流民与荆楚底层民众的遭遇更不待言。

总的来说，三国以来荆楚地区的经济社会发展虽然间或焕发异彩，然由于政局板荡让荆楚地区人口伤亡流徙，荆楚文化再次陷入谷底。

然而，堪为文化史上奇迹的是，波澜壮阔的三国历史文化在千年后的元明清时期，由于文学作品《三国演义》和关帝信仰的出现，蝶变成传奇风流、影响全球并仍在不断衍化的综合性文化，闪耀的夺目光彩在世界历史舞台上绝无仅有，为三国历史文化资源富积区的荆楚留下了较其他地区更为丰富的三国文化遗产和取之不绝的文化资源，影响巨大，泽被遐裔。

由于荆楚大地一直是三国势力角逐的核心地区，各类政治家、军事家、文学家、艺术家、哲学家一时汇聚于斯，开创了思想文化新局面，发生过许多重大历史事件被陈陈相因成不朽传奇，军政优先的三国争夺促进了荆楚交通城邑等基础设施的大发展。是故，120 回的《三国演义》有 40 多回发生在荆楚，马跃檀溪、三顾茅庐、长坂之战、舌战群儒、赤壁之战、水淹七军、夷陵之战等都是小说的精彩篇章，由此衍生出无数的物质和非物质文化遗产。荆楚是关羽主要建功立业和献身之地，宋元评书尤其是《三国志通俗演义》形象感人的玉泉寺关公显圣故事，是让关公成神、成圣、成帝的重要根源，中国首座关庙遂在当阳玉泉寺诞

① 《晋书》，第 2621 页。

② 《晋书》，第 1766 页。

生，当阳关陵成为全国三大关帝庙之一，关公文化于明清时期逐渐渗透到人们社会生活方方面面。

《三国演义》让举凡发生在荆楚地区的三国重大历史事件的地方都变成了重要的三国历史文化遗迹或三国名人纪念地，是荆楚重要旅游资源。滋生出刘备三顾茅庐及其发生地在湖北襄阳隆中还是在河南南阳卧龙岗，赤壁之战主战场在赤壁市还是在武汉市之江夏区、汉南区，夷陵之战发生地的猇亭在江南的宜都还是江北的夷陵，长坂坡之战发生在今天的荆门还是当阳，以及赤壁之战是一场大战还是小战等诸多魅力无穷、令人神往的公案，对社会的影响远远超过正史，使其成为与楚文化并驾齐驱在海外甚至影响更大的荆楚文化，至今仍处在不断发展演变之中。

东晋南北朝时，北方的不息兵戈与民族间的杀伐攘夺导致北朝社会的持久动荡，不时暴发的各种瘟疫使军民的生活雪上加霜，而南方却“百许年中，无风尘之警”。[①] 政府为了招徕源源不断的北方移民，规划提供了不少大块土地，专门为他们设立安身立命的侨州郡县，以移民领袖出任官吏，容允他们荫庇大量的依附民，给予赋役减免等多种优惠政策，吸引更多北方汉人和汉化的胡人南迁。谭其骧先生认为这一大波移民有过四次迁徙高潮，约八十万北方流民南迁，占当时南方人口的六分之一。谭先生的高足葛剑雄补充修订为七批次四百万人以上南徙，占当时南方人口的五分之一。荆楚地区的襄阳、荆州、江夏是移民的重点地区，是刘宋郢州、雍州得以分立的基础，雍州可能是外来移民人口超出本地人口的唯一区域，至“襄阳多杂姓”。[②] 在此期间，两汉王室和自称萧何、张良之后的不少世家大族嗣裔同聚荆楚，以其强大的家族势力开创了辉煌的事业。刘秀、刘备、刘表、刘焉崛起于荆楚自不必多言，涅阳后汉宗室刘虬于宋齐间南迁江陵，成为当地最有实力的大族，其子

① 《宋书》，第1450页。

② 《宋书》，第2109页。

刘之遴官至梁都官尚书，五世孙刘洎为初唐宰相，是荆楚文化世家的代表。兰陵萧氏之萧衍、萧詧祖孙两次起家雍州，其后裔布列隋唐朝廷，高居宰衡之位者就有十多人。《新唐书宰相世系表》载明唐玄宗名臣杜希望、德宗朝宰相杜佑父子和杜佑孙杜牧的郡望实为襄阳，在朝为官的更是不计其数。其他如从南阳南迁江陵的岑氏、庾氏、宗氏、乐氏、范氏，从关、陇、并、豫南迁雍州的柳氏、韦氏、皇甫氏、席氏、杨氏、薛氏、韩氏等大族无不在风云际会的南朝历史舞台上纵横捭阖，与世沉浮，起伏跌宕，奉献牺牲，对荆楚六朝的开发与文化贡献无与伦比，辉煌与悲壮交织，得益于荆雍二州提前进入北朝而于隋唐历史舞台上再度辉煌，影响深远广泛。

出山的数十万蛮族亦是南朝的主要兵源和赋役来源之一，为了安置管理这些山地蛮民，南朝于襄阳和江陵设立颇具歧视意味并为蛮人所憎恶的南蛮、宁蛮二府，在其后设置管理蛮人聚居的郡县时明智地摈弃蛮字，改以左郡左县相称。因蛮族开发较浅，文化水平低，长期受到不公正对待，因而命运悲惨，融合代价巨大，几无人物显著于门禁森严的南朝历史台面。土断以后，南蛮问题逐渐消解，但其对荆楚地区的开发之功不容磨灭。其他从南阳、新野（邓县、涅阳）流徙荆楚的次等士族如曹景宗、张敬儿、宗越、宗悫、刘胡等，大多是以武功从镇压雍州蛮族起家而成为中朝人物，终因文化根基过浅、转型不力或失败等因由不世而亡。至于普通土著，其所受的压制和承担的赋役更远重于蛮族，是六朝受剥削压迫最重、一切进取之路被全面封堵，处境最为艰难的一个阶层，已论无所论。

北方移民带来先进的思想文化和生产技术，在荆楚地区的经济文化活动中占据着支配地位，其庞大的集团势力形成对蛮族和土著的压倒性优势，是讨伐蛮族的主力，他们的迁入明显加快了当地经济文化的发展步伐，为荆楚文化的再次复兴贡献了主要力量，和蛮族及当地土著大族一起成为荆楚地区历史上最为强大的军事集团，从镇守边郡、北伐中原到助力刘骏、萧衍夺取帝位、攻灭侯景、统治集团的内斗纷争等诸多内外征战中，都能看到荆楚武装的雄姿，甚至斗争的双方都以分化的雍州军团为主力，不乏同一个家族分崩离析，分别加入敌对双方阵营，各为其主征战的多个实例。

魏晋南北朝时期对荆楚文化影响最大的事件，莫过于佛教的兴盛，佛教不仅极大地抚慰了六朝社会的多重创伤，维护了社会安宁，让理论贫乏、陷入歧途的玄学走出了困境，还对六朝文化的振兴起到了促进作用。

荆楚地区是南方佛教的传播中心，三国时期建于武昌（今鄂州）的昌乐寺和慧宝寺是文献所载南方最早的佛寺，襄阳菜越墓出土的浮屠祠是我国出土年代最早的佛教建筑模型，今武昌莲溪寺墓葬（墓内有孙吴永安五年即公元 262 年的买地券）中出土的陶俑前额上堆塑有模仿佛祖释迦的“白毫相”，还有一件镂刻着一尊鎏金佛像的铜带饰，被认为是我国现存年代最早的“白毫相”堆塑和铜佛造像。东晋高僧释道安僧团南下襄阳弘法，于襄阳长达十五年的译经活动开创了利用中国传统思想文化、思维模式、语言习惯翻译佛经的路径，大大促进了印度佛教中国化进程；其后一众高徒南下江陵，东进匡庐，西上巴蜀的传教活动，加快了佛教的传播和普及，对佛教成为中国的主要宗教起了巨大推动作用；其争取官方支持的传播策略，提高了佛教地位。梁武帝以其深厚的个人文化修养和对佛教的虔诚信仰，借帝位之尊将诸佛教节庆钦定提升为国家庆典等系列举措，使佛教成为国教，促进了印度佛教中国化。后梁大力兴建佛寺建筑，精研佛教义理，在江陵和襄阳修建了许多名寺，将佛教事业推至一个新的高度。此外，在荆楚地区弘扬佛法的除支谦、康僧会、释道安、慧远、法显等一众名僧外，还有诸多信仰佛教的当地名士如习凿齿、宗炳、宗测、刘虬、刘凝之、郭希林等，都对佛教的传播普及做出了重要贡献。

荆楚是巫鬼与神仙方术的渊薮，一众逍遥物外、追求长生不老的士人，通过学习模仿佛教，建立起道教的教义、仪轨、戒律，确立了道场供奉的神仙偶像体系，让蒙昧混乱的早期本土道教起死回生，发展成具有浓郁中国特色的本土国教。魏晋南北朝时期荆楚地区亦修建了不少道观，武当山正是此时发展起来的一个重要道场。其时荆楚地区的佛教、道教、儒学开始相互融合渗透，儒释道画像砖同饰于同一墓中已较常见，合流之势皎然。

东晋的上游霸府和南朝出镇荆州的宗王中不乏像桓温、殷仲堪、刘道产、刘义庆、萧子良、萧纲、萧绎这样一些崇文尚艺之府主，他们周围聚集着一批批饱学之士，产生过多个不同类型的文化团体。这些文化团体以江陵、襄阳、竟陵为中心开展文化搜集整理与文化创作活动，有力推动了荆楚文化的传播、发展、升华。如，地志方面的《南雍州记》《荆州记》，文学中的西曲、“永明体”、“宫体诗”等均由这些团体创作完成。

四、秦汉魏晋南北朝荆楚文化的基本面貌及其流变

近几十年，国内出版了不少中华文化方面的丛书和专著，秦汉魏晋南北朝时期的荆楚文化宛若珠藏玉韫，所占篇幅极小，不能客观反映荆楚文化的基本面貌和突出贡献，造成这一现象的原因从客观上讲，首先是由于秦汉魏晋南北朝时期荆楚地区失去独立发展地位，秦军的肆意屠杀，楚人东迁的釜底抽薪，让荆楚地区从辉煌的楚文化峰顶跌落成腹背之毛，两汉虽有了很大程度的复兴，但转型发展远未完成，仍见轻于北方，三国袁准笔下“吴楚之民脆弱寡能，英才大贤不出其土，比技量力，不足与中国相抗”的轻视言论并非极个别现象。[①]其次，荆楚地居其时的国家政治文化中心之外，有影响的大型文化活动不多，文献记载挂一漏万，考古发现相对晚近且数量有限，学术界重视不够，研究者占有资料不足，华夏文化中心论的成见远未从心理和习惯上完全根除等也不无关系。主观上讲，荆楚学者对这一历史时期本地文化系统深入发

① 《三国志·魏书·齐王芳纪》注引袁准《献言于曹爽宜捐淮汉已南书》，见《三国志》，中华书局1959年版，第120页。

掘、研究、阐释、发明方面用力不足，考古发掘偏重于秦汉以前，归纳整理不够无疑是主要原因。

平心而论，无论从政治、军事、经济、地理方面考量，还是从历史人文、资源物产方面权衡，居控内御外有利地理位置、开发基础良好的荆楚地区不应是秦汉魏晋南北朝文化的洼地，深入系统发掘整理研究，将其展示于世是当下荆楚治史者的责任。

荆楚地区入秦之后，在与秦文化的激烈碰撞中相互融合影响，仍展现出强大的生命力与创造性，是汉代文化成功转型繁荣的重要基础。湖北云梦睡虎地秦墓所出《日书》简牍，秦楚两个系统共存，说明当时的荆楚地区虽然受到秦人统治的压制，但仍然顽强保留着强烈的楚地传统特色，《日书》中载有“秦楚月名对照表”，反映秦施政者对楚地传统生产生活习惯有所迁就照顾；《为吏之道》《政事之常》对源自楚国的思想文化都有所吸纳；荆楚地区出土的简牍中还有不少秦代文学作品，文体多样，风格各异，保留有浓厚的楚文化特色，展示出别样风采。

汉朝宗室和主要功臣出自楚地，与楚文化天然亲近，以浪漫狂放为主要特征的屈骚文学和以尊礼自然、奇诡虚幻的老庄哲学在楚人故地也有所复兴，淮南王刘安门客编辑的百科全书《淮南鸿烈》保持着楚文化奇幻浪漫的风格。楚歌、楚舞等在汉朝宫廷中风靡一时，汉高祖的《大风歌》《鸿鹄歌》弘扬了楚声；汉代“文尚楚风”，楚辞受到重视，刘向、王逸等学者推动了楚辞研究与发展，对汉代乐府诗、赋等作品创作影响巨大，其浪漫主义文学源头对文学的润泽贯穿整个中国文学史。政府统一采编润色的乐府正声、歌功颂圣的鸿篇大赋和散文都与其渊源深厚；后汉荆楚地区辞赋家辈出，黄香、王逸、王延寿都是一时之选；乐府诗搜集自地方，荆楚诗歌是来源之一，现存汉乐府《今有人》《江南可采莲》等作品均出自楚地；蔡阳三刘参与编修的《东观汉记》是史学巨著，出土文献《盖庐》《归藏》等具有极高的学术价值。凡此，都从不同的侧面反映了当时荆楚地区文化思想及学术的高度。

自汉武帝独尊儒术之后，思想文化逐渐为儒学教育所把持，并在此基础上设立以教授儒学为目的的官办中央太学和地方郡县学，创建了完整的新型官学教育体系，修习儒学成为知识精英为官治学的要津，儒家文化在荆楚地区得到广泛传播。两汉之际，南阳儒学崛起，形成一定规模的经学研习群体，南阳士子前往长安求学蔚然成风，还出现了郭丹、张堪这样在学术上颇有造诣、品行端正的人才，并在东汉的建立过程起到过相当重要的表率作用。由于光武帝刘秀的推动，东汉进一步强化完善了儒家思想文化体系建设，完整的制度设计和功利劝诱体系被有序建立，儒家文化在荆楚地区占据主导地位，南阳受益最大，江夏异军突起，预言天命的谶纬不经之说大行其道，带动荆楚地区数学、天文、历算、医学等科技的繁荣兴盛，荆楚文化成功实现了转型发展。

汉末刘表治荆州，开办荆州官学，襄阳成为全国的学术文化中心，以古文经为研习对象的荆州学派在政治、学术、文教事业等方面都卓有建树，其诞生表明，荆楚地区的文化已蔚然复兴，荆州学术在从汉代今文经学向魏晋古文经学、玄学转变中起到了承上启下的重要作用，是中国学术史上浓墨重彩的一笔，是荆楚文化史上的标志性事件。

三国时期，孙吴倾力在长江中游地区的开发建设，极大地促进了荆楚地区的基础设施与城邑建设，魏蜀吴对东三郡的争夺使鄂西北的开发速度加快，上中下游之间通过长江汉水间的联系交流得到加强。

荆楚地区的人口于后汉达到高峰后再也没有完全恢复，魏晋南北朝时期的大规模移民使人口得到极大的补充，移民中聚集着北方大族、南阳世家，汇集的僧侣和督府王府文人集团三大文化势力，加上无数的出山蛮人，带来经济文化的大发展，生产力得到大幅提高，手工业与农副产品兴旺，侨旧大族庄园经济发达，军地广泛屯田，庞大臃肿的政府机构与驻军的常态化存在，使城市、交通、商业都获得快速发展，荆楚地区人文地理景观和社会面目产生巨变，成为和黄河流域并驾齐驱的经济区，思想、文化、宗教、文学、教育等方面成就斐然，塑造了荆楚文化开放、包容、创新的形象，成为重要的文化集散地，共同垒起南北朝时期荆楚文化这块高地，对隋唐文化影响极大。

南朝文学蔚起。朝廷对荆楚地区广为流行的各族传统民歌的收集整理和加工升华，形成西曲歌，受到了当时社会各阶层的喜爱。西曲等民歌的发展促进了乐府的创新，被称为新声。以高亢激昂的巫音、南音相配唱的歌谣，是对屈原《九歌》《招魂》和下里巴人歌舞的自然传承，并融合南方蛮族、北方移民尤其是西域移民风情，以打击乐伴奏，激情四射，发自天性。错彩镂金、辞藻华丽、声律谐美、久盛不衰的六朝骈体文开始表现出被清新自然的山水田园诗文所取代的趋势，成为隋唐诗文歌谣的滥觞，其魅力在《竹枝词》中获得最为充分的绽放。佛教文学适时繁盛起来，齐王巾（字简栖）的江夏《头陀寺碑记》、梁庾信的《奉和同泰寺浮图诗》、宗炳的《明佛论》便是其中的代表，已佚失的《古今乐录》即由僧智匠编纂于陈光大二年（568），是宋郭茂倩编撰《乐府诗集》的主要参考书籍。此外，笔记体、志怪体小说趋于成熟，缔构完成小说发展史上不可或缺的一环。

荆楚地区地理位置地理环境优越，物产丰富，名人辈出，这使得魏晋南北朝时期关于荆楚地区的地志层出不穷，有数十种之多。如习凿齿《襄阳耆旧记》、鲍至《南雍州记》、盛弘之等多个版本《荆州记》、萧绎《荆南地志》等。这些地志多夸赞家乡先贤、耆旧、逸民、高士、良吏、忠臣、烈女、孝子、僧侣、慧童、神仙，同样都打上荆楚门阀士族的烙印，是我们了解当时荆楚地区历史地理和人文情怀的重要材料。其行文无不优美晓畅，内容俱皆丰富多彩，具有很高的文学价值。

文化传统、风尚习俗的力量天然具有强大的生命力，多方面深刻的内在联系，川泽纵横的自然环境，饭稻羹鱼的共同生活习惯，使“其风俗物产，颇同扬州”。[①] 长江中下游如出一辙的信鬼神、重淫祀、尊天命的风俗信仰，内涵相同的赛龙舟、登高、修禊诸娱乐节庆，异曲同工的吴歌、西曲，同台竞技的巴越歌舞，使得三国两晋南北朝时期长江中下游间虽争斗不休却始终能上下相维、保持一体，其文化趋同、认同的深

① 《隋书》，中华书局 1973 年版，第 897 页。

层影响力不容小觑。

风俗习惯一直在润物细无声地温和改变，“南阳古帝乡，搢绅所出，自三方鼎立，地处边疆，戎马所萃，失其旧俗”。[①] 蛮左“与夏人杂居者，则与诸华不别”。[②] 佛教深入广泛传播引起的风俗习尚变化最大，出现了“二月八日，释氏下生之日”、各种法会等新节日及各种礼佛活动。[③] 除了岁时节日外，荆楚地区在饮食、服饰、祭祀、婚嫁、丧葬、娱乐等方面的习俗均有不少地域性和时代性的独有特征。

东晋南朝江左最为流行并日益僵化的复杂门阀观念习气与规矩，对长江中游地区亦有相当浸染，不只是政治上的士庶天隔，高门低门间差距巨大，婚宦关系复杂讲究，存在着两种判然不同且不可逾越的生活方式，这在以地域大族、官员绅旧统领的移民集团中更为突出，成为约定俗成、根深蒂固的风俗习惯，其影响随时代发展虽有减弱之势，但要想有根本性改变殊非易事。

西晋以后，正史开始为孝子立传，编撰了不少孝行卓绝的感人事迹来引导社会，不惜将孝行夸张渲染到失常的地步，庾黔娄“尝粪验病”的孝行素材取自于这一时期的荆楚人物，发生在他乡的董永卖身葬父、丁兰刻木事亲传说也在荆楚落户安家。

与名士、风流、风度相伴的隐逸成为一时风尚，荆楚地区也完成了对老庄、老莱子、庞公、司马徽等隐逸形象的构建，桓玄甚至以其世无“肥遁之士”为憾，出资让皇甫希之专门创作荆楚隐逸人物故事，被时人讥讽为“充隐”。

汉末党锢，魏武破除浮华给予士人以极大打击，汉魏鼎革的所谓禅代，让早已深入人心本以为是颠扑不破的儒家真理在士人心中幻灭，名教的虚伪、迂腐、烦琐等弊端暴露无遗，不愿和光同尘的一部分上层知

① 《隋书》，第 843 页。

② 《隋书》，第 897 页。

③ 宗懔撰，宋金龙校注：《荆楚岁时记》，山西人民出版社 1987 年版，第 31 页。

识分子从《周易》《老子》《庄子》的空无学说中寻求逃避现实的精神寄托，与荆州学派有深厚家学渊源的王弼提出的“贵无”哲学思想为魏晋玄学的发展指明了方向，成为魏晋玄学的理论基础，极大地转变了魏晋人的世界观和生活态度。中朝政局动荡不安，东晋桓玄称帝的孤注一掷，刘宋谢晦、沈攸之、刘义宣等中游叛臣的连续起兵失败，使荆楚地区惨遭打击，让江陵士子惶恐不安，纷纷逃离复杂险恶的官场，或隐逸田园，或寄情山水，或潜心艺术，或谈玄论佛，激起一股清逸的隐逸之风，全无江左普遍存在的骄奢纵恣、标新立异之虚妄恶习，更见捐华务实之美德。宗教艺术普遍备受青睐，佛道信仰深入到社会的各个角落，思想文化艺术趋于多元活跃，学术水平提高显著。

魏晋南北朝时期荆楚地区的艺术形式多种多样，从音乐、舞蹈、书法、绘画、雕塑、建筑等都不难品鉴到这一地区时人审美观念和艺术品质的显著提升，这些事迹不仅在传世文献中多有记载，而且随着出土材料的丰富，我们有机会更近距离地接触当世的艺术作品。据史料记载，楚地歌舞因其热情浪漫的风格颇受当时社会各阶层偏爱，西曲词、乐府诗中保留了大量荆楚民歌，而出土画像石、画像砖等材料中也保留了很多歌舞艺术形象，仅从文本、静止的画面上，人们也能感受到楚地歌舞曲艺极强的艺术感染力。而在书法艺术上，不仅有诸多出土实物作品可鉴证荆楚地区的书法艺术发展水平，而且培育了不少著名的书画家和书画理论家，南梁庾肩吾的《书品》是书论史上“品第”一类著述的开山之作。绘画艺术上，南朝宋宗炳、齐宗测、梁元帝萧绎均为著名画家，宗炳所撰《画山水序》是中国绘画史上第一篇山水画论。另外，魏晋南北朝荆楚地区的绘画艺术更多地体现在画像石、画像砖中，在今南阳、襄阳等地出土的画像石、画像砖内容丰富，题材广泛。雕塑方面，随葬俑偶造型多样，形象生动，并具有一定的民俗意义。时人的审美观念还体现在青铜器、金银器、漆器、陶瓷器、服饰等方面，其中，三国时期吴国的武昌铜镜颇负盛名，影响深远。建筑方面，有南阳樊重的私家田庄、襄阳习家池、江陵湘东苑等私家园林，也有白马寺、东林寺等佛教园林，出土砖室墓所见各式牌楼、画像砖石、造型各异的穹窿顶结构，各具特色，有一定的选址、搭配技巧。总之，这一时期的艺术品保存丰富，形式多样，既有一定的地方特色，也吸收了一些外来文化，具有一定的时代性。

艺术繁荣，音乐美术因融入外来文化与宗教因素而超逸绝伦，画像砖别出神采，产自雍州、立于建康宋文帝长陵地面上的石雕，成为南朝帝陵竞相模仿又难以企及的匠心巨制。宗炳山水画深究透视，追求抒发心灵情怀、无尽韵致、畅神怡情的空灵意境；萧绎人物画绘声绘色，将列邦使臣的形象表现得惟妙惟肖，成为南朝人物绘画第一人。

教育从秦汉时期的以官学为主私学为辅，转变成东晋南北朝时期的以私学为主官学为辅。秦以吏为师，学习的只有法律、数学、医卜等满足实际应用功能之书。汉武独尊儒术，主要修习为皇权服务的儒家经典，阴阳历法星算等沦为为其服务的附庸，难以获得进一步的科学发展，百家学说日益边缘化。魏晋南北朝之战乱兵燹致官学式微之说固有道理，但绝非原因之根本，战乱时的刘表照样将荆州官学办得有声有色、硕果累累。可即使在东晋太元之世以前"无风尘之警"的数十年中，在政理称举"三十有九载兵车无用"[1]的刘宋盛世，官学也没有得到真正的恢复。客观地讲，造成官学衰微的根本原因是，上面提及的儒学虽仍是维护皇权政治无可替代的理论工具，但其价值体系已然崩坏，粉墨登场的孝道只能担当有限的助攻角色，远离政治的玄学成为时尚，残酷的现实政治让传统的官学说教显得苍白无力，除偶见羊祜、杜预、庾亮、萧嶷、萧绎、萧詧等督府大员在荆楚地区修建过学校、礼待过名士、使荆楚官学有过间断的短暂恢复外，鲜有官府问津。有充分经济文化实力的大族为了家族门阀的利益，不得不于家族内兴办教育，于是私学盛行，更由于大族间的竞争日趋激烈，这一办学体系和效果被不断强化，私学遂办得越来越成绩斐然，个别名师如刘熹、太史叔明等在荆楚

① 《宋书》，第1450页。

地区讲学，也多少促进过私学的进步。荆襄旧族普遍保持着良好家族教育的传统和家风，雍凉文化世家席氏、皇甫氏，关中王氏、杜氏及河北张氏、兰陵萧氏均将其独特的家学传统带到了荆楚，柳氏、韦氏等关洛大族也于允文允武中成功转型，跻身于南朝顶级文化世家行列。

六朝以文化相尚，文化成为各地士族阶级手中的最大筹码和终极武器，士族与士族甚至皇族与士族间的比拼终归主要体现在文化竞争上，由此带来观念更新与文化创新。六朝文化在萧梁时期最为繁盛，兰陵萧氏成为中国历史上文化最为辉煌、阵容最为庞大豪华的皇族，在萧梁王室的主导推动下，江陵成为中游地区名副其实的文化中心，梁末大批文人学士齐集于斯，是南朝末期全国的学术文化都会，为繁荣的南朝文化学术闪现出最后一抹亮丽的夕阳余晖。

雍州率先入魏，随州、安陆与江陵相继沦陷，后梁对北朝的归附，让回迁的北方移民大族和梁朝入北的文化人士将南朝文化整体平顺地携入北朝，对北朝尤其是北朝相关大族、乡族文化产生过积极影响，余波延及大一统的隋唐，是隋唐文化发展繁荣的重要推手，前述襄阳柳氏、杜氏，江陵岑氏、庾氏乃其明显的例子。

总之，秦汉魏晋南北朝时期，在各种因缘际会的形势下，荆楚文化通过与多样文化交流互鉴，民族、宗教、文化、艺术的融合出新增强了荆楚文化的创造力，荆楚文化再一次华丽转身，顺利汇入隋唐重新大一统文化的滚滚洪流之中，为中华民族文化的形成做出了卓越贡献，同时形成了自己的鲜明特色，使荆楚文化面貌焕然一新，成为南方文化艺术发展较快的地区，扩大了向周边的辐射能力及对后世文化的影响，是中华文明的重要组成部分。

五、本书内容的撰写设定

本书撰写时，我们着重在政治、经济和军事以外广义的文化定义上去探讨荆楚地区文化发展脉络与演变规律，尽力揭开荆楚地区入秦后星月两朦胧的旧有状况，展现其在教育和文化上的变化和建树；汉以后荆楚文化儒学化的成功转型与发展繁荣；三国时期魏吴两国对长江中游地区开发建设的影响；两晋南北朝时期，北方移民大量迁入，百万蛮人出山，民族和文化的交流融合；佛教的传播与佛经的翻译对荆楚地区文化与生活习俗的影响；儒释道合流共振对思想文化艺术面貌的塑造等。

在文献资料方面，由于秦汉时期荆楚文化的文献史料记载甚少，大多时候只有只言片语。幸运的是，相比全国其他很多区域，荆楚地区出土有大量的简牍资料，虽然难免有把当时流行于全国的文化当作地方特色文化看待的缺陷，仍在相当程度上弥补了先秦秦汉史的空白，有助于我们深入研究荆楚地区的地域文化的存续变化。因此，在本书的写作中，传统文献资料和出土简牍资料并重，并在秦汉部分更加倚重于出土文献资料，力求真实全面地展示秦汉魏晋南北朝时期的荆楚文化面貌。

在内容方面，依据搜集的相关材料，在已有的研究基础上，我们对秦汉魏晋南北朝时期荆楚地区的文化史进行了多方面的探讨，主要有思想、宗教、文学、教育、艺术、科技、风俗等方面的文化内容，力图全方位地客观展示秦汉魏晋南北朝时期荆楚文化的基本内容与传承演变。

本卷的研究目的除了还原历史、分析历史问题外，还希望能通过对史料的分析，揭示荆楚文化在秦汉魏晋南北朝时期的精神概貌及其发展规律，以史为鉴，推动当代荆楚文化的繁荣发展。

本卷能够完成得益于对方家时贤已有的大量成果的吸收，写作过程中都尽量随文予以注出。由于写作时断时续延宕时日过长，难免有所遗忘遗漏，若偶有疏漏未提及者，敬请原谅。在写作过程中全体编委会成员一直提供着支持和关怀，审稿专家鲁才全、夏日新、姚伟钧、赵国华、黄尚明、徐承泰教授给予了多方面的指导，中国魏晋南北朝史学会会长楼劲先生悉心审读全稿，提出的 14 条修改建议尤皆切中肯綮，我的助手靳进老师全程为撰写给予了及时的协助，于此一一致以衷心的感谢。

第一章　城市、交通与商业

秦汉荆楚地区的城市大多是对战国楚城邑的延续，但秦汉统一后与外界的联系增多，长江水运渐开，颍汝与蕲黄、江夏间的道路递次开通，交通网络臻于初步完善，整体开发全面发力，让荆楚四围尤其是东部地区得到较快发展，郡县制的普遍推行让行政管理型城邑有所增加。魏晋南北朝时期城邑数量及城市繁华程度，以及交通网络之完善均非复汉代可比。城市、交通、商业在荆楚大地上迅速联动发展起来，给荆楚地区人文地理景观和社会面貌带来巨变。

第一节　城市的发展

秦汉时期荆楚城市的政治和军事职能突出，城市重点分布在荆襄大道、汉水沿线及随枣走廊等交通要道上。随着社会经济的恢复和发展，水陆交通日趋完善，商业逐渐兴起，荆楚地区城市的经济职能显著加强。三国时期的南北交争，长江沿岸及对峙要津修建了大批军事城堡。这些军事城堡带动了当地经济文化的发展和商贸的兴盛，不少变成了真正的城市。随着南北朝时期荆州拆分为荆州、雍州、郢州、湘州等州，荆楚地区以江夏、襄阳和江陵为中心支点的城市架构逐渐形成。

一、考古资料所见的秦汉荆楚名城

近几十年，荆楚地区多座秦汉时代的古城被考古调查发掘，同时又出土了大批简帛文献资料，从中不难窥见当时城邑的基本轮廓。

（一）江陵

公元前 278 年，白起攻克郢，楚都东迁至陈城（今河南周口市淮阳区），纪南城从此被废弃，秦人于楚故都地设立南郡，在纪南城东南2.5公里处新筑南郡郡城——郢城。[①]

郢城地势平坦，城垣平面呈近正方形，边长为1260—1450米，由夯土筑成。城内面积约2平方千米。城垣截面呈梯形，现存上宽9—18米，下宽27—35米，残高3.5—5米。其西南角早年被大水冲毁，其余城角上有高于城垣的烽火台遗迹。四面各设城门一座，门道宽约11米。门墩上有瓦砾堆积，表明其原来有门楼设施。四周有护城河环绕，河面宽40—50米，深2.5—3米。

经试掘得知，郢城地下文物非常丰富。出土钱币有秦"半两"、西汉"五铢"及新莽时期流通的"货泉""大泉五十"等。陶器既有战国晚期的秦式罐、釜及砖瓦，也有楚式风格的鬲、豆、盆、瓮及瓦当等，还有一些西汉与东汉时期的陶器。城周发现有4处大型秦汉墓地，其中，凤凰山秦汉墓群位于纪南城内，表明此时的纪南城部分地区已变成墓地。纪南城凤凰山发掘的168号西汉墓出土木牍上书有"江陵丞敢告地下丞"字样，高台墓地18号墓下葬于西汉文帝七年（公元前173），出土木牍上有"江陵丞印"字样，与历史文献能相互印证，其时代起自战国晚期，迄于东汉，为秦汉时期的南郡首府及江陵县治所在地。

南郡郡城面积只有楚故都垣内面积的八分之一，更不要说城外的居民区，可见秦汉时期南郡不仅政治地位下降，与楚国强盛时相比，人口数量下降同样惊人，这表明，大战的动乱和政治地位的降低严重破坏了经济发展，影响着人口变化。

（二）西陵

后起之秀的江夏郡治西陵（今武汉市新洲区西）。《汉书·地理志》将江夏郡的设置时间定在汉高祖时期，《水经注·沔水注》明确为"高帝六年置"。王国维则提出江夏郡置于汉高祖的时间有误。[②]周振鹤先生

① 江陵郢城考古队：《江陵县郢城调查发掘简报》，《江汉考古》1991年第4期。

② 王国维：《观堂集林（外二种）》，河北教育出版社2001年版，第275页。

考证设立于武帝元狩二年（公元前 121），东部数县析自衡山国属地，西部数县析自南郡辖县。[①]

2004 年，在荆州纪南镇松柏村抢救发掘了几座西汉墓，其中出土了一份《南郡免老簿》，记载南郡的属县共计有巫、秭归、夷道、夷陵、醴阳、孱陵、州陵、沙羡、安陆、宜城、临沮、显陵、江陵、中庐侯国、邔侯国、便侯国、轪侯国等 13 县 4 侯国，其中的安陆、沙羡二县是《汉书・地理志》中明确提到的江夏属县。[②] 松柏汉墓中还出土了有建元、元光年间的历谱，可以佐证其年代大概为武帝初年，表明在武帝初年江夏郡尚未设立，凿证王国维和周振鹤两位先生所考不虚。

秦汉时期地方二级城邑（县、侯国）相对规模较小，发展也比较落后，但在这一时期也涌现出一批规模颇为可观的县级城邑。

（三）宜城

汉宜城始设于惠帝三年（公元前 192），县城沿用楚国的鄢都（今宜城东南的楚皇城遗址）之一部分，成为仅次于郡治江陵的大县，袭用的鄢都故城城垣规模甚或过之。1976 年，考古队在城址内进行了调查和小规模试掘，发掘探方 1 个，解剖城墙 1 处，在城外发现古墓群 3 处，试掘清理墓葬 13 座。

楚皇城平面略呈矩形，土筑城垣较为完整，除东城墙蜿蜒不甚整齐外，整个城垣平面略呈矩形，现存城墙底宽 24—30 米、高 2—4 米不等。城内地势平坦，东北区相对高敞。城内面积 2.2 平方公里。城垣周长 6440 米，东南西北分别长 2000 米、1500 米、1840 米、1080 米。城垣四角显著突起，除西北角被破坏外，其余保存尚好，西南角较低，海拔 58.2 米，东南角最为高大，海拔 63.173 米。

城内出土了大量文物，绝大部分属于秦汉时期。此外，据 1957 年征集的“汉夷邑君”“中左偏将军”几方铜印，证明秦汉时期的宜城不

① 周振鹤：《西汉政区地理》，人民出版社 1987 年版，第 48 页。

② 荆州博物馆：《湖北荆州纪南松柏汉墓发掘简报》，《文物》2008 年第 4 期。

仅是一个政治军事要地，还确如文献所载，是一个蛮夷聚居之区。[①]

（四）蕲春

蕲春筑城始于西周，秦时隶属于南郡。汉初，为衡山国属县，武帝时改隶江夏郡。东汉光武帝时，徙封强弩大将军、祝阿侯陈俊之子陈浮为蕲春侯，北齐时，改称罗州。1958 年，全国第一次文物普查时发现唐宋时期的罗州古城，经进一步的勘探发掘，揭露出比罗州古城更早的汉城址，地面保存有两重城垣，第一重城垣为汉城垣，即王城城垣；第二重城垣为唐宋罗州城垣。

第一重城总面积达 15 万平方米，至今仍有城垣断断续续地卧伏在地表。东垣残长 263 米，宽 7—8 米，高 4—5 米；南垣由三段组成，中间一段损毁严重，合计全长 450 米；西垣残长 349 米，分为南北两段，两段交界处有一处宽 18 米，疑似城门的豁口；北垣长 314 米，由两段组成。城东、南、西、北各置城门一座，其中北门保存较好，其余三门残损严重。

在蕲春汉代城址的西、北、南三面，仍有部分城壕痕迹存在，保存较好的北面城壕宽 16—30 米，壕内淤泥堆积分两层，上层为青灰色淤泥，含有唐宋至近代陶片，下层为含沙量较大的黑色淤泥。

在以城址为中心，方圆 6 公里范围内的山岗上，分布着几片规模很大的汉墓群。整理者指出，这些墓群只有在规模人口集中，延续时间较长的场所才会出现，这表明蕲春城在汉代已经是一个具有大量人口居住的城市。21 世纪初，于湖南里耶发掘的战国中期至秦汉时期迁陵县城垣南北长 210 米，东部已被酉水冲走，东西残宽 103—107 米，城中有一条宽 13 米，高于两侧半米的东西向大道，西端连接着城中的黄土台基，并与连通南城门的南北大道相交。城内发现不少于 5 口水井，城外南、西、北三面仍保留有城壕遗迹，在城北 1 公里的麦茶发掘了战国中晚期

---

① 楚皇城考古发掘队：《湖北宜城楚皇城勘查简报》，《考古》1980 年第 2 期。

楚墓 200 余座，在隔酉水河不远的清水坪发掘了 200 余座汉墓。[①] 如此规模和结构的城垣应该是秦汉县城的恒常形态。

二、从政治性城市到商业城市

“六年冬十月，令天下县邑城。”[②] 这则诏令是汉高祖刘邦为地方政区兴建城邑出台的政策。虽然今天的人们并不清楚刘邦的诏令在多大程度上得到贯彻落实，但城市因政治需要而大规模兴建则无可怀疑。随着社会的发展，商业活动日趋活跃，各个城市之间的商业贸易日渐频繁，由此促成区域市场网络的初步形成，城市的经济职能日益增强。这一特点，在魏晋南北朝时期的荆楚地区表现得非常明显。

（一）吴都武昌之兴废

三国时期，尤其是孙刘二家争锋时，武昌（今湖北鄂州）的地位获得抬升，孙吴曾两次建都于斯，在还都建业以后，例由太子和朝中重臣镇守，担任着陪都和上游大镇角色。

孙吴首次迁都武昌时，即着手营建临江城池。此前的武昌仅是汉鄂县小城，黄初二年（221）四月，为了加强对上游的控制，使上下游一体联动，应对刘备可能发动的东征，孙权下令迁都武昌，“八月，城武昌”。[③] 此城位于鄂州市鄂城区的长江南岸，目前尚有遗留，当地仍称之为吴王城。

1949 年后，湖北省博物馆多次会同若干单位对城址进行考古调查发掘。根据考古发掘报告，我们可以略窥当时武昌城的盛况。

武昌城由城壕、城垣及城内外的遗址三部分组成。城壕现存东、南、西三段，城北以大江为壕。东城壕较其西侧的窑山及东侧的凤凰台高地低 2—3 米，宽约 50 米；南城壕较西侧的台地低 3—6 米，宽约 40 米；西城壕北起今江边的壕口，经今熊家巷至韦家墩附近折而向东，地

---

① 湖南省文物考古研究所：《湖南龙山县里耶战国秦汉城址及秦代简牍》，《考古》2003 年第 7 期。

② 《汉书》，第 59 页。

③ 《三国志》，第 1121 页。

势南高北低，熊家巷大体位于护城河底部西侧，较周围低 2—3 米，经钻探发现城壕填土里有含螺蛳壳的灰黑色淤泥等。

南垣保存较好，东、北二垣次之，西垣为民房和学校占用推平，地下部分无法用考古方法揭露。东垣北起江边的窑山，南迄陈家湾，其南段原保存较好，在 20 世纪 50 年代尚存有高耸的土垣，虽屡遭基本建设破坏，仍高于外侧农田 3—4 米。南垣西起王家墩，东迄陈家湾，有三小段保存相对完整，高出外壕 4—6 米，外坡较陡，内坡平缓，保留的遗迹较多。北垣东起窑山，西迄寿山，沿着陡峭的江岸构筑，垣址均已崩入江中。

武昌城北临滔滔长江天险，城垣高大，壕宽远超寻常，受限于周围地形和水文条件，规模虽不甚大，却异常险要。宋张舜民谓："鄂州城即孙权所创，与润州子城、金陵覆舟山城、武昌吴王城制作一体，皆因山附险，止开二门，周环不过三二里。乃知古人为城，欲牢不欲广也。"[①] 虽说东吴所筑的武昌城规模与城门数未必如此，但据襟山带河之险建城可谓点中了要害，沿江所筑夏口、陆口、巴丘、宜都等城市无不如此。《太平寰宇记》载："吴大帝城，在西百八十里。魏黄初三年吴主置，城有五门，各以所向为名。西角一门谓之流津，北临大江。"[②] 城在宋鄂州（今武昌）以东一百八十里，西当为东之误，言有五座城门，较寻常多出的西角流津门应是一座水门。

武昌城建成后，吴人还采取了一系列配套防卫措施。《水经注》卷三五《江水注》曰："北岸烽火洲，即举洲也，北对举口。"举洲，杨守敬《疏》云："俗名鸭蛋洲，在今黄冈县西北团风镇南江中。"[③] 所谓烽火洲，即吴人所设的烽火台，一旦有警，即焚烟告急，四方警戒驰援。同时，还迁徙不少人口入城，《水经注》卷三五《江水》引《九州记》

---

① 张舜民：《郴行录》卷一，顾宏义、李文标校，《宋代日记丛编》，上海书店出版社，2013 年，第 610—611 页。

② 乐史著，王文楚等点校：《太平寰宇记》，中华书局 2007 年版，第 2283 页。

③ 郦道元注，杨守敬、熊会贞疏：《水经注疏》，江苏古籍出版社 1999 年版，第 2902—2903 页。

提到孙权迁都武昌后，“分建业之民千家以益之”。[1]实际迁民当不止此，也不仅限于建业。

由于武昌地区的开发基础较差，夷陵之战的巨大胜利让上游的军事压力大为减小，黄龙元年（229）四月，孙权于武昌称帝后不久，即将都城迁回建业，此后除孙皓一度有过短暂的二次迁都于此外，武昌一直担负着陪都角色。

（二）夏口城的兴建与发展

夏口本为江北夏水入长江之口，顾祖禹《读史方舆纪要》称其“扼束江、汉，襟带吴、楚……后汉末，始谓之夏口。盖其地通接荆、岘，江、汉合流，自古以来，为兵冲要地。刘表使黄祖守此，孙策破之，霸功始立。孙权因之，筑城夏口，建都武昌，屹为重镇”。丰富的考古资料表明夏口城邑的出现与得名比后汉早很多。从罗山莽张仰天湖、黄陂盘龙城商代城址诸考古发现不难推断，商代通过夏口、沙羡的南北通道业已开通。北大藏秦《水陆里程简册》详载了从江陵→竟陵→安陆→夏汭→沙羡详细里程，是一个由津渡兴起的古老城邑，城东长江两岸为龟蛇二山所锁钥，乃一天然军事要冲，黄祖将江夏郡和沙羡县治筑于夏口之龟山脚下。

孙吴始将夏口城移建于江南今武昌蛇山附近。《水经注》卷三十五《江水三》记载：

> 直鹦鹉洲之下尾……是曰黄军浦，昔吴将黄盖军师所屯，故浦得其名，亦商舟之所会矣。船官浦东即黄鹄山……黄鹄山东北对夏口城，魏黄初二年，孙权所筑也。依山傍江，开势明远，凭墉藉阻，高观枕流，上则游目流川，下则激浪崎岖，寔舟人之所艰也。对岸则入沔津，故城以夏口为名，亦沙羡县治也。[2]

① 郦道元著，陈桥驿校证：《水经注校证》，第807页。

② 郦道元著，陈桥驿校证：《水经注校证》，第805页。“黄初二年”为“黄初四年”之误。

孙吴以水军立国，善借舟楫之力，长于水战，沿江交通线的建立与凭险打造重要军事要津尤为重中之重，为保障长江中游军事行动的畅通和上下游联动，借江夏地势之利，东吴在黄鹄山附近修建了黄军浦与夏口城。和平时期但见商旅往来，千帆竞发，舟船骈比于浦内，官方在此设船官管理。

夏口城“瞰临沔、汉”。[①] 作为交通要津，易成为流民聚集之所，如，吴兴邱景先“母老女稚，流离夏口”。[②] 许亨“侯景之乱，避地郢州”。[③] 沈攸之在郢州刺史任时，图谋作乱，经常侵夺过往商旅财物，“羁绊行侣，过境必留；仕子穷困，不得归其乡；商人毕命，无由还其土”，以此筹措战备物资。[④]

夏口城随着其政治军事地位凸显而发展迅猛，南朝时成为长江中游的另一个政治军事经济中心，东晋至刘宋初年，庾翼、刘道规为荆州刺史，曾移荆州治所于夏口，桓嗣、桓伟为江州刺史时亦有迁州治所于夏口之举。《南齐书·州郡下》载：

> 晋永嘉中，荆州刺史都督山简自襄阳避贼奔夏口。庾翼为荆州，治夏口，并依地崄也。太元中，荆州刺史桓冲移镇上明，上表言：“氐贼送死之日，旧郢以北，坚壁相望，待以不战。江州刺史桓嗣宜进屯夏口，据上下之中，于事为便。”义熙元年，冠军将军刘毅以为夏口二州之中，地居形要，控接湘川，边带涢、沔，请并州刺史刘道规镇夏口。[⑤]

东晋末年，豫州汝南流民群体迁往夏口以西的秦汉沙羡县一带。

① 《南齐书》，中华书局1972年版，第276页。

② 《宋书》，第1583页。

③ 《陈书》，中华书局1972年版，第485页。

④ 《宋书》，第1938页。

⑤ 《南齐书》，第276页。

《宋书》卷三十七《州郡三》载：

> 汝南侯相，本沙羡土，晋末汝南郡民流寓夏口，因立为汝南县。[①]

正是基于流寓夏口的人口众多，朝廷于此设立汝南县以安置移民，对当地的开发推动作用自不容小觑，源源不断的稳定兵源保障亦事关重大。同时，江北镇蛮护军辖域的开发与蛮族的汉化，也为郢州的设立起了促进作用。孝建元年（454）宋孝武帝采纳何尚之的意见，从荆、湘、江三州分出八郡，增设以江夏为州治的郢州，既满足了其进一步分割打压荆、湘、江三州的愿望，也有利于长江中游协调均衡的全面发展，郢城从此与江陵、襄阳同为长江中游地区的中心大镇，荆楚地区的政治、军事中心从此在江陵、襄阳、江夏三大支点间转换移徙，对南朝历史影响巨大。也为商贾交通往来提供了便利，使夏口很快成为“商舟之会”的交通与商贸大港。

（三）江陵城的兴建与发展

江陵“西尽巴蜀，东包吴会，南极百越，北际周韩”，历来是兵家所必争的军事要冲。[②]秦拔郢降为南郡。楚汉之际，项羽封有功于张楚的柱国共敖于南郡，都江陵，改南郡为临江国，称临江王。汉高祖灭项羽，随之攻灭临江国，俘虏嗣位的第二代临江王共尉，恢复南郡旧制。景帝二年（公元前155）将南郡改回临江国，封哀王阏为临江王，翌年刘阏薨。七年，景帝又封年幼的废太子刘荣为临江王，旋即借口刘荣侵占城中庙前空地为王宫，将其征召回京交由廷尉治罪，逼刘荣自杀。《水经注·江水二》载其事谓：

---

① 《宋书》，第1124页。

② 王象之：《舆地纪胜》，中华书局1992年版，第2196页。

王坐侵庙壖地为宫，被征，升车出北门而轴折，父老窃流涕曰："吾王不还矣！"自后北门不开。[①]

可见，至迟西汉初年，江陵城已建有城垣。

汉末以来，天下大乱，新任荆州刺史刘表并未驻节江陵，而是将荆州治所北迁襄阳，直至西晋后期荆州刺史王澄将荆州州治迁回江陵，这或许是造成荆州地位下降的另一个原因。刘表亡后，曹、刘、孙轮番占据江陵，建安十六年，刘备进取益州，诸葛亮与关羽驻守江陵，为加强防守，曾修筑江陵城。《水经注》载：

旧城，关羽所筑。羽北围曹仁，吕蒙袭而据之。羽曰："此城吾所筑，不可攻也。"乃引而退。[②]

《元和郡县图志》云：

荆州城本有中隔，以北，旧城也；以南，关羽所筑。羽北围曹仁于樊，留糜芳守城。及吕蒙袭破芳，羽还救城，闻芳已降，退住九里。曰："此城吾所筑，不可攻也。"乃退保麦城。[③]

可见三国时江陵城分南北两部分，北部是秦汉所筑旧城，南部则为关羽所筑新城。

东吴袭占江陵后，将南郡治所迁往江南，江陵城成为一纯属军事性质的城邑。

自汉末至南北朝，江陵江中燕尾洲成为中游的漕运节点和军事要

① 郦道元著，陈桥驿校证：《水经注校证》，第797页。

② 郦道元著，陈桥驿校证：《水经注校证》，第797页。

③ 李吉甫：《元和郡县图志》，第1091页。

塞，建有戍治和津治，江津戍以其天然渡口的优势，成为商贸码头和军事要塞，《水经注》卷三十四《江水二》曰：

> 洲上有奉城，故江津长所治，旧主度州郡，贡于洛阳，因谓之奉城。亦曰江津戍也。戍南对马头岸，昔陆抗屯此，与羊祜相对……北对大岸，谓之江津口，故洲亦取名焉。江大自此始也。《家语》曰："江水至江津，非方舟避风，不可涉也。"故郭景纯云："济江津以起涨。"[①]

熊会贞疏引《寰宇记》云，故奉城在燕尾洲上，胡三省亦谓"江津戍在江陵南"。[②]可见江津戍在江陵城南的燕尾洲上，东汉时，设有津长主管江南诸州的贡奉。由于江水至江津后变大，非方舟不可涉渡，遂使江津戍变得重要，成为沿江上下的一个固定渡口。

东汉时，江津戍以"津乡"之名见于史籍，如东汉初年，岑彭"自引兵还屯津乡，当荆州要会"。李贤注云："津乡，县名，所谓江津也。"[③]魏晋南北朝时期，荆州为军事重镇，江陵为荆州刺史治所，战事一起，江津辄为军事码头，战舰云集，史书中对此多有记载。如曹操从此率军东下并从赤壁败退回此。南齐萧子响反，胡谐之率众讨之，"至江津，筑城燕尾洲"。[④]刘宋初，荆州刺史谢晦举兵，"率众二万发自江陵，舟舰列自江津至于破冢，旍旗相照，蔽夺日光"。[⑤]刘义宣反，"帅众十万发自江津，舳舻数百里"。[⑥]

江津也是江陵一个对外交通的水运港口。离开江陵走水路皆需从

---

① 郦道元著，陈桥驿校证：《水经注校证》，第 797 页。

② 司马光：《资治通鉴》，第 3598 页。

③ 《后汉书》，第 659 页。

④ 《南齐书》，第 705—798 页。

⑤ 《宋书》，第 1353 页。

⑥ 司马光：《资治通鉴》，4014 页。

江津出发，如南齐荆州刺史萧嶷离江陵返都，“发江津，士女观送数千人”。[①]梁武帝迎荆州长沙寺佛像往金陵，“四众应慕送至江津，至二十三日届于金陵”。[②]在日常生活中，江津停泊船只无数，有乐府歌曰“布帆百余幅，环环在江津”。[③]显然，有这种大型码头的存在，江津必定是一个人口流动的中转站和四方物资的集散地。

江陵城的具体人口情况已不可考，西汉时已重具大城规模，《汉书·地理志》曰：“江陵故郢都，西通巫、巴，东有云梦之饶，亦一都会也。”[④]东汉时，江陵人稠物穰，经商者得以积累雄厚的资产。汉末至南朝，北方陷入战乱，人民大量南迁，由于江陵拥有长江中游地区的政治中心地位，在对迁居移民实施多种限制的情况下，北方尤其是南阳人口仍大量迁居于此，人烟阜盛，城内城外项背相望，灯火万家，梁时，疏浚江陵杖库防火池一役即用丁万余人。梁末江陵城内大火，“烧居人数千家”。[⑤]西魏陷江陵，被掳掠入魏者有数万人。

由于江陵重要的战略地位，围绕着江陵和通往四方的水陆要道上的大量城邑油江（公安）、松滋、当阳、宜都、竟陵、枝江等得以兴起，襄阳、江夏、长沙、江州的兴废也与江陵的盛衰根株结盘，由此带动促进了长江流域经济文化的整体发展。

三、治所城市的激增

汉末，荆州为三大军阀相互争战之地，故多设郡县据点以成壁障。《晋书·地理志》谓：

后汉献帝建安十三年，魏武尽得荆州之地，分南郡以北立襄阳

① 《南齐书》，408页。

② 释道世著，周叔迦、苏晋仁校注：《法苑珠林校注》，中华书局2003年版，第460页。

③ 郭茂倩编撰，聂世美、仓阳卿校点：《乐府诗集》，第608页。

④ 《汉书》，第1666页。

⑤ 《南史》，第242页。

> 郡，又分南阳西界立南乡郡，分枝江以西立临江郡。及败于赤壁，南郡以南属吴，吴后遂与蜀分荆州。于是南郡、零陵、武陵以西为蜀，江夏、桂阳、长沙三郡为吴，南阳、襄阳、南乡三郡为魏。而荆州之名，南北双立。蜀分南郡，立宜都郡，刘备没后，宜都、武陵、零陵、南郡四郡之地悉复属吴。魏文帝以汉中遗黎立魏兴、新城二郡，明帝分新城立上庸郡。孙权分江夏立武昌郡，又分苍梧立临贺郡，分长沙立衡阳、湘东二郡。孙休分武陵立天门郡，分宜都立建平郡。孙皓分零陵立始安郡，分桂阳立始兴郡，又分零陵立邵陵郡，分长沙立安成郡。荆州统南郡、武昌、武陵、宜都、建平、天门、长沙、零陵、桂阳、衡阳、湘东、邵陵、临贺、始兴、始安十五郡，其南阳、江夏、襄阳、南乡、魏兴、新城、上庸七郡属魏之荆州。及武帝平吴，分南郡为南平郡，分南阳立义阳郡，改南乡为顺阳郡，又以始兴、始安、临贺三郡属广州，以扬州之安成郡来属。[①]

至西晋时，荆州已“统郡二十二，县一百六十九，户三十五万七千五百四十八”。[②]灭吴统一后，将荆州的始兴、始安、临贺三郡划归广州，将扬州的安成郡划归荆州，从南郡分出南平郡，南阳分出义阳郡，仍维持着二十二郡，但辖土有较大缩小。南朝被拆分出雍、郢、湘等州以后，中央对原荆州广袤地区的全域控制更为直接有力，那些原本相对偏远的地区都纷纷设置了郡县，建立治所城邑，设置衙署，增派官员，荆楚地区治所城邑激增，《宋书·州郡志》记：

> 荆州，今领郡十二，县四十八。
> 郢州，领郡六，县三十九。

---

① 《晋书》，第454页。

② 《晋书》，第454页。

雍州，今领郡十七，县六十。

湘州，领郡十，县六十二。[①]

四州计领郡45个，属县209个，若加上被分置出去的“领郡四，县二十”的司州，原荆州土地上的郡县数量，较之西晋时期无疑有了很大变化。至齐时，荆州有10郡34县，巴州4郡20县，郢州15郡72县，司州19郡84县，雍州46郡133县，湘州11郡67县。郡县的规模又大大超过刘宋时的数目。

除了荆州分置产生的大量郡县城邑外，南朝时又多出不少上文提到的“蛮左县”，如郢州西阳郡其时所辖“西陵、蕲阳、西阳、孝宁、期思、义安左县、希水左县、东安左县、蕲水左县”九县中，义安、希水、东安、蕲水四县为左县，地处大别山区与江汉平原之间，正是西阳蛮活动的中心区域，两晋时为豫州、荆州之交界处，城邑很少，隙地较多，随着蛮人的迁居繁衍，诸荒芜之地也逐渐被开发出来，可见魏晋南北朝荆楚城市的增长与蛮人的增长、汉化亦有关联。

第二节　交通的变迁

九省通衢的荆楚在春秋战国时业已形成北通中原，东贯江淮，南达五岭，西及巴汉的交通大格局。北京大学收藏和湖南里耶出土的秦代里程简详载了以江陵为中心，北通樊邓、南阳、洛阳，东至安陆、夏口、沙羡精确到步的水陆里程、途经的城邑及彼此间的距离。

一、陆路交通

陆路南北连接关中、荆楚广大区域的中道以南阳和襄阳二城为节点，可划分为秦楚道、南襄隘道、荆襄道三段。

① 《宋书》，第1129页。

从长安至南阳路段为秦楚大道，它“从咸阳东南的蓝田，沿秦岭东段山口过武关，向东南进入南阳盆地当时中原与江南商业转输之地的宛县”。[①] 这条路的历史可上溯至西周。西周雄踞关中，开辟了向东以及向东南两个扩张方向，向东南是由关中出武关，进向江、汉，经营南阳、南郡一带以及淮河流域。战国时期，秦国据关中向东南发展正是走的这条道路。秦统一六国后，为了加强对东南地区的统治，在原有基础上进一步修建，最终形成了这条沟通南北的秦楚大道。

从南阳至襄阳路段称为“南襄隘道”，因先秦此道与中原诸夏相通，又称“夏路”，与夏路并行的汉水亦称“夏水”，在古代政治中心位于关洛地区时，“南襄隘道”联系南北交通的作用最为突出。

自襄阳北上，途经南阳盆地直趋伏牛山和桐柏山的丘陵隘口，可进入中原。穿鲁阳关，沿“趋洛之捷径”三鸦道至洛阳的道路更短，在军事上常被视为“出奇之道”。据《左传》记载，楚庄王出兵南襄隘道，示威周室，成就了“问鼎中原”的典故。若往西北行至武关，即进入秦楚大道。

连接襄阳和江陵的陆路，被称为荆襄道，为最通畅之途。荆襄道北通襄阳，南接江陵，贯通雍州与荆州大地。

在魏晋南北朝时期，荆襄道在南北用兵上有极高的战略意义。魏明帝曾谓：“先帝东置合肥，南守襄阳，西固祁山，贼来辄破于三城之下者，地有所必争也。”[②] 视襄阳为中道之上最重要之军事重镇，为南北双方必争之地。司马懿指出，“襄阳水陆之冲，御寇要害，不可弃也”。[③] 道出襄阳于北方地位之重要。

除战略意义外，就普通的交通与商旅而言，荆襄道的作用更是巨大，双方的贸易往来非常繁盛，蔡邕《汉津赋》谓襄阳“南援三州，北

---

① 王育民:《中国历史地理概论》，人民教育出版社 1987 年版。

② 《三国志》，第 73 页。

③ 《晋书》，第 3 页。

集京都，上控陇坻，下接江湖。导财运货，懋迁有无”[①]。齐高帝萧道成为布衣时，亦曾商旅于襄、樊之间，从西曲歌之《估客乐》《商旅行》中均不难著见当时私商之活跃。

二、水路交通

于江河之要津建城是中国古代城市建设选址常所遵循的基本原则，荆楚地区河湖密布，城邑大多建在滨江河之交通要津是其特色，如此既能充分满足城市生活的需要，也有利于军事防御。

长江自西向东横贯荆楚地区，其支流汉水、涢水、举水自北而南，湘水、资水、沅水、澧水自南而北一并汇入长江，其他支流如清水、丹水、均水、沮水、漳水、蛮水、白水、堵水、巴河等也都“可以浮舟筏巨川”。[②]

除自然水道之外，荆州地区尚修建有人工运河，如西晋杜预所开的扬水运河。《晋书·杜预传》曰：

> 旧水道唯沔汉达江陵千数百里，北无通路。又巴丘湖，沅湘之会，表里山川，实为险固，荆蛮之所恃也。预乃开杨口，起夏水达巴陵千余里，内泻长江之险，外通零桂之漕。

杨口亦作扬口、阳口，乃扬水入沔之水口，它“上承江陵县赤湖”，[③]东北流经华容、竟陵后入于汉水。杜预开杨口将长江与汉水经扬水连为一体，大大缩短了襄阳与江陵之间的水道距离。东晋元帝时，王敦为荆州刺史，“凿漕河通江汉南北埭”。[④]《读史方舆纪要》卷七十五《湖广四·荆州府》言：

---

① 严可均辑：《全后汉文》，第709页。

② 郦道元著，陈桥驿校证：《水经注校证》，第734页。

③ 郦道元著，陈桥驿校证：《水经注校证》，第669页。

④ 王象之：《舆地纪胜》，第2205页。

漕河在（江陵）县北四里，志云：晋元帝时所凿，自罗堰口入大漕河，又由里社穴达沔水口，直通襄汉。[①]

王敦凿通的大漕河即杜预所开的扬水。刘宋元嘉中，大漕河“通路白湖，下注扬水，以广运漕”。[②]这些人工河道的开凿使得荆州境内的内河交通更加便利通畅，故无论是公私往来，还是商旅贸易，皆以水路为主，往来荆州的商旅一般也多选择水路。《高僧传》卷十一《宋江陵琵琶寺释慧安》载：

（释慧安）止江陵琵琶寺……于是辞去，便附商人入湘川。中路患痢极笃，谓船主曰：“贫道命必应尽，但出置岸边……”商人依其言，出卧岸侧……商人行至湘东，见安亦已先至。[③]

显然，商人从江陵往湘东选择的是水路。《三国志·吴书》卷五十八《陆抗传》载：

初，江陵平衍，道路通利。抗敕江陵督张咸作大堰遏水，渐渍平中，以绝寇叛。祜欲因所遏水，浮船运粮，扬声将破堰以通步军。抗闻，使咸亟破之。诸将皆惑，屡谏不听。祜至当阳，闻堰败，乃改船以车运，大费损功力。[④]

和陆路相比，水路运输具有运量大、成本低、投资少、人可随船食宿之明显优势。因此，魏晋南北朝时期，荆州与外地的商贸往来大都选择水路。湖泊又与江河连通，形成了津途四达的航运网络，区位及自

---

① 顾祖禹撰，贺次君、施和金点校：《读史方舆纪要》，第3659页。

② 郦道元著，陈桥驿校证：《水经注校证》，第670页。

③ 释慧皎：《高僧传》，第390页。

④ 《三国志》，第1356页。

然地理条件对于一个区域的生产生活模式、经济增长有着超乎寻常的影响。

第三节 商业的繁盛

荆楚在先秦时期已获得较好的开发。经过两汉时期的恢复和发展，尤其是刘秀建立东汉政权后，荆楚地区经济得到快速发展，大地主庄园制经济发展尤为明显，较好地带动了本地农业的进步。再加上人口的恢复、便利的水陆交通网络和较好的城市分布结构，形成了完善的商贸网络，使荆楚地区商业兴盛，对推动经济和文化的发展起到了非常积极的作用。

一、秦汉时期的商贸活动

秦汉之际荆楚地区的商业文化相对比较开放，拥有上接巴蜀，下控江淮，北临河洛，南引潇湘的地理优势，农业和手工业基础良好，商业气氛比较浓厚，主要活跃着三种类型的商人。

其一为官商。

官府直接参与经营的商业活动，可以追溯至先秦时期。

汉武帝时，大司农桑弘羊总揽经济大权，采取多项政策以增加财政收入，其中有几项涉及官营的商业活动。桑弘羊上任伊始，大量增设盐铁官机构，共有盐官三十五处，分布在全国二十七个郡；铁官四十八处，分布于四十个郡国，基本完善了盐铁官营的管理系统和经营网络。其中，南阳宛城的铁官是当时全国最重要的铁官之一。1954 年，南阳瓦房庄汉代冶铁遗迹被发现，1959 年至 1960 年，两次对此遗迹进行发掘，发现大量熔炉、耐火砖、铸范、铁器，展现出的兴盛景象印证了这一历史事件。[①]

① 李京华：《南阳北关瓦房庄汉代冶铁遗址发掘报告》，《华夏考古》1991 年第 1 期。

王莽时期，实行五均赊贷政策，于长安东、西两市及洛阳、邯郸、临淄、宛、成都五大城市设均输官，改原来的市令、长为五均司市师，下设交易丞五人，司掌平抑物价，设钱府丞一人，司税收及赊贷。南阳位列五都之一，是当时荆楚地区官商的代表。2017 年，于南阳明清府衙东区发现一处王莽时的造币厂，出土了“大泉五十”和“小钱直一”陶母范数百块及烘范窖等大型造币遗址，范中不乏“始建国元年三月”和主管铸造钱币的政府机构“后钟宫”等字样（见图 1–1）。[①]《水经注 · 江水》载石首东之清水“口上即钱官也”，应为郦氏以前的鼓铸之所。其后，官营商业一直存在且经营范围愈益广泛。

图 1–1　南阳明清府衙出土的“后钟宫”和“大泉五十”母范

其二为官僚贵族营商。

这一风气先秦十分流行，其中最负盛名者，战国晚期的鄂君启。秦汉之后行重农贱商之策，此风稍减，主要的商贸方式是经营土地，出售出产物。

东汉时期，拥有三百余顷土地的樊重庄园，成功开发出多种经营，其经营额必定相当可观，因而“赀至百万”。《后汉书》卷三十二《樊宏传》载：

父重，字君云，世善农稼，好货殖。重性温厚，有法度，三

① 《“新莽造币厂”：或揭王莽新政“一角”》,《中国文化报》2019 年 3 月 13 日第 8 版。

世共财，子孙朝夕礼敬，常若公家。其营理产业，物无所弃，课役童隶，各得其宜，故能上下戮力，财利岁倍，至乃开广田土三百余顷。其所起庐舍，皆有重堂高阁，陂渠灌注。又池鱼牧畜，有求必给。尝欲作器物，先种梓漆，时人嗤之，然积以岁月，皆得其用，向之笑者咸求假焉。赀至巨万，而赈赡宗族，恩加乡闾。[①]

《水经注》卷二十九《沔水下》中对樊氏田庄的经营有更为细致的描述：

爰自宅阳徙居湖阳，能治田殖，至三百顷。广起庐舍，高楼连阁，波陂灌注，竹木成林，六畜放牧，鱼嬴梨果，檀棘桑麻，闭门成市。兵弩器械，赀至百万。其兴工造作，为无穷之功，巧不可言，富拟封君。[②]

樊氏庄园富丽堂皇，宏伟壮阔，有庄田三百余顷，农、林、牧、渔、商、手工业无所不包。

其三为私商行贾。

《史记·货殖列传》载宛城孔氏：

宛孔氏之先，梁人也，用铁冶为业。秦伐魏，迁孔氏南阳。大鼓铸，规陂池，连车骑，游诸侯，因通商贾之利，有游闲公子之赐与名。然其赢得过当，愈于纤啬，家致富数千金，故南阳行贾尽法孔氏之雍容。[③]

---

① 《后汉书》，第1119页。

② 郦道元著，陈桥驿校证：《水经注校证》，第693页。

③ 《史记》，中华书局2014年版，第3278页。

宛城孔氏本是魏国大梁（今河南开封）人，家族在战国时期就以冶铁业为生。秦灭魏之后，孔氏被迁到南阳。类似迁徙在秦代不胜枚举，如蜀郡卓氏，本是赵人；程郑，本是关东人，都迁居临邛。孔氏虽迁自外地，但显然并未受到过严厉打击，相反还以本业致富，形成强大的经济实力。

二、魏晋南北朝时期的商贸

城市的发展受到政治、军事、经济、文化尤其是商品贸易等方面的制约，城市的兴旺又进一步刺激商品贸易的发展。进入魏晋南北朝时期，城市的数量迅速增加，不仅加大了对粮食等生活必需品的需求，也加剧了对奢侈品的追求，因而魏晋南北朝时期荆楚地区的商业贸易十分活跃。

（一）城市内部商业贸易

荆州地区的城市大多建于交通要津，享有得天独厚的水陆交通网络优势，以这些城市为中心，荆州的商品贸易活动日渐繁荣兴盛起来。

魏晋南北朝时期的江陵颇为殷盛，史载“荆城跨南楚之富，扬部有全吴之沃。渔盐杞梓之利，充仞八方，丝绵布帛之饶，覆衣天下”。[①]江陵已是当时南北货物与地方农产品、手工业品的贸易中心，几可与都城建康相提并论。城内四方商旅云集，《南齐书》谓：“荆州物产，雍、岷、交、梁之会……良马劲卒，彼中不无，良皮美罽，商赂所聚。”[②]

如果说江陵是长江中游经济中心的话，那么襄阳则是汉水中游的经济中心。《隋书·地理志》言：“自晋氏南迁之后，南郡、襄阳皆为重镇，四方凑会。”[③]南北交通要塞的地理位置，四通八达的交通条件，使得襄阳成为了四方货物的集散地，各具特色的手工业品及农副产品汇集于此营销，并转销各地。

① 《宋书》，第1540页。

② 《南齐书》，第471页。

③ 《隋书》，第897页。

汉末，襄阳手工业者发达，“百工集趣，机巧万端”[①]，“交、扬、益州，尽遣驿使”[②]，商品贸易异常活跃。东晋南朝，襄阳商业更趋繁盛，甘卓在襄阳时，“估税悉除，市无二价，州境所有鱼池，先恒责税，卓不收其利，皆给贫民”。[③]江面上商船来往如织，陆路上车马辚辚，行商摩肩接踵。前秦于“丰阳县立荆州，以引南金奇货，弓竿漆蜡，通关市”。[④]北朝崔宽为陕城镇将，以“路与南通”而“贩贸往来，家产丰富。”[⑤]当时襄阳还专设有“互市”机构，朱雷先生认为，经由往来于各地进行贸易的“互市人”之手，商货可由凉州辗转到达襄阳，从而使得传统的“丝绸之路”贸易由长安延伸至襄阳，使襄阳成为具有国际贸易性质城市。[⑥]

最能反映江陵商业经济发达程度的是城中典当行业的出现。《南史·甄彬传》云：

> 尝以一束苎就州长沙寺库质钱，后赎苎还，于苎束中得五两金……送还寺库。道人惊云：“近有人以此金质钱，时有事不得举而失。檀越乃能见还，辄以金半仰酬。”[⑦]

长沙寺经营的“质库”与后世的典当业并无不同。南齐时，庾诜邻人被诬为盗，“诜矜之，乃以书质钱二万，令门生诈为其亲，代之酬备”。[⑧]这里庾诜以书质钱与甄彬以苎质钱性质相同，足见其时江陵的典

---

① 严可均编：《全上古三代秦汉三国魏晋南北朝文》，第2747页。

② 严可均编：《全上古三代秦汉三国魏晋南北朝文》，第2747页。

③ 《晋书》，第1863页。

④ 《晋书》，第2870页。

⑤ 《魏书》，中华书局1974年版，第625页。

⑥ 朱雷：《东晋十六国时期姑臧、长安、襄阳的“互市”》，黄惠贤、李文澜主编：《古代长江中游的经济开发》，武汉大学出版社1987年版。

⑦ 《南史》，第1705页。

⑧ 《梁书》，第751页。

当业颇为兴盛。

最能反映商业繁荣程度的是职业化商人估客的活跃。无需多言，释宝月一首《估客乐》即已道尽当时商贸的繁华："初发扬州时，船出平津泊。五两如竹林，何处相寻博"。[①]"五两"系楚语，谓立于船上候风的竹竿，江陵至建康江面上楚商船只之多于此著见。一首《襄阳乐》显现汉江中下游商贸航运与集镇生意之兴隆："朝发襄阳城，暮至大堤宿。大堤诸儿女，花艳惊郎目。"[②]

魏晋南北朝时期尽管社会动荡，荆州地区仍然广泛地以货币形式进行交易。《隋书·食货志》云："梁初，唯京师及三吴、荆、郢、江、湘、梁、益用钱。其余州郡，则杂以谷帛交易。"[③]按，荆州军府、蛮府的资费皆以钱计算，至南齐萧嶷镇荆州时，荆州资费岁钱三千万，南蛮府资费岁钱三百万，这些钱自然需要投入市场使用，货币的广泛使用一方面促进了商品经济的发展，另一方面又反映了商品经济的兴旺程度。

（二）荆楚地区的粮食贸易

魏晋南北朝之际，荆楚地区内部及与外部的粮食贸易活动频繁。

其一，荆楚地区内部的粮食贸易。

粮食贸易是从粮食生产者向消费者流动中完成的，这种流通有不同的形式，一种是从乡村流往地方集市，如县邑，然后再转输给较大城市，如襄阳、江陵以及长江下游的建康。有的则是从周围乡村直接流往城市。

普通小农与市场产生交易的场所多发生在地方集市，是一种初级市场形态，农民在这里出售粮食与其他农产品，然后换回生活必需品及生产工具。史载，三国初陆逊北攻襄阳，南返时遣将周峻等"击江夏、新市、安陆、石阳，石阳市盛，峻等奄至，人皆捐物入城"。[④]石阳（今湖

---

① 郭茂倩撰，聂世美、仓阳卿校：《乐府诗集》，上海古籍出版社 2016 年版，第 616 页。

② 郭茂倩撰，聂世美、仓阳卿校：《乐府诗集》，第 619 页。

③ 《隋书》，第 689 页。

④ 《三国志》，第 1351 页。

北汉川西北）的“市”即位于城外，这种市应是自发形成的，在这里出售物产的大都是农民，粮食当是主要商品之一。

各郡邑对其所辖县而言，实为地区的中心，较之于县邑，这里人口更多，行政管理机构更为庞大复杂，故粮食需求也更多。魏晋南北朝时期，荆州许多郡邑、州府治所中都有粮食贸易活动。如零陵郡，《法苑珠林·法服篇》载：“宋沙门僧妙者……居于江陵上明村，妙至大明年初，游乞零陵，因居郡治龙华精舍。贩货蓄聚米至数千斛。”按，僧妙于零陵郡治贩货聚米，可证零陵郡治中有粮食市场。襄阳与江陵也有粮市，《晋书·羊祜传》载：“南州人征市日闻祜丧，莫不号恸，罢市，巷哭者声相接。”[①]南齐时，张敬儿“为襄阳府将也，家贫，每休假辄佣赁自给”。[②]

粮食贸易不仅发生在民间，官方也是粮食贸易的积极参与者，突出表现在“籴”“粜”两种方式上。东晋陶侃为荆州刺史，“是时荆州大饥，百姓多饿死。侃至秋熟辄籴。至饥，复价粜之。士庶欢悦，咸蒙济赖”。[③]刘宋时，“东土灾荒”，荆州西曹主簿沈亮以为：“宜班下所在，隐其虚实，令积蓄之家，听留一年储，余皆勒使粜货，为制平价……即并施行。”[④]又南齐永明五年，“上欲立常平仓，市积为储”，分配的指标是，“荆州五百万，郢州三百万，皆市绢、绵、布、米、大小豆、大麦、胡麻。湘州二百万，市米、布、腊……雍州五百万，市绢、绵、布、米。使台传并于所在市易”。[⑤]据上举三例，虽说官方籴粮有一定的强制性，但仍没脱离商品交换的基本属性。齐武帝曾下诏令，“其和价以优黔首……勿使逋刻”。[⑥]若价格果真合适，和籴无疑是一种对官私皆有利

① 《晋书》，第1021页。

② 《南史》，第1136页。

③ 李昉等撰，夏剑钦校点：《太平御览》，河北教育出版社1994年版，第366页。

④ 《宋书》，第2450页。

⑤ 杜佑撰，王文锦等点校：《通典》，中华书局1988年版，第288页。

⑥ 《南齐书》，第54页。

的贸易行为。

其二，荆、扬之间的粮食贸易。

建康城是魏晋南北朝时期南方最大的城市，每日都需消耗大量的粮食，虽然扬州地区物产丰盈，但仍然需要从其他地区调运粮食，方能保证供给，但当发生自然灾害或者战争的时候，这种需求更为迫切，东晋末年桓玄为乱，“于时扬土饥虚，运漕不继，玄断江路，商旅遂绝。于是公私匮乏，士卒唯给粰橡”。[①]宋明帝初年，郢州、荆州举兵同逆，“商运稀简，朝廷乃至卖官鬻爵，以救灾困”。[②]其所言商运之物显然是粮食或主要是粮食。

荆扬之间的粮食贸易在三国两晋已经习见。《三国志·全琮传》载：

> 孙权为车骑将军，以柔为长史，徙桂阳太守。柔尝使琮赍米数千斛到吴，有所市易。琮至，皆散用，空船而还。柔大怒，琮顿首曰：“愚以所市非急，而士大夫方有倒悬之患，故便振赡，不及启报。”柔更以奇之。[③]

吴主孙休时，“州郡吏民及诸营兵……皆浮船长江，贾作上下”。[④]刘宋时，将军吴喜从荆州还建康，“大艑小艒，爰及草舫，钱米布绢，无船不满。自喜以下，迨至小将，人人重载，莫不兼资”。[⑤]由此可见荆州与建康之间粮食贸易利润之丰厚，让这些官吏、士兵都参与其中。官僚与兵士经营粮食贸易的毕竟只占贸易额的极小部分，更多的则是一般商人，他们在江陵、襄阳、竟陵等地与建康之间穿梭往返，“年年逐利

---

① 《晋书》，第 1739 页。

② 《南齐书》，第 2117 页。

③ 《三国志》，第 1381 页。

④ 《三国志》，第 1158 页。

⑤ 《宋书》，第 2118 页。

西复东”。[①]

以上概述了魏晋南北朝时期，荆楚地区内部，以及荆、扬之间的粮食贸易活动。粮食是人口生存最基本的物质资料，其数量的多寡是经济发展的重要指标。魏晋南北朝时期荆楚地区的粮食生产出现结余，由此引致频繁的贸易活动，足见其数量规模之大。粮食的富裕让更多的人脱离基础性的农业生产投身于手工业、商业等其他产业，才会出现“下及工商流寓僮仆不亲农桑而游食者以十万计”的现象。[②]市场规模的扩大、草市的滋生，这些正是城市自然形成、生长的必要条件。

三、荆楚地域商贸网络的形成

魏晋南北朝时期荆楚地区经济得到蓬勃发展，商业贸易活动趋于繁荣，其结果是以江陵、襄阳、夏口（郢州）为中心的荆楚商贸网络加速形成。

从东汉末年直至刘宋初期，绝大部分时间荆州的治所都在江陵，这意味着江陵在荆州境内处于绝对优势的地位，除了政治、军事上所具备的优越条件，经济上的优势地位尤可圈点，朝廷在江陵经济发展上所作出的资源配置和投入也远远高于其他边缘地区。因此，江陵及其附近地区无论是农业生产率还是商业化程度皆超过其他地区。

作为区域的核心，江陵对整个长江中游地区形成巨大的吸引力和经济辐射力，从而带动着其他地区的经济发展。南朝为了巩固建康的统治地位，减少荆州对下游的威胁，同时亦由于经济已在全域得到较均衡的快速发展、人口显著增加、交通更为畅达，民族融合成绩卓著等因素，分荆弱荆政策便应运而生，其结果在原荆州区内分割出雍州、郢州两个政区，也随之产生了雍州、郢州两个经济区，诞生了襄阳、夏口两个区域中心城市，促进了本地区经济的全面发展。

---

① 郭茂倩撰，聂世美、仓阳卿校:《乐府诗集》，第 617—618 页。

② 《晋书》，第 791 页。

荆州、雍州、郢州三个经济区以江陵、襄阳、夏口三个城市为中心，通过三区之间的交通网络，开展贸易往来，促使着本地区的市场网络初步形成。如襄阳经汉水与上庸、房陵、武当、均县、阴县、筑阳、山都、宜城、枣阳相连，同时各郡县并有陆路通往襄阳。经由长江，江陵可与建平、秭归、宜陵、宜都、河东诸郡相通。郢州治所之夏口位于长江与汉水的交汇处，经此二水均可直接与襄阳、江陵、湘州连通，缩短了里程，增加了航路选择。《宋书·州郡志》列有荆、雍、郢三州及其所属郡县去京都及州治所的水路里程，也反映出荆、雍、郢三州之间的水路交通网络在境内许多地方较陆路发达完善，三州不仅可以经汉水、长江通往都城建康及沿江城邑，而且纵横交错的河流与湖泊又将各郡县与州府连为一个整体。①

荆州境内的州郡县邑借助这些纵横交错、四通八达的水陆交通网络形成一个完整的市场网络。在这一网络中，普通农户可以将自己的劳动产品汇集于城镇进行农产品的交易买卖，从而形成各地区的基层市场，如石城、安陆、石阳、汶阳、武昌等。借助各色商人的贩运，各种物资经由这一网络再汇入更大的多级市场，从而使得县邑级低级市场与郡治、州治级的市场连为一个整体。

商贸网络的初步形成，对于荆楚城市的发展影响不言而喻。在各州中心城市的辐射带动下，周边的城邑因交通路线与商贸活动，有机地与中心城市一体联动，成为中心城市的腹地与卫星城。从小区域的城市群，再扩展到整个荆楚地区的城市网络，商贸经济活动在其中发挥了巨大作用。

---

① 王玲：《汉魏六朝荆州地区的经济与社会变迁》，中国社会科学出版社 2010 年版。

第二章　人口与族群

秦汉魏晋南北朝时期荆楚地区的人口数量随政治军事形势的变化而演变。秦灭楚之后，因严酷的战争环境造成巨大的人口损失，尤其是社会精英人士的流失，荆楚之地却经历了一个社会经济文化长期衰颓过程。在秦汉时期国家大一统的和平环境下，荆楚地区社会经济文化逐渐恢复发展，人口数量也不断增长。两汉四百年的相对承平，让荆楚地区的人口达到顶峰，汉末的黄巾起义和军阀混战使荆楚地区的人口剧降，荆州牧刘表短暂保持了荆州的和平安宁，又因为交通发达，物产丰富，吸引了数十万北方流民及大批流寓士人，使荆楚地区迎来了一次成规模的人口增长。然而当曹操南下及之后对荆州的长期争夺，破坏了荆州安定和平的社会环境，长期的战乱又让荆楚地区的人口数量急剧减少。之后的两晋南北朝时期，随着北方人民大量南迁和蛮族出山，荆楚地区的人口数量又大幅回升，外来和出山蛮族的人口均超过土著人口。人口结构的改变，在促进荆楚地区社会经济文化发展的同时，也重塑了荆楚地区的文化面貌。

第一节　人口的繁衍

一、秦汉时期人口

秦国占领楚国的核心地区后，全面推行郡县制。为了使帝国的权力控制深入到所有县邑和乡里，辅助中央集权制度的实行，秦汉时期广泛采用上计制度。

人口的消长情况最能反映一个地区的社会概貌，王朝对所辖黔首的掌控基于上计，汉朝上计的基本单位是县及与县同级的邑、道、侯国。每年八月，由县令（长）根据上年的户籍对辖域全部民户进行一次普查，获取当年人口变化数据，称之为“案比”或“算人”，然后上报各自辖域的户口田亩、钱谷入出、治安情况等方面的统计数据，是两汉县级行政长官的一项主要职责，即所谓“秋冬集课，上计于所属郡国”。郡守或国相对数据汇总统计后，年底亲自进京述职奏事，首项内容就是户口，其他的事项也多与户口多少有关。

表 2–1　《汉书·地理志》所载西汉平帝元始二年荆州之各郡人口数量

郡名	户	口	城邑
南阳郡	359316	1942051	36
南郡	125579	718540	18
江夏郡	56844	219218	14
桂阳郡	28119	156488	11
武陵郡	34177	185758	13
零陵郡	21092	139378	10
长沙国	43470	235835	13
汇总	668597	3597268	115

资料来源：《汉书》，第 905—908 页。

表 2–2　《后汉书·郡国志》所载东汉荆州之各郡人口数量

郡名	户	口	城邑
南阳郡	528551	2439618	37
南郡	162570	746640	17
江夏郡	58434	265464	14
桂阳郡	135029	501430	11

续表

郡名	户	口	城邑
武陵郡	46672	250913	12
零陵郡	212284	1001578	13
长沙郡	255854	1059372	13
汇总	1399394	6265015	117

资料来源：《后汉书》，第 3476—3488 页。

从表 2–1，表 2–2 两表不难发现，东汉时期荆州地区虽然城邑的数量变化不大，但是人口数量有近乎翻倍的增长。唐长孺先生在《汉代社会结构》中提到，东汉愈益走近封建社会，大量的自耕农失去土地，依附在控制大量土地的豪族之手，因而记录在黄册上的著籍人口当比实际人口少。[①] 但自西汉至东汉，南方荆楚地区人口呈现出快速稳定的增长态势，蛮族越族人口从山林走向平谷、沾慕王化，可以反映荆楚地区经济的恢复与发展。

二、魏晋南北朝时期的人口

魏晋南北朝时期，荆楚地区的军事地位崛起，频繁的战事、大规模的流民移动、刘宋对荆州的分拆等活动，使荆楚城邑披上浓厚的政治和军事色彩。最大的变化莫过于荆州被拆分为荆、郢、湘、雍四州，尚有一小部被分拆入司州，《宋书·州郡志》载此四州之人口如表 2–3：

表 2–3 《宋书·州郡志》所载刘宋大明八年荆州等四州人口数量

州名	户	口
荆州	65604	缺载

① 唐长孺：《汉代社会结构》，《魏晋南北朝隋唐史三论》，中华书局 2011 年版，第 1—20 页。

续表

州名	户	口
郢州	29469	158587
湘州	45089	357572
雍州	38975	167467
汇总	179137	—

资料来源：《宋书》，第1071页。

相较于两汉时期，刘宋大明八年（464）的人口数量无论是户数还是口数都大幅度减少。一般认为，战争、天灾、疾疫等会使人口凋零，可荆楚地区远离当时动乱较多的王朝核心区，战乱波及相对较少，故人口的减损不会有如此之大。学术界一致认为，大明八年统计的人口与户口大大低于真实数据，实际只登记了一部分人口与户口。而且，由于贵族官僚、世家大族、地主豪强等荫庇、隐匿大量户口，造成登记在册的人口数量更加不实。[1]只要稍微查看一下《宋书·州郡志》中的某些人口数据，不难发现其中隐藏有不少问题，如雍州各郡之户口数：

> 襄阳公相……户四千二十四，口一万六千四百九十六……
> 南阳太守……户四千七百二十七，口三万八千一百三十二……
> 新野太守……户四千二百三十五，口一万四千七百九十三……
> 顺阳太守……户四千一百六十三，口二万三千一百六十三……
> 京兆太守……户二千三百七，口九千二百二十三……
> 始平太守……户二千七百九十七，口五千五百十二……
> 扶风太守……户二千一百五十七，口七千二百九十……
> 南上洛太守……户一百四十四，口四百七十七……

① 曹树基、吴松弟、葛剑雄：《中国移民史》（第二卷），福建人民出版社1997年版，第411页。

河南太守……户三千五百四十一，口一万三千四百七十……

广平太守……户二千六百二十七，口六千二百九十三……

义成太守……户一千五百二十一，口五千一百一……

冯翊太守……户二千七十八，口五千三百二十一……

南天水太守……户六百八十七，口三千一百二十二……

建昌太守……户七百三十二，口四千二百六十四……

华山太守……户一千三百九十九，口五千三百四十二……[①]

据沈约注解，襄阳、南阳、新野、顺阳为原有政区建制，其户口数相近而人口数大异。京兆、始平、扶风、南上洛、河南、广平、义城、冯翊、南天水、建昌、华山为侨郡。两者之户数分别为17365户与20755户，则侨郡户口数已经超过原著居民。[②]尽管这一数据仍明显少于实际数据，但仍可大致反映出南迁的北方人口在总人口中的比重，若虑及南迁侨郡户均人口更多于本地户均人口，加上庞大的出山与未出山的蛮人户口数，其统计数字断不至于如此难堪，所登记的户口大概只限于有所隐瞒后交纳税赋的在册户口数。

第二节　族群的变化

魏晋南北朝时期荆楚地区的族群发生了巨大的变化。主要表现在两个方面：北人南迁、蛮人的出山。

一、北人南迁

自东汉末年董卓之乱起，中央政权与地方割据势力的争斗接连不断，此外原本生活在北方草原的诸民族也因生存等问题，南下进入黄河

① 《宋书》，第1136—1143页。

② 《宋书》，第1136—1143页。

流域，与中原王朝展开了战争。这使得北方几无宁日，大量人口被迫漂泊南迁。

南迁大致经历了三次高潮：一次是东汉末年至建安初年；一次是西晋末年“八王之乱”后；一次是东晋十六国时期。“起点主要是洛阳和关中，分别由洛阳经南阳盆地，由关中越秦岭经南阳盆地，或由关中越秦岭至汉中盆地顺汉水而下，最后都汇聚于襄阳，然后再由汉水东南下”的这条中线北方移民主要流寓于荆楚地区。①

与北方的持续变乱相反，汉末“荆州丰乐，国未有衅”。②“荆、扬南有桂林之饶，内有江、湖之利，左陵阳之金，右蜀汉之材”，生存环境优良。③荆州成为北方人民避难的理想地之一。史载“关中膏腴之地，顷遭荒乱，人民流入荆州者十余万家”。④实际上这些人除来自关中地区以外，还包括河内、河东、颍川、汝南以及南阳等地的部分人口。流民大部分是普通民众，亦有许多士族阶层“复弃中国去，委身适荆蛮”。⑤《后汉书·刘表传》言：“关西、兖、豫学士归者盖有千数。”⑥王粲、司马徽、诸葛亮等人亦是在此时流寓荆州。

西晋“八王之乱”前夕，王如起义失败，其余党李运、杨武等自襄阳将三千余家入汉中。经“八王之乱”的浩劫，五胡乘隙蜂拥进入中原，致“天下大乱，生民道尽，或死于干戈，或毙于饥馑。其幸而自存者盖十五焉”。⑦加上“终魏晋之世，黄河、长江两流域间连岁凶灾，几无一年或断。总计三百年中，遇灾凡三百零四次，其频度之密，远逾前

① 葛剑雄：《中国移民史》（第二卷），福建人民出版社1997年版，第338—340页。

② 陈寿：《三国志》，第696页。

③ 桓宽撰集，王利器校注：《盐铁论校注》，中华书局1992年版，第41页。

④ 华学诚汇证，王智群、谢荣娥、王彩琴协编：《扬雄方言校释汇证》，中华书局2006年，第1601页。

⑤ 俞绍初辑校：《建安七子集》，中华书局2005年，第86页。

⑥ 《后汉书》，第2421页。

⑦ 《魏书》，第2849页。

代”的连绵天灾。[1]死亡的威胁无时无处不在，许多人民被迫选择逃离，南方荆、扬、江、湘、交、广诸州都是他们逃命的去处。《晋书·刘弘传》载：“于时流人在荆州十余万户，羁旅贫乏，多为盗贼。”[2]《晋书·杜弢传》载：“时巴蜀流人汝班、蹇硕等数万家，布在荆、湘间。”[3]永嘉二年，“汉中民东走荆、沔”等不绝于书。[4]在流民中，有许多大族是挟宗族部曲集体迁徙，本地如南阳岑氏、宗氏、刘氏、乐氏、庾氏、樊氏等本州著姓借地主之利，皆于此时迁入南郡首府江陵。《梁书·宗懔传》载：

八世祖承，晋宜都太守，属永嘉东徙，子孙因居江陵焉。[5]

《南齐书·刘虬传》曰：

字灵预，南阳涅阳人也。旧族，徙居江陵。[6]

《梁书·乐蔼传》曰：

字蔚远，南阳涅阳人，晋尚书令广之六世孙，世居江陵。[7]

《隋书·庾季才传》曰：

---

① 邓云特：《中国救荒史》，商务印书馆1988年版，第12—13页。

② 《晋书》，第1765页。

③ 《晋书》，第2621页。

④ 司马光：《资治通鉴》，第2739页。

⑤ 《梁书》，第584页。

⑥ 《南齐书》，第939页。

⑦ 《梁书》，第302页。

> 新野人也，八世祖滔，随晋元帝过江，官至散骑常侍，封遂昌侯，因家于南郡江陵县。[①]

这四个南阳旧族迁入江陵后亦发展成为当地大族。

雍、秦二州举族南迁的豪族更多。史载：“永嘉之乱，三辅豪族流于樊沔，侨于汉水之侧，立南雍州，因人所思以安百姓。”[②]这些豪族迁徙时通常都跟随着大量的宗族与部曲。

此后，至东晋咸和年间苏峻发动叛乱，后赵石氏趁机南下，于是“寇难南逼，户口南渡”。[③]由此引发了东晋年间北方人民南迁的又一个高潮。“自江陵至于建康，三千余里，流人万计，布在江州。”[④]前秦苻氏统治北方地区时，兴文教、劝农桑，政理称举，北方地区出现了少有的晏安局面，人民南迁者相对较少。但淝水之战的失败使前秦覆亡，随后羌胡相攻，无月不战，北方地区战火重燃。相较之下，此时的东晋和平安宁，再次吸引大量北方人民南迁，史载刘宋著名将领王镇恶，“年十三而苻氏败亡，关中扰乱，流寓崤渑之间……后随叔父曜归晋，客居荆州”。[⑤]安定人席衡，“因后秦之乱，寓居襄阳。仕晋，为建威将军，遂为襄阳著姓”。[⑥]韦轨，京兆杜陵人，“世为三辅著姓”，孝武帝太元初“南迁襄阳，为本州别驾，散骑侍郎”。[⑦]

北人南下的热潮持续至晋末宋初。如薛宏敞，本河东汾阴人，“值赫连之乱，率宗人避地襄阳”。[⑧]康穆，华山蓝田人，其先出自康居，晋

---

① 《隋书》，第1764页。

② 李吉甫：《元和郡县图志》，第527页。

③ 郦道元著，陈桥驿校证：《水经注校证》，第804页。

④ 《晋书》，第2144页。

⑤ 《宋书》，第1365页。

⑥ 《周书》，第798页。

⑦ 《梁书》，第220—226页。

⑧ 《周书》，第683页。

时陇右乱乃迁入蓝田，宋永初中，康穆“举乡族三千余家，入襄阳之岘南，宋为置华山郡蓝田县，寄居襄阳”。[①]焦度，南安氐人，“宋元嘉中，裴方明平杨难当，度父明与千余家随居襄阳，乃立天水郡略阳县以居之”。[②]

南朝中后期，随着北方地区社会秩序的重建，北人的生活趋于稳定，生产恢复发展，北人南迁的浪潮方才消退。

二、蛮人出山

秦汉以前，蛮族是世代居住于南方的主体民族，分布地区广大，随着先秦中原民族的不断进入江汉地区，尤其是楚国在江汉地区立国后迅速崛起，这些南方民族或被同化，或被不断挤往深山重谷的边缘地区尤其是长江以南的山地，不少学者将汉以后的南方蛮族称为少数民族并不妥当。秦汉三国时期，不少蛮人从长江以南迁入荆豫二州，蛮族慢慢成为以荆州为主要分布区的南方土著民族的专称。《后汉书·南蛮传》将其划分为盘瓠蛮（武陵蛮）、廪君蛮、板楯蛮三支。《宋书·夷蛮传》按地域将其划分荆州蛮和豫州蛮，此荆州和豫州系指刘宋尚未分拆前的大荆州和豫州，表明蛮族已大量移徙繁衍于江北地区。

南朝时期，荆州地区这些本地蛮族人口开始源源不断地走出深山重谷，极大地补充了当地劳力和兵源的不足，促进了当地经济社会的发展，自身也迅速汉化并完全融入汉族之中。《宋书·夷蛮传》称：

> 荆、雍州蛮，盘瓠之后也。分建种落，布在诸郡县。荆州置南蛮、雍州置宁蛮校尉以领之。世祖初，罢南蛮并大府，而宁蛮如故。蛮民顺附者，一户输谷数斛，其余无杂调，而宋民赋役严苦，贫者不复堪命，多逃亡入蛮。蛮无徭役，强者又不供官税，结党连

① 《梁书》，第290页。

② 李延寿：《南史》，第1152页。

群，动有数百千人，州郡力弱，则起为盗贼，种类稍多，户口不可知也。所在多深险，居武陵者有雄溪、樠溪、辰溪、酉溪、舞溪，谓之五溪蛮。而宜都、天门、巴东、建平、江北诸郡蛮，所居皆深山重阻，人迹罕至焉。前世以来，屡为民患。[①]

豫州蛮，廪君后也。盘瓠及廪君事，并具前史。西阳有巴水、蕲水、希水、赤亭水、西归水，谓之五水蛮，所在并深岨，种落炽盛，历世为盗贼。北接淮、汝，南极江、汉，地方数千里。[②]

可见，刘宋时的诸蛮经数百年的繁衍，已广泛分布于长江流域中游地区，"豫州蛮"以大别山为中心，分布"北接淮、汝，南接江、汉，地方数千里"，本文所言"豫州蛮"仅限于鄂东大别山南麓地区的西阳蛮，是豫州蛮中最强大著名的一支。荆州蛮大分散、小集中，包括汉水流域的沔中蛮，三峡地区的峡中蛮，沅水、澧水流域的武陵蛮、湘水流域的长沙蛮等，势力最强大的有三支：

一是雍州蛮，亦称"沔中蛮""缘沔诸蛮"，包括"樊邓诸山蛮""襄阳诸山蛮""郧山蛮""竟陵蛮""丹淅三川蛮"等。原本多居于江汉西南山谷间，后逐渐北上分布于雍州，因北方移民的持续进入、当地军事地位突出、开发水平高而产生的冲突较其他地区更早更剧烈，也显得最为强盛。《宋书·沈攸之传》云："时蛮寇大甚，水陆梗碍。"沈庆之"大破缘沔诸蛮"。[③]《宋书·文帝纪》载："武陵王骏讨缘沔蛮，移一万四千余口于京师。"[④]《宋书·夷蛮传》："随王诞又遣军讨沔北

① 《宋书》，第2396页。

② 《宋书》，第2398页。

③ 《宋书》，第1997页。

④ 《宋书》，第93页。

诸蛮。”[①]《宋书·武二王传》则记载元嘉时“竟陵群蛮充斥”。[②]《南齐书·张敬儿传》：“伐襄阳诸山蛮，深入险阻，所向皆破。”[③]综上可见，从竟陵直到襄阳汉水流域，特别是沔北地区，是当时雍州蛮的聚居地，大洪山是其中心，刘宋朝廷于襄阳设宁蛮校尉进行征讨和管理。

二是沿长江两岸以荆州为中心的荆州蛮。荆州蛮原分布在武陵一带，武陵有雄溪、樠溪、辰溪、酉溪、舞溪五条溪，所以又称为“五溪蛮”。五溪蛮于汉时叛服无常，征讨不绝，势力范围逐渐扩大，继而北上入居鄂西之长江两岸，以及江北沮漳河流域为中心的汉水中游西南山地。统称峡中蛮，其中的沮漳蛮分布于今夷陵、远安、当阳、南漳、保康、房县等地，包括两汉三国时期著名的柤中夷越之蛮，两晋时期的“沮漳蛮”，南朝时期“汶阳山蛮”“当阳蛮”“北上黄蛮”“南襄城蛮”等，在蛮河流域与雍州蛮几乎无缝对接，连为一体，难以区别。蛮河本因夷越蛮人聚居而称夷水，因避桓温父桓彝讳而改称蛮水。《宋书·夷蛮传》载宜都及“江北诸郡蛮所居”，并有“南郡临沮、当阳蛮反”。[④]《南齐书·蛮传》：“汶阳本临沮西界……西北接梁州新城，东北接南襄城，南接巴、巫二边，并山蛮凶盛，据险为寇贼。”[⑤]可见，大江及江北沮水、漳水之间，是当时蛮族的出没之地。管控荆州蛮是设于南郡的南蛮校尉。

三是以豫州西阳郡（治今黄冈市东）为基地的西阳蛮。西阳蛮势力亦颇为强大，在南朝宋、齐两朝时屡遣官军讨伐。西阳有巴水、蕲水、希水、赤亭水、西归水，故西阳蛮又称“五水蛮”，这支蛮族崇拜白虎图腾，据称是廪君后裔，原居于鄂西南。东汉初，有一部分被迁于江夏，至灵帝时，江夏蛮的势力已发展到数以十万计，史载东汉朝廷征黄

① 《宋书》，第2397页。

② 《宋书》，第1798页。

③ 《南齐书》，第464页。

④ 《宋书》，第2396页。

⑤ 《南齐书》，第1008页。

香入朝，途中为这支蛮族所阻。魏晋南北朝时期演化为豫州蛮，其分布“北接淮、汝，南极江、汉，地方数千里”。[①]管控西阳蛮的官方机构是设于西阳的镇蛮护军，级别低于东晋所设宁蛮、南蛮两校尉，其首见于《晋书·桓云传》，称桓云服阙后“加都督司豫二州军事、领镇蛮护军、西阳太守、假节”。[②]此后镇蛮护军往往加授西阳太守，统理军民政务，管理兵源、租税等蛮族事务。[③]

黎虎先生研究，蛮人的出山有汉族政权的武力逼降，汉族政权的掳掠招抚出山等几种不同的方式及途径。[④]

其一，汉族政权的武力逼降。2至5世纪政权分立，割据混战，各政权为增加实力而对蛮族频繁用兵，以掠夺人口。东汉末年乐进屯襄阳，“南郡诸山谷蛮夷诣进降”。[⑤]黄盖“诛讨魁帅，附从者赦之。自春讫夏，寇乱尽平，诸幽邃巴、醴、由、诞邑侯君长，皆改操易节，奉礼请见”。[⑥]西晋永嘉元年，“天门、武陵溪蛮并反，(应)詹讨降之……召蛮酋，破铜券与盟”。[⑦]沈庆之以镇压蛮族闻名。元嘉二十六年，“雍州蛮屡为寇”，沈庆之率部“分道攻之，群蛮大溃”，并对南郡蛮田彦生率部曲发起的反叛进行残酷镇压，“大破之，威震诸山，群蛮皆稽颡”。[⑧]此后又讨幸诸山(今南阳一带)犬羊蛮，“置东冈、蜀山、宜民、西柴、黄徽、上陵六戍而还。蛮被围守日久，并饥乏，自后稍出归降”。[⑨]宋顺

① 《宋书》，第2398页。

② 《晋书》，第1941页。

③ 《宋书·百官志》载：“南夷校尉，晋武帝置，治宁州。江左改曰镇蛮校尉。四夷中郎校尉，皆有长史、司马、参军。魏、晋有杂号护军，如将军，今犹有镇蛮、安远等护军。镇蛮以加庐江、晋熙、西阳太守。安远以加武陵内史。”见《宋书》，第1255页。

④ 黎虎：《魏晋南北朝时期荆州地区的人口》，《北京师范大学学报》(社科版)1991年第4期。

⑤ 《三国志》，第521页。

⑥ 《三国志》，第1285页。

⑦ 《晋书》，第1858页。

⑧ 《宋书》，第1998页。

⑨ 《宋书》，第1998页。

帝升明年中，巴陵内史王文和讨武陵蛮，“蛮众以城降”。[①]

其二，汉族政权的掳掠。江左政权对蛮族人口的掳掠集中在刘宋王朝。如《宋书·夷蛮传》载：

> 自元嘉将半……于是命将出师，恣行诛讨，自江汉以北，庐江以南，搜山荡谷，穷兵罄武，系颈囚俘，盖以数百万计。[②]

系颈囚俘，数百万计的蛮族人口被掳掠、逼降，可见剿逼是蛮族出山的主要途径。

其三，招抚出山。南朝政权对蛮族主要实施镇压政策，但也有一部分官吏采用相对温和的招抚引诱政策。如刘宋元嘉八年，刘道产出任宁蛮校尉、雍州刺史，其人“善抚诸蛮，前后不附官者，莫不顺服，皆引出平土，多缘沔为居”。[③]刘道产亡后，蛮又反叛，此后朱修之镇襄阳，“唯以抚纳群蛮为务”。[④]陈朝陆子隆为荆州刺史，也“绥集夷夏”“甚得民和”。[⑤]

第三节　人口、族群变动的影响

北方流民持续涌入，南方山地蛮族不断出山，人口数量的变动引致荆楚地区政治、经济、文化、信仰等方面发生诸多改变。

一、“侨州郡县”与“蛮左郡县”的设立

从东汉时期开始，地方世家豪族逐渐掌控了基层社会权力，以宗

① 《南齐书》，第1008页。

② 《宋书》，第2399页。

③ 《宋书》，第2396页。

④ 《宋书》，第1970页。

⑤ 《陈书》，第294页。

族、乡里为基础的大姓势力成为当地基层政权的主导力量，流民迁徙的基本单位便是宗族和部曲乡里。迁徙过程中，率由那些具有一定实力和威望的大族、将帅、官宦担任领袖，聚宗族、合乡党，组成带有浓厚血缘、地缘色彩的流寓“乡族集团”。[①]东晋南朝不得不在其基础上设置侨州郡县进行管理（见表 2-4）。荆楚地区最大的侨置地方机构是设在襄阳的雍州，“胡亡氐乱，雍、秦流民多南出樊、沔，晋孝武始于襄阳侨立雍州，并立侨郡县”。[②]表明侨雍州是特为安置这些主要来自雍州的北方流民而设置，鲍至《南雍州记》更是明确指出，雍州乃“因人所思以安百姓”而立，“流于樊、沔”的“三辅豪杰”所思的自然是故土雍州。[③]

起初，魏晋南北朝时期的侨州郡县所用之户籍是临时性的白籍，著籍者享受免除赋税调役的优待。然而，襄阳地区作为与北方政权相争的前沿之地，其侨置方式和目的更多表现在军事方面。东晋以桓宣所率的淮南部曲设立的义成郡是明显的例子。

桓宣，谯国铚（治今安徽宿县西南）人也。桓宣早先助祖逖北伐，镇抚河南的各个坞主，获授谯国内史。祖逖死后，其部众由其弟祖约统领，然东晋咸和二年（327），祖约欲与苏峻一道叛乱，桓宣与之绝交，率其部曲南奔江州投陶侃，陶侃让桓宣坐镇襄阳，并以“其淮南部曲立义成郡”。[④]之后的十余年里，桓宣进一步“招怀初附，劝课农桑，简刑罚，略威仪”，积极从事农业生产，由此深得民心，阻挡住了后赵军队的南进。[⑤]陶侃死后，桓宣担任平北将军、司州刺史或是梁州刺史，立下

① 参安田二郎:《晋宋革命と雍州（襄阳）の侨民——军政支配から民政支配へ》,《东洋史研究》第 42 卷第 1 号，1983 年，第 130 页。

② 《宋书》，第 1135 页。

③ 李昉等撰，夏剑钦校点:《太平御览》卷一百六十八《山南道下・襄州》引《南雍州记》，河北教育出版社 1994 年版，第 819 页。

④ 《晋书》，第 2117 页。

⑤ 《晋书》，第 2117 页。

了赫赫战功。[①] 之后庾翼设计逼死桓宣，夺走桓宣部曲，义成郡遂成为各山头集团争夺的对象，最后落入桓玄之手。刘宋时该部被迁至谷城、丹江一带，才摆脱世兵的身份而成为沔中地区的编户齐民。

表 2–4　东晋南朝荆楚地区分布的侨州郡县

侨州郡	领县	侨置年代	本地	侨地	备注
雍州		东晋	治长安	襄阳	西魏改为襄州
京兆郡	蓝田、郑、池阳、新康、南霸城	东晋	治长安（雍州）	襄阳	宋领杜、新丰二侨县，齐增领魏县，梁废
始平郡	始平、平阳、清水	东晋	治槐里（雍州）	襄阳	宋领始平、平阳、武功三侨县、郡迁治武当，齐改为齐兴郡
扶风郡	郿、魏昌	东晋	郿（雍州）	襄阳	宋领郿一侨县，郡移治筑口，梁废
南上洛郡	阳亭、上洛、商、流民、拒阳	东晋	上洛（司州）	魏兴	宋增领丰阳县，郡废属梁州，西周改为丰利郡
南上洛郡	上洛、商	宋	上洛（司州）	白	此系宋在雍州所侨立，齐郡废
河南郡	阳城、缑氏、河南、新城、河阴	东晋	洛阳（司州）	襄阳	宋领河南新城、河阴三侨县，隋废郡
广平郡	易阳、曲周、邯郸、广平	东晋	广平（司州）	襄阳	宋领广平一侨县，西魏废
义成郡	下蔡、平阿、义成、万年	东晋	淮南（扬州）	襄阳	宋领义成，万年侨县，郡移治均，梁移治筑口，后周郡废
冯翊郡	莲勺、高陆	宋	治临晋（雍）	鄀	西魏改为汉东郡
南天水郡	冀、华阴、西县、略阳、河阳	宋	治冀县（秦）	岩州	宋省冀县，齐省河阳县，西魏郡废
建昌郡	永兴、安宁	宋		襄阳	西魏郡废

① 《晋书》，第 2117 页。

续表

侨州郡	领县	侨置年代	本地	侨地	备注
昌国郡	永宁	宋		襄阳	后省
华山郡	华山、蓝田	宋	雍州	大堤	西魏改华山郡为宜城郡
北河南郡	缑氏、洛阳、新安、新蔡、汝阳、褒信、固始、上蔡	宋	治洛阳（司州）	宛中	东晋曾于襄阳侨立北河南郡，后省，此郡齐废
弘农郡	邯郸、圉、卢氏	宋		五垄	齐省郡
新野郡		齐	沔北	沔南	西魏改曰威宁郡
南义阳郡	平阳、厥西、平氏	东晋	治新野（荆州）	南平郡	宋领厥西、平氏二侨县，隋郡废
新兴郡	云中、九原、定襄、宕渠、广牧、新丰	东晋	治九原（并州）	江陵	宋领定襄、广牧、新丰三侨县，隋废郡
南河东郡	广戚、闻喜、弘农、临汾、松滋、安邑、永安、谯	东晋	治安邑（司州）	江陵、	宋领闻喜、永安，松滋、谯，隋郡废
长宁郡	绥安、僮阳、长宁、绥宁	东晋		南郡	宋领长宁一侨县，隋郡废
汶阳郡	汶阳、僮阳、沮阳、高安	东晋		南郡	宋省汶阳、北周并僮阳，隋郡废
汝南郡	汝南	东晋	治新息（豫州）	夏口	宋改为县，隋改为江夏县
绥安郡		东晋		夏口	宋废郡
南义阳郡	平阳、平春、平舆	齐	治平阳	孝昌	西魏废郡
安丰郡		东晋	治安风（豫）	寻阳	晋安帝省
松滋郡		东晋	松滋（豫）	寻阳	晋安帝省为县
弘农郡		东晋	治弘农（司州）	寻阳	晋安帝省为县，宋废县
南新蔡郡	苞信、慎、宋	东晋	治新蔡（豫州）	寻阳	隋废郡

资料来源：夏日新《东晋南朝长江中游地区侨州郡县考》，中国唐史学会等编：《古代长江中游的经济开发》，武汉：武汉出版社，1988 年，第 281-282 页。

再就蛮族人口而论，晋末至南朝江左政权掳掠、逼降、招抚出山的蛮族人口数目惊人，有学者估算，在汉水流域活动的雍州蛮民当在130万人以上，而刘宋大明八年雍州在籍户数也不过38975户，口数167467。[①] 南朝时期蛮族势力的发展，活跃程度的增强，使他们成为一支重要的劳动和武装力量。对蛮族的治理，不仅关系到南朝对蛮区的统治，而且还关系到边境地带的安危，所以自刘宋时起，统治阶级就十分重视治蛮问题，除了命将出师残酷镇压外，宋、齐两朝还在统治方式上有所改革，在日沾王化的蛮民聚集区设置不少“左郡县”等特殊政区，以加强对蛮民的行政管理。

专为蛮民设置的郡县，最早的是汶阳郡，《南齐书·州郡志》载：

> 桓温平蜀，治江陵。以临沮西界，水陆纡险，行径裁通，南通巴、巫，东南出州治，道带蛮、蜒，田土肥美，立为汶阳郡，以处流民。[②]

其时汶阳郡领有僮阳、沮阳、高安三县（今湖北远安、保康一带），均为新置县。此外，著名的蛮郡还有隆安五年（401）桓玄移徙“沮漳降蛮”所立之武宁郡（今湖北荆门以南一带），这批蛮人无疑是前述由五溪移居沮漳流域蛮人的裔族，但该郡郡守不是蛮人，也不是在蛮区就地设立，故而未有“左”郡之名。史籍所见最早设置的左郡，可能是南豫州的南陈左郡，据考在宋武帝永初年间已经设立。南朝时期左郡、县的大量出现，是在刘宋文帝以后及南齐时期。

《宋书·州郡志》《南齐书·州郡志》载，宋、齐两朝在荆楚地区设置有四十多个左郡，另有左县一百四十余个，尚不包括中途废罢者，另有十多个左郡不详所领县数，或许根本就没有属县，可见其分布地域

---

① 梁方仲:《中国历代户口、田地、田赋统计》，中华书局2008年版。

② 《南齐书》，第273页。

甚广。

由于蛮是一种明显含有歧视性质的贬称，“其相呼以蛮，则为深忌”。[①]宋齐设蛮族聚居地为郡县时开始注意照顾蛮人心理，以“左”代“蛮”。从宋齐统治者对治蛮郡县名称的精心推敲，表明朝廷和蛮民双方，都在刻意回避、模糊汉蛮间的界限，左郡县明显是一个以民事管理为主的行政机构，不似校尉、护军带有浓厚的军事镇压管制色彩，显示出蛮族与汉族融合已经取得实质性进展，据考察，南齐时雍州宁蛮府下统左郡县“已完全演变为治理蛮区的地方行政机构”，南蛮校尉、三巴校尉相继废罢，必与之有关。[②]

在统治方式上，左郡县也例以归服的蛮族首领出任守、长，在“保落奉政”尊朝廷为正朔的前提下，拥有保持蛮族固有统治方式。[③]朝廷不打乱其原有的社会组织和生活聚居方式，不干预其内部事务，唯“羁縻”而已，带有某种程度的民族自治色彩。

进入南梁之后，北方政权逐渐被北魏统一，动荡的局势暂时稳定，随着生活环境的改善，南下的移民日渐减少，因此荆楚地区的侨州郡县规模亦不再增加，至梁后期，侨州郡县趋于消失，蛮左郡县也随着民族融合的基本完成而自然趋于消亡。

二、人口迁徙与劳动力资源的集中

区域人口的分布状况是历史时期经济发展水平的集中反映，在两汉时期人口主要分布在经济发达的北方地区，尤以黄河流域为中心，整个长江流域人口寡少。魏晋南北朝时期，由于人口的迁移使得原来的人口空间分布发生了显著变化。

荆楚地区的襄阳、荆州、江夏是移民的重点地区，是刘宋郢州、雍

① 《隋书》，第 897 页。

② 杨德炳、王延武：《魏晋南北朝时期蛮族对长江中游地区开发作用之探讨》，中国唐史学会等编《古代长江中游的经济开发》，武汉出版社 1988 年版，第 305 页。

③ 《南齐书》，第 1007 页。

州得以分立的基础，一般认为，从山西、陕西、河南、甘肃、四川、河北等地迁入荆州的移民主要分布于襄阳、江陵、武昌等河谷平原地带。[①]文献所见，东晋南朝设置的侨州郡县主要集中于汉水流域，以襄阳为中心的汉水中游地区最多，雍州可能是外来移民人口超出本地人口的唯一区域，史称“襄阳多杂姓”。[②]其次是江陵、松滋一带，再次是江夏、武昌区域。蛮族人口原先主要分布于深山重险之地，迁出后与汉人杂居于丘陵、河谷平原地区，几乎遍布荆楚境内，很快融入汉人之中。《隋书·地理下》言：

> 南郡、夷陵、竟陵、沔阳、沅陵、清江、襄阳、舂陵、汉东、安陆、永安、义阳、九江、江夏诸郡，多杂蛮左，其与夏人杂居者，则与诸华不别。[③]

劳动力、劳动资料、劳动对象构成了生产力的三要素，在区域经济发展中，劳动力是区域经济赖以发展与持续增长的重要资源。人口规模往往决定经济规模和生产方式，充足的人口特别是拥有充足的劳动力，对于区域经济的发展有着至关重要的影响。[④]迁移使得人口的空间分布发生了相当程度的优化，必然使域内的开发水平与文明程度日益趋平。

值得一提的是，文献所反映的这一时期荆楚人口明显与实际不符甚至有不断减少之势，原因不外乎战乱灾祸不断，人口大量逃亡、户口登记管理伪滥，屯田、兵户与僧尼白徒皆不著籍引致登记人口失真，而海量的大族荫庇户和蛮族因多种原因未登记入籍则是主要原因。仅从下列数事就不难发现问题所在：刘宋大臣沈攸之伐蛮先后俘获二十余万口；清廉的陶侃家中有僮仆千人，其子有部曲五千；忠诚温顺的南迁大族柳

① 谭其骧：《晋永嘉丧乱后之民族迁徙》，《长水粹编》，河北教育出版社2000年版，第283页。

② 《宋书》，第2109页。

③ 《隋书》，第897页。

④ 王玲：《汉魏六朝荆州地区的经济与社会变迁》，中国社会科学出版社2010年，第24页。

元景家族极力反对王玄谟土断属籍。东晋太元三年（378）三月，苻坚派苻丕率步骑七万围攻襄阳，让慕容垂、姚苌率军五万出南乡，苟池、王显、毛当率兵四万出武当，石越率军一万出鲁阳关协同作战，十七万大军于次年二月经经年苦战依靠内应才攻下襄阳，亦可证明当时的雍州军民人数不会如此之少。这方面已有的研究成果很多，在此不作赘述。

总之，魏晋南北朝时期，南下的北方人口与出山的蛮族人口汇集于荆州，使得荆州的人口总数量有了实质性增长，劳动力资源得到了补充，生产力系统的薄弱环节得到了一定的改善，荆州地区的社会生产在许多方面具备了较两汉时期更好的客观条件。同时，无论是南迁的人口还是出山的蛮族人口，无论是与原有居民杂居还是开辟新的居住区，伴随他们的定居化，其所居之地都随之得到了开发，更多的乡聚城邑生长出来，这一切的背后展现的主要是移民的贡献。

三、大族流动对文化变迁的影响

以襄阳为中心的沔汉地区是晚渡北方移民家族的集结之地。特别是“胡亡氐乱”之后，诸如京兆韦、杜，河东柳、裴、薛等“晚渡士人”及一大批沔汉地区的土豪取代了原来的土著士族而成为该地区的强势力量。东晋侨置雍州于襄阳，提供多种优惠政策以安抚招徕流人，雍州豪族作为一个强大的地域性力量就此形成。他们举族南迁和活动，形成以豪族领袖为核心具传承色彩的乡族集团，如杨佺期死后，其所领弘农部众多由鲁宗之续领。[①] 康氏代代为华山郡守，领其旧部。[②] 这使他们始终保持一定的凝聚力，延续拓展了家族文脉，促进了当地文化，并于梁末随雍州降附西魏大部分迁回关中，成为隋唐关中主要士族的重要成员，其成就普遍高于故地族人，一些依旧定居襄阳的南迁大族士子往往仍以关中、河东、安定之故郡望相标榜或形成新的郡望。

---

① 《晋书》，北京：中华书局 1996 年，第 2202 页。

② 《梁书》第 290 页。

雍州地处南北相争之地，中朝看重和寄希望于雍州的是其移民大族和蛮族武装，借武勋仕进成为雍州豪族的主要甚或是唯一的晋升之路，这又进一步造就了当地固有的彪悍尚武民风。可是，首重门阀的东晋南朝社会视武职、吏职为浊途，视文职、清要为清显，唯有文化才能保持家族原有的高门风貌以及对乡党的领袖地位，因而依恃武力进取的大族一旦以武勋取得名位之后，大多文武兼修，或完全地改弦更张，转习文事，积极向高层门第靠拢，习文是这些武勋进入上层士族社会、维持家族长期利益的最佳甚或是唯一通道，雍州大族无不关注文化的重要性。李延寿曾论柳元景“行己所资，岂徒武毅，当朝任职，实兼雅道”。[①]《南史·柳世隆传》载：

> 张绪问（柳世隆）曰：“观君举措，当以清名遗子孙邪？”答曰：“一身之外，亦复何须。子孙不才，将为争府；如其才也，不如一经。”[②]

这种思想在南朝大族中非常普遍，非独雍州豪族为然。先武后文、弃武经文成为雍州豪族向上层发展的基本脉络。

雍州豪族的文化修养中最为显眼的便是他们的文学修养。文学修养的养成不比经学的师说、家法之传承，豪族在雅化一二代之后才有可能取得非凡的成就。这不仅仅是文学素质培养的特质，也是南朝尚文风气使然。如韦氏韦载子韦宏“有文学”。[③]再如，裴氏裴植子裴炯“颇有文学”。[④]然最为典型的莫过于河东柳氏，柳世隆自萧齐一代进入中枢时便已雅化，其子孙有所光大，除长子柳悦早逝外，其余四子无不以文笔称

① 《南史》，第995页。

② 《南史》，第985页。

③ 《陈书》，第250页。

④ 《魏书》，第1572页。

举。柳恽“少工篇什……至是预曲宴，必被诏赋诗”。[①]他曾“著《述先颂》，申其罔极之心，文甚哀丽”。[②]柳悦虽然无集，但也与“好学工制文”的柳惔齐名。[③]柳惔“尝预齐武烽火楼宴，帝善其诗，谓豫章王嶷曰：‘惔非徒风韵清爽，亦属文遒丽’”“著《仁政传》及诸诗赋，粗有辞义”。[④]“好学，工制文，尤晓音律，少与长兄悦齐名，王俭谓人曰柳氏二龙，可谓一日千里”。柳憕的“风标才气”，曾获梁武帝萧衍嘉奖。[⑤]足见柳世隆一门文学修养之高，雅化之深，其跻身胜流，绝无异议。

令人侧目的是，雍州豪族亦有以史学著称的史学世家，京兆韦氏中，韦叡兄韦阐著《后汉音》二卷，韦叡子韦稜“以书史为业……著《汉书续训》三卷”。[⑥]其孙韦载“随叔父稜见沛国刘显，显问《汉书》十事，载随问应答，曾无疑滞”。[⑦]范阳张氏之张缅，“尤明后汉及晋代众家。客有执卷质缅者，随问便对，略无遗失。”[⑧]著有《后汉书略》《晋书钞》等，也是雍州士族重史风气的反映。[⑨]

与文学、史学的突出成就相比较，雍州豪族的经学成就稍显不足，亦有可圈可点之处。京兆杜氏自杜预注《左氏春秋》，家传其学。杜叔毗虽为武人，但“励精好学，尤善《左氏春秋》”[⑩]，韦爱“尤

---

① 《梁书》，第 331 页。

② 《南史》，第 988 页。

③ 《南史》，第 986 页。

④ 《南史》，第 986、987 页。

⑤ 《南史》，第 990 页。

⑥ 《梁书》，第 225—226 页。

⑦ 《陈书》，第 249 页。

⑧ 《梁书》，第 491 页。

⑨ 《隋书·经籍志》《通志·艺文略》等作《后汉书略》《晋书钞》，《梁书·张缅传》作“《后汉纪》四十卷，《晋抄》三十卷”，见《梁书》第 492 页。

⑩ 《周书》，第 829 页。

善《周易》及《春秋》左氏义”。[1]柳恽“少有大意，好玄言，通老、易”。[2]“与琅邪王峻齐名”的冯翊吉玢家族门第不高，起家雍州主簿，“孝行纯至，明通易、老。”[3]成为当地有一定名望的庶族小姓之文化家族。

以上所论皆为雍州豪族的文化修为状况，而从南阳地区捷足先登南迁荆州首府江陵的南阳豪族表现出的则是另一番景象。最明显的差异在于江陵豪族以经学传家，与襄阳豪族汲汲于以军功求得仕进者不同，江陵豪族多以文学孝悌入仕州郡佐吏。以宗氏家族为例，《宋书·宗炳传》记载：

> （宗）炳居丧过礼，为乡闾所称。刺史殷仲堪、桓玄并辟主簿，举秀才，不就。高祖诛刘毅，领荆州，问毅府咨议参军申永曰：“今日何施而可？”永曰：“除其宿衅，倍其惠泽，贯叙门次，显擢才能，如此而已。”高祖纳之，辟炳为主簿，不起。问其故，答曰：“栖丘饮谷，三十余年。”高祖善其对。妙善琴书，精于言理，每游山水，往辄忘归。征西长史王敬弘每从之，未尝不弥日也。乃下入庐山，就释慧远考寻文义。兄臧为南平太守，逼与俱还，乃于江陵三湖立宅，闲居无事。高祖召为太尉参军，不就。二兄蚤卒，孤累甚多，家贫无以相赡，颇营稼穑。高祖数致饩赉，其后子弟从禄，乃悉不复受。[4]

宗炳本人隐居不仕，忘情于山水间，以文名称于世。宗炳的从父弟宗彧之与其一道把臂入林。宗炳的子孙们出仕者，也仅至于荆州僚佐，孙宗测效法乃祖，以隐居文艺为乐，保持着以文学孝悌著称的家族

---

① 《梁书》，第226页。

② 《梁书》，第989页。

③ 《梁书》，第652页。

④ 《宋书》，第2278页。

传统。

其他家族如刘、庾、乐、岑四姓，在梁以前事迹多晦而不显，在梁代开始活跃。他们积极响应萧衍覆齐建梁的反叛活动，全程与雍州通力合作，反抗建康朝廷获得成功，建政后的梁政权的巩固与维持依然有赖荆楚大族支持，他们越来越受重用，以梁元帝萧绎定都江陵延至后梁三世为高峰，文人性格成为江陵豪族的底色。

陈寅恪先生谓隋唐制度之渊源有三，其一来自关中地区，而关陇大族除了政治上的影响外，文化方面的造诣亦不容小觑。事实上，若往深处发掘，关陇大族中的很多世族来自荆楚地区南迁本族人口的回迁，以及回迁故里引致的家族文化的蝶变才是这一渊源的渊源。南雍州如此轻易地主动投入西魏的怀抱，西魏对雍州投附的倾心接纳，西梁政权瞬间亡于西魏并被北朝顺利接管施政，皆与荆楚地区的关陇移民众多关系极大。

第三章　思想与学术

秦汉时期荆楚地区的思想学术进入一段星月两朦胧的沉寂岁月。云梦和江陵等地秦汉简牍的出土，让人们有幸了解到秦汉时期的一些具有全国意义的政治、法律、军事、哲学等方面的思想。东汉时期荆楚学术再现辉煌。刘珍等人所著《东观汉记》、王逸撰《楚辞章句》反映了当时荆楚地区所能达到的学术水平。汉魏之际，刘表治荆州，襄阳一时成为全国的学术文化中心，荆州学术综理儒道、深究义理的学术风格在汉魏之际的学术中起到了非常重要的桥梁作用，对魏晋学术走向产生过较大影响。东晋南朝时期是荆楚学术文化大发展的时期，历史学、地志学、佛学、玄学等都取得非常突出的成就。

第一节　秦汉简牍中的思想与学术

秦及西汉前期的传世史料偏重于政治、军事方面，文化方面的记载稀少零散。所幸近年来荆楚地区出土了大批秦汉简牍，为我们研究秦汉时期的荆楚思想和学术提供了极其珍贵的材料。

一、睡虎地秦简《为吏之道》中的政治思想

战国末期秦国和秦朝统治者的政治思想除了受到法家思想的主导，还受到儒、道、墨等各家思想的影响。[①] 这在湖北云梦睡虎地出土的秦简《为吏之道》中有明显体现。

---

① 高敏：《秦简〈为吏之道〉中所反映的儒法融合倾向》，《云梦秦简初探》（增订本），河南人民出版社 1979 年版，第 238 页。

《为吏之道》记载官员应遵守的道德规范和行为准则，“可能是当时对为吏者思想、德性进行教育的教材”。[①]从《为吏之道》中可以看出当时的法家思想所包含的基本内容。在法家看来，法令是百姓生存的根本，是治理国家的基础，要求“为人君则鬼，为人臣则忠，为人父则慈，为人子则孝”。这正是儒家君臣父子观的反映。另外，儒家中重义轻利的思想也有所体现。如要求官吏“毋喜富，毋恶贫”，为官不能只贪图富贵钱财，而不能安贫乐道；“五失”中的“居官善取”，是禁止官吏利用职务敛取钱财。

《为吏之道》中的政治思想，也受到道家思想的影响，《为吏之道》中提到的“安静毋苛”，正是道家“清静无为”的体现。不随便扰乱百姓的生活，如此百姓才能获得安定的生活环境，国家才能长治久安。辩证思想也是道家重要的核心思想之一，老子认为：“曲则全，枉则直，洼则盈，敝则新，少则得，多则惑。”[②]相反的两种事物间可以相互转化，而《为吏之道》中要求官吏做到“怒能喜，乐能哀，智能愚，壮能衰，勇能屈，刚能柔，仁能忍”，这是将道家的辩证智慧运用于对百姓的统治中。

《为吏之道》还吸收了墨家思想。墨家提倡人与人之间平等的爱，反对侵略战争，同时强调实用，主张为百姓谋福利，认为“仁者之事，必务求兴天下之利，除天下之害”。[③]即要让有仁德之心的人治理国家，一定要兴办对天下有好处的事，清除祸害，如此才能治理好国家和百姓。《为吏之道》中对官员的要求中也提到了“除害兴利，慈爱百姓”。

秦朝的统治阶层虽然看重法家，但对儒、道、墨等思想并未弃之不用，而是兼采各家所长，来维护自己的统治。

---

① 蒋义斌：《秦简“为吏之道”在思想史上的意义》，《简牍学报》1981 年第 10 期。

② 王弼注，楼宇烈校释：《老子道德经注校释》，中华书局 2008 年版，第 55 页。

③ 吴毓江撰，孙启治点校：《墨子校注》，中华书局 1993 年版，第 172 页。

二、张家山汉简《盖庐》中的军事思想

湖北江陵张家山西汉墓葬所出的竹简中，有一篇古代兵书，题为《盖庐》。盖庐是春秋时的吴王阖闾，这部兵书记录的是吴王阖闾与申胥即伍子胥的对话。全书共有竹简55枚，简长30—30.5厘米，书题“盖庐”写于末简背面。全书共九章，各章皆以盖庐的提问开头，申胥的回答为其主要内容。[①]

《汉书·艺文志》载伍子胥著有“兵法十篇”，附图一卷，《盖庐》应是其中的一篇或数篇精华。内容除了有关于治理国家和用兵作战的技战术理论，还有一定的兵阴阳家色彩，故学术界多将《盖庐》归入兵阴阳家性质的兵书。而《汉书》将其列入兵技巧家性质类的兵书，并释“技巧者，习手足，便器械，积机关，以立攻守之胜者也”。[②]

《盖庐》首先从天时地利的角度论述了阴阳五行在军事上的应用。第二章中，吴王阖闾问伍子胥什么是“天时”，伍子胥答：

> 九野为兵，九州为粮，四时五行，以更相攻。天地为方圆，水火为阴阳，日月为刑德，立为四时，分为五行，顺者王，逆者亡，此天之时也。

伍子胥阐述了作战时必须依据天时：在九州之野作战，在九州大地种粮，都要受到四时五行的制约。

第三章中，阖闾问伍子胥作战时军队应占据什么样的有利地形地势，伍子胥答：

> 军之道，冬军军于高者，夏军军于埤者，此其胜也。当陵而

---

① 参看张家山二四七号汉墓竹简整理小组：《张家山汉墓竹简二四七号墓（释文修订本）》，文物出版社2006年版，第161页。以下简文皆出自此书，如无特殊说明，不再另注。

② 《汉书》，第1760—1761页。

军，命曰申固，倍陵而军，命曰乘埶。前陵而军，命曰范光。右陵而军，命曰大武。左陵而军，命曰清施。倍水而军，命曰大顷。左水而军，命曰顺行。

伍子胥认为，冬天作战军队应占据高处，夏天作战，军队应占据低处，还陈述了各种不同地形条件下的军阵名称，这就是兵家所说的地利。

春秋战国时期，五行相生相克思想不仅在民间得到广泛应用，也是军事上重要的战术支撑理论之一。《盖庐》第四章中有将五行相克理论用于军事对抗的记载：

彼兴之以金，吾击之以火；彼兴以火，吾击之以水；彼兴以水，吾击之以土；彼兴以土，吾击之以木；彼兴以木，吾击之以金。

敌人用“金”发起进攻，我则以“火”回击；敌人用“火”发起进攻，我则以“水”对抗，以此类推。田旭东认为火、水、土、木、金大约各有一套固定的阵形或战术，这种阵形或战术或许正体现了所谓的专、实、众、精、刚的特点，从而战胜与此相反的散、虚、寡、坚、柔。①

第四章中“天之八时”“日有八胜”都是关于如何选择有利作战时间的论述。

“天之八时”是如何选择可以取胜的作战时间，简文云：

黄麦可以战，黄秋可以战，白冬可以战，德在土、木在金可以战，昼背日、夜背月可以战，是胃（谓）用天之八时。

---

① 田旭东：《张家山汉简盖庐中的阴阳家》，《历史研究》2002 年第 6 期。

黄麦、黄秋、白冬及德在土、木在金、昼背日、夜背月均是发动战争的良好时机。黄麦是指麦子成熟的时节；黄秋是指夏秋之交，即六、七月之交；白冬就是指秋冬之交，即九、十月之交。[①]“德在土，木在金”指的是刑德，连劭名认为简文中“木”是“水”字之误，德始生甲，刑始生子，子为水。刑德运行二十年一离合，这二十年离合内可有一年德在土而刑在金，六十年甲子中只有癸酉、癸巳、癸丑三年。[②]“昼背日”和“夜背月”分别是指白天背对太阳的时候和夜晚背对月亮的时候。

“日有八胜”是将方位和时间相结合来选择有利的作战日期，简文云：

> 丙午、丁未可以西乡（向）战，壬子、癸亥可以南乡（向）战，庚申、辛酉可以东向战，戊辰、己巳可以北向战，是胃（谓）日有八胜。

丙、丁皆火，西方为金，火可以胜金，所以丙午、丁未这两天可以面向西作战，以此类推[③]。这实质上也是运用了五行相克思想。

除了将阴阳五行用于军事理论，《盖庐》中还有许多用于实战的军事技巧和理论。第四章中“战有七术”云：

> 鼓于阴，以攻其耳，陈于阳，以观其目，异章惑，以非其阵。毋要堤堤之期，毋击堂堂之阵，毋攻逄逄之气。是谓战有七术。

伍子胥强调作战要重视有意识地去制造假象以迷惑敌人，如在暗处

---

① 王三峡：《“日有八胜”与“天之八时”——汉简〈盖庐〉词语训释二题》，《长江大学学报》（社会科学版）2008年第5期。

② 连劭名：《张家山汉简盖庐考述》，《中国历史文物》2005年第2期。

③ 张家山二四七号汉墓竹简整理小组：《张家山汉墓竹简二四七号墓（释文修订本）》，文物出版社2006年版，第164页。

擂响战鼓；在明处排兵布阵，混淆敌人视听；在敌人溃败撤兵时，如果他们的战旗没有倒，就不要拦截他们。还有，不要轻易去攻打堂堂正正的军队和士气正旺的军队。

在攻击敌军时，不能贸然行动，要先“望气”：

凡攻军回众之道，相其前后，与其进芮，慎其填埃，与其緂气。旦望其气，夕望其埃，清以如云者，未可军也。埃气乱孛，浊以高远者，其中有墇志，戒必须之，不去且来。

要击败敌军，首先要观察敌军的前后及进退情况。如果发现敌军军营热气和尘埃清新如云，就不要发动攻击，如果敌军军营尘埃大起，则说明敌方将要采取军事行动，一定要加强戒备。

除了“望气”，还要注意仔细观察敌军军情，由此来判断是否可以攻打：

有军于外，甚风甚雨，道留于野，粮少卒饥，毋以食马者，攻之。甚寒甚暑，军数进舍，卒有劳苦，道则辽远，粮食绝者，攻之。军少则恐，众则乱，舍于易，毋后援者，攻之。军众则眛，将争以乖者，攻之。军老而不治，将少以疑者，攻之。道远日莫（暮），疾许不舍者，攻之。军急以却，甚雨甚风，众有惧心者，攻之。军少以恐，不□□不墇，欲后不敢者，攻之。

如果敌军是以下几种情况，便可以发动进攻：敌军驻扎在外，遇到大风大雨，粮食短缺，连喂马的饲料都没有；如果是酷暑或严寒，敌军连续行军，疲惫不堪，粮草断绝；若敌军士兵过少，或太多，驻扎在平地且没有后援，可以攻打；敌军起内讧，互相争斗；敌军秩序混乱，将领太过年轻且犹豫多疑；敌军行军已久，晚上又得不到休整；敌军匆忙退兵，遇到大风大雨，士兵非常恐慌；敌军士兵很少又军心不稳，不敢后退。这些都是发起攻击的大好时机。

至于如何选择攻打敌人的时机，伍子胥认为：

> 凡击敌人，必以其始至，马牛未食，卒毋行次，前垒未固，后人未舍，徒卒饥恐，我则疾呼，从而击之，可尽其处。

若要攻打敌人，应在敌人刚刚到来之时，趁其人倦马疲，营垒尚未完善时，突然大声呼喊着发起攻击，可大获全胜。

《孙子兵法》中有一句为人所熟知的军事箴言："兵者，诡道也。"就是说用兵之道在于千变万化、出其不意，真真假假，虚虚实实。而《盖庐》中也有记载相似的军事思想：

> 敌人待我以戒，吾待之以怠，彼欲击我，我其不能，彼则数出，有躁气，义有静志，起而击之，可使毋兹。敌人阵以实，吾遇以希，彼有乐志，吾示以悲，彼有胜意，我善待我伏待之，敌人易我，我乃疾击之。敌人向我以心，吾以胠遇之；彼易胜我，我以诱之，敌人逐北，我伏须之。彼人阵以实，吾遇以虚；彼有乐志，吾示以悲；彼有胜意，我善待之，可使毋归。

简文的核心思想就是：作战过程中，要兵不厌诈，要出其不意，敌人如果对我方戒备，我方应佯装懈怠；作战时要诱惑敌军多次出战，使敌军内部躁动不安，我方就可趁机反击；等等，这实际上是心理战，即便在现代战争中，也非常有借鉴意义。

三、秦汉简牍中的法律思想

商鞅变法以后，秦国历代统治者都十分重视法制。这一点从睡虎地秦简中可以看出。

首先，秦代法律内容多而广泛。睡虎地秦简中法律方面的资料包括《秦律十八种》《秦律杂抄》《效律》《法律答问》和《封诊式》。《秦律十八种》和《秦律杂抄》均是对秦律条文的摘抄，《效律》是考核官吏并验查其物资账目的律令，《法律答问》是官方对秦律的解释，《封诊式》是法律文书的程式和司法案件的记录。睡虎地 11 号秦墓的主人是一位叫“喜”的官吏，从事与法律相关的工作，因此这些竹简应当就是他生前所使用的法律文件资料，是研究秦代法律思想的珍贵文献。

《秦律十八种》内容包括：官吏任免、资产核验、传送文书、与内史职务有关的行政法规、农田和牲畜管理、粮食储存、货币流通和财物管理、市场贸易、工程建设、赋税徭役等等。这些还只是对当时法律的摘抄，由此可见，秦代法律已经覆盖社会生活的方方面面。

其次，法律针对的主体范围十分广泛，从官吏、平民，到奴隶，再到犯罪受罚的刑徒，几乎涉及各个阶层，不同身份职业的人。但是秦法对不同身份的人并非一视同仁，而是有严格的等级制度，不同等级的人犯相同的罪行，受到的刑罚大不相同，有爵位的人拥有以爵抵罪和犯罪降罚的特权，如：

将上不仁邑里者而纵之，何论？当系作如其所纵，以须其得。有爵，作官府。

这条法律是关于押送不明身份罪犯逃亡的规定，如果押送的人放走了犯人，押送的人就要顶替犯人受过，直到犯人被抓回来。但是如果押送者是有爵位的人，那只需要在官府做劳役抵罪。平民则没有特权，犯过罪的刑徒如果再犯罪，会加重处罚，而奴隶则根本没有正常的人权，只是被当作主人的物品。

再次，法律条文十分细致。比如，针对饲养牲畜的《厩苑律》中有规定：

今课县、都官公服牛各一课，卒岁，十牛以上而三分一死；不盈十牛以下，及受服牛者卒岁死牛三以上，吏主者、徒食牛者及令、丞皆有罪。

秦代法律的执行都有相应的制度保障，比如书写法律文书时要遵循一定的规范，审理案件时要按照相应的流程进行，而且对每个流程也都有详尽的规定，如《封诊式》中有对审案当事人如何审问案件的规定：

凡讯狱，必先尽听其言而书之，各展其辞，虽知其訑，勿庸辄诘。其辞已尽书而无解，乃以诘者诘之。诘之又尽听书其解辞，又视其它无解者以复诘之。诘之极而数訑，更言不服，其律当笞掠者，乃笞掠，笞掠之必书曰：爰书：以某数更言，无解辞，笞讯某。

法律条文在现实执行中必然会遇到各种各样的特殊情况，如何处理这些特殊情况，秦代法律制度中也有交代。《法律答问》就是对秦律的一些条文、术语及特殊案例的解释，从简文的记录中可以看到，这种解释非常详尽，仅与偷盗有关的司法解释就有十几条，从团体抢劫盗窃、夫妻之间偷盗是否连坐，到父亲与儿子之间的偷盗行为等，都有明确解释。

秦律严酷、重罚是其法家思想的体现，但是从睡虎地秦简来看，秦律中不只受法家思想左右，儒家思想对其影响也颇深。如秦律中对“不孝”的重罚：

某里士伍甲告曰：甲亲子同里士伍丙不孝，谒杀。

殴大父母，黥为城旦舂。今殴高大父母，何论？比大父母。

与以往认知不同的是，秦代法律并非一味地严苛残暴，除了上述完备的制度外，秦法也注重在审理案件时尽量不动用刑罚，最佳方式是从书面证据中找到线索。《封诊式》有载：

治狱能以书从迹其言，毋笞掠而得人情为上，笞掠为下，有恐为败。

睡虎地秦简的秦律中还有一些思想相当先进的法律规定。这些律文即使在两千多年后的今天，也依旧是热议的话题。如秦律规定：

春二月，毋敢伐材木山林及雍隄水不泉。夏月，毋敢夜草为灰，取生荔麛卵鷇。毋□□□□□□毒魚鱉，置穽网，到七月而纵之。唯不幸死而伐棺槨者，是不用時。

这条法律规定，禁止春天上山伐树，禁止堵塞河道使水流不畅；夏天禁止烧草成灰，禁止破坏刚发芽的树苗，禁止捕猎幼鹿，捕杀小鸟，取鸟卵；禁止毒杀河里的鱼鳖，禁止在树林中放置捕杀动物的机关，七月以后不在此限；只有不幸死亡伐棺木才不受季节限制。与自然环境和平相处，可见秦人早有生态保护的理念。

秦律对朝廷官吏所享受的权利也有严格规定：

都官有秩吏及离官啬夫，养各一人，其佐、史与共养；十人，车牛一辆，见牛者一人。都官之佐、史冗者，十人，养一人；十五人，车牛一辆，见牛者一人；不盈十人者，各与其官长共养、车牛。

不同级别的官吏配置不同数量的厨师、牛车、仆人。

另外，还有最早的“反家暴法”：

妻悍，夫殴笞之，决其耳，若折肢指、胅体。问夫何论？当耐。

丈夫殴打妻子，对妻子造成了严重的肢体伤害，这种情况，要对丈夫处以耐刑，即剃去鬓发胡须的耻辱刑。

秦法作为一种统治手段深入到了政治、经济、军事和社会生活的各个方面，整合成统一的国家力量，而秦帝国就在这种法律规定的程序中运转，实现对国家的管理和全社会的控制。

张家山汉简内容包括律令、司法诉讼、军事、历法、医学、数学等方面，其中与法律相关的资料是《二年律令》和《奏谳书》。《二年律令》是吕后二年（公元前186）所颁布法律条文的摘抄。《汉书·刑法志》载：

> 自今以来，县道官狱疑者，各谳所属二千石官，二千石官以其罪名当报之。所不能决者，皆移廷尉，廷尉亦当报之。廷尉所不能决，谨具为奏，傅所当比律令以闻。

《奏谳书》记录的就是《刑法志》中所言有疑问而上报的案件。汉代传世文献中关于法律的资料散佚严重，张家山汉简《二年律令》和《奏谳书》的出土，对研究汉代法律思想和秦汉法律思想之间的关系有重要意义。

《二年律令》共摘抄律文二十七种，令一种。其中很多法律条文与睡虎地秦简《秦律十八种》的律文十分相似，明显是对秦律的继承。如前文提到的关于环境保护的律文，《二年律令·田律》中也有提及：

> 禁诸民吏徒隶，春夏毋敢伐材木山林，及壅堤水泉，燔草为灰，取产麛卵鷇；毋杀其绳重者，毋毒鱼。[1]

一般认为汉代法律相较秦律有“省刑除苛”的特点，但就《二年律

① 彭浩、陈伟、工藤元男主编：《二年律令与奏谳书：张家山二四七号汉墓出土法律文献释读》，上海古籍出版社2007年版，第190页。以下张家山汉简简文皆出自此书，如无特殊说明，不再另注。

令》与《奏谳书》的内容而言，汉初法律更多地继承了秦律的严苛。律令中涉及的刑罚种类繁多，异常残酷，如腰斩、弃市、磔、黥、斩趾、腐等等，包含了大量对罪犯身体造成损伤的肉刑。直到汉文帝（公元前180 —前 157 在位）时期，才逐渐废除了这些肉刑。另外，还有轻罪用重刑。如,《二年律令·贼律》规定：

以城邑亭障反，降诸侯，及守乘城亭障，诸侯人来攻盗，不坚守而弃去之，若降之，及谋反者，皆腰斩。其父母、妻子、同产，无少长皆弃市。

伪造皇帝的玺印，要被腰斩示众：

伪写皇帝信玺、皇帝行玺，腰斩，以徇。

对抢劫和抢劫未遂的人，都要处以极刑：

劫人、谋劫人求钱财，虽未得若未劫，皆磔之。

虽然这些犯罪行为在今天看来都罪不至死，但是在当时的政治形势下，这些都是侵害皇权统治的重罪，所以要加以严惩。

当然,《二年律令》也有与秦律不同的地方，首先是出现了一些睡虎地秦简中没有的新条文，如《钱律》。《钱律》主要内容是对流通钱币的各项规定，包括钱币的形制，对故意毁坏钱币、私自铸钱的惩罚等等，值得注意的是,《钱律》中只提及了钱币，而没有秦律中有关布的规定，“可见布（用作货币的布帛）早已退出流通了”。[①] 又如《具律》，对不同身份等级的人在量刑方面进行了细致规定。还有一些律文，只是

① 李学勤:《论张家山 247 号墓汉律竹简》，大庭修编:《一九九二年汉简研究国际讨论会报告书，汉简研究的现状与展望》，关西大学出版部 1993 年版，第 177 页。

零散地见于秦代简牍资料中，却没有完整的版本，但是《二年律令》中却有完整的记录，如《贼律》《盗律》《捕律》等等，这些资料不但是研究汉代法律的资料，对研究秦代法律也有重要意义。

另一方面，即使是继承秦律而来的律文，《二年律令》的规定更加详尽。如同样是《田律》中对缴纳刍稾的规定，《秦律十八种》载：

> 入顷刍稾，以其受田之数，无垦不垦，顷入刍三石、稾二石。刍自黄䅧及蒝束以上皆受之。

每顷田地应缴纳的刍稾，不管有没有垦种，都按照所受田地的数量缴纳，每顷缴纳刍三石、稾二石，刍从干叶和乱草够一束以上都可以缴纳。

《二年律令》对缴纳刍稾的规定则更加细致：

> 入顷刍稾，顷入刍三石；上郡地恶，顷入二石；稾皆二石。令各入其岁所有，毋入陈，不从令者罚黄金四两。收入刍稾，县各度一岁用刍稾，足其县用，其余令顷入五十五钱以当刍稾。刍一石当十五钱，稾一石当五钱。

不但会针对各地不同情况制定不同的缴纳标准，而且为了避免刍稾过剩而造成浪费，在收纳足够全县一年用的刍稾后，其他应收的刍稾全部以现钱的形式征收。

同样具有司法解释性质的《奏谳书》与《法律答问》相比，内容更加充实，体例也更加规范。《法律答问》是以问答形式解答法律应用中存在的问题，而《奏谳书》则以二十二个具体案件为例，通过对各种类型的疑难案件的审理来进行司法解释，同时也作为诉讼程序的范本供官吏参考，颇有案例法的意味。

由上可见，汉初的法律继承了秦律“严刑”和“重罚”的立法思想，但是与秦法相比，又有所不同：汉初法律数量更多，内容更丰富。这与传世文献称誉汉律“省刑除苛”大相径庭。汉初法律在秦法的基础上建立起了一个更加宏大而严密的法律体系，以此来维护统治，保障庞大帝国的运行。

四、王家台秦简《归藏》

《归藏》是古易书，与《连山》《周易》统称为“三易”。“三易”都是由8个经卦重叠出的64个别卦组成。“三易”由卜官主管，对战争、祭祀等国家大事进行预测，相比《周易》，世人对《连山》《归藏》的认识较为有限。

1993年3月，荆州江陵王家台15号秦墓出土了大批竹简。其中包括394枚约4000字的易占简，这批竹简残损严重，字形形体最古，接近楚简文字，应为战国末年的抄本。竹简中共有70组卦画，其中16组相同，除去相同数，不同的卦画有54种；卦名有76个，其中重复者23个，实际卦名53个。[①]关于这批简的性质，学界多有讨论，如：连劭名判断这部分竹简是后人利用《归藏》筮法重新编制的筮书。[②]学者李家浩、王明钦等则通过研究认为这批简属于古易《归藏》。[③]廖名春进一步考证指出，王家台秦墓易占简是《归藏》中的《郑母经》。[④]邢文统计已公布简文判断：“王家台秦简《归藏》的内容，与《启筮》《郑母》二篇最近。”[⑤]李学勤结合新出清华简，认为：“就卦名、次序、写法等内容

---

① 王明钦：《王家台秦墓竹简概述》，艾兰、邢文主编：《新出简帛研究：新出简帛国际学术研讨会文集》，文物出版社2004年版，第26—59页。

② 连劭名：《江陵王家台秦简与〈归藏〉》，《江汉考古》1996年第4期。

③ 李家浩：《王家台秦简“易占”为〈归藏〉考》，《传统文化与现代化》1997年第1期；王明钦：《王家台秦墓竹简概述》，艾兰、邢文主编：《新出简帛研究：新出简帛国际学术研讨会文集》，文物出版社2004年版，第26—59页。

④ 廖名春：《王家台秦简〈归藏〉管窥》，《周易研究》2001年第2期。

⑤ 邢文：《〈归藏〉的分篇及其学派》，艾兰、邢文主编《新出简帛研究：新出简帛国际学术研讨会文集》，文物出版社2004年版，第167页。

来看，（清华简）《筮法》与《别卦》确与《归藏》密切相关。”[①]

王家台秦简《归藏》的发现，有着重要的学术价值和文化史意义。首先，王家台秦简《归藏》还了马国翰所辑《玉函山房辑佚书》所录《归藏》（以下简称马辑《归藏》）应有的历史和学术地位。根据文本比对，王家台秦简《归藏》与马辑《归藏》文字有多条相同，而与传世《三坟书》中《归藏》并不相关。因此，马辑《归藏》被认为是残存的真实传本，而《三坟书》中《归藏》应是伪作。早在马王堆汉墓帛书《周易》出土之后，帛书《周易》中钦、林二卦与传世《归藏》接近，而与今本《周易》不同。因此，传世《归藏》引起了学界的注意和重视。于豪亮指出：“《归藏》成书，绝不晚于战国，并不是汉以后人所伪造的。”[②] 在此基础上，出土的王家台秦简《归藏》，进一步证实了马辑《归藏》的价值和可靠性。

其次，王家台秦简和马辑《归藏》有很多相同之处。从卦名来看，今本《周易》无妄卦，秦简和传世本《归藏》皆作“毋亡”；睽卦，秦简作“曤”，传世本作“瞿”；家人卦，秦简作“散”，传世本作“散家人”；坎卦，秦简作“劳”，传世本作“荦”。[③] 这些卦名，王家台秦简和传世本都相同或相近。还有一些卦名不同是由于字形相近讹误所致。豫卦，秦简作“介”，传世本作“分”。[④] 古文字中介、分二字形近，在竹简上书写时极易混淆。《归藏》筮辞皆散见于古籍文献之中，马国翰将这些佚文辑录。马辑《归藏》筮辞佚文不少见于王家台秦简中，且体例相近，用字相同。不论是从卦名抑或是筮辞，王家台秦简《归藏》与马辑《归藏》都关系密切。通过对比研究，可以互校秦简与马辑《归

---

① 李学勤：《〈归藏〉与清华简〈筮法〉、〈别卦〉》，《吉林大学社会科学学报》2014年第1期。

② 于豪亮：《帛书〈周易〉》，《文物》1984年第3期。

③ 王明钦：《王家台秦墓竹简概述》，艾兰、邢文主编《新出简帛研究：新出简帛国际学术研讨会文集》，第26—59页。

④ 王明钦：《王家台秦墓竹简概述》，艾兰、邢文主编《新出简帛研究：新出简帛国际学术研讨会文集》，第26—59页。

藏》之讹误。王家台秦简《归藏》中筮人名皆有重文符，如“支占荧 = 或 = 占之曰不吉”，当读作“枚占荧惑，荧惑占之，曰：不吉”。[①]这类“大明”“荧惑”“耆老”前人皆误作《归藏》的卦名，现在据王家台秦简知悉，它们应是筮人名而非卦名。[②]这种长久的误解，随着王家台秦简《归藏》的出土而得以澄清。

再次，通过对王家台秦简《归藏》的研究，有助于了解先秦时期的筮法。秦简《归藏》的体例非常格式化，依次是卦画、卦名，卦名之后以“曰”连接卦辞，卦辞皆为“昔者某人（请求贞卜人名）贞卜某事而支（枚）占某人（筮人名），某人（筮人名）占之，曰吉（或不吉）”，其后便是繇辞，繇辞多用韵语，最后是占卜的具体结果（利做某事，不利做某事，何时何方吉，何时何方不吉等）。[③]传世本《归藏》佚文散见于各类文献中，古书征引时往往有所取舍，因此佚文筮辞多无卦画与卦名，但其格式基本上与秦简《归藏》一致。王明钦指出，王家台秦简《归藏》卦画与卦名都超过五十种，由于这批简残缺严重，损失十余种是极有可能的，因此，三易“其经卦皆八，其别皆六十有四”的说法是比较可信的。[④]同时他也认为：“《周易》有卦辞也有爻辞，有本卦、之卦之别，而秦简及传世本《归藏》皆仅有卦辞而无爻辞，仅有本卦而无之卦，也足以说明《连山》《归藏》以七、八不变为占，而《周易》以九、六变者为占的说法是确凿有据的。”[⑤]

---

① 王明钦：《王家台秦墓竹简概述》，艾兰、邢文主编《新出简帛研究：新出简帛国际学术研讨会文集》，第 26—59 页。

② 王明钦：《试论〈归藏〉的几个问题》，古方等编：《一剑集——北京大学考古专业八六届毕业十周年纪念文集》，中国妇女出版社 1996 年版，第 101—112 页。

③ 王明钦：《王家台秦墓竹简概述》，艾兰、邢文主编：《新出简帛研究：新出简帛国际学术研讨会文集》，第 26—59 页。

④ 王明钦：《王家台秦墓竹简概述》，艾兰、邢文主编：《新出简帛研究：新出简帛国际学术研讨会文集》，第 26—59 页。

⑤ 王明钦：《王家台秦墓竹简概述》，艾兰、邢文主编：《新出简帛研究：新出简帛国际学术研讨会文集》，第 26—59 页。

最后，王家台秦简《归藏》的出土对于易学研究有重要推进作用，为探索“三易”之间的关系及《周易》经传的来源提供了重要的线索。同时，秦简《归藏》所记史实为上古传说时代及三代史的研究提供了更为可信的材料。《归藏》所记载的传说及历史事件很多，但由于以前对其书的真伪难辨，《归藏》佚文未能引起足够的重视。秦简《归藏》的出土，证实了传本佚文的可靠性，它们也因此成为我们研究上古传说时代及夏商周三代历史的重要资料，可与其他古籍所记载的史实互相校正和补充。《左传》昭公四年载：“夏启有钧台之享，商汤有景亳之命，周武有孟津之誓。”《风俗通义》引《周礼》云：“三王始有狱，夏曰夏台，殷曰羑里，周曰囹圄。”《史记·夏本纪》司马贞《索隐》：“狱名，夏曰钧台。”此后，历代学者皆将夏台与钧台混为一谈，以为钧台是夏代的狱名，甚至将夏台与钧台定在河南禹县。《太平御览》引《归藏》载“昔夏后启筮享神于大陵而上钧台”，“昔者，夏后启筮享神于晋之墟，为作璿台，于水之阳”。[①] 王家台秦简《归藏》有作“昔者夏后启卜觞帝大陵上钧台而支占”“昔者夏后启卜觞帝晋之墟”。[②] 王明钦通过对传世文献、田野考古资料及秦简《归藏》“大陵”“晋之墟”“水之阳”三个地名的分析，揭示了钧台和夏台并非同一台，夏台也不是狱名，并对台与祭坛的关系及钧台的地望作了初步考察。[③] 另外，秦简《归藏》中所载“黄帝与炎帝战”“女过卜张云墓”“女过卜作为缄”“丰隆卜将云雨”“恒我窃不死之药以奔月”“夏后启卜乘飞龙以登天”“桀卜伐唐”“桀卜登天”“殷王贞卜其邦”“武王卜伐殷”“陼王卜复白雉”“穆天子卜出师”[④]，这些都可以与其他传世文献对勘研究，对于研究上古

① 《太平御览》卷八二引《归藏》，中华书局 1960 年版。

② 王明钦：《王家台秦墓竹简概述》，艾兰、邢文主编：《新出简帛研究：新出简帛国际学术研讨会文集》，第 26—59 页。

③ 王明钦：《〈归藏〉与夏启的传说——兼论台与祭坛的关系及钧台的地望》，《华学》1988 年第 3 辑。

④ 王明钦：《王家台秦墓竹简概述》，艾兰、邢文主编：《新出简帛研究：新出简帛国际学术研讨会文集》，第 26—59 页。

传说时代以及夏商周三代的诸多历史问题都有重要的价值。

五、出土文献中的宇宙观和哲学思想

出土简帛数术文献中有一种利用时间和空间的结构理论，被认为是模拟“宇宙模式”的图式。[①] 这种图式的基本图形结构，是由“十”与“└”组成，或者在四个“└”内绘四条对角线“/”。荆门左冢3号楚墓出土的1件漆木梮[②]，沙市周家台30号秦墓竹简《系行》《三十六年置居》篇[③]，江陵王家台15号秦墓出土木式等都绘制有此类图形（见图3–1、图3–2）。

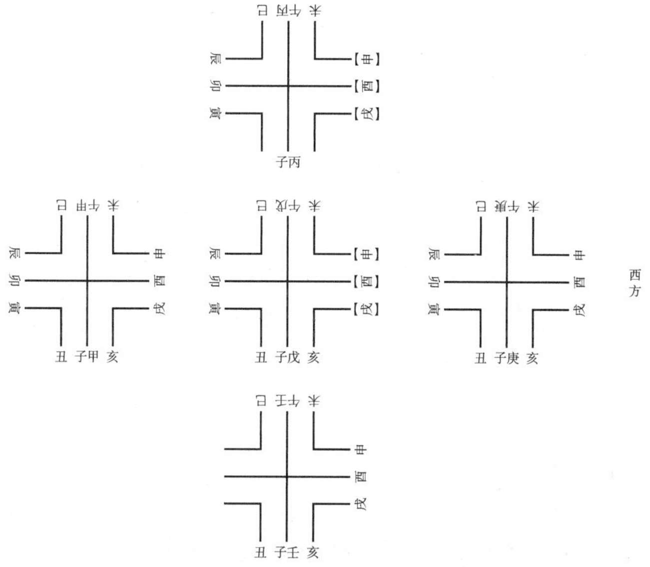

图3–1 周家台简《三十六年置居》图

---

① 刘国胜:《楚地出土数术文献与古宇宙结构理论》,《楚地简帛思想研究（二）》，湖北教育出版社2005年版，第238—252页。

② 黄凤春、刘国胜:《记荆门左冢楚墓漆梮》，第四届国际中国古文字学研讨会论文，香港，2003年4月。

③《系行》《三十六年置居》篇，原整理者分别称为“二十八星宿占”及“五子占”，今从学者研究成果改称之。

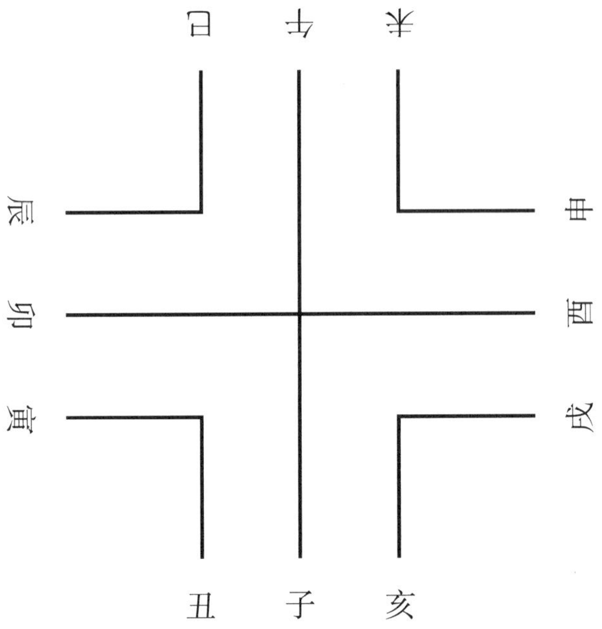

图 3-2　王家台秦墓木式中心结构示意图

对这类图式，学者们大体有相近的看法，即其与古人认识中的宇宙模式有关。李零对这类相关式的图形进行了系统考察，认为“式是一个小小的宇宙模型，它的空间、时间结构和配数、配物原理，处处都带有仿真的特点”。[①] 李学勤探讨规矩镜、日晷和博局的图案中出现的“规矩纹”时，认为被称“TLV 纹”的这类图形具有宇宙论的性质，“本来是图解阴阳五行四时的宇宙论的”，“博局又叫栻梮，正是由于上面有与栻一样的宇宙图形”。[②] 国外学者同样有类似的认识。

这种通过组合而成的几何线图被用来表现和规范时间和空间结构，可以视为古人界定宇宙万物的一个抽象时空坐标系，刘国胜称之为“宇

① 李零：《式与中国古代的宇宙模式》，《中国方术考》（修订本），东方出版社 2001 年版，第 89—176 页。

② 李学勤：《规矩镜、日晷、博局》，《比较考古学随笔》，香港：香港中华书局 1991 年版，第 21—28 页。

宙图式”。[①]而干支充当着“宇宙图式”的时空坐标参数。[②]

不仅如此，干支在“宇宙图式”中还有重要的作用，就是可以认为，阴阳五行学说对“宇宙图式”的格局和运行具有指导意义，是决定“宇宙图式”基本框架、并发挥重要作用的“理”，而干支则在其中充当了计“数”和运“理”的工具。

同时，出土秦汉简中的“宇宙图式”有其包罗万象的特点，它具体定位的事物有各自的差异。周家台秦简《三十六年置居》记载：

> 卅六年，置居金，上公、兵死、阳（殇）主岁。岁在中。
> 置居火，籞（筑）囚、行、炊主岁，岁为下。
> 置居水……□主岁。
> 置居土，田袜（社）、木并岁。
> 置居木，田袜（社）、冢主岁，岁为上。[③]

不难看出，其“宇宙图式”的定位对象非常丰富：有“田社”“里社”“冢”等地祇；有“行”“炊主”等五祀系统神祇；有“兵死”“殇”等鬼神；以及“木”“筑囚”“上公”等其他神祇。

出土数术文献中的“宇宙图式”是战国秦汉时期宇宙结构理论的一种抽象表现形式。这种图式以融合阴阳五行学说与天文历算知识的时空结构模式为框架，实际上是古人试图建立的一个贯通天地、包统人神、洞窥全豹的宇宙秩序，反映了当时人们认知宇宙的知识背景及程度，并且在当时广泛的社会层面有很高的接受和认可度，在不深加追问或问不

① 刘国胜：《楚地出土数术文献与古宇宙结构理论》，《楚地简帛思想研究（二）》，第238—252页。

② 刘国胜：《楚地出土数术文献与古宇宙结构理论》，《楚地简帛思想研究（二）》，第238—252页。

③ 陈伟主编，李天虹、刘国胜等撰著：《秦简牍合集：释文注释修订本（叁）》，中华书局2016年版，第216—217页。

能解的古代，也算勉强能自圆其说。由于方块汉字在对数理及时空表述理解方面的缺陷，使这一理论体系难于继续深入演进下去，更谈不上普及了。从表现形式来看，线条型的图式以及利用干支记数尤为简捷、有序，易于操作，而糅和阴阳五行原理与天文历算技能又使这种“宇宙图式”显得灵活、变通，相对有利于普及。它能在空间上最大程度地囊括万物，在时间上满足人们对古今、未来事物的沟通、感应及预卜。

这种“宇宙图式”不仅广泛流行于数术领域，而且还似乎已渗透进当时社会的制度层面。

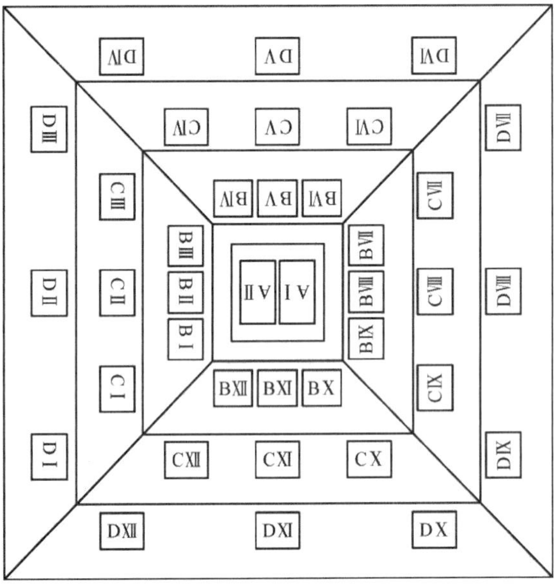

图 3-3 《政事之常》排列示意图

1993 年在江陵王家台 15 号秦墓出土了一批竹简。据整理者王明钦介绍，出土的竹简《政事之常》中绘有一幅图，图中部 AⅠ处简文作“员（圆）以生枋（方），正（政）事之常”，图中 BⅠ至 BⅫ处书写的内容与云梦睡虎地秦简《为吏之道》篇中的“处如资，言如盟……”一段相同（见图 3-3）。《政事之常》中的图从整体格局及中部“圆以生方”

文看，应属“宇宙图式”。[①] 记述施政治民之法的《政事之常》依照“宇宙图式”的格式来安排书写，大概是想表明政事顺应天时地利的意味。从这种角度而言，它反映出一种试图仿效宇宙模式来构建和维护统治与社会秩序的意识形态。

王家台秦墓墓葬使用单棺，无铜礼器随葬，有日用陶器 3 件，墓葬发掘者推断其年代大致在秦拔郢以后的战国末期。[②] 学者认为，从随葬竹简《归藏》《效律》《日书》及《政事之常》等内容来看，墓主生前可能曾任基层属吏。[③] 出土的日用陶器有典型的秦器陶釜，也有当地的楚式盂、壶，显示了楚文化遗风。[④] 王家台秦简《政事之常》图在一定程度上说明了古代宇宙结构理论在南方楚地的发展及其影响。[⑤]

1993 年荆门出土的郭店楚简《太一生水》篇直接涉及古代宇宙生成及结构理论。其中简 1 至简 14 释文作：

> 太一生水，水反辅太一，是以成天。天反辅太一，是以成地。天［地复相辅］也，是以成神明。神明复相辅也，是以成阴阳。阴阳复相辅也，是以成四时。四时复［相］辅也，是以成沧热。沧热复相辅也，是以成湿燥。湿燥复相辅也，成岁而止。故岁者，湿燥之所生也。湿燥者，沧热之所生也。沧热者，四时者，阴阳之所生。阴阳者，神明之所生也。神明者，天地之所生也。天地者，太一之所生也。是故太一藏于水，行于时，周而或□，□□□万物

① 刘国胜：《楚地出土数术文献与古宇宙结构理论》，《楚地简帛思想研究（二）》，第 238—252 页。

② 荆州地区博物馆：《江陵王家台 15 号秦墓》，《文物》1995 年第 1 期。

③ 刘国胜：《楚地出土数术文献与古宇宙结构理论》，《楚地简帛思想研究（二）》，第 238—252 页。

④ 荆州地区博物馆：《江陵王家台 15 号秦墓》，《文物》1995 年第 1 期。

⑤ 刘国胜：《楚地出土数术文献与古宇宙结构理论》，《楚地简帛思想研究（二）》，第 238—252 页。

> 母。一缺一盈，以忌为万物经。此天之所不能杀，地之所不能釐，阴阳之所不能成。君子知此之谓□。下，土也，而谓之地。上，气也，而谓之天。道亦其字也，请问其名。以道从事者必讬其名，故事成而身长。圣人之从事也，亦讬其名，故功成而身不伤。天地名字并立，故过其方，不思相［当。天不足］于西北，其下高以强。地不足于东南，其上□……天道贵弱，削成者以益生者，伐于强，责于□……者，有余于下；不足于下者，有余于上。①

《太一生水》简文从“太一生水”至“成岁而止”主要论述宇宙生成；从“故岁者”至“一缺一盈，以己为万物经”是讲解宇宙循环有序的时空结构。简文从“下，土也，而谓之地。上，气也，而谓之天”至“天地名字并立，故过其方，不思相［当。天不足］于西北，其下高以强。地不足于东南，其上□□□”阐述了宇宙结构的变化；从“天道贵弱”至“［不足于上］者，有余于下；不足于下者，有余于上”是表达对变化的宇宙结构的调整，并复归秩序。这段内容论述宇宙生成及其结构特征，但强调“道”对于宇宙秩序的维持。汉简中所反映的宇宙生成理论似乎就是在此基础上的深入细化。

2000年3月考古工作者在随州孔家坡墓葬群8号墓中出土了一批简牍。依据墓葬形制、出土器物规格、简牍纪年等考证，8号墓的年代可确定为汉景帝后元二年（前142）。②其中，孔家坡汉简《日书》（排出时日吉凶宜忌、类似于后世的黄历，详见第五章《日书》部分）中有一篇自题名作《岁》篇的资料抄于册末，同样谈论的是宇宙结构。《岁》篇起首几句释文作：

---

① 释文、简序参看武汉大学简帛研究中心、荆门市博物馆编著：《楚地出土战国简册合集（一）·郭店楚墓竹书》，文物出版社2011年版，第22页。

② 湖北省文物考古研究所、随州市考古队：《随州孔家坡汉墓发掘报告》，《随州孔家坡汉墓简牍》，文物出版社2006年版，第33页。

天不足西方，天柱乃折。地不足东方，地维乃绝。于是名东方而树之木，谓之青。名南方而树之火，[谓之赤。名西方而树之]金，谓之白。名北方而树之水，谓之黑。名中央而树之土，谓之黄。于是纪谓而定四乡，和阴阳，雌雄乃通。于是令日当月，令月当岁，各十二时。[①]

这段文字论及的宇宙背景，与《史记·天官书》中记载北斗在天宇中的地位时所言“斗为帝车，运于中央，临制四乡。分阴阳，建四时，均五行，移节度，定诸纪，皆系于斗”大体相同。[②]与“天不足西方，天柱乃折。地不足东方，地维乃绝”句意思相近的话，见于郭店楚简《太一生水》，同样在传世典籍《史记·日者列传》《淮南子·天文》《列子·汤问》等中也有类似的语句。[③]所谓“树之木，谓之青”“树之火，谓之赤”“树之金，谓之白”“树之水，谓之黑”“树之土，谓之黄”与长沙子弹库《楚帛书》“青木、赤木、黄木、白木、墨木”的说法类似。[④]因此，南方楚地有关古宇宙结构理论的传承可见一斑。

《日书》从内容来看，是古人从事婚丧嫁娶、衣食住行、劳作生产等各项活动时选择时日吉凶宜忌的通书，简单来说就是古代民间一种“选择时日吉凶的数术”。因此，《日书》一般被认为蕴含浓厚的迷信思想，反映了时代认知的局限性。但是，2014 年随州周家寨汉墓葬群 8 号墓中出土的《日书》中，有部分运用朴素“唯物主义”思辨色彩劝善的

① 湖北省文物考古研究所、随州市考古队：《随州孔家坡汉墓简牍》，文物出版社 2006 年版，第 184—185 页。

② 刘国胜：《楚地出土数术文献与古宇宙结构理论》，《楚地简帛思想研究（二）》，第 238—252 页。

③ 刘国胜：《楚地出土数术文献与古宇宙结构理论》，《楚地简帛思想研究（二）》，第 238—252 页。

④ 李零：《长沙子弹库战国楚帛书研究》，《楚帛书研究（十一种）》，中西书局 2013 年版，第 61 页。

简文内容颇为珍贵。例如：

> 凡人固有吉凶，吉人昜（易）为日，凶人不可为日，吉人举事抵凶日，而其事多利。（简 6）
>
> 故人有善日不善日。为吉人，日则善日矣；为凶人，则不善日矣。（简 4）
>
> 天固不建龙日，毋央罚。人者以□自置龙日，□之所央者有矣，心之所忌者因有忌矣。（简 78）①

目前虽然周家寨汉简《日书》暂未全部公布，尚不知这些表述内容原就从属于《日书》，抑或是墓主自己对《日书》研读的心得，但它至少说明，汉时楚地就已经有人从认识上冲破了迷信《日书》这类数术资料的樊笼，这对于促进汉代荆楚地区思想解放和社会发展都有积极意义。

第二节　两汉的思想与学术

两汉的荆楚思想与学术体现在多方面。南阳、江夏、南郡儒学思想，蔡阳三刘的史学思想，王逸的文学思想等，从不同侧面反映了当时荆楚地区学术思想的高度。

一、南阳、江夏、南郡儒学

秦汉时期的南阳郡，在文化教育方面有一定的独立性，其文化风气也呈现出较为明显的阶段性特征。南阳本是夏人聚居的地方，有深厚的文化底蕴，《史记·货殖列传》载：

---

① 湖北省文物考古研究所、随州市曾都区考古队：《湖北随州市周家寨墓地 M8 发掘简报》，《考古》2017 年第 8 期。

颍川、南阳，夏人之居也。夏人政尚忠朴，犹有先王之遗风。颍川敦愿。秦末世，迁不轨之民于南阳。南阳西通武关、郧关，东南受汉、江、淮。宛亦一都会也。俗杂，好事业，多贾。[①]

夏人为政崇尚忠朴，颍川人敦厚善良，秦朝末年，随着不法之徒迁入南阳，加上南阳交通便利，这里的风气逐渐改变，成为重商之地，其俗“夸奢”。

西汉宣帝、元帝年间，南阳儒风渐起，这与两位南阳太守关系密切，首先是郑弘，据《汉书·郑弘传》载郑弘通晓经典和法律政事，在担任南阳太守期间，“著治迹，条教法度，为后所述”。[②]虽然郑弘在南阳的为政措施没有被详细记载，但是不难推测，郑弘所推行的“条教法度”使南阳的风气逐渐改变。郑弘之后，召信臣出任南阳太守，他教化百姓，兴修水利，躬劝耕农，使南阳郡富足。召信臣禁止婚丧嫁娶中的奢侈之风，提倡节俭，罢黜游手好闲的官吏子弟，施行教化，重视法令，使儒学在南阳蔚然成风。郑弘、召信臣之后的几任南阳太守也都尽职尽责，使南阳地区社会稳定，儒学逐渐普及发展。

南阳地区经济发达，是两汉封国最多的地区之一，受封之主如封于新野的王莽、徙封于枣阳的舂陵侯等都是名儒，是儒学教育的积极推动者。

东汉时期南阳儒学的发展与南阳私学、豪族家学教育密不可分。光武帝刘秀即位后，南阳成为帝乡，宗室、外戚、功臣聚集于此，他们拥有政治和经济上的特权，世代相袭，成为地方上的豪族大姓，如云台二十八将之首的邓禹及其家族，据《后汉书·邓禹传》载：“邓氏自中兴后，累世宠贵，凡侯者二十九人，公二人，大将军以下十三人，中二千石十四人，列校二十二人，州牧、郡守四十八人，其余侍中、将、

① 《史记》，第3967页。

② 《汉书》，第2902页。

大夫、郎、谒者不可胜数，东京莫与为比。”[①]南阳邓氏家族之显赫可见一斑。其他如李通、岑彭、贾复、吴汉、刘崇、马武、卓茂、任光、马成、朱祐、陈俊等皆封侯，子孙世袭爵位，东汉外戚中阴氏、邓氏、何氏也来自南阳，也拥有庞大的政治和经济势力。南阳这些商人、儒生、小吏、地方豪强随刘秀起兵，终至平步青云，成为地方大姓冠族。自汉武帝独尊儒术后，儒学在思想方面占据统治地位，成为士人进入仕途的敲门砖，“汉时贤俊，皆以一经弘圣人之道，上明天时，下该人事，用此致卿相者多矣”。[②]但是精通经学并非一日之功，需要长期的学习和积累，需要有足够的经济实力和一定的政治地位来支撑。南阳豪族的特权地位为其家族子弟提供了良好的学习环境，保证他们能够安心从师受教。他们在文化教育上占据着优势地位，造就了世代积累的诗书之家，客观上促进了南阳私学和豪族家学的发展。

南阳的功臣勋贵大多本身具有良好的文化素养，也是他们注重文化教育的原因之一，如邓禹年十三就能诵读诗书，受业长安，与刘秀一同游学；冯异喜好读书，精通《左氏春秋》《孙子兵法》；贾复年少好学，研习《尚书》；等等。东汉建立后，刘秀实行“退功臣进文吏”的恩养政策，不让功臣参与政事，因此这些家族都寄托于学术。如，《后汉书·贾复传》载：“（贾）复知帝欲偃干戈，修文德，不欲功臣拥众京师，乃与高密侯邓禹并剽甲兵，敦儒学。”[③]这种形势下，南阳豪族著姓学儒之风盛行，也造就了很多家学精深的大家族，如邓氏、宗氏、樊氏、朱氏、来氏、贾氏等。经过几代人的积累，学术逐渐专门化和家族化，南阳也成为东汉时期与汝南、颍川并列的私学教育最兴盛的地区之一。南阳这种良好的学术氛围和教育环境培养了一些儒学造诣精深的鸿儒，他们在学成后，大多进入仕途，甚至位列公卿，也有不少积极从事

① 《后汉书》，第619页。

② 王利器：《颜氏家训集解（增补本）》，中华书局1993年版，第176页。

③ 《后汉书》，第667页。

私家教育，开门授徒。《后汉书·儒林列传》载有：

洼丹，字子玉，南阳育阳人也。世传《孟氏易》。王莽时，常避世教授，专志不仕，徒众数百人。建武初，为博士，稍迁，十一年，为大鸿胪。作《易通论》七篇，世号“洼君通”。丹学义研深，《易》家宗之，称为大儒。[①]

尹敏，字幼季，南阳堵阳人也。少为诸生。初习《欧阳尚书》，后受《古文》，兼善《毛诗》《穀梁》《左氏春秋》。[②]

前述之谢该亦是其中的佼佼者，还有鲁阳人樊英：

少受业三辅，习《京氏易》，兼明《五经》。又善风角、星算，《河》《洛》七纬，推步灾异。隐于壶山之阳，受业者四方而至。州郡前后礼请不应；公卿举贤良、方正、有道，皆不行。[③]

叶县人高凤：

少为书生，家以农亩为业，而专精诵读，昼夜不息。妻尝之田，曝麦于庭，令凤护鸡。时天暴雨，而凤持竿诵经，不觉潦水流麦。妻还怪问，凤方悟之。其后遂为名儒，乃教授于西唐山中。[④]

宛人赵康、李休：

① 《后汉书》，第 2551 页。
② 《后汉书》，第 2558 页。
③ 《后汉书》，第 2721 页。
④ 《后汉书》，第 2769 页。

> 时同郡赵康叔盛者，隐于武当山，清静不仕，以经传教授。[①]
>
> 休少以好学，游心典谟，既综七经，又精群纬，钩深极奥，究览圣旨。居则玩其辞，动则察其变。云物不显，必考其占，故能独见前识，以先神意。若古今常难，疑义错谬，前人所希论，后学所不览，休尽剖判，剥散幽暗，靡不昭烂。犹发愤于目所不睹，体所不闲，遂登东岳，观百王遗风，习容阙里，以协礼衷。退而讲诲，童冠仰焉，僔僔如也。[②]

这些南阳大儒皆学有专精，或为通儒，他们将自己所学教授给弟子，而他们的弟子众多，数量动辄数百千人，使得南阳的私学教育呈现繁荣的景象。豪族著姓的崇尚，儒学名师的开门授徒以及地方官学的推动，使南阳儒学出现兴盛的局面，表现在名儒众多，学有专精，见表3-1。

表3-1　东汉南阳名儒表

姓名	主要学术活动及著述	出处
刘秀	游学长安，习《尚书》	《后汉书》卷一《光武帝纪》
李守	事刘歆，好星历谶记	《后汉书》卷一五《李通传》
邓弘	少治《欧阳尚书》，授帝禁中，诸儒归之	《后汉书》卷一六《邓禹传》
贾复	少好学，习《尚书》，敦儒学。授《易经》	《后汉书》卷一七《贾复传》 《东观汉记》
卓茂	学于长安，习《诗》《礼》及历算	《后汉书》卷二〇《卓茂传》
樊儵	删定《公羊严氏春秋章句》，世号樊侯学，教授门徒前后三千人	《后汉书》卷三二《樊宏传》附
宗钧	好经书，通《诗》《礼》	《后汉书》卷四一《宗钧传》

---

① 《后汉书》，第1463页。

② 严可均辑：《全后汉文》，第760页。

续表

姓名	主要学术活动及著述	出处
宗京	以《大夏侯尚书》教授	《后汉书》卷四二《宗钧传》附
宗意	习《大夏侯尚书》	同上
宗资	学《孟氏易》《欧阳尚书》	《后汉书》卷六七注引《谢承书》
朱穆	耽学，锐意讲诵。著《崇厚论》《绝交论》，论、策、奏、教、书、诗、记、嘲，凡二十篇	同上
赵康	以经传教授	同上
张衡	通五经，贯六艺。尤致思于天文、阴阳、历算，著《周官训诂》，所著诗、赋、铭、七言、《灵宪》《应间》《七辩》《巡诰》《悬图》凡三十二篇	《后汉书》卷五九《张衡传》
延笃	少从颍川唐溪典受《左氏传》。又从马融受业，博通经传及百家之言，能著文章	《后汉书》卷六四《延笃传》
任延	明《诗》《易》《春秋》	《后汉书》卷七六《循吏传》
洼丹	世传《孟氏易》，作《易通论》七篇	《后汉书》卷七九《儒林列传》
尹敏	初习《欧阳尚书》，后受古文，兼善《毛诗》《榖梁》《左氏春秋》	同上
谢该	善明《春秋左氏》、著《谢氏释》	同上
魏满	习《京氏易》	同上
刘珍	校定东观《五经》、诸子传记、百家艺术，整齐脱误，是正文字。著诔、颂、连珠，凡七篇，又撰《释名三十篇》，《东观汉记》若干卷，集二卷	《后汉书》卷八〇《文苑列传》，《全后汉文》卷五六
樊英	习《京氏易》，兼明五经。又善风角、星算，《河》《洛》七纬。著《易章句》，世名樊氏学，以图纬教授	《后汉书》卷八二《方术列传》
孔乔	学《古文尚书》《春秋左氏传》	同上
高凤	专心诵经，为名儒，教授于西唐山	《后汉书》卷八三《方术列传》

续表

姓名	主要学术活动及著述	出处
尹勤	治《韩诗》	《东观汉记》卷一六
李休	游心典谟，既综七经，又精群纬	《玄文先生李休碑》

资料来源：王玲《汉魏六朝荆州地区的经济与社会变迁》，中国社会科学出版社2010年版，第263页。

南阳儒学研究偏重于今文经，如前文提到的南阳儒士中多数是从事今文经学的研究，这与当时的文化背景分不开，因为汉代官学以今文经为正统，即使东汉时期古文经学已经在逐步兴起中，但是由于政治上要与官方正统学问保持一致等原因，南阳儒学缺乏足够的创造性，没有出现特别杰出的古文经学家。南阳儒学偏重对《易》和《尚书》的研究。董仲舒提出天人感应的理论体系，为皇权提供了合法的解释，在天人感应思想的酝酿和发展中，《易》的作用非常重要，在哲学意义上《易》实现了天道、地道和人道的统一，为天人感应提供了理论根基。这样一来，易学就成为了汉代的显学，南阳自然不能避开这股风气，贾复、洼丹等南阳儒士都潜心研究《易》。而《尚书》中记录了古代圣贤治国理政的方法和经验，因此受到统治者的特别重视，刘秀在长安游学时就研习《尚书》，宗氏家传《欧阳尚书》，邓弘少年时也学习过《欧阳尚书》，由此可见，在统治者的引领下，《尚书》研究也是南阳儒学的一大特色。

谶纬之学在南阳也极为盛行，汉朝从武帝时期就喜好方术，天下身怀道艺的人竞相前来谈论，后来王莽假托符命篡政，光武帝刘秀革命中兴都曾有效利用过谶语，遂成一时风气，甚至出现仅因姓名符合图谶而被破格提拔至宰相之位的。《后汉书·方士列传》载：

后王莽矫用符命，及光武尤信谶言，士之赴趣时宜者，皆骋驰穿凿，争谈之也。故王梁、孙咸名应图箓，越登槐鼎之任；郑兴、贯逵以附同称显，桓谭、尹敏以乖忤沦败。自是习为内学，尚奇文，贵异数，不乏于时矣。①

由于统治者的推崇，竞相学习图谶的社会风气席卷南阳，在众多南阳学士中，樊英和宗均在谶纬方面颇有建树，前已述及在南阳出土的东汉墓中，发现了大量反映谶纬之学在南阳盛行的画像砖石。除了上述这些特点，南阳儒学还有一个特点是杂糅了阴阳、道、法等诸家思想，还吸收了数术方技等知识。李守喜好星历谶记，张衡长于天文、阴阳、历算，这些学者不仅只停留在理论研究方面，而且还将其运用到治理国家当中。汉顺帝（125—144 在位）末年，江淮地区盗贼群起，官府不能禁止，大将军梁冀征召南阳郡宛（治今河南南阳市）人朱穆掌管军事，桓帝（146—167 在位）即位后，朱穆上奏劝诫梁冀：

穆伏念明年丁亥之岁，刑德合于乾位，《易》经龙战之会，其文曰：“龙战于野，其道穷也。”谓阳道将胜而阴道负也。今年九月天气郁冒，五位四侯连失正气，此互相明也。夫善道属阳，恶道属阴，若修正守阳，摧折恶类，则福从之矣。穆每事不逮，所好唯学，传受于师，时有可试。愿将军少察愚言，申纳诸儒，而亲其忠正，绝其姑息，专心公朝，割除私欲，广求贤能，斥远佞恶。②

朱穆借阴阳灾祸之说劝谏梁冀广纳群儒，亲近起用忠诚正直之人。将政治得失与阴阳五行相结合，也是南阳儒学的一大特点。

南阳儒学受到京师学术风气的影响，加上帝乡的特殊地位，因此与统治者关系较为密切，基本与官方学术风气保持一致。南阳豪族著姓的崛起，在推动私学教育发展的同时，也在很大程度上促进了儒学的

① 《后汉书》，第 2705 页。

② 《后汉书》，第 1462 页。

繁荣。

江夏郡也是汉代荆楚地区儒学发达的地区之一。汉代江夏文化兴起与衡山王刘赐有关。汉景帝三年（前154），庐江王刘赐被徙封为衡山王，后刘赐因谋反被诛。刘赐作衡山王时，为谋反积蓄力量，大肆敛财，同时也召集人才，《史记·衡山王传》载：

> 王又数侵夺人田，坏人冢以为田。有司请逮治衡山王，天子不许，为置吏二百石以上。衡山王以此恚，与奚慈、张广昌谋，求能为兵法候星气者，日夜从容，王密谋反事。

刘赐招揽熟悉兵法和能够观测星象天气的人才，虽然主观上是为谋反做准备，但是客观上为江夏地区文化发展聚集了人才。刘赐的哥哥淮南王刘安为编写《淮南子》一书，也曾招揽大量英才，包括四方游士，儒家和墨家学者，方术之士等，可以猜测，刘赐所招揽的人才类型应和刘安所召集的类似，包含诸子百家，思想博杂。

东汉初期，江夏迎来了一位大儒——郅恽。郅恽通晓《韩诗》《严氏春秋》及天文历数和谶纬，曾以天文和谶纬之学劝谏王莽逊位，也曾劝谏傅俊约束士兵，勿掠夺百姓；其好友董子张之父为仇人所杀，董子张不及报仇而死，郅恽为友报仇后到县衙自首；担任太守欧阳歙功曹时，认为繇延是贪婪邪恶之人，直言劝谏。郅恽曾客居江夏，在这里他兴办私学，教授生徒，一改江夏教育和学术的沉寂状态。

汉代江夏也出现了一些文化世家。黄氏家族是其中之一。黄氏家族中最著名的人物是黄香、黄琼、黄琬。

黄香（约68—122），字文彊，江夏安陆湖北人。《后汉书·黄香传》载：

> 年九岁，失母，思慕憔悴，殆不免丧，乡人称其至孝。年十二，太守刘护闻而召之，署门下孝子，甚见爱敬。香家贫，内无

> 仆妾，躬执苦勤，尽心奉养。遂博学经典，究精道术，能文章，京师号曰“天下无双，江夏黄童”…… 所著赋、笺、奏、书、令，凡五篇。[①]

黄香恪守儒家道德规范，谨守孝道，可以说是一个天才的儒学家。在为政上，黄香十分勤勉，为官清廉，而且胸怀大义，永元十二年（100），东平、清河两地报告，卿仲辽等人妖言惑众，牵涉数千人，黄香将真实情况分别上奏，保全了很多人的性命。郡国中每有不确定的案件，黄香总是尽量轻判。延平元年（106），黄香调任魏郡太守，黄香一改之前魏郡郡府与百姓分耕内外田园的情况，将田园全部分给百姓耕种，而且在遭遇饥荒时，他也将自己的俸禄和赏赐分给穷苦之人。不管是为人还是做官，黄香都是儒家理想人格和政治理念躬行实践的典范。

黄琼（86—164），字世英，黄香之子。黄琼秉承黄氏之家风，在黄香去世之后回家服丧，教授乡里，汉顺帝屡诏征不就，后来不得已出仕，也能做到为官清廉，不畏强权。黄琼重视人才，曾上疏举荐儒生给顺帝：

> 又使近臣儒者参考政事，数见公卿，察问得失。诸无功德者，宜皆斥黜。臣前颇陈灾眚，并荐光禄大夫樊英、太中大夫薛包及会稽贺纯、广汉杨厚，未蒙御省。伏见处士巴郡黄错、汉阳任棠，年皆耆耋，有作者七人之志。宜更见引致，助崇大化。[②]

黄琼劝课稼桑，信奉儒家礼教。顺帝继位之后，不行籍田之礼。黄琼以为这是国之大典，不宜久废，上疏劝谏：“自古圣帝哲王，莫不敬恭明祀，增致福祥，故必躬郊庙之礼，亲籍田之勤，以先群萌，率劝农

① 《后汉书》，第 2614—2615 页。

② 《后汉书》，第 2033 页。

功。”[①]永建三年（128）大旱，黄琼上疏劝诫皇帝应检查政事，躬行节俭，废除宫廷中的奢靡之举，下令让近臣宦官遵守法纪，惩罚那些不知悔改的犯人，同时要引见公卿，接纳儒生，询问政事，探讨得失。黄琼能在政治上有所作为，与他早年跟随父亲在朝廷中的历练分不开。在治学方面，黄琼尤为擅长仪礼和谶纬之学。从上文对汉顺帝的上奏中不难看出，他对礼教在社会教化和国家政治生活中的重要作用有清楚的认识，因此他崇尚谶纬之学，并用其解释国家出现的非正常自然和政治现象，并荐举相当数量的精通谶纬之学的人才，他曾推荐过的樊英、薛包、贺纯、杨厚等人皆是东汉著名的谶纬学家。黄琼早年在乡里教学，后又官至三公，门生众多，声望极高，因此他去世的时候四方远近前来吊唁的人很多，其中有豫章南昌（即江西南昌）人徐稺，由此可知江夏黄氏之儒学对周边地区也产生了一定的影响。

黄琼之孙黄琬，自幼聪慧善辩，被名臣陈蕃赏识，有耿直之臣节，同遭党锢之祸，之后复出，官至豫州牧、太尉。为豫州牧时，政绩为天下表率。《后汉书·黄琬传》称：“（黄琬）又为豫州牧。时寇贼陆梁，州境彫残，琬讨击平之，威声大振。政绩为天下表，封关内侯。”[②]

江夏另一儒学名士为益州牧刘焉。刘焉，竟陵（今湖北天门）人，汉宗室鲁恭王之后，汉章帝时其家迁徙至竟陵。刘焉本人在儒学方面有相当高的造诣，《后汉书·刘焉传》称：“焉少任州郡，以宗室拜郎中……去官，居阳城山，积学教授。举贤良方正，稍迁南阳太守、宗正、太常。”[③]刘焉在出任益州牧后，整饬吏治，打击地方豪强，割据一方。而在政治方面影响最为深远的是建议挑选宗室重臣以任州牧，镇守一方，此后这一建议得以施行，刘焉本人出任益州牧，黄琬为豫州牧，刘虞为幽州牧，刘表为荆州牧。这是中国地方行政制度史上影响深远的

① 《后汉书》，第2034页。

② 《后汉书》，第2041页。

③ 《后汉书》，第2431页。

州、郡、县三级施行之始。

纵观江夏儒学，与南郡一样，基本与东汉时期的正统官方学术保持统一，但又有其特点，如谶纬之学占据更加重要的地位，同时讲求经世致用，把儒学理论运用到实际的政治活动中。

东汉时期南郡儒学也有所发展。汉安帝（106—125 在位）时，法雄任南郡太守期间，南郡政治清明，百姓安定，判案诉讼有所减少，户口增加。法雄是一个按儒家理念执政的人，当时南郡多虎患，前任太守悬赏招募人捉虎，反而使得更多人被虎所伤，法雄则认为，虎狼在山林就如同人居住在城市中，只有施行教化，以仁爱之心对待飞禽走兽才能换来人与虎狼的和谐相处，因此他命人不得放置捕兽机关和陷阱，也不得随意去山林捕杀，如此一来，虎患果真平息不少。由这件事可以看出，法雄将儒家的仁爱思想贯彻于执政当中，必然在潜移默化中对南郡儒学发展产生影响。

此外，儒学宗师马融，短暂任过南郡太守，曾在荆州治经、讲学，在南郡的儒学教育和传播上，占有重要的历史地位。

东汉时期南郡名儒还有胡广。胡广（91—172），南郡华容（今属湖北监利）人，少孤贫，法雄为南郡太守时为散吏，后被法雄举为孝廉，到京师之后，被汉安帝选为第一。胡广“有雅才，学究五经，古今术艺皆毕览之”。他著述甚丰，所作《百官箴》，是研究汉朝官吏制度的珍贵资料。

二、蔡阳三刘与《东观汉记》

《东观汉记》是一部记载东汉光武帝至汉灵帝时期历史的纪传体史书，因修撰于南宫东观而得名，《隋书·经籍志》著录为一百四十三卷。此书因多种原因在流传过程中未能保存下来，现存本为后人辑佚。《东观汉记》是我国第一部官修纪传体王朝史，是时人撰写的当代史，因此在中国史学史上占有重要地位。首先，撰修《东观汉记》开创了后世官修国史之例，历代纷纷效仿，设史官修撰本朝历史，这样能够及时有效地保存丰富的历史资料；其次，《东观汉记》的撰修历时百年，几代人，为后世官修国史提供了宝贵经验。因为《东观汉记》如此重要，所以曾与《史记》《汉书》并称“三史”。

《东观汉记》的规模庞大，从明帝时期一直到东汉末年，许多著名的东汉学者都参与了此书的编撰。明帝（57—75在位）命班固、陈宗等人共同编撰《世祖本纪》，后又作光武帝时人物列传、载记二十八篇，这是《东观汉记》撰写的第一个阶段；汉安帝永宁年间（120—121），邓太后令刘珍、李尤、刘騊駼、刘毅等人著《中兴以下名臣列士传》，这是在班固等撰修的基础上进行的第一次续修；第二次续修是汉桓帝（146—167在位）时期，桓帝命边韶、崔寔等人作《百官表》，续修纪、传，增补《外戚传》《儒林传》等类纪传；汉灵帝（168—189在位）和汉献帝（189—220在位）时期，蔡邕等人对《东观汉记》进行了最后一次大规模续修。在《东观汉记》的编纂过程中，汉安帝时第一次续修具有重要意义，因为经过这次续修，《东观汉记》初步具备了国史的规模，为后世继续编撰，最终成一朝国史奠定了基础。此次续修的主要参与者有刘珍、刘騊駼、刘毅、李尤、马融等人，其中刘珍、刘騊駼、刘毅都是东汉南阳蔡阳县（今湖北省枣阳市）人，被称为“蔡阳三刘”。

刘珍（？—约126），字秋孙，又名宝，他年少好学，安帝永初年间官拜谒者仆射，他受邓太后诏参与续修《东观汉记》，《后汉书·文苑·刘珍传》载：刘珍和校书刘騊駼、马融和五经博士一同校订东观中的五经、诸子传记和各家学说，整理书中的遗漏和讹误之处。永宁元年（120），太后又下诏命刘珍同刘騊駼一同撰写建武以来的名臣传，同时将刘珍提拔为侍中、越骑校尉。延光四年（125），刘珍被授予宗正一职，次年转卫尉，在任期间去世。刘珍著作颇多，他所著的诔、颂、连珠流传至今的共七篇，又撰《释名》三十篇，以辨万物之称号，是训诂学之经典专著。刘珍对《东观汉记》的编写作出了重要贡献。

永初中，（珍）为谒者仆射。邓太后诏使与校书刘騊駼、马融

> 及五经博士，校定东观五经、诸子传记、百家艺术，整齐脱误，是正文字。永宁元年，太后又诏珍与騊駼作建武以来名臣传，迁侍中、越骑校尉。[①]

刘騊駼，生卒年不详，临邑侯刘复的儿子，《后汉书·北海靖王兴传》称赞其与从兄平望侯毅，“并有才学”。[②]永宁年间（120—121），刘騊駼被邓太后召入东观，与刘珍、刘毅等人一同撰写建武以来的名臣传，除此之外，刘騊駼又独立撰写赋、颂、书、论四篇。

刘毅，生卒年不详，北海敬王刘睦之子，刘騊駼从兄，被封为平望侯，永元年间因受牵连被夺去爵位。史载刘毅“少有文辩称，元初元年，上《汉德论》并《宪论》十二篇。时刘珍、邓耽、尹兑、马融共上书称其美，安帝嘉之，赐钱三万，拜议郎”。[③]

“蔡阳三刘”参与的这次对《东观汉记》的续修是在前人班固等人的创作基础上进行的，弥补了班著的缺憾，对《东观汉记》的成书具有重要意义，《隋书·经籍志》将刘珍著录为《东观汉记》的作者，是对“蔡阳三刘”在撰修《东观汉记》中所作贡献的充分肯定。

三、王逸与《楚辞章句》

王逸，字叔师，南郡宜城（今湖北襄阳宜城）人，东汉著名文学家。汉安帝元初（114—120）年间，王逸被举荐任上计吏，后进京留拜校书郎，在此期间，他入东观校书，后又迁校书郎中，参修《东观汉记》，顺帝时，擢为侍中，晚年曾先后担任豫州刺史和豫章太守。王逸著述颇丰，《后汉书·王逸传》载：“（王逸）著《楚辞章句》行于世。其赋、诔、书、论及杂文凡二十一篇，又作汉诗百二十三篇。”[④]由于各

---

① 《后汉书》，第 2617 页。

② 《后汉书》，第 558 页。

③ 《后汉书》，第 2616 页。

④ 《后汉书》，第 2618 页。

种原因，王逸的著作目前只有《机妇赋》《荔枝赋》《九思》和《楚辞章句》尚存。

“楚辞”是战国时期伟大诗人屈原在楚地民歌基础上创作的一种新诗体，作品主要运用楚地的文学样式、方言声韵，其内容也以楚地的风土人情为主，具有浓厚的楚地特色。屈原之后，以宋玉为代表的辞赋家继续从事“楚辞”体的创作，并将其发扬光大。汉代也有很多著名文学家模仿屈原、宋玉作“楚辞”。汉成帝河平三年（前26），刘向将屈原、宋玉以及汉代模仿屈、宋的作品汇编成集，共十六篇，名为《楚辞》，后来王逸著《楚辞章句》，增入自己所作《九思》，成十七篇，这就是后世通行的版本，是一部对我国文学影响深远的诗歌总集。《楚辞章句》是王逸对《楚辞》进行注释的著作，在他之前，也有很多学者曾注释过《楚辞》，但都只是针对个别篇目，像王逸这样将《楚辞》所有篇目进行详细注解，尚属首次，因此可以说《楚辞章句》是一部具有开创意义的《楚辞》注本。

王逸作《楚辞章句》的初衷是为了弥补前人研究楚辞的不足，他指出：

> 孝章即位，深弘道艺，而班固、贾逵复以所见改易前疑，各作《离骚经章句》，其余十五卷，阙而不说。又以“壮”为“状”，义多乖异，事不要括……[①]

又在《天问后序》中提到：

> 自太史公口论道之，多所不逮。至于刘向、扬雄，援引传记以解说之，亦不能详悉。所阙者众，多无闻焉。既有解说，乃复多

① 王逸撰，黄灵庚点校：《楚辞章句》，第38页。本节所引《楚辞章句》皆采用此版本，如无特殊说明，不再另注。

> 连蹇其文，濛澒其说，故厥义不昭，微旨不皙，自游览者，靡不苦之，而不能照也。

他指出班固、贾谊、刘向、扬雄等人对楚辞的注释和解说粗疏浅显，并有太多的遗漏和错误，使得阅读者多有苦恼，所以他要“以所识所知，稽之旧章，合之经传”，查漏补缺，修正旧说，以求“章决句断，事事可晓，俾后学者永无疑焉”。[①]

王逸对《楚辞》各篇逐句训诂并释义，吸收了前人意见，并综合不同的观点提出了自己的见解。他的注释善用韵文，这在《抽思》《思美人》《远游》《九怀》等篇中很常见。如《思美人》的注文：“言己忧思，念怀王也。伫立悲哀，涕交横也。党友隔绝，道坏崩也。秘密之语，难传诵也。忠谋盘纡，气盈胸也……”几乎全篇注释均为四言韵文，极具特色。这样的注文不仅可以起到疏通文义的作用，也避免了注文冗长的问题，同时也体现了王逸极高的文学造诣。

《楚辞章句》为目前所见《楚辞》的最早注本，可谓是楚辞研究史上的奠基之作，其对楚辞的研究和整个文学史的发展都有重要贡献。

首先，《楚辞章句》收录了诸家注解，保存了很多王逸之前学者对《楚辞》的研究成果。“逸之注，虽未能尽善，而自淮南王安以下为训传者，今不复存其目，仅见于隋唐志，独逸注幸而尚传。兴祖又从而补之，于是训诂名物始详矣”。[②]

其次，王逸对《楚辞》进行了全面且系统的整理，在广采众长的基础上，王逸又对《楚辞》的研究提出了自己的观点，在字词注解、句意疏通、说明作品思想等方面均有开创性的贡献，为《楚辞》的研究提供了新的思路，其后的学者无不以《楚辞章句》作为研究《楚辞》的底本。

---

① 王逸撰，黄灵庚点校：《楚辞章句》，第 88 页。

② 马端临：《文献通考》，第 1836 页。

再次，王逸生于荆楚地区，与宋玉同乡，又去古未远，因此能指出《楚辞》中的楚地方言，对后人研究《楚辞》起着不可或缺的作用。他还用通用的语言去解释《楚辞》中的方言，以便读者理解。如《九章·橘颂》有言："曾枝剡棘，圆果抟兮"，王逸注曰："抟，圜也。楚人名圜为抟。"又如《招魂》有言："倚沼畦瀛兮，遥望博"，王逸注曰："瀛，池中也，楚人名池泽中曰瀛。"再如《招魂》有言："与王趋梦兮课后先"，王逸注曰："梦，泽中也，楚人名泽中为梦中。"华学诚指出："王逸从当代楚方言出发，对《楚辞》中的楚语所做的研究，不仅对《楚辞》时代的楚语，而且对东汉时期的楚方言都具有第一手资料的价值；结合《楚辞》引证东汉楚方言，在今天能看到的文献中，还没有见到早于王逸的材料，从这个意义上说，王逸的工作具有开创性。"①

复次，王逸采用了"章句"的解经体例来注解《楚辞》，并把《离骚》的内容与儒家经典比照，是把《楚辞》纳入进了儒家的文化体系。《离骚经后叙》载：

> 夫《离骚》之文，依托五经以立义焉。"帝高阳之苗裔"，则《诗》："厥初生民，时维姜嫄"也；"纫秋兰以为佩"，则"将翱将翔，佩玉琼琚也"；"夕揽洲之宿莽"，则《易》："潜龙勿用"也；"驷玉虬而乘鹥"，则《易》："时乘六龙以御天"也；"就重华而陈词"，则《尚书》："咎繇之谋谟"也；"登昆仑而涉流沙"，则《禹贡》之"敷土"也。故智弥盛者其言博，才益劭者其识远。屈原之词，诚博远矣。自孔丘终没以来，名儒博达之士，著造词赋，莫不拟则其仪表，祖式其模范，取其要妙，窃其华藻，所谓"金相玉质，百岁无匹，名垂罔极，永不刊灭"者也。

这篇后序中，王逸强调了《离骚》是"依托五经以立义"，为《离

---

① 华学诚：《周秦汉晋方言研究史》，复旦大学出版社2003年版，第339页。

骚》寻找了经学上的理论支持。王逸还遵循了《毛诗》的体例对《楚辞》进行了详细的训释。在具体内容上,《楚辞章句》的训诂也秉承着儒家思想。王逸所生活的年代是以经学为主导的，他的这种做法无疑有助于《楚辞》的保存和流传。

最后，王逸对《楚辞》的文学价值进行了挖掘，比如王逸对《离骚》中的比兴手法作了精彩的论述：

> 《离骚》之文，依《诗》取兴，引类譬喻：故善鸟香草以配忠贞，恶禽臭物以比谗佞，灵修美人以媲于君，宓妃佚女以譬贤臣，虬龙鸾凤以托君子，飘风云霓以为小人。其词温而雅，其义皎而朗。凡百君子，莫不慕其清高，嘉其文采，哀其不遇，而闵其志焉。

王逸还善于剖析《楚辞》各篇中的情感，王逸对于《楚辞》的解读，“是注意从情感挖掘的角度进行阐释的”。[①]这在《楚辞章句》各篇的序文中可得到体现，如《离骚序》中描写屈原：“忧心烦乱，不知所愬”；《远游序》中描写屈原：“意中愤然”；《大招序》中描写屈原：“忧思烦乱，精神越散，与形离别，恐命将终，所行不遂，故愤然大招其魂”；《哀时命序》中描写严忌：“忌哀屈原受性忠贞，不遭明君而遇暗世，斐然作辞，叹而述之”；《九怀序》中描写王褒：“读屈原之文，嘉其温雅，藻采敷衍，执握金玉，委之污渎。遭世溷浊，莫之能识，追而愍之”。几乎每一篇都描述了作者创作作品时的心情。这不仅能使读者更加深刻地体会诸篇文章的写作背景，也使《楚辞》的注解更具文学色彩，有助于探讨作品所表达的真情实感。

《楚辞章句》是一部研究楚辞的巨作，但它并非完美无瑕。如《离骚》有言：“启《九辩》与《九歌》兮，夏康娱以自纵。”王逸以《左

---

① 邓声国:《试论王逸〈楚辞章句〉的文学阐释》,《江西社会科学》2007年第1期。

传》“六府三事，谓之九功，九功之德皆可歌也”来注解“九歌”，不免附会，实际上此处的“九歌”只是传说中的乐曲名而已。又如《九歌·湘君》：“朝骋骛兮江皋，夕弭节兮北渚。”其本义是指：早上在江边奔驰，晚上在北渚停歇。而王逸的章句则是：“言已愿及朝明，己年盛时，任重驰驱，以行道德也。言日夕将暮，己已衰老，弭情安意，终志草野也。”已完全偏离了原文的内容，不免臆测。当然，这些缺陷瑕不掩瑜，并不能影响《楚辞章句》的价值。

四、荆州学派

荆州学派是东汉末年在荆州地区形成的一个学术流派。研究恢复古文经学是荆州学派的一个重要议题。其代表人物宋衷、司马徽是著名古文经学家。今文经学和古文经学分别是汉代儒家经学的两大派别，今文经学所依据的典籍是由宿儒口耳相传的经文与解释，由弟子用前汉时使用的文字隶书（今文）记录下来的；而古文经学所依据的典籍是从孔子故宅墙壁中拆出、用先秦时期的古文字写就的经书。自从汉武帝时期“罢黜百家，独尊儒术”的思想政策实施后，儒家思想成为正统思想，官方也设置了教授儒家经典的五经博士，但是这里的儒家经学是今文经学，古文经未能列入学官，只是在私学领域被儒士们研究和教授。西汉末年的古文经学家刘歆提出只有古文经才是真经、全经，并指出今文经的诸多弊端，掀起了今古文经学之争。随后今文经学和古文经学之间进行了多次激烈的争论，但是直到东汉时期，古文经学仍被官学排斥在外。刘表创建的荆州官学，一改今文经的官学地位，将古文经作为官方经学。荆州经学删繁就简、简明求实，使得古文经学尤其是《左传》得到重视，并产生了重要影响，“可以说荆州经学是汉魏之际官方经学从今文经学向古文经学过渡的转折点”。[1]

由于当时的荆州在刘表的治理下安定和平，远离战乱，各方士人纷

---

① 张岂之：《中国思想学说史》，广西师范大学出版社2007年版，第158页。

纷来此避难，他们的研究环境比较自由，并没有受限于古文经学，其他诸如法家思想、黄老思想等都在这种宽松的学术氛围下得到一定程度的恢复甚至有所发展。

东汉末年，豪强并立，天下纷争不断，一大批有为之士开始推崇法家重视世务的思想，其中的代表人物有蒯越、诸葛亮、刘廙等。刘表替代王睿出任荆州刺史时，由于荆州处于混乱中，刘表单马僻径入宜城，请当地的大族士人蔡瑁、蒯越等共商对策。蒯越曰：

> 理平者先仁义，理乱者先权谋。兵不在多，贵乎得人。袁术骄而无谋，宗贼率多贪暴。越有所素养者，使人示之以利，必持众来。使君诛其无道，施其才用，威德既行，襁负而至矣。兵集众附，南据江陵，北守襄阳，荆州八郡可传檄而定。公路虽至，无能为也。[①]

蒯越认为，在太平盛世时治国应施行仁义之策，治理乱世则需要运用权谋，军队取胜的关键不在人多，而在有合适的人才，由此为刘表制定了一个获取荆州的计谋。这一策略正体现了法家尚功能、重法术的精神。关于诸葛亮，陈寅恪指出："诸葛亮为诸葛丰的后代，是世家相传的法宝。"[②] 在荆州求学时期，诸葛亮就曾自比管仲、乐毅。在入蜀之后，诸葛亮坚持以法家理念治理国家。刘廙的《政论》被《隋书·经籍志》收录于法家著作之中。在黄老思想方面，荆州学派努力复兴黄老思想，黄老思想源自黄老学派，是道家的一个支派。汉代黄老学派的代表是扬雄，曾撰《太玄》，他将源于老子之道的玄作为中心思想，探索事物发展规律，是对黄老思想的继承和发展。虽然这本书在汉代未产生很大影响，但是经过荆州学派的核心人物宋衷的教授和传播，在汉魏之际

---

① 范晔：《后汉书》，第 2420 页。

② 陈寅恪著，万绳楠整理：《陈寅恪魏晋南北朝史讲演录》，黄山书社 1987 年版，第 26 页。

的学术界获得广泛认可和传播。

荆州学派的影响是多方面的，唐长孺指出荆州学派促成了洛阳荒毁后学术中心的南移和新学风的萌芽，促成这种南移和萌芽的主要原因，一是人才的招揽，刘表统治荆州19年间，荆州聚集了大批来自四方的儒生学士；二是学校的建立，设在襄阳的学校，置立学官讲授，是效法洛阳太学设置的全国唯一官学；三是《五经章句后定》的编写，刘表命宋衷组织儒生撰写的《五经章句后定》，是第一次集体写作的综合性经学新教本，也是古文经学第一次列于官学，而且通过搜集复写，襄阳官寺储藏的图书也变得极其丰富。[①]随着荆州学术在各地的广泛传播，全国各地都在不同程度上受到荆州学术的影响。"荆州盛行的古文经学与盛行于北方的郑玄之学相抗衡，还在益州形成支流。南阳人谢该和避难来荆州讲学的陈国人颍容是经学大师服虔死后最有名的《左传》学大师。特别是南阳人宋衷，他的《周易注》和《太玄经注》开辟了清除象数占验的新易学道路，对后世的影响深远"。[②]

荆州学派对三国政治产生过重要影响。荆州学派聚集了大量来自全国各地的人才，他们秉承荆州学派薄古厚今、勇于创新的精神，讲求经世致用。这些人才不少在曹操平荆州时被招揽至北方，有的跟随刘备入蜀，少量入吴，荆州学派士人由此被分流至全国，对当时的政局产生了重要影响。

流入北方的学者有宋衷、王粲、刘廙等人。

宋衷（生卒年不详），一作宋忠，字仲子，南阳章陵（今湖北枣阳）人，东汉末年大儒，曾受命与綦毋闿共同编撰《五经章句》，另著有《周易注》《太玄经注》《法言注》等。宋衷在曹操取得荆州后，被曹操带到许昌。

---

① 参看唐长孺：《汉末学术中心的南移与荆州学派》，《唐长孺社会文化史论丛》，武汉大学出版社2001年版，第10页。

② 唐长孺：《汉末学术中心的南移与荆州学派》，《唐长孺社会文化史论丛》，第10页。

王粲（177—217），字仲宣，兖州山阳高平（今山东微山两城镇）人，东汉末年文学家，“建安七子”之一。王粲家世显赫，曾祖父王龚曾任太尉，祖父王畅曾任司空，父亲王谦为何进大将军府长史。《三国志·魏书·王粲传》载：王粲十七岁时被司徒辟为黄门侍郎，王粲没有去，而是跑到荆州依附其祖父的门生并为乡谊的刘表。[①]王粲在荆州的时候，曾积极参与荆州文教事业建设，撰有《荆州文学记官志》《登楼赋》等。建安十三年（208）刘琮降曹，王粲被辟为丞相掾，赐爵关内侯，此后常随曹操征战。建安十六年（211）迁军师祭酒，建安十八年（213）曹操受封魏公，荀攸、王粲等领衔劝进，魏国建立后，王粲任侍中。建安二十二年（217）病逝。王粲博闻多识，提问都能对答如流，旧有的礼仪荒废松弛，当时制定各种制度，通常都交由他主持。

刘廙（180—221），字恭嗣，南阳安众（今河南南阳）人。他深受荆州学派的影响，但抱负在曹操集团才得到施展。曹操让他做丞相府属官，后曹丕任五官中郎将，以其为文学掾，曹丕继位后，刘廙备受器重。建安十八年（213），魏国建立，刘廙任黄门侍郎。《三国志·刘廙传》注引《廙别传》曾提及刘廙议论选举和任官一事，刘廙认为由世族掌握的乡闾清议对政治不利，主张行考课之法，验之以实事，认为“如此行之，则无能之吏，修名无益；有能之人，无名无损。法之一行，虽无部司之监，奸誉妄毁，可得而尽”。[②]曹操非常赞同他的意见。

蜀国的建立更是与荆州学派密不可分，从某种程度上可以说是蜀汉立国的基础。

很多杰出的荆州学派士人对蜀国政治产生了重要影响，其中最著名的人物就是诸葛亮。

诸葛亮（181—234），字孔明，琅琊阳都（今山东临沂市沂南县）人，其叔父诸葛玄被好友刘表举荐为豫章太守，他将诸葛亮姐弟托付给

---

① 《三国志》，第597—598页。

② 《三国志》，第617页。

时任荆州刺史刘表，在刘表的翼护下，诸葛亮与荆州大族建立了联姻关系，他大姊嫁给了庞德公侄子庞山民，小姊嫁给蒯祺，自己娶沔南名士、前汉邔侯黄极忠后裔黄承彦的女儿为妻，寓居于襄阳城西二十里之隆中，刘表是他的姨丈人，蔡瑁成为他的妻舅公，蒯越、蒯良成为他的姻伯或姻叔，若联系襄阳大族彼此间存在着广泛的联姻关系，诸葛亮与当时的襄阳大族都建立了亲疏不一的亲戚关系，其周围还聚集着一批从北方南下的名士如司马徽、徐庶、崔州平、孟公威、石广元等，日渐成长为一个知识渊博、见多识广、信息灵通、满怀抱负的青年才俊。刘备有枭雄之姿，但早期在北方活动时始终寄人篱下，没有作为，虽怀抱着“欲信大义于天下”的雄心，却茫然不知“计将安出”，完全没有成为一方霸主的表现和趋向，一个重要原因就是身边缺乏具备管理才能和有谋略的仁人志士，而诸葛亮正是刘备所需要的人才。经过司马徽和徐庶等人的推荐，刘备三顾茅庐恳请诸葛亮出山相助，诸葛亮被刘备的诚意打动。诸葛亮出山后，在蜀汉建立过程中发挥了重要作用：首先，出山之始，诸葛亮在《隆中对》中为刘备分析了天下局势，为其谋划了占荆州、并益州以三分天下，然后两路北伐以取中原的战略；其二，制定了联吴抗曹的战略，并为此成功出使孙吴，使孙刘联军取得赤壁之战的胜利，奠定三国鼎立的基础；其三，在刘备入蜀时助关羽留守荆州，在刘备出征汉中时镇守成都，并提供后勤支持，使刘备无后顾之忧；最后，诸葛亮用法治国治军，改变了刘璋时期的混乱统治，稳定蜀地局势，协调荆州人士与本地人士的关系，巩固刘备的统治。

其他随刘备入蜀的荆州官学人才还有庞统、向朗、杨顒、马良、马谡、霍峻、杨仪、伊籍、尹默、李仁等人，都在蜀汉政权的建立过程中起到过重要作用。其中庞统在学识和才华方面与诸葛亮相俦，他重视经世致用，崇尚事功，在经学、道学、谋略等方面都有很高的造诣。庞统与刘备一同入蜀，在刘备谋划如何夺取益州时，为刘备献上三条密计，刘备取其中计，依计行事后势如破竹。

关于荆州学派与魏晋玄学的关系，学界讨论颇多，瞿安全、王奎

《荆州学派及其影响研究》一书作了精彩总结，认为各家说法大致可分为三派：一派认为荆州学派直接开启王弼学术，即开魏晋玄学，成为两汉经学向魏晋玄学的转折点。这一派以汤用彤说法最为典型，影响最大。一派为间接论者，认为王弼思想可上溯至荆州学派，更强调汉魏之际儒道兼修的思想背景，以许抗为代表。另外还有否定说，认为王弼玄学并非源于荆州学派，如朱伯崑、程元敏等持此种观点。[①] 我们认为，王弼玄学的启蒙和基础知识来源于荆州学派当无疑问。

第三节　魏晋南北朝时期的思想与学术

东汉末年，刘表治理荆州之时，招揽了大批知名学者，荆州一时成为全国的文化教育中心，培养催生出备受后世称誉的荆州学派。荆州学派影响巨大，在政治、学术、文教事业等方面都卓有建树，且并不限于一时一地，是中国学术史上浓墨重彩的一笔。盛极数朝的魏晋玄学虽流行于北方和江东，但其产生与发展却与荆州学派关系密切，为学界讨论的热点。魏晋南北朝时期襄阳、江夏、江陵等地的学术都有不同程度的发展，如南梁萧绎治理荆州时，好读书，善收藏，招揽了大批文士，使荆州学术有短暂的复兴。魏晋南北朝时期荆楚人才辈出，其中可称道的如东晋习凿齿，出身世家，博学多识，其所作《汉晋春秋》虽多散佚，但仍能反映出习凿齿的史学思想。这一时期地志频出，多为文士夸赞家乡之作，魏晋南北朝荆楚地志有数十种之多，显示这一地区人文鼎盛，人才济济。

一、魏晋玄学

魏晋玄学是魏晋时期的一种学术思潮，并或多或少地转化成绝大部分士人的一种生活方式。汤用彤认为，玄学之义甚多，然其根本之义为

① 参看瞿安全、王奎：《荆州学派及其影响研究》，湖北人民出版社 2013 年版，第 403—405 页。

玄远，即远离实际，侧重于宇宙本体的探究，重在讲形而上之学。具体来说有三义：一是玄远之理。即玄学不太讲具体的道理，而倾向于抽象的方面，重在讲宇宙万物的第一原理；二是玄妙之学。玄学不讲文句，不论具体事务，而讲义理；三是玄静之心。讲人之宅心玄远，于人格上趋向高明处。①

玄学出现之前，中国古代思想并不注重探索宇宙本源这一根本性问题，而是更关注世俗社会，注重构建世间秩序。但随着玄学的产生和发展，思想家们开始将视线转移到对万物本体的探讨，对精神世界的开拓，在思维方式上也由形象思维向抽象思维发展，是中国古代思想发展史上一次重大的变革思潮。

魏晋时期的谈玄之风早先盛行于黄河流域，但是玄学的产生和发展与长江流域密不可分，东汉时期，由察举征辟推动的南阳地区的清议品题之风开始盛行，末年，天下大乱，学术荒废，如前所述，荆州地区在刘表治理下远离战争，社会稳定，经济繁荣，文教事业兴盛，全国的学术中心也由洛阳转移到这里，成为学术绿洲。荆州学派反对经学章句枯燥、烦琐、教条的注释考证，追求自然简约，虽然荆州学派主要研究古文经学，但其学者并不局限于儒学，而是儒道兼修，王粲、诸葛亮、繁仲星、庞士元都博学多识，洞悉世事，显露出一派名士风流俊逸之风骨。荆州学派本身虽然持续的时间不长，但它的影响却没有随着荆州官学的解体而消失，后来正始玄学的代表学者王弼理论的创建也离不开荆州新学的启蒙。荆州学派中的宋衷、王粲、徐庶等纷纷北上后，将荆州学派思想及其不拘礼法、清新自由的学风带到北方地区，成为玄学在北方生长发育的重要助力。

学界对荆州学派是否开魏晋玄学之风尚有争议，但是不可否认的是王弼与荆州学派之间关系密切。

王弼（226—249），字辅嗣，三国曹魏山阳（今河南焦作）人。王

① 参看汤用彤：《汉魏学术变迁与魏晋玄学的产生》，《中国哲学史研究》1983年第3期。

弼对魏晋玄学来说是一个具有奠基作用的重要人物，他以道家思想为理论资源，以儒道两家思想共同的核心概念“无”为本体论来论证名教的合理性，在研究注解《老子》《周易》《论语》的过程中，将自己的哲学观点系统阐发出来，建构成自己的思想体系，在学术上开一代新风——正始玄风，影响很大。①

晚出的王弼虽然不是荆州学派的成员，但是他的家学渊源与荆州关系密切。刘表早年曾跟随时任南阳太守的同郡人王畅学习，三国初，王畅的孙子王粲和族兄王凯为避战乱来到荆州依附刘表，刘表还将自己的女儿嫁给了王凯。早先，东汉名臣蔡邕很赏识少年王粲，曾以数车书籍相赠。在寓居荆州十五年间，王粲“校练名理”，道法天然，悠游度岁，喜作驴鸣，是其文学创作的巅峰时期。②北上后虽受曹操重用，但其两子均死于魏讽之难，因此王粲获赠蔡邕及其本人的书籍当归于王凯之子王业所有，而王弼正是王业之子。王弼父祖辈都与尊奉古文经的荆州学派有很深的关系，因此王粲、王凯和王业一定熟悉宋衷所倡导的学术。汤用彤指出：“王弼之家学，上溯荆州，出于宋氏。夫宋氏重性与天道，辅嗣好玄理，其中演变应有相当之连系也。”③荆州学派对王弼的影响，最重要的是让其自幼深受自由精神的浸染，不被循思旧说所束缚，即所谓“王氏之创新，亦不过继东汉以来自由精神之渐展耳”。④王弼的玄学思想是否因袭宋衷易学思想之渐展姑且不论，青春二十四岁即已辞世的王弼的玄学理论是从其渊源深厚的家学中浸润陶染而来当无可疑。

永嘉之乱后，大批名士南下避难，盛行于北方的玄学清谈也随着这些名士学者的南渡在南方传播开来。其中有不少名士是由荆州取道南

① 参阅孔祥玲：《王弼哲学思想研究》，吉林大学 2018 年博士学位论文。

② 黄叔琳注，李详补注，杨明照校注拾遗：《增订文心雕龙校注》，中华书局 2000 年版，第 246 页。

③ 汤用彤：《魏晋玄学论稿》，上海古籍出版社 2001 年版，第 79 页。

④ 汤用彤：《魏晋玄学论稿》，第 77 页。

来，其中比较著名的是卫玠，是魏晋之际继何晏、王弼之后的著名清谈名士和玄学家，他去建康之路就曾经过江夏、武昌、豫章。

东晋在江南依靠门阀势力立国，至高无上的皇权一落千丈，贵族地位大为提高，拥有相当的自主权，开创了与皇权共治的局面，对外交流的门户亦被打开，贵族名士庾亮、桓温、殷仲堪等于此期间先后出镇荆州，在其官僚集团中聚集了众多人才，促进了荆州玄学的发展。庾亮麾下清谈名士云集，他们带来的玄谈之风深深影响着荆州，江陵的玄学之风日益兴盛。《世说新语》载：

> 庾太尉在武昌，秋夜气佳景清，使吏殷浩、王胡之之徒登南楼理咏。音调始遒，胃函道中有屐声甚厉，定是庾公。俄而率左右十许人步来，诸贤欲起避之。公徐云："诸君少住，老子于此处兴覆不浅！"因便据胡床，與诸人咏谑，竟坐甚得任乐。

出身谯国龙亢（今安徽怀远）大族与文化世家的桓温是对荆楚文化发展贡献较大的一位府主。穆帝永和元年（345），朝议以"西夏之任，无出温者"，迁桓温为安西将军，都督荆、梁等四州诸军事，领护南蛮校尉、荆州刺史，开始执掌中游的军政大权，从此开始了其叱咤风云的一生。次年，亲率万余人的荆州孤军溯江突进益州消灭成汉割据势力，从此声名大振，进位征西大将军，加督交广二州诸军事，国家实土之大半隶其麾下，"士众资调，殆不为国家用"，累迁大司马、太尉、侍中、都督中外诸军事，以雄武专朝，独揽东晋内外大权。[①] 兴宁二年，加扬州牧、录尚书事，离开荆州至赭圻（今安徽繁昌西北长江南岸）筑城居住，但其根基仍在荆州。

桓温才气过人，儒释道俱皆精通，《隋书·经籍志》著录其有文集四十三卷，清人严可均《全晋文》仍录有其遗文十八篇，学养工夫自非

① 《晋书》，第2569页。

寻常士人可比，尤善清言，谈锋甚健，曾与人谈论《易》。《世说新语》记载桓温多次参加玄学清谈活动且语出不凡，如：

殷中军为庾公长史，下都，王丞相为之集，桓公、王长史、王蓝田、谢镇西并在。丞相自起解帐带麈尾，语殷曰："身今日当与君共谈析理。"既共清言，遂达三更。丞相与殷共相往反，其余诸贤，略无所关。既彼我相尽，丞相乃叹曰："向来语，乃竟未知理源所归，至于辞喻不相负。正始之音，正当尔耳！"明旦，桓宣武语人曰："昨夜听殷、王清言甚佳，仁祖亦不寂寞，我亦时复造心，顾看两王掾，辄翣如生母狗馨。"[①]

桓温身兼多个中朝军政要职，总揽朝纲，设府于江陵，其实东晋朝政实多出荆州，官吏员队伍庞大，建康高门士族之贤达干才的名士王坦之、孙盛、谢安、袁宏、顾恺之等人乐于委身于其麾下，固然是为了谋取进身之阶，但其"风流推其高致"的人格力量不能不说是他们积极追随的重要原因。桓温还不拘一格延揽八方俊彦，他先后拜访举荐孟陋、谯秀、瞿硎，辟举荆土寒门士人车胤、习凿齿、罗含。平蜀后将成汉旧臣王誓、王瑜、邓定、常璩等人辟为参军，其府上"参佐习凿齿、袁宏、谢安、王坦之、孙盛、孟嘉、王珣、罗友、郗超、伏滔、谢奕、顾恺之、王子猷、谢玄、罗含、范汪、郝隆、车胤、韩康等，皆海内奇士"。[②]荆州士林之盛堪称空前。本地名士习凿齿与建康高门孙盛互嘲戏谑，与伏滔纵论人物高下被传为美谈。罗含"以廨舍喧扰，于城西池小洲上立茅屋，伐木为材，织苇为席而居，布衣蔬食"。[③]这在以门阀取士的东晋盛世是极为难得的。

① 《世说新语·文学》，见刘义庆著，刘孝标注，余嘉锡笺疏：《世说新语笺疏》，中华书局 2011 年版，第 185 页。

② 余知古著，袁华忠译注：《渚宫旧事》卷五《晋代》，湖北人民出版社 1999 年版，第 202 页。

③ 余知古著，袁华忠译注：《渚宫旧事》卷五《晋代》，第 199 页。

稍后，以文义著称的清谈家殷仲堪出任荆州刺史，再度吹拂荆州的玄谈之风，“殷仲堪精核玄论，人谓莫不研究”①，他“能清言，善属文，每云三日不读《道德经》，便觉舌本间强。其谈理与韩康伯齐名，士咸爱慕之”②。

进入南朝以后，随着皇权的重振，士族的活动空间在一定程度上被压缩，谢晦、沈攸之、刘义宣等中游强臣的反叛使荆楚地区惨遭打击，深谙“治则进，乱则退”之道的部分江陵士子纷纷逃离复杂险恶的官场，或隐逸田园，或寄情山水，或潜心艺术，或谈玄论佛，激起一股清逸的隐逸之风。他们多以玄学、佛学、文学、艺术见长。从南阳迁居江陵的世家大族起了表率作用，宗炳、宗测祖孙不应州郡辟命，潜心佛学，精研艺术。刘虬罢官归家，自讲佛义。庾诜“性托夷简，特爱林泉，十亩之宅，山池居半”。③刘凝之“立屋江湖，非力不食”。④雍州豪族在自沔汉入建康的士族化过程中，很快就表现出以玄言、才艺为主要面目的名士气息。柳世隆齐初以武勋进入中枢，“以谈义自业。善弹琴，世称柳公双璅，为士品第一”“在朝不干世务，垂帘鼓琴，风韵清远，甚获世誉”，本人也自称“马矟第一，清谈第二，弹琴第三”。⑤如果说柳世隆作为南迁柳氏雅化的第一代尚带着“马矟”胎记的话，那么柳氏第二代几乎人人有集，一众高士模样。柳世隆子柳惔“好学工制文，尤晓音律”；柳憕“少有大意，好玄言，通《老》《易》”；⑥柳恽以多才多艺著称，他自幼学琴，“特穷其妙”，“尝以今声转弃古法，乃著《清调论》，具有条流”，又好弈棋，梁时受武帝萧衍命，“品定棋谱，登格者二百七十八人，第其优劣，为《棋品》三卷。恽为第二焉”。《梁

① 刘义庆著，刘孝标注，余嘉锡笺疏：《世说新语笺疏》，第210页。

② 《晋书》，第2192—2193页。

③ 《梁书》，第751页。

④ 郦道元著，陈桥驿校证：《水经注校证》，第796页。

⑤ 《南齐书》，452页。

⑥ 《南史》，第986、989页。

书》将柳恽与琅玡王氏子弟合为一卷，足见在姚氏父子看来，雅化后的柳氏二代子弟，其名士学养已与琅玡王氏齐名。①

由于国人在逻辑数理思维及汉字文字表达方面的缺陷，魏晋南北朝时期虽然玄风弥漫，却难掩其理论方面的诸多不足，只能提出了一个星月两朦胧的含混概念，未能形成缜密自洽的理论体系，取得的成果狭隘有限，重在各自领会精神，各抒已见，因而难以深入，遑论普及。

二、史学专著《汉晋春秋》

《汉晋春秋》记录自东汉光武帝起到西晋愍帝倾覆共281年的历史，据《隋书·经籍志》载："《汉晋阳秋》四十七卷，迄愍帝。晋荥阳太守习凿齿撰。"② 习凿齿（？—384），字彦威，襄阳（今湖北襄阳）人，东晋著名史学家、文学家。习氏世代为乡里豪绅，家族殷富兴盛。《晋书·习凿齿传》云其"少有志气，博学洽闻，以文笔著称"。③ 其著作有《汉晋春秋》《襄阳耆旧记》《习凿齿集》等，其中尤以《汉晋春秋》影响最大。非常遗憾的是，此书在流传过程中多已散佚，我们现在所见的版本是清人汤球、黄奭和王仁俊的辑本，存佚文一百多条，不足二万字。《汉晋春秋》因其所贯彻的史学思想和其本身的史学价值而备受后世推崇。

习凿齿作《汉晋春秋》的一个重要写作特点是，在记录历史的同时会对历史事件发表一番自己的看法，采用"习凿齿曰"或"君子曰"的形式予以评论，史称"品评卓越"。习凿齿《汉晋春秋》的史学思想主要包括如下方面。

其一，《汉晋春秋》提出了以晋继汉、崇汉抑魏的正统史观。正统观就是论证政权建立和存在的合法性、正统性。正统之说最早见于《春秋公羊传》，在汉代的时候，由于统治者的需要，正统之说在政治史学

---

① 《梁书》，第331—332页。

② 《隋书》，第958页。

③ 《晋书》，第2152页。

领域有所涉及，而习凿齿则将其作为一个理论问题进行阐述。在习凿齿之前，陈寿作《三国志》，认为曹魏受汉禅，以魏为正统，曹魏皇帝为本纪，而吴、蜀汉皇帝则为传，这也是当时官方确立的原则和体例，为晋受魏禅张目铺路。但是，习凿齿反对陈寿的观点，他拨乱反正，以蜀汉为正统著《汉晋春秋》，主要基于以下几点理由：首先，习凿齿认为曹氏不修德行，谋权篡位；其次，曹魏没有实现统一大业，全国仍处于分崩离析的状态，这种乱世不能算作一个朝代，而晋完成了统一大业，上承统一的汉王朝；最后，西汉王朝虽然是在秦朝灭亡的基础上建立的，但是汉朝认为自己是继承周朝而建，以此类推，汉之后的正统当为晋，中间的缺环以刘备的季汉顶上。习凿齿还著有《晋承汉统论》，进一步从理论上说明曹魏为篡逆、晋承汉统，曹魏的后裔没有资格享受“三恪”的政治待遇，以完善申说其理论。习凿齿撰《汉晋春秋》和《晋承汉统论》，是具有明确的政治目的的，他是要将魏晋鼎革定性为一个正义势力消灭一个反动势力，力证司马氏建立的晋朝是一个伟大的合法政权，晋应越魏继汉，用晋灭魏建国理论取代虚伪的魏晋禅让理论，为司马氏篡魏提供法理依据。[①] 习凿齿以蜀汉为正统的史观得到了裴松之、刘知幾等古代史学家的肯定。如，《三国志·费诗传》记载群臣商议想推举刘备称帝，费诗上疏反对。习凿齿对此评论道：

> 夫创本之君，须大定而后正己，纂统之主，俟速建以系众心，是故惠公朝虏而子圉夕立，更始尚存而光武举号，夫岂忘主徼利，社稷之故也。今先主纠合义兵，将以讨贼。贼强祸大，主没国丧，二祖之庙，绝而不祀，苟非亲贤，孰能绍此？嗣祖配天，非咸阳之譬，杖正讨逆，何推让之有？于此时也，不知速尊有德以奉大统，使民欣反正，世睹旧物，杖顺者齐心，附逆者同惧，可谓闇惑矣。

---

① 参看叶植：《习凿齿“晋宜越魏继汉，不应以魏后为三恪”简论》，马宝记主编：《魏晋文化》，河南人民出版社 2012 年版，第 115—127 页。

其黜降也宜哉！[1]

习凿齿认为刘备称帝继承大统乃是非常时期扛起汉朝大旗的义举，可以拨乱反正，给人民带来希望，震慑叛逆，费诗反对刘备称帝，受到惩罚是罪有应得。裴松之、刘知幾、王勃和朱熹，都认同习凿齿的正统论，自此以后，其成为史家遵循的一道红线。《三国演义》将其普及于寰宇。

其二，以儒家的伦理道德作为评论人物的标准。“习凿齿认为，名教的衰退，经学的荒废，各统治者唯武力是尚，弃正统的君臣礼义于不顾，乃是这个时代的真正病因，也是西晋迅速崩溃、东晋动荡不安的最终症结所在”。[2]习凿齿强调推行王道，蔑视霸道，要想成为帝王，一定要将仁义作为执政的根本，将顺应民意作为宗旨，二者缺一不可。因此他十分赞赏刘备逃入江陵的途中，面对随时可能遭遇的曹操尾追而来的打击，没有抛下百姓而逃走的行为：

先主虽颠沛险难而信义愈明，势逼事危而言不失道。追景升之顾，则情感三军；恋赴义之士，则甘与同败。观其所以结物情者，岂徒投醪抚寒含蓼问疾而已哉！其终济大业，不亦宜乎！[3]

但同时又批评刘备以不道德的阴谋手段夺取刘璋的益州，认为这是“负信违情，德义俱愆”。同时，习凿齿认为国家统治者，应该谦虚待士，严于律己，宽以待人，臣子应忠君爱国，因而对诸葛亮、周瑜、鲁肃给予了完全不同的评价。习凿齿认为周瑜和鲁肃都是小人，因为他们在汉室未亡之时就对割据的孙权行臣礼，不劝孙权维护东汉政权，尊

① 《三国志》裴注引习凿齿《汉晋春秋》，见《三国志》，第1016—1017页。

② 陈灿国：《论习凿齿的史学思想》，《成长中的新一代史学——1991年全国青年史学工作者学术会议论文集》，陕西人民教育出版社1995年版，第301页。

③ 《三国志》，第878页。

奉东汉皇帝，却向孙权提出割据称帝的策略。相反，习凿齿对诸葛亮的评价很高，因为诸葛亮辅佐刘备，而刘备是汉高祖的后代，其奋斗目标是维护国家政权，兴复汉室，其行为是忠君爱国之举。在治理国家的问题上，习凿齿也提出了自己的见解，他认为治国不能只依靠武力，而应以道德信义为立国之本。同时，习凿齿也认为治国者也要适当地运用刑罚，且赏罚分明。

其三，习凿齿在对西晋王朝的颂扬声中流露出肯定国家民族统一的思想。《汉晋春秋》卷一有云：

> 昔汉氏失御，九州残隔，三国乘间，鼎跱数世，干戈日寻，流血百载，虽各有偏平，而其实乱世也……魏武既亡，大难获免，始南擒孟达，东荡海隅，西抑劲蜀，旋抚诸夏，摧吴人入侵之锋，扫曹爽见忌之党，植灵根以跨中州，树群才以翼子弟，命世之志既恢，非常之业亦固。景文继之，灵武冠世，克伐违贰，以定厥庸，席卷梁益，奄征西极，功格皇天，勋侔古烈，丰规显祚，故以灼如也。至于武皇，遂并强吴，混一宇宙，乂清四海，同轨二汉。除三国之大害，静汉末之交争，廓九域之蒙晦，定千载之盛功者，皆司马氏也。①

在习凿齿看来，三国时期是一个国家分裂，战乱不断，汉室江山名存实亡的乱世，而司马氏三代人潜伏于曹魏伪政权中韬光养晦，最终消灭篡逆，夺回政权，使国家得以统一，是“千载之盛功”。从这段论断里可以看出习凿齿的根本出发点是在维护司马氏，但也肯定了国家和平统一的重要性。

其四，《汉晋春秋》体现了习凿齿秉笔直书的实录精神。习凿齿对人物的评价比较客观，虽然认为蜀汉是正统，但是对于蜀汉君臣不当的

---

① 汤球辑：《汉晋春秋辑本》，中华书局1985年版，第1页。

行为，他仍能一针见血地指出来，而不是曲笔粉饰。如他认为刘备娶了刘焉的儿子刘瑁的妻子吴氏，是不合乎伦理道德的，因为刘瑁在辈分上是刘备的侄子。习凿齿虽然认为诸葛亮是忠臣良将，但是却不认同诸葛亮阵前斩杀马谡的行为，认为正是蜀国需要人才的时候，诸葛亮杀马谡，实际帮了敌人的大忙。习凿齿身为晋朝的臣子，在记录历史时十分注重突出司马氏的雄才大略，但是习凿齿对司马懿、司马昭等人的评价，也较为客观，对他们所做的错事也直笔记录。蜀汉建兴九年（231），诸葛亮北伐围祁山，司马懿不听部下劝阻，一意孤行寻找诸葛亮作战。建兴十二年（234），诸葛亮病死于军中，杨仪按照诸葛亮的部署，秘密有序撤军回蜀，在蜀军撤离很长时间后，司马懿才知道蜀军已退，于是率兵追击。杨仪等人遵照诸葛亮遗嘱，秘不发丧，摇旗鸣鼓，司马懿见蜀军旗帜齐整飘扬，怀疑是孔明用计诱敌，于是赶紧收兵，不敢再追，成为笑柄。《三国志·诸葛亮传》注引《汉晋春秋》对此事的记载：

> 杨仪等整军而出，百姓奔告宣王，宣王追焉。姜维令仪反旗鸣鼓，若将向宣王者，宣王乃退，不敢逼。于是仪结陈而去，入谷然后发丧。宣王之退也，百姓为之谚曰："死诸葛走生仲达。"或以告宣王，宣王曰："吾能料生，不便料死也。"①

唐代史学理论家刘知幾将习凿齿详细记录司马昭策划杀害曹髦的事定性为秉笔直书的典范并得到多数史家的认可，他在《史通·直书篇》中说：

> 按金行在历，史氏尤多。当宣、景开基之始，曹、马构纷之际，或列营渭曲，见屈武虞；或发使云台，取伤成济。陈寿、王隐咸杜口而无言；陆机、虞预各栖毫而靡述。至习凿齿乃申以死葛走

① 《三国志》，第927页。

> 达之说，抽戈犯跸之言，历代厚诬，一朝始雪。考斯人之书事，盖近古之遗直欤！①

习凿齿记录此事件的语境和前后内容已不得而知，但其写作《汉晋春秋》的目的是要尊晋，他将曹魏政权定性为反动的阴谋篡政者，力图将司马氏的晋朝从名不正、言不顺的魏晋禅让建国理论中解脱出来，将晋朝定性为一个诛除叛逆、拨乱反正的正义政权，达到改变三国正闰的根本目的。而且，习凿齿身为晋臣，其子习辟彊正任职荆州府署，毕生对晋政权百般维护，忠心耿耿，在其所撰《襄阳耆旧记》中，对晋朝的每一位襄阳牧守都极力美化，很难说他会主动揭露司马氏的篡政丑行，况且他既没有这个胆量，当时的政治环境也绝不允许，其将司马昭对曹髦的无情诛杀描写得如此淋漓尽致，应该意在立此存照，震慑警示当世权臣中的皇位觊觎者，以示任何反动篡逆势力最终都逃不脱被彻底消灭的可悲下场。

《汉晋春秋》中的史学思想对后世产生了重要影响，该书提出以蜀为正统的正统史观引发了中国古代史学上正统与非正统问题的长期论争，也影响了后人对这一问题的看法。罗贯中的《三国志通俗演义》就是在这一思想观念指导下写就的，开出了一株世界文化史上不曾有过的独特三国文化之奇花。

三、荆楚地志

地志或名地记、地理书，主要用来记述某地地理位置、地形、地貌、气候、居民、人文、风俗、物产等情况的书。地志的雏形最早出现于秦汉时期，当时地方官府都要在特定的时间将管辖区域内的各种情况上报到朝廷，这种由下而上呈送的文书叫作计书或计簿。后来，班固在刘向、朱赣所撰地理和物产风俗有关著述的基础上写成《汉书·地理

---

① 刘知幾：《史通》，辽宁教育出版社 1997 年版，第 58 页。

志》。私家书写的地志则在东汉中后期开始出现，但数量并不多。汉末到魏晋时期，由于社会动荡，国家被战乱摧毁得四分五裂，地方实力强弱攸关多方利益，随之而来的是地区观念增强，门阀势力强势崛起，在这种大背景下，各地士人夸耀家乡的风气盛行。这一时期，除了记录家乡的地理、风俗等的地志，还出现介绍家乡著名人物的著述，唐代刘知幾将这两种不同类型的著述加以区分：像盛弘之《荆州记》、常璩《华阳国志》这种记录某个地区物产风俗的著述即所谓的地理书；像圈称《陈留耆旧》、周斐《汝南先贤》等记录一方英杰、贤人的著述，则为郡书。但很多著述在记录的内容上会有所交叉，在记录地理风俗时会记述人物，因此在这里我们将这两类著述统称为地志。

六朝时期，荆楚地区地志创作非常繁盛，有数十种之多。比较有代表性的有盛弘之《荆州记》、袁山松《宜都山川记》、习凿齿《襄阳耆旧记》、萧绎《荆南地志》、鲍至《南雍州记》等。

这些地志所记录的内容大致有以下几类：第一，对自然地理环境的记录。但是与之前单纯的写实记录不同，这一时期的地志作者在描写自然风光的同时，还将自己的感知、情愫融入到创作之中，对行文辞藻也颇为注重。如袁山松所作的《宜都记》，用优美的语言和充满自我感受的心境，将三峡的壮美景观激情地描绘给读者：

> 常闻峡中水疾，书记及口传悉以临惧相戒，曾无称有山水之美也。及余来践跻此境，既至欣然，始信耳闻之不如亲见矣。其叠崿秀峰，奇构异形，固难以辞叙。林木萧森，离离蔚蔚，乃在霞气之表。仰瞩俯映，弥习弥佳，流连信宿，不觉忘返。目所履历，未尝有也。既自欣得此奇观，山水有灵，亦当惊知己于千古矣。①

地志作者在描写自然景观时往往都描写得极为生动传神，如袁山松

① 郦道元著，陈桥驿校证：《水经注校证》，第 793 页。

在《宜都记》中记人滩和黄牛滩：

> 二滩相去二里。人滩水至峻峭，南岸有青石，夏没冬出，其石嶔崟，数十步中，悉作人面形，或大或小。其分明者，须发皆具，因名曰人滩也。
>
> 江水又东迳黄牛山，下有滩，名曰黄牛滩。南岸重岭迭起，最外高崖间有石，色如人负刀牵牛，人黑牛黄，成就分明，既人迹所绝，莫得究焉。[①]

先说明人滩和黄牛滩的位置，后写两滩名称由来，接着细致入神地描绘两地秀丽的风光，妙趣横生。

第二，关于物产风俗的记载。《荆州图副》载百里洲“土沃人丰，湖泽所产，足穰俭岁，又特宜五果甘柰梨蔗”。《荆州土地记》记载武陵七县出产好茶，宜都出大枇杷，江陵出产梨。鲍至《南雍州记》则记载了鄀城南四里有个五柏村，有榆树长在了一起，高四丈，乡人以此为神社。

第三，对荆楚地区高人名士的记录。如习凿齿《襄阳耆旧记》中记录了颇多名士，如宋玉、王逸以及习家的习询、习竺、习郁等。又如鲍至《南雍州记》对高斋学士的记载：

> 简文为晋安王镇襄阳，日又引刘孝威、庚肩吾、徐防、江伯操、孔敬通、惠子悦、徐陵、王囿、孔铄等于此斋综核诗集。于时鲍至亦在数，凡十人，资给丰厚，日设肴馔，于时号为高斋学士。[②]

---

① 郦道元撰，陈桥驿校证：《水经注校证》，第793页。

② 《太平御览》，中华书局1960年版，第897页。

历史记载梁简文帝萧纲雅好文学，在他还是晋安王出镇襄阳的时候，命庾肩吾、刘孝威、鲍至等在高斋抄撰整理书籍，给他们丰厚的待遇，每天都有美酒佳肴，这些人被称为高斋学士。这些记录，不但能帮助我们了解高斋学士，还能透过对他们的描写将六朝时期的文学风貌展现出来，推动了荆楚文化的搜集、整理、创作、传播、发展、升华和保存，影响甚大的《南雍州记》不过是鲍至参与这一活动的副产品而已。

第四，很多地志在记录当地山川名胜、物产风俗和高人名士的同时，会将其与传说故事相结合，如盛弘之《荆州记》记载了一个关于冯承县歌父山的传说，相传有位八十多岁老人没有娶妻，但是善于唱歌，歌声美妙悠扬，听他唱歌的人没有不感伤落泪的。后来他生病了，让六七个乡邻将他送到山上的洞穴之中，乡邻离开时，老人唱起歌来将他们送别，歌声响彻云霄，余音绕林，数日不绝，歌父山由此而来。

《襄阳耆旧记》里记载了襄阳岘山与羊祜的故事。羊祜坐镇襄阳时，常与其属官邹湛等一起登临岘山，每每在这个时候羊祜总会黯然神伤，感叹宇宙造化无穷，人生短暂渺小，说："自有宇宙，便有此山，由来贤达胜士，登此望远，如我与卿者多矣，皆湮灭无闻，不可得知，念此使人悲伤！如百岁后有知，魂魄犹应登此山也。"邹湛宽慰道："公德冠四海，道嗣前哲，令闻令望，必与此山俱传。至若湛辈，乃当如公言耳！"后来，羊祜死后，襄阳百姓在其生前经常游历休憩的地方立碑建祠，以纪念他的勋绩名望，游人看到这块碑，没有不感伤流泪的，因此此碑被称为"堕泪碑"。

六朝时期的荆楚地志种类和数量众多，除上文提到的，还有挚虞的《荆州图副》，高范的《荆州先贤记》，张方的《楚国先贤传》，庾仲雍、盛弘之、范汪等多个版本的《荆州记》，罗含的《湘中记》，庾仲雍的《湘州记》《汉水记》，萧绎的《荆南地志》，郭仲产（一作彦）的《南荆州记》《湘州记》《湘州副图记》，郭缘生的《武昌先贤志》，黄闵的《武陵记》《沅川记》，还有《荆州土地记》《沅陵记》等。这些地志涉及当时荆楚地区的方方面面，有重要的史料和文学价值。

四、竹类专著《竹谱》

竹，是君子的化身，中国人爱竹，对竹子的利用有着悠久的历史，在浙江钱山漾等地古代遗址里就曾发掘出大量竹制品，这说明在新石器时代，竹子已经被大量利用。商周以后，竹子被广泛应用于生活的各个方面，如竹制礼器、乐器、武器等。

为了更好地利用竹子，人们对竹子习性的探索从未停止，《禹贡》记荆州之贡有“箘、簬、楛”。[①] 箘、簬即为美竹。《周礼·夏官·职方氏》载“东南曰扬州……其利金锡竹箭”，以竹子为珍稀贵重物产。[②]《史记·货殖列传》中提到各地物产时，多次将竹列入其中，如谈到巴蜀时云：“巴蜀亦沃野，地饶卮、姜、丹、石、铜、铁、竹、木之器”，将竹与铜、铁、树木等并列。[③] 到南朝宋时，世界上第一部竹类专著——《竹谱》诞生于盛产竹木的武昌。

《竹谱》作者戴凯之，生卒年不详，有关他的记载很少。《隋志》著录《竹谱》时没有记载作者姓名，《旧唐书》著录《竹谱》才开始写上“戴凯之撰”，但是没有标明时代。宋代晁公武《郡斋读书志》进一步说明戴凯之，字庆预，武昌人；南宋左圭《百川学海》收录《竹谱》仍将戴凯之标注为晋人。后至清代，王谟以《宋书》的记载为证据，认为戴凯之应是南朝宋人；清朝末年，姚振宗通过考察，认为戴凯之确为刘宋时人。这样看来，戴凯之确系活动于南朝刘宋时期的武昌人。至于戴凯之的生平，《宋书·邓琬传》中提到“（邓）琬遣武昌戴凯之为南康相”。[④] 南康即今江西省赣州市，这说明戴凯之曾履职于修竹蔽野的南康。此外，钟嵘《诗品》中提到“宋参军戴凯”，说他“人实贫羸，而才章富健，文虽不多，气调警拔”，学者多认为《诗品》中的这位“戴

① 慕平译注：《尚书·禹贡》，中华书局，2009 年，第 60 页。

② 郑玄注，贾公彦疏：《周礼注疏》，第 1022 页。

③ 《史记》，第 3958 页。

④ 《宋书》，第 2140 页。

凯”，即为戴凯之。戴凯之应是先任参军，后升为南康相，而这又表明他在南康供职的时间不会太短，因此有机会了解、熟悉那里的竹子种类、分布和用途，为《竹谱》的写作打下了基础。[①]

《竹谱》全书约三千字，整书的行文结构非常严谨，首先是开篇总论竹子的性质、形态和分布地区，正文部分按照竹子名称依次逐条叙述，介绍了四十多种不同种类的竹子，并详细记下了它们的生长习性和地理分布，最后还阐述了作者的写作方法，最重要的是到实地考察，他亲自游历许多有竹子分布的地区，并观察竹子的生长习性，为后人留下了很多关于竹的宝贵知识。

两汉以前，人们一直认为竹子属于草的一种，如《说文解字》认为竹是冬天生长的草。《山海经·中山经》也说荆山有很多树木，如松柏等；也有很多草，如竹子等。而《竹谱》开篇就指出：“植类之中，有物曰竹，不刚不柔，非草非木。”戴凯之认为植物之中有一种叫作竹子的，不刚不柔，既不是草也不是树木。他认为植物之中有草、树木、竹子，这就像动物中有鱼类、鸟类、兽类一样。戴凯之在对植物分类方面有许多不同以往的认识。

在《竹谱》之前，文献中就有很多与竹相关的记载，由于竹子的特性为文人所欣赏，文学家经常用来寄托情感，有不少描述赞美竹的诗文。《竹谱》就是在前人研究成果的基础上，加上戴凯之自身的考察著成的，另外，《竹谱》中对竹子形态的描述，也借鉴了前人的作品，如《楚辞·七谏》有“便娟之修竹兮，寄生乎江潭。上葳蕤而防露兮，下泠泠而来风”的佳句。[②]《竹谱》中“盖竹所生，大抵江东，上密防露，下疏来风”的后两句系从前者化出。但是与前人有所不同的是，戴凯之除了介绍和描绘竹子形态外，他对竹子的习性和地理分布也有细致的考察，比如他指出：

---

① 王建：《〈竹谱〉略论》，《贵州文史丛刊》1992年第1期。

② 洪兴祖撰，白化文等点校：《楚辞补注》，中华书局1983年版，第236页。

夫竹之大体多空中，而时有实，十或一耳，故曰小异。然虽有空实之异，而未有竹之无节者，故曰大同。

桃枝篔筜，多植水渚，篁筱之属，必生高燥。

条畅纷敷，青翠森肃。质虽冬蒨，性忌殊寒。九河鲜育，五岭实繁。

竹六十年一易根，易根辄结实而枯死，其实落土，复生六年，遂成町竹。[1]

这些关于竹类特性的研究，有很重要的科学价值。

在地理分布方面，戴凯之总结出竹子的生长分布规律："或茂沙水，或挺岩陆。"至于竹子的用途，戴凯之在《竹谱》中作了详细介绍，包括乐器、兵器、生活用具等。

身为武昌人的戴凯之，也记载家乡的竹类，《竹谱》中提到：

菌簬二竹，亦皆中矢。皆出云梦之泽。

箘亦箘徒，概节而短，江汉之间，谓之竹䉂。[2]

箘、簬为两种竹子，可以做成箭；而生长在江汉之间的箘竹，是箭竹的一种。

《竹谱》不但是一部关于竹类的科学著作，还是一部文辞优美、具有韵律的文学作品，全书正文用四字一句的韵文写成，言辞清丽流畅，诗情画意盎然。在正文之后，戴凯之做了大量注释，解释并拓展正文内容，或者说明典故来历，内容非常翔实。《竹谱》还是一座文献宝库，全书共引用书籍或书籍中的某些篇章共二十九种，涵盖经、史、子、集各部图书，保留了大量现在已经佚失的文献，对辑佚亡书具有重要

---

① 戴凯之：《竹谱》，中华书局 1985 年版，第 1—2 页。

② 戴凯之：《竹谱》，中华书局 1985 年版，第 7 页。

意义。

《竹谱》是我国竹类研究的开创性专著，对后世综合性农类著作和竹类专著有重要影响，北魏贾思勰的《齐民要术》中就有引用《竹谱》中的相关内容，北宋赞宁《笋谱》、元刘美之《续竹谱》、清陈鼎《竹谱》等竹类专著都深受戴凯之《竹谱》的影响。

第四章　信仰与宗教

楚地的信仰世界神秘而复杂。源自早期社会的万物有灵论植根于楚人的思想世界，信巫好鬼尊天命成为荆楚文化的标签，也是荆楚文化区别于其他地域文化的显著特征。秦汉魏晋南北朝时期，荆楚地区的原始信仰得到维系，并对维护中华民族凝聚力起到一定作用。驳杂多元的民间道教经过葛洪、陆修静等道教思想家的理论建构，日益演化为官方认可的神仙道教，逐渐走上政治舞台。佛教在社会上逐渐传播开来，佛经被大量翻译流传，由于支遁、释道安、慧远等高僧对佛教教义的阐扬，使佛教完成了中国化的历史转型，宗教的多元化发展，是荆楚地区重要的文化特征。

第一节　原始信仰

秦汉魏晋南北朝时期，荆楚民众的原始信仰源于先秦楚地，先秦楚人的宗教信仰芜杂零乱，天神、自然神灵、动物、太一、祖先、巫鬼等在他们的精神世界里占据非常重要的地位，与之相关的淫祀、谶纬和生死信仰等深深影响他们的生活习惯，成为他们日常生活的一部分。随着西汉王朝的建立，在皇室和功臣的推动下，太一等楚地的神灵进入到西汉的信仰体系之中，在全国的宗教活动中占有一席之地。

一、万物有灵论

在佛教、道教等宗教出现之前，原始的万物有灵论就占据了楚地的信仰空间。楚人在认识理解大自然的时候，往往和许多民族一样将事物拟人化并加以崇拜，日月星辰、山川河流、风雨雷电都有各自的神灵。

细分而言，荆楚地区的原始信仰可以分为以下几类：1. 天神崇拜；2. 自然神灵崇拜；3. 生死信仰崇拜；4. 动物崇拜。这些信仰体现了楚人的朴素观念及其对中原早期信仰的继承。

天神崇拜　荆楚地区的天神以太一为尊。先秦文献中，多次出现过"太一"，秦及汉初的太一崇拜情况难以考察，汉代官方祭祀太一的记录始于武帝。

元鼎五年（公元前 112）他在甘泉泰畤郊祀太一。《史记·封禅书》记载：

> 祠坛放薄忌太一坛，坛三垓。五帝坛环居其下，各如其方，黄帝西南，除八通鬼道。
>
> 太一，其所用如雍一畤物，而加醴枣脯之属，杀一狸牛以为俎豆牢具。而五帝独有俎豆醴进。其下四方地，为醊食群神从者及北斗云。已祠，胙馀皆燎之。其牛色白，鹿居其中，彘在鹿中，水而洎之。祭日以牛，祭月以羊彘特。太一祝宰则衣紫及绣。五帝各如其色，日赤，月白。[①]

祭坛有三层，下为四方底，上有双层八角形祭坛。泰畤的核心是中央的八角形太一坛，即上述之太一坛。在这一次的祭祀中，五帝配享太一，太一地位最高，俨然有了至高神的意味。武帝之后，太一之祭渐废。

需要指出的是，虽然太一祭祀被废止，但太一的影响在民间仍然存在。南阳人张衡在其《东京赋》中说："飏槱燎之炎炀，致高烟乎太一；神歆馨而顾德，祚灵主以元吉。"[②]我们缺乏这一时期楚地祭祀的材料，既然东京洛阳依旧在祭祀源于楚地的太一，或可推断楚地太一祭祀可能

① 司马迁：《史记》，第 1667 页。

② 萧统编，李善注：《文选》，上海：上海古籍出版社 1986 年版，第 115 页。

仍在流行。

除太一之外，荆楚地区重要的天神还有司命。《后汉书·张衡列传》注："司命，天神也"，并引《春秋佐助期》曰："司命，神，名为灭党，长八尺，小鼻，望羊，多髭，臞瘦，通于命运期度。"[①]司命不仅有了名字，连外貌都有详细描述，可见这一时期司命的内涵有了进一步的深化。

"司命"后来还被纳入道教的神仙体系。

自然神灵崇拜　楚地的自然神灵颇多，最为重要的当属日神和火神。日神可能就是《楚辞·九歌》中的东君。到了汉代还有东君的祭祀活动，王勇先生还指出，汉代日神神话中太阳与飞鸟的结合，很可能是以楚文化中凤和日的综合崇拜为基础发展而来。他引述《尸子》"日五色，互照穷桑"及《山海经》称凤为"五彩鸟"的记载，认为鸟羽毛的五彩和日光的五色是一致的，因而鸟和太阳的属性得以整合，形成综合崇拜。[②]

火神祝融，既是自然神灵，又是祖先神。出土楚简中，多见祭祀祝融的记载，对祝融的信仰延续到了后世，《淮南子·时则》载："南方之极：自北户孙之外，贯颛顼之国，南至委火炎风之野，赤帝、祝融之所司者，万二千里"。[③]东汉蔡邕《独断》载："五方正神之别名：东方之神，其帝太昊，其神句芒。南方之神，其帝神农，其神祝融。西方之神，其帝少昊，其神蓐收。北方之神，其帝颛顼，其神玄冥。中央之神，其帝黄帝，其神后土。"[④]

生死信仰　关于生死，最常见的信仰是鬼，楚人常祭祀的鬼为厉。荆楚地区的民众普遍相信鬼魂的存在，死后成鬼乃必然归宿，而那些非正常死亡之鬼，尤其需要攻解，需要祭祀。到了汉代，这一观念仍然大

---

① 《后汉书》，第1925—1926页。

② 王勇：《楚文化与秦汉社会》，湖南大学出版社2009年版，第179页。

③ 何宁：《淮南子集释》，中华书局1998年版，第433页。

④ 蔡邕：《独断》，中华书局1985年版，第10页。

行其道。

除了祭祀厉鬼，荆楚地区的人民在对待死生信仰上，在秦汉时期出现了一个重大的变化。他们想象死后的阴间世界是一个类似于人间的社会环境，由一个类似于地上的王朝政权来管理，在那里有地下主，相当于阴间的主人，有丞，相当于地上的官员。死者需要出示相关证件来证明自己的身份、财产，如此方有资格进入这个“未来”生活的陌生世界，获得在那里生活的合法权利。因而，在这一时期出现大量死者前往阴间的通关文书——告地书。

我们试举荆州高台18号汉墓（文帝前元七年，即前173年）所出告地书，其文云：

> 七年十月丙子朔，庚子，中乡起敢言之，新安大女燕自言：与大奴甲乙、大婢妨徙安都，谒告安都，受名数。书到为报，敢言之。十月庚子，江陵龙氏丞敬移安都丞，亭手。[①]

这是一封江陵龙氏丞为亡者大女子燕开具的向地府安都丞的报到文书。

类似的文书还有很多，有时还会写上随葬的人员和物品，如江陵凤凰山168号墓（汉文帝前元十三年，公元前167）所出告地书：

> 十三年五月庚辰，江陵丞敢告地下丞：市阳五大夫遂自言：与大奴良等廿八人，大婢益等十八人，轺车二乘，牛车一两，口马四匹，聊马二匹，骑马四匹，可令吏以从事。敢告主。[②]

---

① 参见湖北省荆州博物馆：《荆州高台秦汉墓：宜黄公路荆州段田野考古报告之一》，科学出版社2000年版，第222—229页。

② 湖北省文物考古所：《江陵凤凰山西汉简牍》，北京：中华书局2012年版，第181页。

告地书记载随他下葬的奴婢人数合计46人，车3辆，各种马合计10匹，与发掘出土的车马俑偶数相吻合。

动物崇拜 楚国动物崇拜中最著名者，当属凤凰。在出土材料中，楚地多见凤造型。湖北云梦睡虎地秦墓出土的漆盘上便有凤的绘画，形体活泼，神态自如。

二、巫风信仰

楚俗尚鬼，这一事实前贤已多有说明。《史记·荀卿列传》载：

> 荀卿嫉浊世之政，亡国乱君相属，不遂大道而营于巫祝，信禨祥，鄙儒小拘，如庄周等又猾稽乱俗，于是推儒、墨、道德之行事兴坏，序列著数万言而卒。①

在荀子的时代，楚人依旧“不遂大道”而崇巫信鬼，祈禳求福。

刘邦建立汉朝之后，由于君臣皆来自楚地，将故乡的巫俗也带到了关中，并进而影响全国。《史记·封禅书》载：

> （汉高祖）令祝官立蚩尤之祠于长安。长安置祠祝官、女巫。其梁巫，祠天、地、天社、天水、房中、堂上之属；晋巫，祠五帝、东君、云中、司命、巫社、巫祠、族人、先炊之属；秦巫，祠社主、巫保、族累之属；荆巫，祠堂下、巫先、司命、施糜之属；九天巫，祠九天：皆以岁时祠宫中。其河巫祠河于临晋，而南山巫祠南山秦中。秦中者，二世皇帝。各有时。②

其中荆巫所掌堂上、堂下等神灵都可见于楚地祭祷简牍和相关的传世文

① 《史记》，第2838—2839页。

② 《史记》，第1650页。

献，楚地神灵在长安巫祠的祭祀对象中占大多数，可见汉初统治者表现有支持楚地传统宗教的倾向。

武帝之后，随着儒家学说被奉为一尊，作为怪力乱神的巫祝之风逐渐被排除出国家祭祀活动。成帝听从了丞相匡衡等人的建议，罢黜长安祠所四百七十五处，雍旧祠一百十八所，杜主五祠中的四祠，转而以儒家礼制来确定国家祭祀的典礼仪式。

但我们需要指出的是，无论上层对巫的态度如何转变，荆楚地区对于巫的崇奉态度依然如故，信巫、崇巫之风流行。《汉书·循吏传》载：

> 始，（黄）霸少为阳夏游徼，与善相人者共载出，见一妇人，相者言："此妇人当富贵，不然，相书不可用也。"霸推问之，乃其乡里巫家女也。霸即娶为妻，与之终身。[①]

这个例子表明，汉代人相信冥冥之中有一种神秘的力量在掌控人们的命运，而这种力量可以通过巫术、相术等方式感知和获得。

至于乱世，巫术更是大行其道。秦末楚人陈胜、吴广在起义之时，就曾利用巫术来为起义造势。《史记·陈涉世家》载：

> 陈胜、吴广喜，念鬼，曰："此教我先威众耳。"乃丹书帛曰"陈胜王"，置人所罾鱼腹中。卒买鱼烹食，得鱼腹中书，固以怪之矣。又间令吴广之次所旁丛祠中，夜篝火，狐鸣呼曰"大楚兴，陈胜王"。卒皆夜惊恐。旦日，卒中往往语，皆指目陈胜。[②]

这是利用时人对巫鬼的普遍迷信来蛊惑煽动兵士。

魏晋南北朝时期，虽然玄学大行其道，佛、道两教又相继兴起，但

① 《汉书》，中华书局1962年版，第3635页。

② 《史记》，第2352页。

对于巫鬼的信仰不仅没有产生冲击，反而更为兴盛。

《荆楚岁时记》是南朝梁宗懔所著的一本关于荆楚地区南北朝时期岁时节令风物故事的笔记体文集，残本中仍有多条记载，可以反映当时的巫风信仰。

其中有辟邪之巫术：

> 正月一日，是三元之日也，谓之端月。鸡鸣而起，先于庭前爆竹，以辟山臊恶鬼。[①]

隋代杜公瞻补充道：

> 《神异经》云："西方山中有人焉，其长尺余，一足，性不畏人，犯之则令人寒热，名曰山臊；以竹著火中，烞熚有声，而山臊惊惮。"《玄黄经》所谓山臊，鬼也。俗人以为爆竹起于庭燎，家国不应滥于王者。[②]

有祈愿之巫术：

> 以钱贯系杖脚，回以投粪扫上，云"令如愿"。[③]

杜公瞻按语中针对此记载了一则小故事，其引《录异记》云：

> 有商人区明者，过彭泽湖。有车马出，自称青洪君，要明过，厚礼之，问："何所须？"有人教明："但乞如愿！"及问，以此言

① 宗懔撰，宋金龙校注：《荆楚岁时记》，第1—3页。

② 宗懔撰，宋金龙校注：《荆楚岁时记》，第3页。

③ 宗懔撰，宋金龙校注：《荆楚岁时记》，第13页。

> 答。青洪君甚惜如愿，不得已，许之。乃其婢也，既而送出。自尔商人或有所求，如愿并为，即得。后至正旦，如愿起晚，乃打如愿，如愿走入粪中，商人以杖打粪扫，唤如愿，竟不还也。此如愿故事。今北人正月十五日夜立于粪扫边，令人执杖打粪堆云云，以答假痛。意者亦为如愿故事耳。[①]

宗懔所记的巫术，正月十五把钱系在手杖底部，用来击打粪堆，以此祈望如愿来满足自己的愿望，其俗显然来源于杜公瞻按语中所讲区明与如愿的典故。

有祈禳之巫术：

> 正月夜多鬼鸟度，家家槌床打户，捩狗耳，灭灯烛以禳之。[②]

杜公瞻按语中指出，鬼鸟名叫姑获，会偷小孩子，所以要通过槌床打户、捩狗耳、灭灯烛等方法来赶走它。

第二节　道教的形成与传播

荆楚文化是道教孕育生长的一方沃土，早期道教的两大分支之一的太平道在荆楚地区得到较快的发展，荆州地区的太平道信众数量极多，是黄巾起义发动的主要力量之一。东晋南北朝时期，原本庸俗幼稚的道教，在吸纳借鉴佛教的组织形式、教义、仪规、戒律以及道馆建筑的基础上，逐渐转变成神仙道教，葛洪、陆修静等人在这种变革中作出了重要贡献，道教的发展逐渐走上了正轨。武当山也在此时逐渐成为重要的道士修道地和道教圣地。

---

① 宗懔撰，宋金龙校注：《荆楚岁时记》，第 13 页。

② 宗懔撰，宋金龙校注：《荆楚岁时记》，第 27 页。

一、荆楚道家信仰与道教产生

任继愈先生曾说过，与基督教、佛教、伊斯兰教等有明确创教时间的教派相比，道教的前史特别长，早期教派并非经由同一途径、在同一地区和同一时期形成的。他还指出早期道教主要来源有："古代原始宗教与民间巫术、战国至秦汉的神仙传说与方士方术、先秦老庄哲学和秦汉道家学说、儒学与阴阳五行思想、古代体育卫生知识。"①细察这五大来源，绝大部分均与荆楚文化有关，可以说，荆楚文化是孕育道教生长的一方沃土。以下将就这几个方面分而论之。

首先是原始宗教和巫祝，任继愈先生指出，中国古代盛行自然崇拜和鬼神崇拜，他们都是道教滋生的温床。《史记·封禅书》谓汉初"雍有日、月、参、辰、南北斗、荧惑、太白、岁星、填星、二十八宿、风伯、雨师、四海、九臣、十四臣、诸布、诸严、诸逑之属，百有余庙。西亦有数十祠"。②任先生指出，这些神灵，后来许多被道教吸收，变成道教的尊神。楚地奉祀的诸多神灵，在后来也成为汉代官方奉祀的神祇，进而被道教所吸收。其中最为重要的当是太一。太一祭祀已有专文，兹不赘述。值得我们注意的是，在汉武帝鼎湖经太一祭祀痊愈后，曾筑甘泉以处神君。"神君所言，上使人受书其言，命之曰'画法'"。③任继愈先生认为这所谓的"画法"，大约类似于后来道教的符文。这就是说，太一祭祀实际又开道教符箓之先。

道教的第二个来源是神仙传说与方士方术。神仙传说有两个来源，其一为齐地，另一个即是楚地。楚地的神仙传说在战国大放异彩，庄子曾对此有过非常精彩的描述。如，《逍遥游》中描述藐姑射之山中的神人外貌飘逸出尘，不食五谷，吸风饮露，乘云气，御飞龙，可谓开后世对于仙家想象的滥觞。

① 任继愈主编:《中国道教史》，上海人民出版社1990年版，第1—17页。

② 《史记》，第1645—1646页。

③ 《史记》，第1661页。

而对于方术，楚国亦颇兴盛。《战国策》有一段记载，可证其一斑：

> 有献不死之药于荆王者，谒者操以入。中射之士问曰："可食乎？"曰："可。"因夺而食之。王怒，使人杀中射之士。中射之士使人说王曰："臣问谒者，谒者曰可食，臣故食之。是臣无罪，而罪在谒者也。且客献不死之药，臣食之而王杀臣，是死药也。王杀无罪之臣，而明人之欺王。"王乃不杀。[①]

道家最重要的一个目的是成仙得道，长生不死。而实现这个目标的方式中，炼丹是最常见的。文中所谓的"不死之药"或许是早期丹药的雏形。

道教的第三个来源是老庄思想与秦汉道家学说。《老子》《庄子》是道家和道教奉行的经典，倡导让人性回归本初自然，"至人无己，神人无功，圣人无名"。但诚如任继愈先生所指出的，无论是《老子》还是《庄子》，都不讲炼丹和符箓科教，反对迷信鬼神和巫术，亦不追求肉体长生不死、羽化成仙。道教依托道家不过是假借道家的名义。

老庄之后，楚地又涌现出几位道家人物，也具有相当影响力。如庚桑楚，其人是老子的弟子，庄子谓其独得老子之道；环渊，也学黄老道德之术，并发扬于稷下学宫；鹖冠子，著有《鹖冠子》一书，也是黄老思想的信徒。这三者的思想亦颇为早期的道教所吸收。

但真正将道家与神道之说结合起来，对道教形成起到奠基作用的，或当是如小说家言的司马季主。司马迁《日者列传》中独列此人，显然也是对其地位相当看重。《日者列传》中提到司马季主讲解所谓天地之终始、日月星辰之纪、仁义之际、吉凶之符，大约近似于道教的纲领。更为重要的是，司马季主"通易经，术黄帝、老子"。他将黄帝、老子

---

① 诸祖耿：《战国策集注汇考》，凤凰出版社 2008 年版，第 836 页。

之学与占卜术数联系起来，实际上开了道教黄老崇拜的先声。

道教的第四个来源是阴阳五行学说，这一方面大约与战国时期邹衍的学说关系更密切，与楚地关系不大，兹不赘述。

第五个方面是古代的医学和体育卫生知识，这一部分有许多楚地的贡献。马王堆汉墓帛书《去谷食气篇》，有一段记载：

> 去谷者食石韦，朔日食质，日加一节，旬五而止；旬六始匡，日一节，至晦而复质，与月进退。为首重足轻体轸，则呴吹之，视利止。
>
> 食谷者食质而□，食□者为呴吹，则以始卧与始兴。凡呴中息而吹。年廿者朝廿暮廿，二日之暮二百；〇年卅者朝卅暮卅，三日之暮三百，以此数推之。春食一去浊阳，和以光、朝霞，昏清可。夏食一去汤风，和以朝霞、行暨，昏清可。秋食一去□□、霜雾，霜雾和以输阳、铣，昏清可。冬食一去凌阴，和以□阳、铣光、输阳、输阴，昏清可。[1]

这段文字记载的大约是汉代流传的辟谷之术。这份辟谷之术大约是在楚地流行的方术之一，与后世所推行的辟谷丹方已经十分接近。

综上所述可知，荆楚文化可以说是早期道教文化发展的一块肥沃土壤。至于道教对佛教的吸收改造模仿等无关本书宏旨，于此不论。

二、早期道教在荆楚的传播

东汉末年，早期道教的两大分支太平道和五斗米道相继成立，这两大道派与荆楚地区均有相当紧密的联系。

《后汉书·皇甫嵩传》载张角以太平道纠合徒众，并发展成规模浩

---

① 湖南省博物馆，复旦大学出土文献与古文字研究中心编纂；裘锡圭主编：《长沙马王堆汉墓简帛集成（陆）》，中华书局2014年版，第1—3页。

大的黄巾起义。

> 初，钜鹿张角自称“大贤良师”，奉事黄老道，畜养弟子，跪拜首过，符水咒说以疗病，病者颇愈，百姓信向之。角因遣弟子八人使于四方，以善道教化天下，转相诳惑。十余年间，众徒数十万，连结郡国，自青、徐、幽、冀、荆、杨、兖、豫八州之人，莫不毕应。遂置三十六方。方犹将军号也。大方万余人，小方六七千，各立渠帅。讹言“苍天已死，黄天当立，岁在甲子，天下大吉”。以白土书京城寺门及州郡官府，皆作“甲子”字。中平元年，大方马元义等先收荆、杨数万人，期会发于邺。元义数往来京师，以中常侍封谞、徐奉等为内应，约以三月五日内外俱起。未及作乱，而张角弟子济南唐周上书告之，于是车裂元义于洛阳。[①]

张角派遣八位弟子到四方布道，其中荆州的主要负责人是马元义，他号称大方，说明荆州是太平道的重要信仰区，后面又说他“先收荆、杨数万人，期会发于邺”，也表明荆州地区的太平道信众数量极多，三楚故地是起义的先锋或先驱。

马元义被叛徒出卖后，荆州地区的起义规模当有所收缩，但仍是黄巾军的重要根据地。接替马元义进行统领的是张曼成和赵弘，《后汉书·朱儁传》载：

> 时南阳黄巾张曼成起兵，称“神上使”，众数万，杀郡守褚贡，屯宛下百余日。后太守秦颉击杀曼成，贼更以赵弘为帅，众浸盛，遂十余万，据宛城。儁与荆州刺史徐璆及秦颉合兵万八千人围弘，自六月至八月不拔。[②]

---

① 《后汉书》，第3299—3300页。

② 《后汉书》，第2309页。

在主帅被捕，起义准备被突然中断的情况下，南阳地区仍然能于慌乱中聚集起十几万人的黄巾军，说明荆楚地区的太平道信仰相当深厚。

五斗米道活跃的区域在汉中，张鲁以五斗米道为依托，在汉中建立了政教合一的政权，前后经营三十余年。在这漫长的时期中，五斗米道逐渐向周围扩散，今鄂西的大巴山地区，便在五斗米道的影响波及范围之内。

黄巾起义失败后，太平道受到各个政权的打压，而张鲁在投降曹操之后，五斗米道也随之北迁，荆楚地区的道教势力貌似出现了真空，但实际上在随后的孙吴统治时期，荆楚地区的道教也有相当的发展。

孙吴对于道教的态度起先是抵制的，孙坚起家依靠的是镇压黄巾军的军功，继任者孙策对于道教的态度也偏向于厌恶和排斥。《三国志·孙策传》裴松之注引《江表传》言，东汉末年道士于吉在江东活动，“时有道士琅邪于吉，先寓居东方，往来吴会，立精舍，烧香读道书，制作符水以治病，吴会人多事之”。[①] 于吉之名，又见于《后汉书·襄楷传》，中华点校本作干吉，曾于顺帝时获得神书《太平清领书》一百七十卷。按，顺帝至献帝建安年中，大约有五六十年，两个于吉当非一人。卿希泰先生主编的《中国道教史》指出，孙策所杀之于吉当出自伪托，而按其所依托的姓名、地域和所操的方术来看，很可能属于太平道的一派。[②]

我们注意到，于吉“往来吴会”，“人多事之”，影响力很大，甚至在孙策准备杀他的时候，“诸将复连名通白事陈乞之”。至孙权时，由于政权已经巩固，对于道教的控制便宽松起来，更由于孙权个人对于长生不死的向往，在他在位后期，招揽了许多道士。葛洪《神仙传》记载有一名为介象的道士，“学通五经，博览百家之言，能属文，阴修道法，入东岳受气禁之术，能茅上燃火煮鸡，鸡热而茅不焦，能令一里内不炊

① 《三国志》，第1110页。

② 卿希泰主编:《中国道教史（修订本）》第一卷，四川人民出版社1996年版，第262页。

不蒸，鸡犬三日不鸣不吠，能令一市人皆坐不能起，能隐形变化为草木鸟兽”。孙权闻其名，“诏征象到武昌，甚敬重之，称为介君，为象起第宅，以御帐给之，赐遗前后累千金。从象学隐形之术，试还后宫及出入殿门，莫有见者。又令象变化，种瓜菜百果，皆立生”。①

东吴政权对于道士态度的转变，给道教在南方地区的活动提供了土壤，也为魏晋南北朝时期道教的变革做了准备。

三、南北朝道教变革对荆楚地区的影响

南北朝时期，太平道因为各方势力的打击，已经不复存在，张鲁五斗米道随着教主北迁中原，为了适应发展的需要，逐渐向神仙道教转变。其后散见于各地的道派，如于吉及其徒众，以及出自蜀中的李家道，创自中原的帛家道，可能是太平道及五斗米道与当地信仰结合的产物，但这些还不是神仙道教的形态。在民间道教向神仙道教转变的早期，贡献最大的是两晋之际的人物——葛洪。

葛洪（283—363），字稚川，道号抱朴子，丹阳句容（今江苏句容县）人，东晋神仙道教理论家。葛洪道教学说有两个来源。其一是师学，来自其从祖葛玄之徒郑隐，以及其岳父鲍玄。这两者的学问都是所谓的内学，即内丹学，追求以导引之术，实现人的长生不老。其二是自身经历，来自其寻山访谷及穷究典籍所得。其性质上更接近于秦汉时期的神仙家，而非汉晋之际借宗教以谋求权力的政治活动家。

葛洪的学识宏博，著述丰富，现存有《抱朴子内篇》《抱朴子外篇》《神仙传》《肘后备急方》等等，其中《抱朴子内篇》对先秦以来的神仙方术进行了总结，建立了相对完备的道教思想体系，对道教的发展产生很大的影响。在《抱朴子内篇》中，葛洪批判了当时的民间道教：

> 曩者有张角、柳根、王歆、李申之徒，或称千岁，假托小术，

① 葛洪撰，胡守为校释：《神仙传校释》，中华书局2010年版，第324—326页。

坐在立亡，变形易貌，诳眩黎庶，纠合群愚，进不以延年益寿为务，退不以消灾治病为业，遂以招集奸党，称合逆乱，不纯自伏其辜，或至残灭良人，或欺诱百姓，以规财利，钱帛山积，富逾王公，纵肆奢淫，侈服玉食，妓妾盈室，管弦成列，刺客死士，为其致用，威倾邦君，势凌有司，亡命逋逃，因为窟薮。皆由官不纠治，以臻斯患，原其所由，可为叹息。①

他指出，张角、柳根、王歆等人的道派都是利用道教来牟利，欺骗煽惑无知的百姓以满足自身欲望，所求不过是金钱、美女、权势，地方上的庸官顾虑重重，不敢禁绝，致其泛滥猖獗。他以自己的亲身经历和所见所闻，否定神明的虚妄，认为只有身心健康才能获得福寿安康，厌恶道徒们的血食偷生，应予禁绝：

余亲见所识者数人，了不奉神明，一生不祈祭，身享遐年，名位巍巍，子孙蕃昌，且富且贵也。唯余亦无事于斯，唯四时祀先人而已。曾所游历水陆万里，道侧房庙，固以百许，而往返径游，一无所过，而车马无颇覆之变，涉水无风波之异，屡值疫疠，当得药物之力，频冒矢石，幸无伤刺之患，益知鬼神之无能为也。又诸妖道百余种，皆煞生血食，独有李家道无为为小差。然虽不屠宰，每供福食，无有限剂，市买所具，务于丰泰，精鲜之物，不得不买，或数十人厨，费亦多矣，复未纯为清省也，亦皆宜在禁绝之列。②

受魏晋玄学思想理论的影响，葛洪也试图从宇宙观的高度来论证神仙长生的思想，建立一个全新的神仙道教，为此，他提出了一个“玄”的概念：

① 葛洪著，王明校释：《抱朴子内篇校释》，中华书局1986年版，第173页。

② 葛洪著，王明校释：《抱朴子内篇校释》，第173页。

玄者，自然之始祖，而万殊之大宗也。眇昧乎其深也，故称微焉。绵邈乎其远也，故称妙焉。其高则冠盖乎九霄，其旷则笼罩乎八隅。光乎日月，迅乎电驰。或倏烁而景逝，或飘滭而星流，或滉漾于渊澄，或氛霏而云浮。因兆类而为有，讬潜寂而为无。沦大幽而下沈，凌辰极而上游。金石不能比其刚，湛露不能等其柔。方而不矩，圆而不规。来焉莫见，往焉莫追。乾以之高，坤以之卑，云以之行，雨以之施。胞胎元一，范铸两仪，吐纳大始，鼓冶亿类，佪旋四七，匠成草昧，辔策灵机，吹嘘四气，幽括冲默，舒阐粲尉，抑浊扬清，斟酌河渭，增之不溢，挹之不匮，与之不荣，夺之不瘁。[①]

他提出，“玄”是自然的始祖，是一切事物的主宰，先于一切事物而存在。这所谓的“玄”，极其深远、极其微妙，至高至广，变化万端，无所不能。与之相关的，还有“道”和“一”两个概念。他认为“道”这一概念，“道者涵乾括坤，其本无名。论其无，则影响犹为有焉；论其有，则万物尚为无焉。”这一表述与其对“玄”的描述相近。而“一”，葛洪认为：

人能知一，万事毕。知一者，无一之不知也。不知一者，无一之能知也。道起于一，其贵无偶，各居一处，以象天地人，故曰三一也。天得一以清，地得一以宁，人得一以生，神得一以灵。金沉羽浮，山峙川流，视之不见，听之不闻，存之则在，忽之则亡，向之则吉，背之则凶，保之则遐祚罔极，失之则命彫气穷。

也就是说，“玄”“道”“一”，是葛洪提出的三种宇宙实体，对于神仙道教基础理论的构建，具有重要意义。

---

① 葛洪著，王明校释：《抱朴子内篇校释》，第1页。

除了构建基础理论之外，葛洪还与道教新兴三洞经法有关系。西晋时期，新兴三洞经法中的《三皇经》已经出现。《云笈七签》卷四《三皇经说》：

> 晋武皇帝时，有晋陵鲍靓官至南海太守。少好仙道，以晋元康二年二月二日登嵩高山，入石室清斋，忽见古《三皇文》，皆刻石为字。尔时未有师，靓乃依法以四百尺绢为信，自盟而受。后传葛稚川，枝孕相传，至于今日。①

鲍靓字太玄，又名鲍玄，是葛洪的授业恩师及其岳父。《三皇经》的另一条传授路线来自郑隐，也曾传授葛洪。《三皇经》的实际创作过程已不可考，但无疑葛洪是这一经书传播过程中的重要人物。伍成泉先生指出，葛洪可能是将《三皇经》扩充推演成《洞神经》的重要人物。②

葛洪之后，对南朝道教进行革新的是陆修静。东晋南朝时期，道教在组织形式上发生了重大变化，其主要表现是祭酒制的衰落和道官制度的兴起。祭酒制度为早期五斗米道之旧制，其基本特征是"立治置职"，道官祭酒"领户化民"，实行政教合一之统治。自魏初天师道北迁至晋宋之际，道教出现了组织混乱、科律废弛的严重局面。

陆修静的改革主要有三个方面。

其一，陆修静禁止道官自行署职，实行按级晋升的制度。他认为，普通民众须有功德，才能受箓为道民；道民受箓之后，有功者才能升迁。从受十将军箓依次升至受五十将军箓，再从箓吏依次晋升散气道士、别治道官、下治道官、配治道官，以及下、中、上八治道官。

其二，重视道教斋仪的作用，认为"斋直是求道之本"，主张"身

---

① 张君房编，李永晟点校：《云笈七签》，中华书局 2003 年版，第 57 页。

② 伍成泉：《汉末魏晋南北朝道教戒律规范研究》，巴蜀书社 2006 年版，第 131—132 页。

为杀盗淫动，故役之以礼拜；口有恶言，绮妄两舌，故课之以诵经；心有贪欲嗔恚之念，故使之以思神。用此三法，洗心净行，心行精至，斋之义也”。[①] 他在总结前代斋仪的基础上，借鉴佛教仪规，制定了“九斋十二法”的斋醮体系。并撰述一系列斋戒仪范之书。

其三，搜集道教经典。他其曾“南诣衡湘、九嶷，访南真之遗迹；西至峨眉、西城，寻清虚之高躅”，访求经典。[②] 共著录道家经书并药方、符图一千二百二十八卷，内一千九十卷已行于世，一百三十八卷“犹在天宫”。

陆修静之后，南朝道教逐渐走上正轨，之后道观的建立，基本都奉持其法度。《黄梅县志》云：西晋武帝时期，曾有罗真人在黄梅传道，并建立了凤台观、泰源观两个道观。早期五斗米道的修道治所，多在天师、祭酒治下的“治”及一般道民家中的“靖”，陆修静改制之后，奉道之所被称为馆，北周时期，馆改称观。可见所谓凤台观、泰源观，定当是陆修静改制之后的产物。除了此二观，荆楚地区修道名所，还有始兴馆、神王馆，显然也是崇奉陆修静之道法。

魏晋南北朝道教在荆楚地区的发展应该获得过不少出镇中游的府主支持。陶侃出身于南方溪族，溪族大多信仰天师道，陶侃是否为道徒固不得而知，其对天师道有相当了解应无疑问，其能轻松迅速镇压以五斗米道徒为主、声势浩大的张昌起义可能与此有关，其支持天师道教应是大概率事件。羊祜、山简皆具的名士风尚，有利于道教在荆州的发展。桓温、桓玄、殷仲堪均是天师道教徒。桓温控制荆州三十余年，父桓彝与郭璞相好，桓温幼子桓玄字敬道，又名灵宝，他在刘裕攻破江陵城防时采用的拒兵之法是，“乃召诸道术人推算数为厌胜之法”。[③]“仲堪少奉天道，又精心事神”，当面对桓玄的攻击时，所依赖也是道法，

---

① 李一氓著:《道藏》第九册，天津古籍出版社 1988 年版，第 821 页。

② 李一氓著:《道藏》第十八册，第 118 页。

③ 《晋书》，第 2598 页。

"及（桓）玄来攻，犹勤请祷"[①]，可见坐镇一方的长官如此虔诚地信奉道教。在民间，因道教缺少完美的理论学说，少有理论创建与哲理方面的论辩，节庆不多且没有佛教隆重，故留下的文献资料极少，其信徒虽多，活动却清静寂寞，如临沮县（今远安）西青溪之侧的道士精庐，与今日之远安凤鸣山道教有深远的渊源关系，虽传续久远却寂寂希声。[②]

四、武当山道教的兴起

武当山，又名太和山、太岳、玄岳，是道教名山，武当山山势雄伟，前临汉江，北依大巴山，连绵400多千米。有72峰，主峰天柱峰海拔1612米，其余各峰均倾向天柱，蔚为奇观，号称"七十二峰朝大顶，二十四涧水长流"。这种独特的地理环境可能在早期道教还未产生之时就已经吸引了一些神仙家到此地活动。

《太平御览》卷四十三引郭仲产《南雍州记》说："武当山有石门石室，相承云尹喜所栖之地。"[③]提出尹喜曾在武当山修道。

刘向《列仙传》并没有记载尹喜修道武当山的事迹，郭仲产晋人，其书晚出，或是出于附会。

武当山的早期修道名人还有马明生和阴长生师徒。《太平御览》卷四十三引《阴君内传》云："君字长生，入武当山升仙是也。"[④]元刘道明《武当福地总真集》卷下所引《雍州记》也说："长生，汉光武阴皇后之族，邓人，马明生之弟子也。得师太阳神丹之诀，同隐武当，丹成，驭气飞行，周游六合，后至忠州仙都，白日上升。"[⑤]马明生、阴长生师徒二人当是武当山有据可考的早期修道士或神仙家，但除此二人之外，在道教出现之前，武当山的修道氛围尚不算浓厚。

① 《晋书》，第2199页。

② 郦道元著，陈桥驿校证：《水经注校证》，第721页。

③ 《太平御览》，中华书局1960年版，第206页。

④ 《太平御览》，第206页。

⑤ 刘道明：《武当福地总真集》卷下，见《道藏》第19册，天津古籍出版社1988年版，第665页。

魏晋之后，道教为了适应发展需要，逐渐发展成迎合上层贵族社会的天师道，专以追求长生不死为务。在这种情况下，武当山的特殊条件逐渐显现出来。郭仲产的《南雍州记》云："武当山广三四百里，山高峣峻，若博山香炉，苕亭峻极，干霄出雾，学道者常百数，相继不绝。若有于此山学者，心有隆替，辄为百兽所逐。"[①] 独特的地理环境吸引了大量的道士羽客。北魏郦道元《水经注》指出：

> 沔水又东南迳武当县故城东，又东，曾水注之。水导源县南武当山，一曰太和山，亦曰嵾上山，山形特秀，又曰仙室。《荆州图副记》曰："山形特秀，异于众岳，峰首状博山香炉，亭亭远出，药食延年者萃焉。晋咸和中，历阳谢允，舍罗邑宰，隐遁斯山，故亦曰谢罗山焉。"[②]

也就是说，在郦道元的时代，武当山已经是道士羽客的重要修道地。

真正修道武当山的道士，最早当属尹轨。葛洪《神仙传》载：

> 尹轨者，字公度，太原人也。博学五经，尤明天文理气、河洛谶纬，无不精微。晚乃奉道，常服黄精，日三合，年数百岁而颜色美少。常闻其远祖尹喜，以周康王、昭王之时，居草楼，遇老君与说经，其后周穆王再修楼观，以待有道之士，公度遂居楼观焉，自云："喜数来与相见，授以道要。"由是能坐在立亡，变化之事。[③]

尹轨是尹喜的后人，博学多才，精通天文理气、河洛谶纬。葛洪还说他年龄有数百岁，但看起来还像是少年，故事未免无稽。尹轨自称得

① 《太平御览》，第206页。

② 郦道元著，陈桥驿校证：《水经注校证》，第659—660页。

③ 葛洪撰，胡守为校释：《神仙传校释》，中华书局2010年版，第318页。

远祖尹喜授道，居于楼观。楼观派兴起的时间较晚，历史上又无可称的创始人，于是将尹喜抬出来做祖师，尹轨可能是将楼观派与尹喜联系起来的关键人物。

尹轨的生卒年无考，但可能是晋人。伍成泉先生据《太平御览》引《神仙传》佚文“近光熙元年闻公度到南阳太和山中”，指出尹轨应当是在晋惠帝光熙元年（公元306年）来到武当。[①]尹轨到武当山的目的，联系《神仙传》的记载，应当是为了躲避战乱，当其时八王之乱正在白热化的时候，尹轨不得不离开关中，躲到稍微安定的荆州地区。尹轨最后终老于武当，其在此授徒山世远，山世远也在武当山修道二十余年，同样得道。

两晋之际，武当山的修道名士还有戴孟。戴孟其人，或说是汉代人。伍成泉先生考辨过戴孟生平，指出戴孟实际上是两晋之际的人物，曾于东晋成帝咸和二年至咸康（327—342）间引谢允入道。所谓戴孟求道于裴冀州裴玄仁的记载，系出伪托。新兴三洞经法产生之后，鉴于武当山的影响力，试图将其整合起来、纳入到它的经教体系之中，所以才对戴孟的经历进行种种的增饰，不断神化。这反映出在戴孟之时，武当山已经道教大兴，名家辈出了。

第三节　佛教的传入与发展

东汉时期佛教传入中国。至三国时期，佛教开始在荆楚地区传播，武昌（今鄂州）开始了最早的译经活动。西晋末年由于永嘉之乱，中原士民纷纷南渡进入荆襄地区，地处荆襄大道的襄阳和江陵成为佛教在南方地区传播的主要集散地。释道安南下襄阳的传教活动，大大促进了佛教中国化进程，改变了佛教在中国的发展历程，成为中国佛教发展史上

① 伍成泉：《试论武当道教的初期发展》，《华中师范大学学报》（人文社会科学版），2011年第4期。

最重要的一环。之后包括释慧远在内的道安僧团的主要人物南下江陵，东进庐山，西上巴蜀的传教活动，更是促进佛教传播向广度和深度上发展，广泛地融入社会生活之中，成为中国的主要宗教。

一、汉魏荆楚的译经活动

佛教在东汉初年传入中国，至东汉末年渐次在北方流行，并开始向南方传播。最早到今荆楚地区传播佛教的是大月支人支谦，他大约在公元221年（魏黄初二年）至224年来到武昌（今鄂州）。《高僧传·康僧会传》附《支谦传》记载：

> 时孙权已制江左，而佛教未行。先有优婆塞支谦，字恭明，一名越，本月支人，来游汉境。初，汉桓灵之世有支谶，译出众经。有支亮，字纪明，资学于谶，又受业于亮。博览经籍，莫不精究。世间伎艺，多所综习。遍学异书，通六国语。其为人细长黑瘦，眼多白而睛黄，时人为之语曰："支郎眼中黄，形躯虽细是智囊。"汉献末乱，避地于吴。孙权闻其才慧，召见悦之，拜为博士，使辅导东宫。与韦曜诸人共尽匡益，但生自外域，故吴志不载。谦以大教虽行，而经多梵文，未尽翻译。已妙善方言，乃收集众本，译为汉语。
>
> 从吴黄武元年至建兴中，所出《维摩》《大般》《泥洹》《法句》《瑞应本起》等四十九经，曲得圣义，辞旨文雅。又依《无量寿》《中本起》制菩提连句，梵呗三契，并注《了本生死经》等，皆行于世。①

《高僧传》是南朝梁代释慧皎集合前代资料撰写而成的一部大规模僧人传记，或因资料来源过于芜杂，慧皎在撰作传记时并没有标明资料

① 释慧皎撰，汤用彤校点：《高僧传》，中华书局1992年版，第15页。

的具体来源，其中更是夹杂着大量的小说、笔记材料，真实性往往颇受质疑。前引的这段材料中，关于支谦的记载可分为“叙事故事”与“译经传录”两个部分，就目前研究来看，“译经传录”部分基本来自具体佛经之经序，可靠性较强；而大部分“叙事故事”随传经需要而产生，夹杂着大量的传说因素，[①]这恰好体现出前文提到的中国佛教史书的书写特点。

从《高僧传》的记载看，支谦是大月氏人，师从支亮，支亮之师是在桓、灵之时译经的支谶。传说支谦博览众书，精通六国语言，才华横溢，到内地后，因避战乱，来到吴地。他在吴地期间，搜集各种经文版本，译成汉语，共译《维摩》《大般》《泥洹》《法句》《瑞应本起》等四十九经。

又至孙吴黄武三年（224），天竺沙门维祇难、竺将炎来到武昌一带，支谦与他们共同译出《法句经》，这是荆楚地区最早的译经活动。

1956年在今武昌发掘出孙吴永安五年（262）的古墓。墓中出土的陶俑，前额正中塑出一个圆突，即模仿佛祖释伽的“白毫相”。同墓中还出土1件鎏金铜带饰，上面镂刻着一尊佛像，立于莲花台座上，头顶有背光和肉髻，上身袒露，有披带飘拂，下身穿裙（见图4–1）。此像虽镂刻于铜带饰上，却被认为是我国现存年代最早的一尊金铜佛造像。另外，在鄂州的孙吴、西晋墓葬中，还出土了具有佛像图纹装饰的青铜镜6面，青铜器3类4件，这些文物大部分可能制作于孙吴时期。它们的出现应该是佛教传播和流行的结果。不过这些佛像作为装饰图纹，突出的是其装饰性，而不同于单独雕塑铸造作为供养的佛像。[②]

① 参见魏斌：《安世高的江南行迹——早期神僧事迹的叙事与传承》，《武汉大学学报》（人文科学版）2012年第4期。

② 湖北省文物管理委员会：《武昌莲溪寺东吴墓清理简报》，《考古》1959年第4期；程欣人：《我国现存古代佛像最早的一尊造像》，《现代佛学》1964年第2期；贺忠香等：《鄂城六朝文物的佛像装饰与南方佛教》，《文物》1997年第6期。

图 4-1　武昌出土鎏金铜佛造像饰件（湖北省博物馆供稿）

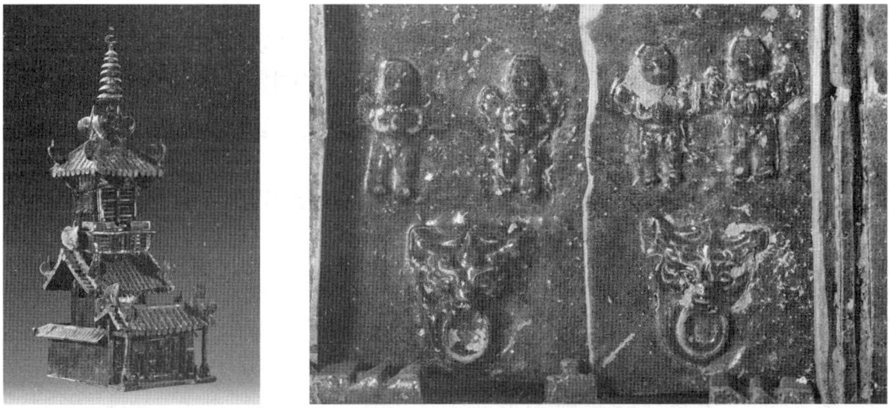

图 4-2　襄阳樊城菜越三国初 M1 堆塑羽人绿釉陶楼及细部（杨力　摄）

2008 年，襄樊市（今襄阳市）文物考古研究所在樊城区建设路与长虹路交叉口附近菜越发掘了 1 座三国初期的墓葬，随葬品中出有 1 件陶楼。其通高 104 厘米、进深 31 厘米、宽 33 厘米，重 20.07 千克。由院墙、门楼和二层楼阁组成。院墙平面呈长方形，进深 31 厘米、宽 33 厘米。前墙中部有可开阖双扇大门，门扇左右对称堆塑两羽人和一衔环铺首。大门右侧开一单扇可开关小门，门扇上堆塑一羽人。大门左侧墙下部有一上为圆形下为梯形的孔洞，大门右侧前墙上开有棂花窗，窗下蹲一小熊。院内有两层楼阁。底层楼阁为悬山顶，中部有双扇大门，门扇上饰竖向条纹，门、墙上装饰网格纹和竖向条纹，左、右侧墙上壁各有一长方形望窗。楼顶前后坡上以四蹲熊座托起长方形回廊，廊内承第二层楼阁。楼顶正中前后坡面各堆塑一蹲式小熊，顶端镂雕虎噬熊图案，上伏一小熊，小熊背上置一托盘。盘上为七层覆豆状相轮（金盘），顶立一月牙形兽。屋顶脊端有柿蒂叶形装饰，楼顶坡面饰有瓦垄，瓦垄末端模印云纹瓦当。通体施绿釉（见图 4–2）。该陶楼造型雄伟，制作工艺精巧，文化内涵丰富。楼体堆塑羽人源于对鸟的崇拜，中国的神话故事《山海经》及《楚辞》中有羽人的记载，在道教中又有“羽化成仙”的寓意，随着佛教传入中国，羽人由能升空的神仙演变为天人、飞天、飞仙等佛教形象，显示了佛教与中国早期道教梵秦杂糅的特征。根据陶楼上立相轮金盘，下为重楼造型，有关专家考证该楼可能是中国目前最早的“浮屠祠”模型。[①] 随着这些考古文物的出土，荆楚地域的佛教信仰有了实物证据，证明自汉末以来，荆楚地区便已经是释教浸染之地。

二、东晋南朝时期荆楚地区的佛教传播与发展

佛教在东晋首先得到了东晋帝室的支持，明帝“始钦斯道，手画如来之容，口味三昧之旨”。太元六年（381）“（孝武）帝初奉佛法，立精舍于殿内，引诸沙门以居之”。[②] 恭帝“其后复深信浮屠道，铸货千万，造丈六金像，亲于瓦官寺迎之，步从十许里”。[③] 由于皇帝亲自提倡甚至痴迷，东晋朝野逐渐弥漫开来一股崇佛之风，在官场和知识分子中成为时尚，“渡江已来，则王导、周颢、庾亮、王濛、谢尚、郄超、王坦、王恭、王谧、郭文举、谢敷、戴逵、许询及亡高祖兄弟，及王元琳

① 刘江生：《湖北襄樊樊城菜越三国墓发掘简报》，《文物》2010 年第 9 期。

② 《晋书》，第 321 页。

③ 《晋书》，第 270 页。

昆季、范汪、孙绰、张玄、殷凯等，或宰辅之冠盖，或人伦之羽仪，或置情天人之际，或抗迹烟霞之表，并禀志归依，措心归信”。[①]

受到上层社会普遍礼佛的影响，民间佛教信仰随即遍地开花，一派蓬勃兴盛，明帝在建康一地就曾度僧千人，一些知识分子加入僧侣队伍中，开始出现了僧尼团众和大量的寺院。在此背景下，襄阳名士习凿齿于哀帝兴宁三年（365）提笔给著名高僧释道安写了一封热情洋溢的信函（详后），恳请他来襄阳传教。

释道安（312—385），是常山扶柳人（今河北冀州），出生于当地望族卫氏。受具足戒后，赴邺城成为佛图澄的弟子。佛图澄死后，石赵政权倾遭覆灭，北方陷入极度战乱。道安转徙多地，仍然与佛图澄旧日的弟子聚集在一起，并未失散，再加上于飞龙山结识的僧先，以及在“太行恒山创立寺塔”时期拜入门下的慧远、慧持兄弟，集结成四百余人的僧团，在接到习凿齿邀请函后，一起南奔襄阳，于途中并向长江上下游派出得力弟子传教。《高僧传》云：

> 俄而慕容儁逼陆浑，遂南投襄阳。行至新野，谓徒众曰：“今遭凶年，不依国主，则法事难立。又教化之体，宜令广布。”咸曰：“随法师教。”乃令法汰诣杨州，曰：“彼多君子，好尚风流。法和入蜀，山水可以修闲。”安与弟子慧远等四百余人渡河夜行。[②]

由此可见，道安僧团来到襄阳，除了名士的盛情邀请之外，南北政治形势的变化也是其中的重要原因。

到达襄阳时，道安已经54岁，颠沛流离十余载，虽历尽艰辛，阅尽人间疾苦，仍以不拔之志弘法，未曾丝毫中歇。

---

① 释道宣：《广弘明集》卷一《宋文帝集朝宰论佛教》，张元济等编四部丛刊本，商务印书馆1929年影印版，第1集。

② 释慧皎撰，汤用彤校点：《高僧传》，第178页。

道安南下后，在襄阳深居15年，这是他人生中最为安定逸裕的时期，也是他弘法事业中最为辉煌的时期，为弘扬佛法作出了多方面的重大贡献，襄阳一度成为南方佛教中心。按照汤用彤先生的总结归纳，道安在荆襄地区的事迹可分为三点：整理经典、确立规戒、弥勒净土信仰，并指出其在荆襄地区的功绩远远超过了河北时期。

（一）整理经典

前已有所提及，道安之前两百年间，已陆陆续续译出众多的佛经译本，但译经人的姓名、时间、地点，多不明确，时间一久，不知道哪部经是何时何地何人所译，分不清哪是新译本哪是旧译本，极不利于僧俗对已译佛经的了解和研究。道安于是撰著《综理众经目录》，后世称为《安录》。《开元释教录》记其事称：

> 自前诸录，但列经名，至于品类、时代盖阙而不纪，后人披览，莫测根由。安乃总集名，题表其时代，铨品新旧，定其制作，众经有据，自此而明。在后群录，资而增广。是知高怀独悟，足以垂范后昆。①

是书起自东汉灵帝光和年间（178—184），止于东晋孝武帝宁康二年（374），开创了著述译经目录的先例，理清了汉以来佛经的译著情况，极大地方便了读者和佛学研究。

此外，道安还对经籍的错谬之处多有匡正。《世说新语·安和尚》载：

> 《安和上传》曰："以佛法东流，经籍错谬，更为条章，标序篇

① 释智升：《开元释教录》卷10《总括群经录上之十·叙列古今诸家目录》，文渊阁四库全书本，上海古籍出版社1987年影印，第1051册，第240页。

目，为之注解，自支道林等皆宗其理。”[①]

作为一位译经大师，他总结出的“五失本”与“三不易”至今仍被翻译界视为金科玉律。

译梵为秦，有五失本也。一者，梵语尽倒而使从秦，一失本也；二者，梵经尚质，秦人好文，传可众心，非文不合，斯二失本也；三者，梵经委悉至于叹咏，叮咛反复，或三或四，不嫌其烦，而今裁斥，三失本也；四者，梵有义说，正似乱辞，寻说向语，文无以异，或千五百，铲而不存，四失本也；五者，事已全成，将更傍及，反腾前辞，已乃后说，而悉除此，五失本也。然般若经，三达之心，覆面所演，圣必因时，俗有易而删雅古以适今时，一不易也；愚智天隔，圣人叵阶，乃欲以千岁之上微言，传使合百王之下末俗，二不易也；阿难出经，去佛未久，尊者大迦叶令五百六通迭察迭书，今离千年而以近意量裁，彼阿罗汉乃兢兢若此，此生死人而平平若此，岂将不知法者勇乎？斯三不易也。涉兹五失经、三不易，译梵为秦，讵可不慎乎！[②]

对释道安“五失本”“三不易”的译经心得，不少的学者进行过探讨与解读，我们认为释道安强调的是这五种方式都或多或少地造成译文对原文本义的部分损失和伤害，是件很可惜又无可奈何的事，所要做的是尽量将这种损伤降至最低。

鉴于“五失本”“三不易”情况的普遍存在，道安提醒大家在译经时务必要慎之又慎。

---

① 刘义庆著，刘孝标注，余嘉锡笺疏：《世说新语笺疏》，中华书局 1983 年版，第 441 页。

② 释道安：《摩诃钵罗若波罗密经钞序》，罗新璋编：《翻译论集》，商务印书馆 2009 年版，第 25—26 页。

在东晋十六国时期，由于佛教的般若学依附于玄学，便出现了讲解佛经用玄学典籍的概念去比配佛学“事数”概念的“格义”现象，[①]从而形成了具有中国特色的般若学。因般若学者将玄学的不同意见反映在般若学中，便出现了般若学“六家七宗”的不同派别。这标志着佛教的逐步中国化，发展到后世，便出现了中国自己的佛教宗派。

（二）确立规戒

前文述及，初到陌生南方的道安，面对的是一个四百余人的庞大逃难僧团。如此规模的教团，若要维持齐整严肃又有活力的教团生活，内部需要严格的教团规制，在戒律仍然不完备的情况下，道安于此多所创建，确立了多种规戒。

首先，道安将“释”姓确立为佛教的神圣姓氏。道安之前，出家僧人跟随师父的姓氏。道安统一规定沙门以“释”为姓，后获《增一阿含经》，果然称四姓为沙门皆称释种，道安所制与经契符，遂为天下永式。更为重要的历史意义在于，增强了中国佛教僧人的归属感，是佛教中国化的一个重要标志性事件，对维护后世中国佛教的统一性和整体性有着深刻的历史影响。

其次，制定了一套条例。道安将一个乱世中的僧团管理得“师徒肃穆，自相尊敬，和和济济”固然与他崇高的威望有关，更与他杰出的管理才能分不开。随着僧众与佛法活动的增多，需要对僧尼的日常行为、佛事活动加强管理，为此，他制定了一套行为规范和戒律对僧侣进行约束。史载：

> 安既德为物宗，学兼三藏。所制僧尼轨范，佛法宪章，条为三例：一曰行香定座上经上讲之法，二曰常日六时行道饮食唱时法，

① 格义：是将佛书中的各种名相概念与中国的典籍概念进行比对，把意义相同的固定成对译的词语。

三曰布萨差使悔过等法。天下寺舍，遂则而从之。[1]

道安不愧为管理大师，所定条例虽然简单，可内容却较完备，便于管理，条例立即为全国佛教界所采纳遵从，俨然成为佛法宪章。

（三）弥勒净土信仰

道安在襄阳期间，与同学僧辅，弟子法遇、昙戒、道愿等八人在弥勒像前立誓愿生兜率天，[2]是弥勒净土信仰的倡导者。《高僧传》卷五《道安传》谓："安每与弟子法遇等，于弥勒前立誓，愿生兜率。"[3]又《高僧传》卷五载竺僧辅："后憩荆州上明寺，单蔬自节，礼忏翘勤，誓生兜率，仰瞻慈氏。"[4]昙戒也是常诵弥勒佛名不辍口，弟子智生侍疾，问何不愿生安养。昙戒曰："吾与和尚等八人同愿生兜率，和尚及道愿皆已往生，吾未得去，是故有愿尔。"[5]

弥勒信仰的兴起有着多重时代背景。一方面，关于弥勒信仰的主要经典《弥勒成佛经》《弥勒菩萨本愿经》《弥勒经》《弥勒当来下生经》都已经在道安之前翻译出来。另一方面，根据佛教经典记载，弥勒菩萨受释迦文佛的委托，留在世间为众生解疑，在佛经尚未完全翻译成华文，以及当时已译经典存在诸多疑惑的时代背景下，身为译经先驱信仰虔诚的道安自然对弥勒菩萨决疑教义有着很大兴趣。道安的弟子僧睿在《毗摩罗诘提经义疏序》中有着明确说明："此土先出诸经，于识神性空，明言处少，存神之文，其处甚多……又无通鉴，谁与正之？先匠所

---

① 释道世著，周叔迦、苏普仁校注：《法苑珠林校注第十六》之《敬佛篇第六·发愿部第五》，"晋长安五级寺释道安"，中华书局2003年版，第545页。

② 亦称"兜术天"。梵语音译。佛教将天分许多层，第四层叫兜率天。它的内院是弥勒菩萨的净土，外院是天上众生所居之处。

③ 释慧皎撰，汤用彤校点：《高僧传》，第183页。

④ 释慧皎撰，汤用彤校点：《高僧传》，第196页。

⑤ 释慧皎撰，汤用彤校点：《高僧传》，第204页。

以辍章于遐慨，思决言于弥勒者，良在此也。”[1]梁启超认为道安是中国弥勒信仰的创始人。由于道安大师崇高的威望和巨大的影响力，弥勒净土信仰在南北朝时期有着极大影响，这一时期的高僧诸如法祥、道矫、僧业、慧严、道汪、道法、法盛、昙副、昙斌等都是弥勒净土信仰者和实践者。从佛教造像考察，南北朝时期的弥勒信仰远胜弥陀净土，但随着《阿弥陀经》的翻译以及弥勒信仰被造反叛乱者曲解利用，弥勒信仰受到国家政权的压制，逐渐走向衰落或转入地下，此是后话。

道安在教团南下荆襄的过程中，也适时开展与其他地域的交往传教活动，故有“分理徒众，道流东国”之说，这使得道安教团的影响力波及江南、荆州、巴蜀、豫章、扬州等广大南方地区，对于南方佛教的发展有着极为重要的意义。

道安在南下途中即已强调“教化之体，宜令广布”，先后两次遣弟子赴全国各地弘法。第一次发生在从陆浑到襄阳途中的河南新野，他令法汰、法和分别到扬州和入蜀弘法；第二次发生在苻坚攻打襄阳前夕，道安预感到襄阳时局即将剧变，再次将弟子分遣诸方传教。其中的慧远、慧持兄弟及弟子数十人南往荆州，住上明寺，后欲往罗浮山，及“届寻阳，见庐峰清靖，足以息心，始住龙泉精舍”，[2]慧持后从庐山转辗入蜀弘教，影响甚大，慧远更被后世净土宗追认为祖师。

法和进入益州后的一系列筚路蓝缕的弘法活动，也让佛教传播基础较差的“巴汉之士，慕德成群”，取得了不俗的成绩。

道安、慧远及其教团得到了各方势力的尊重，南北政权的帝王如苻坚、姚兴等都对他们频加礼遇和问候，谢安、王谧、谢灵运、殷仲堪、陶侃等士大夫也对他们表示钦慕或致书问候。《高僧传》中有很多高僧皆出自这一团体，他们或驻锡于荆襄，或游化于其他各地，《续高僧传》中不少高僧也与这一团体有着直接渊源。

---

① 僧睿：《毗摩罗诘提经义疏序》，罗新璋编：《翻译论集》，商务印书馆2009年版，第41页。

② 《太平御览》，第2925页。

379年，道安和在荆州培养的不少弟子被苻坚虏入关中，但道安的影响并没有因此而消退，他从教制建设与僧团建设等诸多方面直接促进了荆襄佛教的发展，更深刻地影响了南朝佛教以及中国佛教的历史进程。

如果说释道安是江南地区佛教的先行者，将佛教的理念播撒至南方，点燃佛教传播的星星之火，那么继行道安之志，推动南方地区佛教兴盛发展的，当是慧远。

《高僧传》载：

> 释慧远，本姓贾氏，雁门娄烦人也。弱而好书，珪璋秀发。年十三随舅令狐氏游学许洛，故少为诸生，博综六经，尤善庄老，性度弘博、风鉴朗拔，虽宿儒英达，莫不服其深致。年二十一，欲渡江东就范宣子共契嘉遁，值石虎已死，中原寇乱，南路阻塞，志不获从。时沙门释道安立寺于太行恒山，弘赞像法，声甚著闻，远遂往归之。一面尽敬，以为真吾师也。后闻安讲波若经，豁然而悟，乃叹曰："儒道九流皆糠粃耳。"便与弟慧持，投簪落彩，委命受业。既入乎道，厉然不群，常欲总摄纲维，以大法为己任。[①]

慧远本是雁门人，俗家姓贾，二十一岁时拜释道安为师。他天资聪颖，妙悟佛理，一听释道安讲《般若经》，旋即领悟，同时胸怀大志，以弘扬佛法为己任。释道安常常感叹，"使道流东国，其在远乎？"认为释慧远将会是那个能让佛法在江南发扬光大之人。

晋哀帝兴宁三年（365），释慧远追随道安南下襄阳。当时另一名僧竺法汰也东行避难，在路上生病，停留于阳口。释道安派遣慧远前去探望，正好遇到名僧道恒以"心无"义与人辩论，慧远加入其中，于是引发了般若学的一场大交锋。

---

① 释慧皎撰，汤用彤校点：《高僧传》，第211页。

《高僧传》载：

……时沙门道恒颇有才力，常执心无义大行荆土。汰曰："此是邪说，应须破之。"乃大集名僧，令弟子昙一难之。据经引理，析驳纷纭，恒仗其口辩不肯受屈。日色既暮，明旦更集，慧远就席。设难数番，关责锋起，恒自觉义途差异，神色微动，麈尾扣案，未即有答。远曰："不疾而速，杼轴何为。"座者皆笑矣，心无之义于此而息。[①]

所谓"心无"义，是佛教般若学的一个概念。自汉末以来，《般若经》流行，对于内中"空"这个思想的理解不同，出现了六家七宗，分别为本无宗、本无异宗、即色宗、识含宗、幻化宗、心无宗、缘会宗，"心无"义正是心无宗的理念，主张空"心"不空"色境"，即强调排除外界万物对心的干扰，但不否认外界万物的存在。这个说法对于当时唯心主义思潮占据主流的佛教界来说，完全不能接受。竺法汰先是命弟子昙一与道恒论难，但道恒口齿伶俐，完全不为所屈。次日，竺法汰令慧远上阵论难。

慧远与其师道安都是本无宗的信徒，认为世界由空、无等自然状态经元气变化而成，故称本无，而不可称万有能从空、无中产生。慧远与道恒的辩论详情已不可得知，但自从这场辩论之后，心无宗逐渐失势，本无宗成为般若学的主流，这场辩论所取得成果可以说得上是佛教般若学发展的一个重要里程碑。

晋孝武帝太元三年（378），苻丕破襄阳前夕，慧远被迫离开襄阳，先是驻锡江陵上明寺，随后栖止于庐山，桓伊为之筑东林寺。

① 释慧皎撰，汤用彤校点：《高僧传》，第192—193页。

三、后梁荆州佛教

刘宋之后的齐、梁王朝均由兰陵萧氏建立。一直以来，萧氏便有着佛教信仰的传统，由于定都建康，故建康的佛教事业最受重视，一时间建康成为齐、梁二朝佛教的绝对中心，这种局面一直持续到梁武帝晚年，随着侯景之乱的爆发，建康佛教界遭受重创，荆州江陵后梁佛教开始崛起。

公元554年，西魏军队攻破江陵，梁元帝被杀，时已称藩西魏的萧梁宗室萧詧被立为梁朝皇帝，以宣示梁朝法统正朔如常存在，史称后梁或西梁。后梁是被西魏控制的傀儡政权，奉西魏、北周、杨隋为正朔，在政治制度上并没有什么地位，更谈不上有什么作为，但自梁武帝时，萧氏便有崇尚释教的风气，加之后梁定都的江陵自东晋以来一直是荆楚佛教的重心，分布着多所重要的佛寺（长沙寺、上明寺、辛寺、竹林寺等），这些因素使得佛教在后梁得以赓续发展，甚至超过了在建康新建的南陈及定都关中的北周。

后梁虽然是与梁元帝对立的政权，然二者皆先后以江陵为都城，佛教发展自是一脉相承。若述及后梁佛教，仍需从梁元帝时期讲起。

梁元帝萧绎生于天监七年（508）八月，是梁武帝萧衍的第七子，后因侯景之乱得以继承皇位。史载萧绎幼时便“聪悟俊朗，天才英发”，五岁时便诵得《曲礼》。[①]受到父亲影响，萧绎也信仰佛教，在江陵时，便“造天居、天宫二寺，供养千僧，讲《成实论》”。[②]按《成实论》乃姚秦法师鸠摩罗什译出，后传入南朝，梁时建康高僧智藏、僧旻、法云等专解《成实》，并融入大乘思想，萧绎讲解《成实论》或受之影响。《艺文类聚·内典上》收录了一则《荆州长沙寺阿育王像碑》，题名为梁元帝所书，据此推测萧绎也曾经将一些佛像运送至荆州一带。此外，梁元帝亦著述颇丰，涉儒释道三家，《梁书·元帝纪》记载他著有：

---

① 《梁书》，第135页。

② 释惠详：《弘赞法华传》卷九，大正新修大藏经本。

> 《孝德传》三十卷，《忠臣传》三十卷，《丹阳尹传》十卷。《注汉书》一百一十五卷，《周易讲疏》十卷，《内典博要》一百卷，《连山》三十卷，《洞林》三卷，《玉韬》十卷，《补阙子》十卷，《老子讲疏》四卷，《全德志》《怀旧志》《荆南志》《江州记》《贡职图》《古今同姓名录》一卷，《筮经》十二卷，《式赞》三卷，文集五十卷。[①]

不过，尽管萧绎博学宏才，平息侯景之乱，并力图文治，但接续于江陵的梁朝并没能扭转衰颓的命运。承圣三年（554）九月，西魏柱国大将军于谨率大军进击江陵，然而直至十月西魏军与萧詧在襄阳会师时，梁元帝仍在龙光殿宣讲《老子》义。[②]一个月后，梁元帝在亲自督战时被西魏军队抓获遇害。

被执之前，眼见朝廷的覆灭，梁元帝感慨："读书万卷，犹有今日"，执意焚掉自己收藏的十四万卷图书，这些书籍很多是从建康宫城内搬运而来，再加上萧绎个人的收藏，基本集聚了六朝以来的全部书籍，但随着梁元帝的失败，十四万卷图书被付之一炬，隋平陈后，经多方肆意搜求，所获不过数万卷，可见这场旷世浩劫对中国中古知识文化造成损失之巨大。

梁元帝死后，向西魏称藩的萧詧被立为梁主，年号大定（555—562）。萧詧是梁武帝之孙，昭明太子萧统第三子，史书称他"幼而好学，善属文，尤长佛义。特为梁武帝所嘉赏"。[③]即位后梁皇帝之后，仍然坚持佛理研究，"著文集十五卷，内典《华严》《般若》《法华》《金光明义疏》四十六卷，并行于世"。[④]可见其在佛教方面的修为得到了当时学术士人的认可。

① 《梁书》，第136页。

② 《梁书》，第134页。

③ 《周书》，第855页。

④ 《周书》，第863页。

另据《释迦方志》，萧詧及其子萧岿曾经在江陵广建佛寺，包括天皇寺、陟屺寺、宝光寺、四望寺等众多名寺，使得江陵的佛寺超过一百座。佛寺数量的增多，强化了荆州地区的佛教信仰力量，也吸引了大量僧尼，一时间人数超过三千人，超过北周和陈朝，这一情况亦可从《续高僧传》管窥一二。《续高僧传》中，所载陈朝荆楚僧人寥寥无几，然而后梁江陵的僧人却有十几位之多，可见后梁时代江陵佛教的繁盛。公元574年，北周武帝掀起规模巨大的灭佛活动，北方佛教事业遭受重挫，一时间江陵也成为北方僧众避难之所，如《续高僧传》记载，“宇文废法”，时慧意、慧命等僧人“南投于梁”。北方高僧的加入，促进了后梁佛教的发展。

后梁佛教的发展与梁朝政治形势变化密切相关，侯景之乱导致大批僧众逃离凋敝的建康城，奔赴荆州、益州一带，荆州是南朝的第二政治中心，地理位置较益州更近建康，成为僧人汇聚的集合点。《续高僧传·义解篇四》记载：

> 释慧善，幼出家。善《法胜毗昙》，住扬都栖玄寺，征击论道，四座惊神。会有梁末序，逃难江陵，承圣季年，因俘秦壤，住长安崇华寺。义学之美，为周冢宰见知，别修供养，敷导终老。[①]

慧善便是因侯景之乱逃难江陵的僧人之一，但梁元帝政权随后被西魏击破，一些僧众成为战争俘虏被带到北方。这一僧人流动的过程背后，凸显出政治力量的强大影响，但无疑促进了学术知识在南北方的交通，如慧善一批的义学僧进入长安，促进了北方佛教义理之学。

就学术特色而言，后梁佛教在禅学、律学、般若学、涅槃学等皆继承了南朝的特色，从前文所引的慧善擅长《法胜毗昙》来看，毗昙学在这里也有流传。后来，又因为真谛入华，摄论学派渐渐流行。此外，

① 道宣：《四朝高僧传》第二册《续高僧传上》，中国书店2018年版，第122页。

《法华经》《维摩经》在荆州地区传播亦甚广，《续高僧传》中后梁的高僧多与此有关，如后梁荆大僧正释僧迁“年方弱冠，便诵《法华》数溢六千。坐而若寐，亲见普贤”。[①]释法懔“禅念为本，依闲诵经，《法华》《维摩》及大论钞，普皆无昧”。[②]又如江陵僧释法忍“初投天皇寺出家，受具已后受持《法华》《维摩》，日常再遍”等等。[③]一定程度上显示出后梁荆州地区的佛教学术特点。

四、魏晋南北朝时期佛教对荆楚地区的社会影响

魏晋南北朝时期是佛教进入并渗透中国社会的重要阶段，一个直接表现便是佛教寺庙的急剧扩展。

作为孙吴政权早期的都城，佛教在荆楚地区的发展以武昌（今湖北鄂州）最早，高僧最先来到此地进行传教，最早开展了译经活动，建造了最早的寺院。东晋时期，佛教在武昌的传播延续了此前孙吴和西晋时期的发展势头。六朝时期武昌的寺院见于文献记载的有昌乐寺、慧宝寺、寒溪寺，以下我们简要介绍寒溪寺。

寒溪寺，《高僧传》卷六《庐山慧远传》记载：

> 又昔浔阳陶侃经镇广州，有渔人于海中见神光每夕艳发，经旬弥盛。怪以白侃，侃往详视，乃是阿育王像，即接归，以送武昌寒溪寺。寺主僧珍尝往夏口，夜梦寺遭火，而此像屋独有龙神围绕。珍觉，驰还寺。寺既焚尽，唯像屋存焉。侃后移镇，以像有威灵，遣使迎接，数十人举之至水。及上船，船又覆没。使者惧而反之，竟不能获。侃幼出雄武，素薄信情，故荆楚之间，为之谣曰：“陶惟剑雄，像以神标。云翔泥宿，邈何遥遥。可以诚致，难以力招。”

---

① 道宣：《四朝高僧传》第二册《续高僧传上》，第100页。

② 道宣：《四朝高僧传》第二册《续高僧传上》，第266页。

③ 道宣：《四朝高僧传》第二册《续高僧传上》，第268页。

及远创寺既成，祈心奉请，乃飘然自轻，往还无梗。[①]

陶侃在广州任刺史时获得一尊传说是印度阿育王时期雕造的菩萨像（有关庐山慧远的文献说是一尊文殊菩萨像），由于他曾经长期以荆州刺史驻节于武昌，遂派人将此像送至武昌寒溪寺安置。陶侃在广州十年，尔后重回武昌任荆州刺史等职。其间，在咸和五年（330）至咸和七年间移镇江州寻阳。也许在寻阳时，陶侃动了将此尊菩萨像转移至寻阳的想法，但最终没有实现。太元十一年（386）慧远在庐山建成东林寺，将其转移至庐山安奉。

襄阳著名寺院有白马寺、谷隐寺、景空寺、龙泉寺、鹿门寺、檀溪寺、广德寺、石门寺等，我们略述习家池旁的白马、谷隐二寺以窥其盛况。

史载释道安受习凿齿之邀，率徒众四百余人来襄阳传教。此前，南方佛教并未盛行，道安僧徒众多，在襄阳15年间先后建寺15座，襄阳一度成为南方佛教中心，白马寺应是其兴建的第一座寺庙。释道安襄阳弘法驻锡的白马寺过去一直认为在襄阳城西，《南史·张弘策传附张缵传》称："仍遣缵向雍州，前刺史岳阳王詧推迁未去镇，但以城西白马寺处之。"[②]天顺《襄阳郡志》载："白马寺在县西十里。"[③]宋代尹焕所作《习池馆记》载：

襄阳城，北枕汉水，商贾连樯……于是议者请建侯馆于南关外，制帅阁学陈公然之，命其属尹焕往度地。越岘凝眺，适旁田舍欢言，发地得碑，将献诸郡。就睐之，则前守习池诗也。因讯池何

---

① 释慧皎撰，汤用彤校点：《高僧传》，第213—214页。

② 《南史》，第1388页。

③ 天顺《襄阳郡志》卷二《寺观祠庙·襄阳县》载："白马寺在县西十里"之县西或为县南之误。

许，曰："荡于兵矣，而故迹犹在，在白马寺之荒园。"[①]

宋人打算在襄阳城南修建馆舍，结果挖出了一块碑，上面是之前太守写的习家池诗，再问习家池在何处，当地人回答说在白马寺的荒园那边。就此可知，习家池与白马寺是紧挨一体的，两者均位于城南的汉江西岸滩涂上。我们可以推断，当年习凿齿将道安僧团接来襄阳，起初是寄居在本族的习家池宅第，其首座寺院应该是习凿齿从习氏宅第中拨出的部分私宅，暂作道安僧众的寄住和弘法的场所，道安依惯例将之命名为白马寺。城西白马寺应是城南白马寺之误。

谷隐寺亦名紫金寺、兴国院，位于阎家冲右冲之顶端凤凰山（谷隐山）东麓，东北距习家池仅一里之遥，《舆地纪胜》谓谷隐山"在襄阳县东南十三里，晋习凿齿隐遁之所，有僧寺曰兴国院，今名紫金寺"。[②]寺前曲迎汉水，面对铁帽山，其格局与习家池同而基址更为宽阔方正，背靠形高势大的凤凰山岭，风光优美，环境清幽。

江陵地区的寺庙基本上建于东晋和南朝，相对襄阳和武昌（今鄂州）来说发展稍晚。

东晋和南朝时期的江陵高僧和寺庙众多，据夏日新统计，有四层寺、长沙寺、上明寺、牧牛寺、竹林寺、辛寺、高悝寺、新寺、琵琶寺、五层寺、安养寺、灵收寺、祇洹寺、三层寺、永业寺、陟屺寺、瑶光寺、普贤尼寺、瓦官寺、天居寺、天宫寺、寿王寺、放生寺、天皇寺、大明寺等25座寺院。我们择其要者，略作介绍。

长沙寺，始建于东晋时期，之后成为江陵名刹。《高僧传》卷五《释昙翼传》云：

① 程国政编著：《中国古代建筑文献集要［增补篇］》（修订本），同济大学出版社2016年版，第137—138页。

② 王象之编著，赵一生点校：《舆地纪胜》，浙江古籍出版社2012年版，第2033页。

> 释昙翼，姓姚，羌人也，或云冀州人。年十六出家，事安公为师……翼尝随安在檀溪寺，晋长沙太守腾含，于江陵舍宅为寺，告安求一僧为纲领，安谓翼曰："荆楚士庶，始欲师宗，成其化者，非尔而谁！"翼遂杖锡南征，缔构寺宇，即长沙寺是也。[①]

从这段记载可知，长沙寺的创始者是释昙翼，他是释道安僧团中一员，因长沙太守腾含在江陵营建寺庙，向释道安求一名僧人主持大局，释道安即命释昙翼前往，也是此寺被命名为长沙寺的原因。

在释昙翼的主持下，长沙寺有了很大发展。其借助编撰的神异事件来宣传佛寺，弘扬佛法，扩大在普通民众之中的影响，使释道安南下襄阳传法以来，通过先向上层社会的达官权贵弘道，再带动一般民众信教的方式，转为利用荆楚之地崇尚巫鬼淫祀的风尚，直接在普通民众传播佛教，取得了很好的效果。释昙翼"丹诚祈请，遂感舍利，盛以金瓶，置于斋座"，"至乎中夜，有五色光彩从瓶渐出，照满一堂。举众惊嗟，莫不挹翼神感"。[②]他还把长沙寺与民众的信仰和风俗习惯结合起来，渗透进人们的日常生活之中，紧密不可分裂。《荆楚岁时记》载，四月八日，"长沙寺阁下有九子母神。是日，市肆之人无子者，供养薄饼以乞子，往往有验"。[③]

继释昙翼之后主持长沙寺的是释法遇，其对长沙寺的贡献乃是传法，讲说佛经，弘扬佛法，遵守戒律，这是一个寺院立足的根本，而释法遇做的正是这些，因他而"励业者甚众"，长沙寺的影响力更大了。在释昙翼和释法遇的努力之下，长沙寺声望渐著，南朝时期许多高僧曾驻锡于此。

除长沙寺之外，竹林寺也是江陵名寺。竹林寺是东晋南蛮校尉刘

---

① 释慧皎撰，汤用彤校点：《高僧传》，第 198 页。

② 释慧皎撰，汤用彤校点：《高僧传》，第 198 页。

③ 宗懔撰，宋金龙校注：《荆楚岁时记》，第 102 页。

遵所修建,《高僧传》卷六《释道祖传》:"(慧)远又有弟子昙顺、昙诜,并义学致誉。顺本黄龙人,少受业什公,后还师远,蔬食有德行。南蛮校尉刘遵,于江陵立竹林寺,请经始。远遣从焉。"[①]但也有文献记载竹林寺为刘遵考所建,宋陈舜俞《庐山记》卷三:"(昙顺)入庐山,从远师同修西方净社,志道不群,利济为本。宁蛮校尉刘遵考于江林立寺,请师经始,远师遣从之。"[②]但据《宋书》卷五十一《宗室·刘遵考传》:"遵考,高祖族弟也……元嘉二年,出为征虏将军、淮南太守。明年,转使持节,领护军,入直殿省。出为使持节,督雍梁南北秦四州、荆州之南阳竟陵顺阳襄阳新野随六郡诸军事、征虏将军、宁蛮校尉、雍州刺史、襄阳新野二郡太守。"[③]《宋书》卷五《文帝本纪》载,元嘉三年(426)十一月己亥"以南蛮校尉刘遵考为雍州刺史。"[④]知刘遵考为刘宋宗室,其任南蛮校尉的时间在刘宋元嘉二年(425)至三年期间,任职时间较短。据《高僧传》和《庐山记》,昙顺住持竹林寺是慧远派遣。然《高僧传》卷六《释慧远传》载慧远圆寂于晋义熙十二年(416),不可能在刘遵考任宁蛮校尉的刘宋元嘉二年至三年期间派昙顺入住竹林寺。宁蛮校尉设在襄阳,南蛮校尉先设立于襄阳,后迁到江陵。可见《庐山记》的记载有误,江陵竹林寺的修建者当为东晋南蛮校尉刘遵。

竹林寺初建完成后,因刘遵请来庐山慧远的弟子昙顺来住持而备受瞩目。昙顺之后,慧远的另一弟子释昙邕也驻锡竹林寺。大概在其师慧远圆寂之后,昙邕离开庐山,至江陵竹林寺,后来圆寂于此寺。释昙邕是慧远弟子中佛学理论和修养都是出类拔萃的,且在弘扬佛法方面不遗余力,不辞劳苦,在佛学界的地位崇高。他在慧远圆寂之后,来到竹林寺,一直驻锡于此,大大提高了竹林寺的声望。在释昙邕之后,竹林

① 释慧皎撰,汤用彤校点:《高僧传》,第238页。

② 慧远著:《庐山慧远大师文集》附《庐山记》,九州出版社2013年版,第354—355页。

③ 《宋书》,第1480—1481页。

④ 《宋书》,第75页。

寺名僧不断涌现。其中最著名的有释僧慧和释慧球。释僧慧是昙顺的弟子，出身世家，精通佛学和道家老庄之学，又来往于庐山莲社成员之间，与荆楚名士宗炳等交往密切，因此在南朝影响甚大。而释慧球出身竹林寺，佛学精深，弟子众多，称为荆楚之最，在弘扬佛法方面作出特殊的贡献，被朝廷封为僧主，大大提高了荆楚地区寺院在南朝的地位。

进入中国的佛教，除了改变地面上的人文景观，更是深刻影响了人们的知识文化、思想意识与社会风俗。中古时期，以荆楚地域为核心的广大南方地区，已经形成了较为完备的岁时节日传统，佛教进入后，岁时同经文故事发生结合，一些新的节日形成，或旧有节日被影响改造，要了解这些岁时的历史情况，宗懔的《荆楚岁时记》为我们提供了丰富的史料记载。

第五章　教育

白起拔郢以来，秦人隳楚名都，杀楚名士，楚精英东迁，荆楚地区原本璀璨的文化遭受重创。秦始皇又纳李斯之策，焚书坑儒，以吏为师，凝重的政治空气从关中弥漫到楚地。从这一时期的出土文献类型来看，先秦楚墓习见的儒家典籍难以寻见，更多的是法律文书和巫医卜筮之书，普通人受教育的机会局限于以吏为师，学习法令。汉朝建立后，以吏为师的制度被保留下来，与此同时，官学、私学以及南郡等地的儒学也在不断发展。由于战乱等原因的影响，魏晋南北朝时期荆楚地区的教育事业受到打击，但是在众多有志之士的努力下，荆楚教育仍在困境中砥砺前行，门阀私家之学成其主流并富于地方特色，寺院和道观教育渐次兴起。

第一节　秦代教育

据史料记载，秦统一前后的教育是“以法为教”“以吏为师”，为严格控制学术和思想，钳制舆论，还有过“焚书坑儒”之举。近年来荆楚地区出土了不少秦简，其内容多为文书、律令、日书、病方等，可证史书所言非虚。秦代有独特的学吏制度，为了更好地培养吏员，秦政府还编修了相关教材，如《仓颉篇》等。秦代对吏员的教育在荆楚地区出土秦简牍中有不少反映，突出体现在4篇官箴文献上，如睡虎地秦简《为吏之道》、王家台秦简《政事之常》等。此外，秦代还普遍推行有实用意义的技能教育，如算数、医药等。

一、学吏制度

秦国自孝公实行商鞅变法后，推行富国强兵的耕战政策，在文化和教育方面推行“以法为教”“以吏为师”的学吏制度，湖北云梦睡虎地秦墓出土的各种法律文书，呈现了这种制度的具体形式。秦统一之后，这一政策得到了进一步的强化。

国家设立学校，以吏为师，专门培养通晓法律、行政知识的官吏，其宗旨是培养忠于皇帝权威和让国家机器高效正常运转的官吏队伍，这些在出土秦简中都有切实的反映。

目前的秦简主要有十二批：1. 云梦睡虎地 11 号秦墓竹简，2. 云梦睡虎地 4 号墓，3. 四川青川郝家坪木牍，4. 甘肃天水放马滩简牍，5. 湖北江陵岳山秦木牍，6. 龙岗秦简，7. 王家台秦简，8. 周家台秦简，9. 湖南里耶秦简，10. 岳麓秦简，11. 北大秦简，12. 湖南益阳兔子山遗址简牍。

以上列举的文献，除了四川青川郝家坪木牍、甘肃天水放马滩简牍、湖南益阳兔子山简牍、湖南里耶秦简之外，其余出土于荆楚大地。岳麓秦简与北大秦简虽是盗掘之后回购，但出土自荆楚的地区的可能性很大。这些文献的内容，可以大致反映秦代荆楚地区与全国其他地区约略相同的藏书情况，可进而据此考察荆楚地区的教育情形。

仔细比较上述出土简牍，可以发现，这些简牍类型出现频率最高的是文书、律令和日书，其次为病方、算数书和占卜之书。据《史记》所载，秦始皇焚书的对象是六国史记、《诗》《书》及百家语，医、药、卜筮、种树之书不在禁毁之列。两相对照，出土简牍所反映的情况与史书记载是吻合的。

我们比较一下出土楚简与秦简的内容。目前出土的主要楚简有以下几种：1. 信阳长台关楚简，主要内容为周公与申徒狄问对，遣策；2. 曾侯乙墓简册，主要内容是遣策；3. 江陵九店 56 号墓竹简，主要内容是农业与术数；4. 包山楚简，主要内容为卜筮祭祷、文书与遣策；5. 上博简，主要内容为儒家典籍；6. 郭店楚简，主要内容为儒道两家典籍。对照可见，在先秦时期，荆楚地区的藏书内容多样，包罗儒家、道家、阴阳家等流派，丰富多彩。而到了秦代，此类书籍都消失无踪，由此可见，秦代对书籍的禁毁政策在荆楚地区是得到严格执行的。

《史记》还记载，李斯建议“若欲有学法令，以吏为师”。徐广注曰：“一无‘法令’二字。”也就说，普通人想要入学，只能拜吏员为师，学习内容虽不限于法令，但除此之外，显然只有秦政府所不禁止的医、药、卜筮之类的知识才能被教授。这一法令在荆楚地区的推行状况，传世文献并无直接记载，但《岳麓书院藏秦简（肆）》有两条置吏律间接反映了这方面的情况。

县除有秩吏，各除其县中。其欲除它县人及有谒置人为县令、都官长、丞、尉、有秩吏，能任者，许之。

县除小佐无秩者，各除其县中，皆择除不更以下到士伍史者为佐，不足，益除君子子、大夫子、小爵及公卒、士伍子年十八岁以上备员，其新黔首勿强，年过六十者勿以为佐。[①]

除意为任命、授官，有秩是秦汉时期基层官吏之一，“郡所署，秩百石，掌一乡人”，“乡户五千，则置有秩”。[②]所谓无秩，指的是俸禄百石以下的吏员。秦律规定，县任命这两类官员优先选择本县之人，其中必定有大量的原六国人充任秦郡县的下层吏员。就《史记》所见，刘邦是泗水亭长，萧何、曹参都是沛县的小吏，由此可知，在荆楚地区必定也有大批人员与秦政府合作，被吸纳入基层行政机构之中。而这些人要想适应秦政府机构的行政运作，必须学习秦人的法令，也必然要以秦之吏员为师。

① 陈松长主编：《岳麓书院藏秦简（肆）》，上海辞书出版社 2015 年版，第 137 页。

② 《后汉书》，第 3624 页。

如前文所述，学吏制度是秦官吏登庸之津途，更是普通人获得吏职的必经之路。根据官吏业务能力需求的不同，学吏制度大致可以分为三种形式。

第一种为“学室”。“学室”是秦政府设立用于培养史之类吏员的专门机构。《秦律十八种·内史杂》云：“非史子殹（也），毋敢学学室，犯令者有罪。”秦简整理小组认为“学室是一种学校。古时以文为职务的史每每世代相传，要从小受读写文字的教育”。①

第二种为学吏弟子。做官吏的学徒，跟随官吏当学吏弟子，是学吏教育的又一表现形式。《秦律杂抄·除弟子律》规定：“当除弟子籍不得，置任不审，皆耐为候。使其弟子赢律，及笞之，赀一甲，决革，二甲。”② 在本条律令下，秦政府对作为师傅的吏员作出了诸多限制，禁止他们虐待弟子。

第三种为博士制度。《史记·叔孙通列传》曾记载叔孙通降汉之时，追随的儒生、弟子一百多人。这一百余人显然不会是叔孙通临时召集而来，而是自秦以来就长期与叔孙通相识，其中的弟子，显然即是博士弟子。从叔孙通的经历来看，这批博士弟子学习的事务，可能以礼仪为主。

为了培养预备吏员，秦政府编撰了与教学要求相适应的教材，最重要的当属识字教材“三苍”。秦始皇统一六国后推行“书同文”政策，为了实施这一政策，秦始皇命人编撰了一批字书，秦丞相李斯作《仓颉篇》，中车府令赵高作《爰历篇》，太史胡毋敬作《博学篇》，此三篇被合称为“三苍”。

睡虎地秦简《为吏之道》、岳麓书院藏秦简《为吏治官及黔首》等出土文献均是秦政府为整顿吏治而编写的官箴文献。

从这些文献来看，秦人对吏德的要求涵盖了多个方面，粗分起来，

---

① 睡虎地秦墓整理小组：《睡虎地秦墓竹简》，第63页。

② 睡虎地秦墓整理小组：《睡虎地秦墓竹简》，第81页。

可以从两个维度进行讨论。

第一个维度是强调良吏的标准。如睡虎地秦简《为吏之道》记载：

> 吏有五善：一曰忠信敬上，二曰清廉毋谤，三曰举事审当，四曰喜为善行，五曰恭敬多让。五者毕至，必有大赏。[①]

岳麓秦简《为吏治官及黔首》也有相似的记载，谓：

> 吏有五善：一曰忠信敬上，二曰精廉无谤，三曰举吏审当，四曰喜为善行，五曰恭敬多让。五者毕至，必有天当。[②]

除了个别字词的不同，两者几乎一模一样。

第二个维度是指出何为恶吏，要求官员避免。睡虎地秦简《为吏之道》同样记载：

> 吏有五失：一曰夸以泄，二曰贵以泰，三曰擅裚割，四曰犯上弗知害，五曰贱士而贵贷贝。一曰见倨傲，二曰不安其朝，三曰居官善取，四曰受令不偻，五曰安家室忘官府。一曰不察所亲，不察所亲则怨数至；二曰不智（知）所使，不知所使则以权衡求利；三曰兴事不当，兴事不当则民伤指；四曰善言惰行，则士毋所比；五曰非上，身及于死。[③]

《为吏治官及黔首》的表述更为清晰一些：

① 睡虎地秦墓整理小组：《睡虎地秦墓竹简》，第 168 页。

② 朱汉民、陈松长主编：《岳麓书院藏秦简（壹）》，第 30 页。

③ 睡虎地秦墓整理小组：《睡虎地秦墓竹简》，第 169 页。

吏有五失：一曰视黔首渠骜，二曰不安其朝，三曰居官善取，四曰受令不偻，五曰安其家忘官府，五者毕至是谓过主。吏有五过：一曰夸而夬，二曰贵而企，三曰擅折割，四曰犯上不知其害，五曰贱士贵货贝。吏有五则：一曰不察所亲则违数至，二曰不知所使则以权索利，三曰举事不当则黔首指，四曰喜言惰行则黔首毋所比，五曰善非其上则身及于死。吏有六殆：不审所亲，不察所使，亲人不固，同谋相去，起居不指，漏表不审，徽识不齐。[①]

二、其他教育

除了为吏所需要的业务能力以及官吏的吏德培训，秦代还存在有相当普遍的技能教育，以为国家培养具有专门技能的技术型专业人才。这项教育范围涵盖很广，其中最主要的内容当属算数、日书与医药等相关知识技能的教育。

算数自先秦以来就是必修科目之一。《周礼》提出有六艺，是贵族所必须修习的科目："一曰五礼，二曰六乐，三曰五射，四曰五御，五曰六书，六曰九数。"[②]《礼记·内则》也说："六年教之数与方名……十年出就外傅，居宿于外，学书计。"[③]当然，《周礼》《礼记》所说的算数教育是贵族的专利，一般平民完全无缘享受。但逮至秦代，由于国家领土的扩大，郡县制的举国推行，社会行政事务的成倍增加，算数教育的紧迫性在诸多方面凸显出来。

目前出土的秦代算数教材共有两种，一种为北京大学藏秦简《算数书》。2010 年北京大学获赠一批秦简牍，其中《算数书》类文献达到 400 余枚，是目前所见战国秦汉同类出土文献中数量最大的一批。这部《算数书》除了列举田亩、赋税、粮食兑换等实际问题的算法外，还有

① 朱汉民、陈松长主编：《岳麓书院藏秦简（壹）》，第 31—34 页。

② 郑玄注，贾公彦疏：《周礼注疏》，北京大学出版社 2000 年版，第 416 页。

③ 孙希旦撰，沈啸寰、王星贤点校：《礼记集解》，中华书局 1989 年版，第 768—769 页。

一段“数论”，以两位专家或官员“鲁久次”与“陈起”问答的形式详尽论述了古代数学的起源、作用和意义。

另一种为岳麓书院藏秦简《数》。《数》的定名依据第0956号简，此简正面文字是数学内容，背面写有一个“数”字，为书名。这一批简是一部难得的数学著作，记载了少广、衰分、盈不足、勾股等多类算题、算法，对于研究中国早期数学的形态和历史脉络具有重要价值。

试举岳麓秦简中的一道数学题：

> 田廿步，租十六升，今有租五升七分升之二，得田几何？曰：六步又廿八分步之十七。术曰：以十六为法，置五升有七分升之二而七之，亦七其法、以廿步乘五升又七分二，如法而成一步。①

这是一道计算面积的题目，问的是田地方圆二十步，能得到田租十六升，现在收到田租五又七分之二升，请问田地是多大。计算的结果是六又二十八分之十七步。

从这些记载来看，秦代的数学已经发展到了相当高明的程度，而且应用的范围很广，从收租、营田到营军、谷物换算，有多种场景的应用。秦代的这些数学人才，显然是依据这种算数教育培养出来的。

除数学外，比较常见的还有医药教育。目前所见的秦医药简主要有周家台秦简、里耶秦简以及北京大学藏秦简三批。周家台30号秦墓出土竹简381枚、木牍1枚，其中《病方及其他》约有73枚，共20余个医方，涵盖了消化系统、呼吸系统、生殖系统等疾病。《里耶秦简（壹）》收录医方简19枚，其中部分医方可与马王堆的《五十二病方》相参看。北大秦简共80余枚，根据书写格式和内容可分为《避兵方》和“医方”两类，“医方”部分既包括祝由术，也包括较少巫术色彩的单方。从里耶秦简来看，这批简的主要内容是行政公文，这批医简与之放在一起，

---

① 朱汉民、陈松长主编：《岳麓书院藏秦简（贰）》，第56—57页。

或表明秦代有部分官方人员在进行医学培训或者医学学习。

第二节　汉代教育

汉代荆楚地区教育的发展主要体现在学吏制度的延续、官私学的不断进步和儒学主体地位的确立发展上。这一时期有一批官员和士人对荆楚教育的发展有着杰出贡献。如南阳太守鲍德、刘宽，桂阳太守卫飒，武陵太守应奉等，对这一地区的官学发展有推动作用；而刘昆、郅恽、黄琼、马融等人在江陵、江夏、荆州等地开办学校，教授学生，促进了私学的发展。教育的进步推动了儒学的繁荣，南阳、江夏、南郡等地培育了不少名儒，他们收徒授业，使得儒学得以广泛传播。

一、汉代的学吏制度

西汉建立后，政府采取一系列措施革除秦代弊端，但是在教育方面，“以吏为师”的学吏制度仍然被保留下来。传世文献中对汉代的学吏制度多有记载，《汉书·艺文志》载：

> 汉兴，萧何草律，亦著其法，曰：“太史试学童，能讽籒书九千字以上，乃得为史。又以六体试之，课最者以为尚书、御史、史书令史。吏民上书，字或不正，辄举劾。”[①]

许慎《说文解字序》引《尉律》：

> 学僮十七已上，始试。讽籒书九千字，乃得为史。又以八体试之。郡移太史并课，最者以为尚书史。书或不正，辄举劾之。[②]

① 《汉书》，第1721页。

② 许慎撰，徐铉校定：《说文解字》，《说文序》第1页。

这两条史料记录的是学吏制度下对学童成绩考核的相关规定：首先，学童要能背诵九千字以上才有资格当“史”；其后，再通过能用多种字体书写的考试，成绩最好的可以被任命为尚书、御史、史书令史；官民上书，如果有字写得不端正的，就要揭发举报。“讽籀书为史”之制亦当本于秦制，为汉所承。[①]

湖北江陵张家山出土的汉简中有吕后二年施行的法律条文——《二年律令》，《二年律令·史律》中对学吏制度的记载更加详细：

> 史、卜子年十七岁学。史、卜、祝学童学三年，学佴将诣太史、太卜、太祝，郡史学童诣其守，皆会八月朔日试之。
>
> 试史学童以十五篇，能讽书五千字以上，乃得为史。又以八体试之，郡移其八体课太史，太史诵课，取最一人以为其县令史，殿者勿以为史。三岁一并课，取最一人以为尚书卒史。
>
> 卜学童能讽书史书三千字，诵卜书三千字，卜六发中一以上，乃得为卜，以为官佐。其能诵三万以上者，以为卜上计，六更。缺，试修法，卜六发中三以上者补之。
>
> 以祝十四章试祝学童，能诵七千言以上者，乃得为祝，五更。太祝试祝，善祝、明祠事者，以为冗祝，冗之。[②]

从以上出土简牍资料中，我们得知，汉代在学室学习的学童有史学童、卜学童、祝学童等，他们所学内容和将来要任职的职位都不同，因而对其学业要求也不同。

与秦代相比，汉代学吏制度有了一些变化。学童学习的途径增多，

① 张金光：《论秦汉的学吏制度》，《文史哲》1984年第1期。

② 彭浩、陈伟、工藤元男主编：《二年律令与奏谳书：张家山二四七号汉墓出土法律文献释读》，上海古籍出版社2007年版，第296—301页。

除了在官府设置的学室学习，成为学吏弟子和博士外，还可以通过在官府做基层小吏的方式向长吏学习，这些年轻学子其实就是在以边仕边学的方式熟悉官府公务，相当于官府的后备官吏。

《后汉书·百官志二》注引《汉官》中常有名为“学事”“守学事”的吏员，如直属太常的官吏有：“员吏八十五人，其十二人四科，十五人佐，五人假佐，十三人百石，十五人骑吏，九人学事，十六人守学事。”[①]由此可知，东汉时期的官府中，“学事”和“守学事”是普遍存在的，他们是员吏中的最低者，同样具有学徒吏的性质。另外，除向长吏学习外，“还可以随父兄等通过家传学知吏事”。[②]西汉酷吏严延年的父亲担任丞相属官时，严延年便跟随父亲在丞相府学习法律知识，后来在东海郡担任郡吏。于定国年少时也曾向父亲学习法律知识，后来成为狱史。

汉代学吏制度经历了不断演进的过程。如，《秦律十八种·内史杂》中记载的“非史子殹（也），毋敢学学室，犯令者有罪”和《二年律令·史律》中的“史、卜子年十七岁学”，都严格限制进入学室的学童身份，只有史的儿子才有资格进学室成为史学童，学习成为史的相关知识；也只有卜的儿子才有资格成为卜学童。但是《说文解字序》中引《尉律》的部分，只说“学童”，没有强调其出身，可知“这种限制在那时业已解除”。[③]

二、独尊儒学以来的荆楚官私学

从办学性质上看，汉代的学校可以分为官学和私学两类。所谓官学，指由政府主持创办的学校。官学以为国家培养人才为目的，政府制定了一套完整的教育制度，并任命学官对其加以管理。汉代的官学又分为中央和地方两种：中央的官学一是大学性质的太学，二是一些特殊的

① 《后汉书》，第3571页。

② 张金光：《论秦汉的学吏制度》，《文史哲》1984年第1期。

③ 李学勤：《试说张家山简〈史律〉》，《文物》2002年第4期。

学校，如东汉时期所设立的专门学习文学艺术的鸿都门学和对贵胄进行教育的宫邸学；地方官学即由地方行政机构主办的学校，包括郡国学、县学、乡学等。

由于史料不足，西汉时期荆楚地区地方官学的具体实行情况我们无从知晓。只能从相关史料中略窥一二，如《后汉书》中提及的刘缜、刘秀、邓禹、朱祐等生于荆楚地区的人，他们都曾到长安求学，但是却没有关于他们在家乡时是否有受到完善的早期官学教育的记载。像刘缜、刘秀这种出身于没落贵族家庭的人，或许在家乡受到过一定的初等教育，但是他们还必须要到长安去接受更深入、更高等的教育。同样情况的还有邓禹，邓禹十三岁就能诵读诗书，说明他在家乡受到了初等教育，但邓禹后来还是受业长安。这些记载或许可以从一个侧面说明到西汉末和王莽统治时期，荆楚地区的教育可能还没有全面发展起来。到东汉光武帝刘秀统治时期，情况开始发生变化。光武帝刘秀曾在长安太学接受过良好的高等教育，掌握政权后大力发展教育，正是在这种气氛中，包括荆楚地区在内的全国官学都得到了恢复和发展。一时之间“四海之内，学校如林，庠序盈门”。[①]

文献记载对荆楚地区地方官学作出杰出贡献的有鲍德和刘宽，他们都曾做过南阳太守。

鲍德（？—111），上党屯留（今山西长治市屯留县）人，修养德操名节，颇著声名，屡次升官后出任南阳太守。当时南阳的郡学荒废已久，鲍德深感遗憾，因而开始着手整顿地方官学，[②]鲍德修筑学舍，准备俎、豆、黻、冕等器具服饰，行礼奏乐请教师到学舍，宴请儒士，又尊敬款待老者，培养了一批具有儒学修养的士人。鲍德大倡儒学之举，使南阳呈现出浓厚的文化氛围，也使南阳的儒学兴盛起来。鲍德深为时人称颂，他去世之后，张衡作《大司农鲍德诔》哀悼，对鲍德兴学之举

① 《后汉书》，第1023页。

② 《后汉书》，第1023页。

大为赞赏：

> 昔我南都，惟帝旧乡，同于郡国，殊于表章。命视如公，弁冕鸣璜，若惟允之，实耀其光。导以仁惠，习射矍相，飨老虞痒。①

鲍德兴学立教，促进了南阳乃至整个荆楚地区文教事业的复兴，实乃功勋卓著。

刘宽（120—185），弘农华阴（今陕西潼关）人，桓帝延熹八年（165），出任南阳太守。刘宽儒学修养深厚，《后汉书·刘宽传》注引谢承《后汉书》称："宽少学欧阳《尚书》、京氏《易》、尤明《韩诗外传》。星官、风角、算历，皆究极师法，称为通儒。"②刘宽不仅在学术上颇有造诣，其品德也为人称颂，桓麟《太尉刘宽碑》赞其"有乐道宁俭之性，疾雕饰，尚朴素，轻荣利，重谦让"。③

在做官为政方面，刘宽仁爱宽厚，《后汉书·刘宽传》载：

> （刘宽）典历三郡，温仁多恕，虽在仓卒，未尝疾言遽色。常以为"齐之以刑，民免而无耻"。吏人有过，但用蒲鞭罚之，示辱而已，终不加苦。事有功善，推之自下。灾异或见，引躬克责。每行县止息亭传，辄引学官祭酒及处士诸生执经对讲。见父老慰以农里之言，少年勉以孝悌之训。人感德兴行，日有所化。④

刘宽为官注重以儒家仁、义、孝、悌等道德感化百姓，反对用酷刑整治百姓和官员，即使手下官员有过错，也不重罚，只是用蒲鞭惩戒。是以"壹行质，省简易之教，推贞谅以示下，显众善以厉否，恻隐之

---

① 严可均辑：《全后汉文》，第564页。
② 《后汉书》，第886页。
③ 严可均辑：《全后汉文》，第275页。
④ 《后汉书》，第887页。

诚，通乎神人，故能去鞭扑，如获其情，弗用刑，如弥其奸”。[1]在教育方面，他巡行各县时，经常会与学官祭酒及处士儒生们执经对讲，其宽厚仁爱的执政方式和求真务实的学术态度推动了南阳官学的发展。

由于历史原因，汉代地方官学也存在不足之处，“太依赖于一方主政者的个人才干、品德和兴趣，往往随地方官员的调动而兴废无常，且没有正规的课程设置，有的学官只有在一年的某些时节召集一些士人讲经，与中央官学没有从属关系，师资也远远不如太学”。[2]即便如此，在这些有志官吏的推动下，荆楚地区的地方官学仍在不断前行中。

与此同时，荆楚地区的私学也在这一时期兴盛起来。比较有代表性的是刘昆在江陵兴办的学校和郅恽在江夏兴办的学校。

刘昆（生卒年不详），字桓公，陈留东昏（今河南兰考）人，是梁孝王的后裔，年少时就学习礼仪。汉平帝时，跟随沛人戴宾学习《施氏易》，刘昆擅弹琴，懂音律。建武五年（29），刘昆被举为孝廉，但是他不愿前往，于是就逃到江陵，在江陵开办私学，教授学生。光武帝刘秀听说后，任命他为江陵县令。

郅恽（生卒年不详），字君章，汝南西平（今河南西平县）人。十二岁丧母，居丧的程度超过礼数，他精通《韩诗》《严氏春秋》，通晓天文历数。建武三年（27），跟随积弩将军傅俊做将兵长史，建武七年（31），郅恽辞官返回故乡。后客居江夏，教授弟子，被举为孝廉，在洛阳任职。

东汉中后期时，随着如黄琼、娄寿等名师的出现，荆楚地区的教育获得了显著发展。

黄香之子黄琼，早年曾在家乡教学，豫章南昌（今江西南昌）人徐稺求教于他，得到他的指教。后来，黄琼担任太尉时曾征辟徐稺，徐稺没有应征。黄琼去世后，被葬在江夏，徐稺负粮徒步走到江夏，设鸡酒

① 严可均辑：《全后汉文》，第 276 页。

② 毛礼锐、瞿菊农、邵鹤亭编：《中国古代教育史》，人民教育出版社 1979 年版，第 189 页。

祭奠。

娄寿（97—174），字元考，南阳县（今属湖北老河口市）人，自幼立志，博览群书，学识高深。官府屡次征他为官，他都拒绝不去，而是隐居收徒，以教授弟子为乐。

东汉中后期荆楚地区尤其是南阳教育事业的兴盛，在诸多学者的作品中都有所体现。如张衡在《南阳文学儒林书赞》中称赞时任南阳太守的鲍德翻修学校之举，认为对教育来说是一件功德无量的好事。李固任荆州刺史时，也认识到教育对培养人才的重要性，写下了《临荆州辟文学教》：

> 欲采明珠，求之于蚌；欲得名士，求之文学，或割百蚌不得一珠，不可舍蚌求之于鱼；或百文学不出奇士，不可舍文学求之于斗筲也。由此言之，蚌乃珠之所藏，文学亦士之场矣。[①]

这期间涌现出了以司马徽、颍容、谢该等人为代表的私学教育家。

司马徽（？—208），字德操，颍川阳翟（今河南禹州市）人，为人清雅，学识广博。建安三年（198），荆州牧刘表设立学校、学官，广求天下名士，司马徽避乱来到荆州，客居于襄阳东门外的鱼梁洲，与襄阳名士庞德公望衡对宇，庞统曾蒙其指教，李譔、伊墨等求学荆州时亦从其求学，因其有知人之鉴，被德公品评为水镜，刘备向其讨教世事，寻求俊才，他向刘备推荐了庞统和诸葛亮。

颍容（生卒年不详），字子严，陈国长平（治今河南西华县）人，博学多通，尤善《春秋左传》，师从太尉杨赐。被举为孝廉，又受公车征聘，他都拒绝就职。汉献帝初平年间，他躲避战乱，移居荆州，招收弟子一千多人。刘表任命颍容为武陵太守，他不肯就任。著有《春秋左氏条例》五万余言。

---

① 严可均辑：《全后汉文》，第487—488页。

谢该（生卒年不详），字文仪，南阳章陵（今湖北枣阳）人。他擅长《春秋左传》，当世名儒，所收门徒数百上千人。献帝建安年间（196—220），河东有一叫乐详的人向他提出《左氏春秋》中的疑难问题数十条，他都一一为之解读，被整理成书，称为《谢氏释》。少府孔融曾上书朝廷称赞谢该："窃见故公车司马令谢该，体曾、史之淑性，兼商、偃之文学，博通群艺，周览古今，物来有应，事至不惑，清白异行，敦悦道训，求之远近，少有畴匹。"[1] 名实相符的大名士孔融对谢该有如许评价，绝非虚誉。

杨虑（生卒年不详），汉末襄阳人，少年以洁德高行显名，拒应州郡的征辟，十七岁夭折时门徒有数百人。

司马徽等人通过招聚徒众，私人传授的方式传播古文经学，一方面促成了古文经学在荆州的兴盛，另一方面也为这一时期荆楚地区私学的发展画上了浓墨重彩的一笔。

三、刘表治下的荆州官学

刘表（142—208），字景升，山阳郡高平县（今山东微山县）人，西汉景帝子鲁恭王刘余之后。刘表早年师从王畅，深受儒家文化教育，常常以孔子之教来约束自己的行为。

刘表代王睿出任荆州刺史，将荆州首府迁至地利人和的襄阳，于襄阳整军经武，着力平定了长沙、零陵、桂阳三郡的叛乱，让荆州的社会秩序得到恢复，南部和五岭相接，北边拥有汉川，辖域几千里，披甲的战士有十多万，荆州的政局得以稳定，经济获得发展，人才纷纷涌入荆州，教育事业也在刘表的推动下，迅速得到恢复和发展，官私学一并兴盛起来。

首先，在荆州建立学校，设置学官。汉代官学体系中包括中央和地方两种。中央官学以太学为主，另外还有宫邸学、鸿都门学等特殊性

---

① 《后汉书》，第 2585 页。

质的学校；地方官学则从郡国开始，按行政级别依次设置不同规模的学校，但是很多郡国的学校只有虚名，诸州则不置学校。刘表突破这一体制，在荆州设置制度模拟洛阳太学的官学。有资格进入荆州官学学习的生徒大概有三种：一是年纪较小的官吏子弟，如《刘镇南碑》中提到“吏子弟”和《荆州文学记官志》中出现的“童幼”“总角佩觿”；第二种是官府中的低级官吏；第三种是武人。官学中负责教学的都是“洪生巨儒”，他们“朝夕讲诲”，这些儒生应该也与太学中的五经博士一样，分经讲授。

另外，刘表还设置了新的僚佐——五业从事和专门管理学校的学官——文学。五业从事是学校的行政长官，五业即五经，宋忠即是当时的五业从事。而“文学”不仅指经学，而且是一个机构，避太学之名而称之为文学。荆州官学规模宏大，制度完备，“远远逸出郡国学校的范畴，不妨说是洛阳太学的南迁”。①

其次，召集儒生改定五经章句。《刘镇南碑》载：

> （刘表）深悯末学远本离质，乃令诸儒改定五经章句，删划浮辞，芟除烦重，赞之者用力少，而探微知几者多。②

这是一种经学教材，名为《五经章句后定》，主要是删除那些被认为不切要的所谓“浮辞”，使学者能在较短的时间内通晓经义。刘表这一举措有两个重要意义，一是首次由官方领导、大规模地改定五经章句。在东汉初期时，桓谭等人就指出章句甚为烦琐，不便使用。民间也一直有人在对其进行简化，但多是某一人对某一经进行的简化，像这种聚集众多儒生，对五经进行全面的改定尚属首次，具有开创性的意义。

---

① 唐长孺：《汉末学术中心的南移与荆州学派》，《唐长孺社会文化史论丛》，武汉大学出版社2001年版，第3页。

② 严可均辑：《全三国文》，第572页。

二是首次将古文经学纳入官学之中。汉代经学存在今古文之争，东汉时期，古文经学的研究主要在私学中盛行，官学则将古文经学排斥在外，只认同今文经学。而《五经章句后定》中《周易章句》所据为古文费氏易，这作为官定教科书是第一次。三是搜集图书资料。《刘镇南碑》记载刘表“又求遗书，写还新者，留其故本”，[①]从而使荆州“古典坟集，充满州閭”。[②]当时北方大乱，京都洛阳官府所藏的书在董卓之乱时，全部遭到毁坏。私人藏书和其他地区的藏书在战火中也不能幸免于难。在这乱世之中，荆州是一片安土，前来荆州避难的士人学者携带来大量图书，像经学家綦毋闿等三百多人前来时，就带来了大量书籍。经刘表广泛地搜集，荆州官府藏书大增。难能可贵的是，即便后来刘表去世，刘琮降曹，这些珍贵的图书运到了北方，得以留存。

刘表设置官学、改定五经章句和搜集图书，这些措施极大地推动了荆州的文化教育事业，成为荆楚教育史上的光辉篇章。

建安十三年（208），荆州北部被曹操占据。自此之后，荆州官学一蹶不振，其原因有二：一是稳定的社会环境遭到破坏，荆州被卷入曹、刘、孙三家之争的旋涡中，失去了往日的和平与稳定，教育事业也随之衰败；二是此前因躲避战乱而来到荆州的北方士人儒生星散，重新回到北方，或为曹操所用，失去人才的支持，教育也就无从谈起，荆州官学被迫停办。

第三节　三国两晋南北朝时期的教育

刘表逝世后，荆州官学归于沉寂，直到齐萧嶷、梁萧秀、萧绎等人在荆州为官时，荆州官学才有了短暂的复兴。除此之外，曾在荆楚为官的羊祜、杜预、庾亮等人，也都比较重视教育。私学相比官学来说，方

① 严可均辑：《全三国文》，第 572 页。

② 严可均辑：《全三国文》，第 572 页。

式和内容都更为灵活，有着新的特点，进步显著，刘熹、太史叔明等人收徒甚众，讲说精辟，是当时荆楚私学的代表人物。除官、私学教育外，这一时期道教、佛教盛行，道观和寺院教育也获得了蓬勃发展。

一、官学

随着荆州教育事业的衰落，荆楚地区的学术文化中心也从荆州治所襄阳逐渐转移到江夏、武昌地区，环境条件和官方支持力度等方面皆不可同日而语，成效甚微，史书中对这一时期荆楚地区的教育记载较少，有相关记载的也只是一笔带过，并不详尽。《三国志》中记载了魏国将领王基在江夏复兴文教之事。王基（190 —261），字伯舆，青州东莱曲城人。曾出任荆州刺史，与征南将军王昶讨伐东吴有功，被赐关内侯爵，王基曾上表朝廷，建议让王昶将江夏郡治北移至上昶城（今湖北云梦南），让吴军不易过江远袭，以绝其望。王基在江夏期间，申明各项制度，整顿军队和农业，修建学校，复兴教育。王基的这一举动使南方士人无不称颂，对恢复荆楚地区的教育事业作出了努力，但在战乱的大环境下，此时的江夏、武昌地区的教育已远不及荆州当年的短暂繁荣。

入晋以后，荆楚地区西晋和孙吴各据一个荆州南北对峙的局面虽仍未改变，但战争的场面已不多见，双方的实力对比在进一步发生变化，相对的文化教育从西晋太傅羊祜开始在其坐镇的襄阳开始有了起色。

羊祜（221—278），字叔子，泰山南城（今山东新泰市）人。羊祜出身汉魏名门世族之家，他的祖父羊续和父亲羊衜分别担任过南阳太守和上党太守，而且都为官清廉。羊祜克承家风，博学多才，擅长写作和辩论。泰始五年（269），晋武帝司马炎有灭吴之心，令羊祜督管荆州事务，为灭吴作准备。羊祜在荆期间，不仅对当地经济和军事非常重视，而且还注重对教育事业的建设。《晋书·羊祜传》载：“（羊祜）率营兵出镇南夏，开设庠序，绥怀远近，甚得江汉之心。”[①] 羊祜临终前，推举杜预继任，督管荆州军事，镇守襄阳。杜预（222—285），字元凯，京兆杜陵（今陕西西安市）人。杜预在镇守襄阳期间，在西晋灭吴战争中发挥了重要作用。战后，他一边整顿军务，一边建立学校。《晋书·杜预传》载：“（杜预）以天下虽安，忘战必危，勤于讲武，修立泮宫，江汉怀德，化被万里。”[②] 杜预所采取的这些措施，使江汉地区的人民同样受益良多。当时荆州的学生感怀羊祜和杜预的仁德功绩，为他们在襄阳立碑。可惜的是羊祜和杜预为荆州教育所做的有限努力并没能挽回当时当地教育的颓势，尤其是到了西晋末年，连绵的战火使荆州动乱不断，政府也就无暇顾及文教事业。

东晋时期，荆楚的官方教育在一个地方官员的努力下，开始复兴。这位官员就是穆帝永和（345—356）年间的征西将军——庾亮。庾亮（289—340），字元规。颍川郡鄢陵县（今河南鄢陵西北）人。咸和九年（334），朝廷任庾亮为都督江、荆等六州诸军事，兼领江、荆、豫三州刺史，坐镇武昌（今湖北鄂州）。庾亮认为文教不兴，只靠武力，国家是无法长久安定繁荣。庾亮有感于曹操在天下尚未安定之时，即大兴文教的事迹，遂命令在武昌建立学舍，设置学官，发展教育。《宋书·礼一》载：

> 便处分安学校处所，筹量起立讲舍。参佐大将子弟，悉令入学，吾家子弟，亦令受业。四府博学识义通涉文学经纶者，建儒林祭酒，使班同三署，厚其供给，皆妙选邦彦，必有其宜者，以充此举。近临川、临贺二郡，并求修复学校，可下听之。[③]

① 《晋书》，第1014页。

② 《晋书》，第1031页。

③ 《宋书》，第364页。

从上述资料中，不难看出庾亮对学校中老师的要求很高，对前来学习的学生也要求严格挑选，这些措施保证了学校的教学质量。在庾亮的努力下，久废的荆州州学得到恢复，他在武昌兴学之举也受到了世人的赞赏，《文献通考》所载致堂胡氏的评价说：“东晋请建学校者，惟戴邈与袁、冯三君子恳恳言之，而终不能革清谈之俗，还孔孟之教，任是责者，其庾亮乎！”[①]

南朝时为荆州教育作出贡献的，首先要提到的是南齐豫章文献王萧嶷。萧嶷（444—492），字宣俨，南齐开国皇帝萧道成的第二子。建元元年（479），萧道成让萧嶷督管荆、湘等八州诸军事，任命其为荆湘二州刺史、南蛮校尉。在任荆州刺史时，萧嶷“于南蛮园东南开馆立学，上表言状。置生四十人，取旧族父祖位正佐台郎，年二十五以下十五以上补之，置儒林参军一人，文学祭酒一人，劝学从事二人，行释菜礼”。[②]萧嶷在荆州重立的学校，到齐梁之际可能再度遭到废止。梁武帝天监四年，下诏开五馆，建立国学，设置五经博士，分遣博士祭酒到州郡办学。于是我们看到梁天监七年（508），出镇荆州的安城王萧秀招揽隐士人才，建立州学。其时还部分实行策试取仕，策试入仕的有国子生、太学生、五馆生、州郡生和私学子弟。[③]

梁朝中后期，湘东王萧绎镇守荆州时曾致力于文教。萧绎先后在荆州二十多年，尤其是在侯景之乱后，江陵实际上成为梁朝的政治和文化中心。萧绎致力于文教表现在三个方面：其一，兴办学校，在其王府设学，《梁书·儒林传·贺革传》载：“（湘东）王初于府置学，以革领儒林祭酒，讲《三礼》，荆楚衣冠听者甚众。”[④]府学与普通州郡学在招收学生方面有所不同，其招生范围大大拓展，并不限于生徒，入学听讲者

① 马端临：《文献通考》，中华书局1986年版，第309页。

② 《南齐书》，第408页。

③ 杨恩玉：《萧梁政治制度考论稿》，中华书局2014年版，第212页。

④ 《梁书》，第673页。

身份多样，“具备一点‘有教无类’的意味”。[①] 其二，萧绎将文学之士，如刘之遴、贺革、周弘正、鲍泉、庾肩吾等人招揽至荆州，可以说荟萃了当世来自各地的精英人士，他们宣讲经义、整理书籍，有力推动了荆州文教的发展。其三，是搜集书籍。经过几十年的搜寻，萧绎共收集起十四万册图书。但让人万分痛惜的是，在西魏破江陵之时，萧绎命人将这些图书付之一炬，引发中国历史上续秦始皇“焚书坑儒”之后最大的文化破坏事件，对中国的文化事业造成重创。

二、私学

连年战乱使国家动荡不已，教育失去了赖以生存的土壤，此时的政府更是无暇发展教育，尤其是公学废弛，虽时有兴办，但总体上不管是中央官学还是地方官学俱显萎靡。而私学的办学形式更加灵活，也无需耗费大量人力、财力，因此成为弥补官学不足的一种重要办学形式。虽然荆楚私学教育也受到了战争的影响，但是继承了两汉以来私人教授经学的风气，私学之风逐渐兴盛，而且相较于以前以教授儒家经典为主的私家教育，这一时期的私学不管是内容还是形式，都有了更大的进步。

曹魏时南阳郡阴县（治今老河口市西北）有位县令，名叫刘熹，《水经注·沔水》载：

> （阴）县东有冢。县令济南刘熹，字德怡。魏时宰县，雅好博古，教学立碑，载生徒百有余人。[②]

杨守敬根据《水经注·沔水》中对汎水的一段记载——“又东迳学城南……旧说，昔者有人立学都于此，值世荒乱，生徒罔依，遂共立城以御难，故城得阙名矣”——认为这里可能就是阴县县令刘熹所建之

① 熊贤君主编：《湖北教育史（上卷）》，湖北教育出版社 1999 年版，第 39 页。

② （北魏）郦道元著，陈桥驿校证：《水经注校证》，第 660 页。

学校。

大族教育始终以家族内部教育为主，有所成就的多有家族教育传承历史，如江陵岑之敬“年五岁读《孝经》，每烧香正坐，亲戚咸加叹异，十六策春秋左氏，制旨《孝经》义，擢为高第”，接受的显然是私学教育，其之所以成功，与其有一位以经学闻名，有一定官职的父亲不无关系。[①]

荆楚偏远地区民间也存在着高质量的私学。秭归严植少年时父亲病故，家贫清苦，却少善庄、老，能玄言，成年后成为一代大儒，为梁五经博士。[②]

随着道教、佛教的广泛传播，道观和寺院教育逐渐兴起、发展。葛洪不仅是道教理论家，还是教育思想家。葛洪提出了道家为主，融合各家学说的教育内容，他认为儒、墨、名法诸家各有优缺点，唯有道家“使人精神专一，动合无形，包儒墨之善，总名法之要，与时迁移，应物变化，指约而易明，事少而功多，务在全大宗之朴，守真正之源者也”。[③]在教育原则和方法上，葛洪注重因材施教，提倡独立思考等。[④]《抱朴子内篇·金丹》中记载葛洪曾到过荆襄，在游历期间，葛洪或许也将其教育思想传播在荆楚大地之上。

六朝时期荆楚佛学教育的代表人物是东晋名僧释道安。《高僧传》载：“安在樊沔十五载，每岁常再讲《放光般若》，未尝废阙。”[⑤]他培养了一批高徒，扩大影响了民间信仰，是寺院教学最早的实践者之一，有学者称：“道安在寺院教学上的建树，不仅促进了寺院教学的发展，也为后世书院教学、儒学研究与传授提供了一种教学与研究模式。”[⑥]

---

① 《南史》，第 1788 页。

② 《南史》，第 1735 页。

③ 葛洪著，王明校释：《抱朴子内篇校释》，中华书局 1986 年版，第 184 页。

④ 参看毛礼锐、沈灌群主编：《中国教育通史》，山东教育出版社 1986 年版，第 431—435 页。

⑤ 释慧皎撰，汤用彤校点：《高僧传》，中华书局 1992 年版，第 181 页。

⑥ 熊贤君主编：《湖北教育史（上卷）》，中华书局 2007 年版，第 43 页。

六朝时期荆楚地区的官学和私学，受到战乱和朝代更迭频繁的影响，失去了稳定发展的土壤，呈现出支离破碎、时断时续的局面，但即便如此，在有志的荆楚人士和督荆官吏的共同努力下，荆楚教育仍在困境中砥砺前行，培养出不少文化人才。

第六章　文学

先秦时期诸国分立，受自然环境、政治区划、经济发展、文化传统、风俗习惯等因素的影响，各地的文学体现出不同的地域特征。其中荆楚文学独树一帜，影响地域大。抒情的楚辞，温婉的楚歌，雅丽的散文，都体现了楚地的钟灵毓秀和楚人的浪漫热情。秦统一全国后，荆楚文学的特征并没有陡然消失，它仍在一定程度保持着自己独特的魅力。西汉建立初期，“大抵政承秦制，文尚楚风”。[①] 近年来，随着楚地简牍资料的不断出土，让我们更直观地了解到秦及西汉初期极具特色的荆楚文学。西汉中期以后，在楚辞基础上形成的汉赋逐渐发展成熟，楚文学与其他地域文学相结合，形成了全新的文学局面。逮及汉末，由于北方纷争不断，荆楚地区相对稳定，大量的北方士人涌入荆楚地区，使这一时期的文学呈现出南北交融的特点，而魏晋之后，佛教大行于江南，为文学的发展注入了新的活力。

第一节　秦简牍中的荆楚文学

20 世纪 70 年代以来，荆楚地区出土了大量秦汉简牍，其中有不少保留了其本初状态的文学作品。这些作品文体各异，文风不同，有书信、有散文、有辞赋、有酒令，或豪放或婉约，或华美或质朴，体现了秦汉时期的荆楚大地上文化的多元性和社会生活的丰富多彩。

---

① 刘永济：《十四朝文学要略》，中华书局 2007 年版，第 75 页。

一、睡虎地秦简"成相辞"

云梦睡虎地11号秦墓所出简牍《为吏之道》中，有"成相辞"八章，引起了学术界的广泛关注。其文如下：

凡治事，敢为固，谒私图，画局陈棋以为耤。肖人聂心，不敢徒语恐见恶。

凡戾人，表以身，民将望表以戾真，表若不正，民心将移乃难亲。

操邦柄，慎度量，来者有稽莫敢忘。贤鄙溉辥，禄位有续孰暋上？

邦之急，在体级，掇民之欲政乃立。上毋閒阹，下虽善欲独何急？

审民能，以任吏，非以官禄夬助治。不任其人，及官之暋岂可悔。

申之义，以毄畸，欲令之具下勿议，彼邦之倾，下恒行巧而威故移。

将发令，索其政，毋发可异史（使）烦请。令数囚环，百姓摇贰乃难请。

听有方，辩短长，困造之士久不阳。

整理者指出："这在当时称为'相'，是劳动人民舂米时传唱的曲调，荀况曾以这种曲调的格式写成《成相篇》。我们知道，荀况在秦昭王时去过秦国，赞扬过秦国的法家政治，又长期居住在楚地。所以，这篇佚文和《荀子》相似，不能认为是偶然的。"[①]《汉书·艺文志》载有"《成相杂辞》十一篇"，可见"成相辞"在先秦秦汉时期是一种比较流行的文体。

---

① 季勋：《云梦睡虎地秦简概述》，《文物》1976年第5期。

“成相辞”是一种韵文文体，每章一般五句，其结构是三三七四七言。睡虎地秦简“成相辞”除了第一章多了一句三言，第六章最后一句多了一个连词“而”，第八章残缺不完全之外，其他几章基本都是这种格式。

传世史料保留的完整“成相辞”只有《荀子·成相篇》，睡虎地“成相辞”的内容和《荀子·成相篇》有很多相似之处：两篇文章的主要内容都与理政有关，睡虎地“成相辞”附缀于《为吏之道》之后，其内容更侧重于对官吏德能的培养和对民众的治理，其中的一些观点在《荀子·成相篇》中有着相同表述。比如睡虎地秦简中的“凡戾人，表以身，民将望表以戾真”和《荀子·成相篇》中的“君法明，论有常，表仪既设民知方”，都强调为政者要以身作则，为民榜样；又如睡虎地秦简中的“审民能，以任吏”和《荀子·成相篇》中的“基必施，辨贤罢”，都是在说选任官吏要具体考察他的能力；再如睡虎地秦简中的“彼邦之倾，下恒行巧而威故移”与《荀子·成相篇》中的“谗人罔极，险陂倾侧此之疑”，都是在提醒为政者要小心谗言可畏。此外，两篇文章的句法也有相近之处，例如睡虎地秦简中的“邦之急”“申之义”和《荀子·成相篇》中的“主之孽”“世之衰”；又如睡虎地秦简中的“掇民之欲政乃立”“困造之士久不阳”和《荀子·成相篇》中的“文武之道同伏戏”“至治之极复后王”。

从这些内容和句法的相似之处，我们可以考虑到它们或许同出一源。正如睡虎地秦简整理者所说，荀况长期生活在楚地，此次秦简“成相辞”也出土于湖北，这很难说只是一种巧合。

蔡先金指出，“成相辞”对后世诗词的创作产生了一定的影响。[①]这在汉晋乐府、唐诗、宋词中都有体现。如汉乐府《平陵东》：

平陵东，松柏桐，不知何人劫义公。劫义公，在高堂下，交

① 蔡先金：《简帛文学研究》，学习出版社 2017 年版，第 340 页。

> 钱百万两走马。两走马，亦诚难，顾见追吏心中恻。心中恻，血出漉，归告我家卖黄犊。

后世的词牌“长相思”“潇湘神”“钗头凤”等也借鉴了成相辞，如李白的《长相思》：“长相思，在长安。络纬秋啼金井阑”，刘禹锡的《潇湘神》：“斑竹枝，斑竹枝，泪痕点点寄相思”，陆游的《钗头凤》：“红酥手，黄縢酒，满城春色宫墙柳”。这些文学作品的韵律和“成相辞”都是一样的。湖北云梦睡虎地秦简“成相辞”的出土，一定程度上弥补了传世“成相辞”稀少的缺憾，更有利于我们探讨“成相辞”的起源、特征与影响。

云梦睡虎地4号秦墓还出土了两枚木牍，内容是两名士卒写给家里的信，反映了服役兄弟惊和黑夫对家人的惦念和个人命运的担忧。但这两封书信还算不上严格意义上的文学作品。

二、北大秦简中的文学作品

2010年初，北京大学收藏了一批秦简牍，整理者根据简牍内容推测：“这批简牍很可能出自今湖北省中部的江汉平原地区。”[①] 其中有一封书信，被拟名为《公子从军》，是一篇书信体的文学作品。它以女子“牵”的口吻给远在军营的丈夫写信，表达了自己对丈夫的思念、埋怨和担心。

《公子从军》是一篇情感细腻、充盈的楚文学作品。其通篇的句末语气词都是“也”（东方诸国惯用语气词），而不是“殹”（秦人惯用语）。朱凤瀚据此提出，《公子从军》等北大藏简牍，很可能出自旧楚地。[②] 其文曰：

---

① 北京大学出土文献研究所：《北京大学藏秦简牍概述》，《文物》2012年第6期。

② 朱凤瀚：《北大藏秦简〈公子从军〉再探》，《北京大学学报》（哲学社会科学版）2017年第5期。

> 啺□□上庢麋蕪中心不乐，为此悲书，以啓公子，愿相图虑，同心而唯□弗□□□□□，牵有賫公子紲小帬一，公子有弗肯□有□……之人，公子从（纵）不爱牵之身，独不怀乎。公子何之不仁，孰为不仁，爱人不和，不如已多，爱人不諰，如南山北坏，坏而隄之。爱心运运，沖□非也，牵死即行。吾富最天下，寿过彭祖，谒报使者……利之，多言不用，如多耕而弗种……鉙欲人勿知也，季须直为此书奊訽嫠女，军中及舍人之所，嫠女弗欲也，死即行，吾不死嫠女不能两见。视不尝苦，犹版载也。更上更下，产为材士，死效黄土，安所葬此象倭之下。南山有鸟，北山置罗，念思公子，毋奈远道何。安得良马从公子，委纍□□，何伤公子背妾。□交紉枝蓉，长者折之，短……之穤，从淑死之。妻牵未尝敢得罪，不中公子所也。公子从军，牵送公子钱五百，谓公子自以买，勿言邦孰知之。堂下有杞，冬产能能。先为不仁，□公子所强入公子之故不媢□，牵非爱此也，直欲出牵之所著，以傅公子身也。公子从军，牵送公子，回二百□里，公子不肯弃一言半辞以居牵。牵去公子西行，心不乐，至死不可忘也。牵闻之曰朝树梌樟，夕楬其英。不仁先死，仁者百尝，交仁等也俱死……问公子……子曰……公子取□，母数公子不仁，卜车万负。牵非敢必望公子之爱，牵直为公子不仁也。有虫西蜚，翘翻其羽，一归西行，不知极所。西行东思，沂□□□公子□□□□……若。[①]

《公子从军》的女主人公名叫“牵”，文中的“公子”指的是她的丈夫。这篇文章表达了牵的四种情感。

第一种情感是埋怨公子“不仁”，即对自己不够亲密，觉得“爱人不和，不如已多”，认为两人之间多有不谐。牵认为“爱人不諰，如南

① 朱凤瀚：《北大藏秦简〈公子从军〉再探》，《北京大学学报》（哲学社会科学版）2017年第5期。

山北坏，坏而隄之”。即言若一对爱人不够恩爱，不能相互包容，那就像高山崩坏一样，这和汉乐府《上邪》“山无陵，江水为竭，冬雷震震，夏雨雪，天地合，乃敢与君绝”的表述有异曲同工之妙。

第二种情感是担心，担心公子在外会不检点，叮嘱他不能和军中以及路上遇到的“嫠女”在一起，“吾不死嫠女不能两见”，这里的“嫠女”，指的是行为不检的无夫女子。接着她又开始担心公子的安危，希望公子尽心报国，但要平安归来。

第三种情感是悲伤。牵说“妻牵未尝敢得罪，不中公子所也”，即言自己并非要故意让公子不开心，可公子的表现实在让牵感到伤心。当初公子从军时，牵相送二百里，送钱五百，可公子态度冷淡，竟连几句安心的话都不与牵说。牵将自己的贴身衣物送给公子，公子也没有很热情的反应。牵感到很悲伤，“心不乐，至死不可忘也”。

第四种情感贯穿始终，无论是牵的埋怨、担心还是悲伤，都包含了浓浓的相思之情。“南山有鸟，北山置罗，念思公子，毋奈远道何。安得良马从公子，委纍□□，何伤公子背妾”。

这篇文章深刻描写了女主人公因爱而生的复杂情感，语气哀怨，“牵非敢必望公子之爱，牵直为公子不仁也”，她为公子付出良多，却不求能够得到公子的爱，只是为公子的冷淡而感到伤心。第一人称的口吻，书信体的格式，使得读者极具代入感，体现了当时文学作品极强的感染力。

《公子从军》有很多韵文，如“南山有鸟，北山置罗”“爱人不和，不如已多”“堂下有杞，冬产能能”“朝树梌樟，夕楬其英”等，全文夹叙夹议，文采斐然。

《公子从军》文末的“有虫西蜚，翘翸其羽，一归西行，不知极所。西行东思，沂□□□公子□□□□……若”的句式，和《诗经·大雅·卷阿》之“凤凰于飞，翙翙其羽，亦集爰止。蔼蔼王多吉士，维君子使，媚于天子。凤凰于飞，翙翙其羽，亦傅于天。蔼蔼王多吉人，维君子命，媚于庶人”结构相似，对《诗经》的模仿明显。

北大藏秦简中还保留有四首酒令。这四首酒令所表述的内容迥异，其中一首开篇即称“东菜（採）泾桑”，“泾”即泾水，是渭水的支流，流经关中地区。这首酒令应该是秦国本有的酒令，后来传入了楚地。而另一首则明显带有了楚地特色：

歙不醉，非江汉殹。醉不归，夜未半殹。趣趣驾，鸡未鸣殹天未旦。[①]

“江汉”应指的是湖北一带，也就是整理者推测的北大秦简出土的地方。

“歙不醉，非江汉殹”，表现出了赴宴之人的豪放之情，表现出的是酒宴的热闹欢乐，更能反映当时普通人的酒文化。

北大秦简还保留了《教女》《泰原有死者》等文学作品。《教女》主要是对已婚女子的教化。分为两个部分，第一部分为“善女子之方”，主要是对女子行为举止的倡议，第二部分为“不善女子之方”，主要是对女子不良行为举止的规劝。全文劝导女子要安宁和顺、善良勤劳、孝敬公婆、协助丈夫、与兄弟妯娌和谐相处。[②]《泰原有死者》则是一篇描写死者复生的志怪故事，主要讲述了一个死了三年又复生的人对死人好恶的介绍，其实质是为了宣传一些丧葬祭祀礼仪与禁忌方面的知识。[③]

北大藏秦简中的这些文学作品，类型各异，体现了秦代统治下的楚地丰富多彩的社会生活，其中《公子从军》《酒令》等文章为楚、秦文学的交融提供了新的研究思路。这些文学作品文体不同，文风迥异，内容丰富，为我们立体地塑造了秦代的多彩文化生活。而这些秦代简牍文

① 李零：《北大藏秦简〈酒令〉》，《北京大学学报》（哲学社会科学版）2015 年第 2 期。

② 朱凤瀚：《北大藏秦简〈教女〉初识》，《北京大学学报》（哲学社会科学版）2015 年第 2 期。

③ 李零：《北大秦牍〈泰原有死者〉简介》，《文物》2016 年第 6 期。

学有很多是出土于荆楚地区，带有独特的楚文化尤其是楚地民间文化因素，不同地域文化的碰撞在这些文学作品中有着很好的体现。

第二节　两汉时期的文学

汉朝皇室出自楚地，对楚文化有天然的亲近感，故而楚歌、楚舞等在汉朝宫廷中十分盛行，汉高祖的《大风歌》《鸿鹄歌》等均为楚歌。同时，楚文学的独特魅力也受到了汉代文人的争相追捧，这使楚文学在汉代得到了保持和延续，刘向、王逸等学者都推动了楚辞的研究。与此同时，楚辞对汉代乐府诗、赋等作品的创作也有巨大影响。荆楚地区人才辈出，经典作品也是层出不穷，是汉文学史上重要的组成部分。

一、乐府诗与荆楚民歌

“乐府”是秦汉时期主管音乐的官署名称。乐府担负着搜集各地歌诗的职责。这一工程浩大的“观采风谣”活动，不仅只是为了繁荣保存文化，还兼具了解风俗民情，推行教化，移风易俗，推动文化统一的多重目的，乐府也逐渐成为乐府诗的中心。

乐府诗来自社会生活，深入时人的日常生活之中，表现的都是人们普遍接触与关心的问题，讲述了当时人的真情实感，“感于哀乐，缘事而发”，有很强的社会现实性。楚地是汉代乐府诗的主要采集地之一。汉代乐府官署设有“楚严鼓员一人”“楚鼓员六人”“楚四会员十七人”，[①] 这些人都是以演奏荆楚地区歌诗为主。

《昭君怨》的作者王嫱，字昭君，汉代南郡秭归（今属湖北兴山）人。其诗曰：

秋木萋萋，其叶萎黄。有鸟处山，集于苞桑。

① 《汉书》，第1073—1074页。

养育毛羽，形容生光。既得升云，上游曲房。
离宫绝旷，身体摧藏。志念抑沈，不得颉颃。
虽得委食，心有徊徨。我独伊何，改往变常。
翩翩之燕，远集西羌。高山峨峨，河水泱泱。
父兮母兮，道里悠长。呜呼哀哉，忧心恻伤。[①]

王昭君在西汉元帝（公元前49—前33在位）时和亲匈奴，昭君出塞，远离故土，其内心的悲凉凄苦无法避免。这首诗咏物思情，幽怨地表达了王昭君塞外生活的寂寞艰辛，表达了她对故土和父母的思念。汉代以后，出现了许多歌咏昭君的诗词，然其思想和情感都没有离开这首诗的苑囿。

《江南可采莲》又称《江南》，出自西曲，郭茂倩称："梁武帝作《江南弄》以代西曲，有《采莲》《采菱》，盖出于此。"[②]西曲出自荆楚一带，属民歌。其辞曰：

江南可采莲，莲叶何田田，鱼戏莲叶间。鱼戏莲叶东，鱼戏莲叶西，鱼戏莲叶南，鱼戏莲叶北。[③]

这首诗活泼自然，体现了民歌的特色。

《涉江采芙蓉》收录于《文选·古诗十九首》，也明显受到了楚辞的影响：

涉江采芙蓉，兰泽多芳草。采之欲遗谁？所思在远道。还顾望旧乡，长路漫浩浩。同心而离居，忧伤以终老。[④]

---

① 郭茂倩：《乐府诗集》，第853页。

② 郭茂倩：《乐府诗集》，第384页。

③ 郭茂倩：《乐府诗集》，第384页。

④ 萧统编，李善注：《文选》，上海古籍出版社1986年版，第1345页。

这首诗的大意是：踏过江水采芙蓉花，在沼泽中采摘兰花，采的花是要送给谁呢？所想之人在远方。回望故乡，长路漫漫，虽然我们心意相连却分隔两地，忧伤终老。此诗以芳草为媒寄托相思，与《离骚》中“惟草木之零落兮，恐美人之迟暮”的比喻手法和感情寄托几乎完全相同，而且屈原的《九章》中有一篇篇名就叫《涉江》。鲁迅称《古诗十九首》“风神或近《楚骚》”，[①] 正是如此。

楚歌在汉代的盛行离不开统治阶层的支持，汉高祖创作的《大风歌》与《鸿鹄歌》均为楚声楚调。刘邦两次以歌抒情，采用的都是楚歌，可见对故土民谣的亲近和喜爱。

孝惠帝时，吕太后当权，刘邦的儿子赵王刘友，娶了吕氏女为后，吕氏女不得宠，遂进谗言于太后，诬告赵王有反叛之心，太后发怒，幽禁赵王。赵王不得食，饿而歌曰：

> 诸吕用事兮刘氏危，迫胁王侯兮强授我妃。我妃既妒兮诬我以恶，谗女乱国兮上曾不寤。我无忠臣兮何故弃国？自决中野兮苍天举直！于嗟不可悔兮宁蚤自财。为王而饿死兮谁者怜之！吕氏绝理兮托天报仇。

刘友以这首楚歌表达了自己的无奈和愤怒之情，祈祷上苍能为自己复仇，诛灭吕氏。此后不久，刘友幽禁而死，以民礼下葬。

在汉代的民间，也有楚歌的新创作品，如《后汉书·刘陶传》所载：

> 后陶举孝廉，除顺阳长。县多奸猾，陶到官，宣募吏民有气力勇猛能以死易生者，不拘亡命奸臧，于是剽轻剑客之徒过晏等十馀人，皆来应募。陶责其先过，要以后效，使各结所厚少年，得数百

① 鲁迅：《汉文学史纲要》，《鲁迅全集（第九册）》，人民文学出版社 2005 年版，第 413 页。

人，皆严兵待命。于是覆案奸轨，所发若神。以病免，吏民思而歌之曰：“邑然不乐，思我刘君。何时复来，安此下民。”

刘陶字子奇，一名伟，颍川颍阴人，是济北贞王刘勃的后代。他在南阳郡顺阳县做地方官的时候，深受百姓爱戴，在因病免官之后，百姓为纪念他而作了这首民歌。这是一首比较典型的反映地方民情的歌诗，一方面体现了刘陶勤政爱民，政绩突出，是一位优秀的地方官；另一方面，百姓希望刘陶能再来做官的愿望，也体现了豪强纵横地方，需要爱民的官员进行管制的现状。这也是中国历史上难以根除的常见问题，平民生活环境的好坏和地方官吏的质量息息相关。这首民歌虽然只有寥寥数句，却有着重要的历史文化价值。

二、汉赋

在汉代，深受楚辞影响的汉赋成为两汉文学体裁的代表。刘勰在《文心雕龙·诠赋》中评价道：“然赋也者，受命于诗人，拓宇于楚辞也……进御之赋，千有余首，讨其源流，信兴楚而盛汉矣。”[①]指出赋与楚辞有千丝万缕的关系，它兴起于楚而盛行于汉。汉赋种类很多，有骚体赋、散体大赋、体物小赋等。其中骚体赋自楚辞中发展而来，代表作有贾谊的《吊屈原赋》《鹏鸟赋》等。《吊屈原赋》既是贾谊追悼屈原的作品，也有抒发个人情怀的意义。当时的贾谊因在朝中受到谗毁而贬官，这一遭遇与屈原相似，遂作此赋以抒情。《鹏鸟赋》则是贾谊贬于长沙后所作，因猫头鹰类的鹏鸟被认为是不祥之物，隐喻奸佞，贾谊看到鹏鸟入室伤感而作。贾谊的作品将骚体赋推向新阶段，同时开了汉散体大赋的先河。

荆楚之地在东汉时期，由于经济的恢复发展，文化教育的推广，也出现了很多有名的辞赋家，黄香、王逸、王延寿等均是其中的代表

① 黄叔琳注，李详补注，杨明照校注拾遗：《增订文心雕龙校注》，第95—96页。

人物。

黄香代表为《九宫赋》，清代严可均自《古文苑》《艺文类聚》中辑出，编入《全后汉文》，其辞曰：

伊黄灵之典度，存乎文昌之会宫。翳华盖之葳蕤，依上帝以隆崇。握璇玑而布政，总四七而持纲。和日月之光曜，均节度以运行。序列宿之焕烂，咸垂景以煌煌。历天阴之晦暗，阳玉石以炳明。镜大道之浩广，泐沈漭以扎坱。眄旭历而锐银，廓岘崒以阋阆。即蹴缩以檄槈，坎娖援以湇炀。骃騱騊駼以差羸，磋磦皓皓以骏乐。银拂律以顺游，径闺阈而出玉房。谒五岳而朝六宗，对祝融而督勾芒。荡翊翊而敝降，聊优游以尚阳。跖昆仑而蹈碣石，跪底柱而跨太行。肘熊耳而据桐柏，介嶓冢而持外方。浣彭蠡而洗北海，滓五湖而潄华池。纷白沙而嚵定容，卷南越以腾历。连明月以为悬，剥骇鸡以为钗。绕绩组而摄云郁，垂独玺而服离袿。戴巢岌而带缭绕，曳陶匏以委蛇。乘根车而驾神马，骖騩騆而侠穷奇。使织女骖乘，王良为之御。三台执兵而奉引，轩辕乘駏驉而先驱。招摇丰隆，骑师子而侠毂，各先后以为云车。左青龙而右觜觿，前七星而后腾蛇。征太一而聚群神，趣荧惑而叱太白。东井辍鍱而播洒，彗勃佛仿以捎击。四徼尘于干道，绝引者而惊鞞。蚩尤之伦玢璘而要斑爤，垂金干而揵雄戟。操巨虆之礅弩，齐佩机而鸣廓。狼弧彀张而外飨，枉矢持芒以峆崿。迅冲风而突飞电，振云嵱岫而上崆山。龍狡猾而蹴践，蛚走札揭而獠桔梗。栎略玃而突列，蛸桥律屈而却梁。党巷溏而触螟蜓，抶辟礰而扑雷公。标撇缺而拂勃决，奋云旗而椎鸿钟。声淳沦以纯仑，四海澹而祏地梁。碎太山而刺嵩，吸江河而嘬九江。登嶕峣之鼇台，窥天门而闪帝宫。享嘉命而延寿，乐斯宫之无穷。[1]

① 严可均辑：《全后汉文》，第423—424页。

九宫，是古代天文学名词，古人将天宫分为九份，以乾、坎、艮、震、巽、离、坤、兑八卦之宫，再加上中宫，合为九宫。利用九宫知识，通过对天体空间移动的判断，可推算方向或季节变化等信息。

这篇赋文极具想象力和神话色彩，黄香以“天帝行宫”来形容九宫的位置，天帝的常居之所在九宫的中央之位，此处“翳华盖之葳蕤”，即以华美的华盖星覆盖天帝的座位，以凸显天帝地位的尊崇。天帝操纵着天体的运作，他的九宫之行开始于最北面的坎宫，终于最南面的离宫。黄香依据九宫的属性，对九宫的情况进行了大胆的想象，比如震属木，所在震宫树木茂密；乾宫、坤宫均为马，但乾宫是健壮的公马，坤宫是柔弱的母马；兑属金，所以兑宫里金光灿烂。

《九宫赋》运用了大量华丽的语句来描绘天帝出行的盛况：诸神都围绕在天帝左右，恭敬地侍奉着他。文中不厌其烦地描写着各种细节，比如描写天帝的服饰：“连明月以为悬，剥骇鸡以为钗。绕绩组而摄云郁，垂独玺而服离袿。戴巢岌而带缭绕，曳陶匏以委蛇。”这些细节描写和夸张华丽的文字均为汉大赋的特点。史载黄香“博学经典，究精道术，能文章”[①]，这些能力在这篇赋文中表露无遗。

王逸的文章如今大多已经散佚，除《楚辞章句》外，赋今仅存两篇：《机妇赋》和《荔支赋》，见于《艺文类聚》《北堂书钞》《初学记》《御览》等类书，后严可均将其辑录入《全后汉文》。《机妇赋》主要是描写了织机的制作和织妇对织机的使用：

> 舟车栋宇，粗工也。杵臼碓硙，直巧也。盘杅缕针，小用也。至于织机，功用大矣。素朴醇一，野处穴藏，上自太始，下讫羲皇。帝轩龙跃，庶业是昌，俯覃圣思，仰览三光。悟彼织女，终日七襄，爰制布帛，始垂衣裳。于是取衡山之孤桐，南岳之洪樟，结灵根于盘石，托九层于岩旁。性条畅以端直，贯云表而剀良。仪凤

① 《后汉书》，第2614页。

晨鸣翔其上，怪兽群萃而陆梁。于是乃命匠人，潜江奋骧，逾五岭，越九冈，斩伐剖析，拟度短长。胜复回转，克像乾形，大匡淡泊，拟则川平。光为日月，盖取昭明。三轴列布，上法台星。两骥齐首，俨若将征。方员绮错，极妙穷奇。虫禽品兽，物有其宜。兔耳跧伏，若安若危。猛犬相守，窜身匿蹄。高楼双峙，下临清池。游鱼衔饵，瀺灂其陂。鹿卢并起，纤缴俱垂。宛若星图，屈伸推移。一往一来，匪劳匪疲。于是暮春代谢，朱明达时。蚕人告讫，舍罢献丝。或黄或白，蜜蜡凝脂。纤纤静女，经之络之。尔乃窈窕淑媛，美色贞怡。解鸣佩，释罗衣，披华幕，登神机，乘轻杼，揽床帷，动摇多容，俯仰生姿。[①]

王逸运用精美的文句和丰富的想象力，诉说了织机的制作和使用过程，刻画了机妇的美丽，赞扬了织机在生活中的重要性，文章流畅易懂，简洁清新。这种颂扬劳动伟大的文章在古代是比较少见的。这说明王逸不只关注庙堂，还体贴民间的艰辛。这也是《机妇赋》独具特色的思想价值，对研究东汉时期的风俗、经济也有重要意义。

《荔支赋》则是一篇描写荔枝受到当时人喜爱的文章，目前所存虽为残篇，但也能一览作者优美的文风：

大哉圣皇，处乎中州。东野贡落疏之文瓜，南浦上黄甘之华橘，西旅献昆山之蒲桃，北燕荐朔滨之巨栗。魏土送西山之杏。宛中朱柿，房陵缥李，酒泉白柰。

乃观荔支之树，其形也，暧若朝云之兴，森如横天之彗，湛若大厦之容，郁如峻岳之势。修干纷错，绿叶臻臻。角亢兴而灵华敷，大火中而朱实繁。灼灼若朝霞之映日，离离如繁星之著天。皮似丹罽，肤若明珰。润侔和璧，奇喻五璜。仰叹丽表，俯尝嘉味。

① 严可均辑：《全后汉文》，第578—579页。

口含甘液，心受芳气。兼五滋而无常主，不知百和之所出。卓绝类而无俦，超众果而独贵。

宛洛少年，邯郸游士，装不及解。飞匡上下，电往景还。①

王逸运用了夸张、比喻的手法对荔枝大加赞美，从树到果，从形状到味道再到荔枝的功效，全方位描写了荔枝“卓绝类而无俦，超众果而独贵”，受到时人喜爱抢购的盛况，反映了当时的社会风尚和神州物产之丰富。

王延寿（约 140 —165），字文考，一字子山，著有《鲁灵光殿赋》《梦赋》和《王孙赋》等。王延寿英年早逝，所留作品虽不多，却金声玉振，备受后世文人推崇。刘勰将其与荀况、宋玉、贾谊、司马相如等人并称为“辞赋之英杰”。王延寿的《鲁灵光殿赋》是其游历鲁国时所作，在其作品中最为著名。这篇赋有 1300 多字，是一篇结构完整的大赋。灵光殿是为汉景帝之子鲁恭王刘余所建，王延寿用写实的手法描绘了该殿的真实面貌，还原了灵光殿的建筑风格和绘画特色。该赋借助对灵光殿宏伟大气的赞誉，表达了作者对大汉曾经的盛世的感叹，赞灵光殿乃“神之营之，瑞我汉室，永不朽兮”，俱为这种情感的表达。和同样描写建筑风景的作品，如司马相如的《子虚赋》《上林赋》、扬雄的《甘泉赋》、班固的《两都赋》、张衡的《两京赋》等作品相对比，《鲁灵光殿赋》并不是将宫殿放入所有建筑群落中粗略描述，而是十分详细地描述了宫殿本身的细节和特点，在建筑史的研究上有巨大意义。《后汉书》载，东汉著名文学家蔡邕一直想为灵光殿作赋，见到王延寿的《鲁灵光殿赋》后，大为赞赏，自愧不如，放弃了自己的书稿。这也从侧面反映了《鲁灵光殿赋》超高的文学水平。

除了上述作品外，蔡邕的《汉津赋》以描写荆楚风貌为主，也是东汉时期荆楚文学中的代表性作品。

---

① 严可均辑:《全后汉文》，第 579—580 页。

蔡邕，字伯喈，陈留（在今河南开封）人，东汉末年著名的文学家、书法家。蔡邕曾在汉献帝时任左中郎将，故被后人称为“蔡中郎”，明代张溥辑有《蔡中郎集》。蔡邕在汉灵帝时期，曾在江南避难十余年。《汉津赋》见于《古文苑》《艺文类聚》《初学记》等，“汉津”即汉水，其辞曰：

> 夫何大川之浩浩兮，洪流渺以玄清。配名位乎天汉兮，披厚土而载形。发源自乎嶓冢兮，引漾沣而东征。纳汤谷之所吐兮，兼汉沔之殊名。总畎浍之群液兮，演西土之阴精。遖万山以左回兮，旋襄阳而南萦。切大别之东山兮，与江湘乎通灵。嘉清源之体势，澹澶湲以安流。鳞甲育其万类兮，蛟螭集以嬉游。明珠胎于灵蚌兮，夜光潜乎玄洲。维神宝其充盈兮，岂鱼龟之足收。于是游目骋观，南援三洲，北集京都，上控陇坻，下接江湖。导财运货，懋迁有无。既乃风猋萧瑟，勃焉并兴。阳侯沛以奔骛，洪涛涌以沸腾。愿乘流以上下，穷沧浪乎三澨。觑朝宗之形兆，瞰洞庭之交会。[1]

《汉津赋》描写了汉水流经襄阳汉津段的地理形势，以及当地丰富的资源和四通八达的航运。这篇赋文简洁生动，条理清晰，结尾又有作者愿乘风破浪一览盛况的豪放祈愿，情感充沛丰富。据赋文描述，汉水居全国之中，地理位置优越，在政治、交通、经济等各个方面都有重要地位，这说明汉代以来汉水流域的地位有很大的提升。

此外汉赋四大家之一张衡的《南都赋》所展示的汉代南都的社会风貌中，也有浓厚的荆楚特色。“南都”即张衡的故乡南阳，此地“割周楚之丰壤，跨荆豫而为疆”，“曜朱光于白水，会九世而飞荣”，[2] 东汉的龙兴之地白水在今湖北枣阳，且今襄阳下辖枣阳、樊城、襄州、老河口

① 严可均辑：《全后汉文》，第708—709页。

② 严可均辑：《全后汉文》，第548、550页。

等地在汉代都是南阳郡属县。《南都赋》里展示的南都历史溯源、宫室园庐等，都是以帝乡为背景和题材展示了东汉时襄阳的社会风貌及文明进步。从文辞上讲，《南都赋》工整严谨，词句流丽，不少语句保留了骚体的“兮”，可见楚辞对汉赋的影响直到汉末还有体现。

北京大学藏汉简《反淫》是一篇意在劝导豪贵不要过分淫乐丧志七体汉赋。“七体”这类文体起源很早，以事例规劝点醒某人的写作技法在《战国策·楚策》中大量存在，客说楚王、说春申君等皆是其类，《反淫》中的魂魄问答方式似可追溯到楚辞《七谏》《大招》《招魂》等篇目，特点是通过虚设的主客反复问答，层层递进的铺陈讽喻，教导人们应该有超越物欲享受的更高追求。枚乘所作《七发》是其中的代表之作。《反淫》与枚乘《七发》相似，学者多认为其书写年代应早于《七发》，文学意义十分重大。后世的竞相仿作，形成一种独立的大赋，马融作《七厉》，傅毅有《七激》，张衡有《七辩》，崔骃有《七依》，世称“七体”。[①] 这批简的资料尚未发表，约有 59 支，其中完整简只有 35 支，约 1225 字。《反淫》以魂魄对话构成，列举在射御、游观、歌舞、宴饮、垂钓等七个方面的过分享乐，讨论了祛除病痛的方法，暗含劝谏引导启发的意蕴。在文中，“魄”生病了，“魂”铺叙各种事情以为说辞，极力诱惑“魄”参与各种游乐活动，但都被“魄”拒绝，直到“魂”提到要传授张仪、苏秦、孟子等人的言论，“魄”才打起精神来，最后“魂”写道：“不若处无为之事，行不言之教，虚静恬愉，如景（影）之效。”[②] 提到要达到虚静的境界，“魄”才豁然开悟，疾病也随之痊愈。作者通过这样一个寓教于言的故事，告诫人们不要耽于享乐，要清静自守。我们不难从南阳画像石的诸多贵族享乐图画中找到这篇大赋所针对的对象。

---

① 北京大学出土文献研究所编：《北京大学藏西汉竹书（肆）》，上海古籍出版社 2015 年，第 135 页。

② 傅刚、邵永海：《北大藏汉简〈反淫〉简说》，《文物》，2011 年第 6 期。

三、散文

汉代的散文，主要有传记、政论、奏疏、书信、碑文等。荆楚大地上培育出了诸多优秀的文士与作品，黄香、黄琼、黄琬、胡广、刘焉等人均有代表性作品流传后世。

黄香所作《让东郡太守疏》是这类文章的代表作品。东汉章帝时，黄香连连升迁，于永元六年（94）任尚书令，后又被任为东郡太守，黄香上疏辞让，他说："臣江淮孤贱，愚蒙小生，经学行能，无可算录。遭值太平，先人余福，得以弱冠特蒙征用，连阶累任，遂极台阁。讫无纤介称，报恩效死，诚不意悟，卒被非望，显拜近郡，尊位千里。……"[①]黄香这一上疏短短百余字，文辞简洁，情真意切，诚惶诚恐之情溢于言表，体现出了他谦虚的性格和真心报答朝廷的拳拳之心。

黄琼，在朝廷任职时，"达练官曹，争议朝堂，莫能抗夺"，[②]当时灾异频发，黄琼遂上疏皇帝，请求整顿吏治，并举荐了贤士黄错、任棠。其后发生大旱，黄琼上疏，请求考察政事，厉行节俭，多向大臣儒生询问政治得失，及时处理案件等，指出只要不断改善，运用好的政策，便会"灾消福至"。顺帝没有举行过籍田之礼，黄琼认为不妥，上疏劝谏，这篇上疏中引经据典，以史为鉴，提醒皇帝应对祭祀之礼亲力亲为，为百姓做榜样。汉桓帝时，皇帝尊崇外戚梁冀，许多重臣随声附和，认为梁冀功比周公，应当享受很高的礼遇，享有山川、土田、附庸等的赏赐。唯有黄琼刚正不阿，上疏阻止了此事，该文引汉朝旧制，有理有据，不容反驳。朝廷采纳了黄琼的意见，而黄琼却遭到了梁冀的记恨打压。黄琼在临终之际仍心系朝廷，陈述李固等人的冤屈，弹劾梁冀的党羽。他的这一系列上疏勾勒出了一位为国为民、积极、正直、干练的优秀官吏形象，疏文条理清晰，引经据典，展现出深厚的文学修养。

---

① 《后汉书》，第2614页。

② 《后汉书》，第2033页。

黄琬，黄琬早年被党锢二十余年，直到汉灵帝光和（178—184）末年才重新得到重用。董卓秉政时期，欲迁都长安，黄琬并不赞同，驳议之："昔周公营洛邑以宁姬，光武卜东都以隆汉，天之所启，神之所安。大业既定，岂宜妄有迁动，以亏四海之望？"[①] 时人怕他遭到董卓迫害，劝他不要这么说，黄琬不以为然："昔白公作乱于楚，屈庐冒刃而前；崔杼弑君于齐，晏婴不惧其盟。吾虽不德，诚慕古人之节。"[②] 他以古代贤士为榜样，体现了自己刚毅不屈的气节。

胡广，字伯始，南郡华容（今湖北省监利）人，东汉时期重臣。他在前人学者的基础上，作《百官箴》共四十八篇，"其余所著诗、赋、铭、颂、箴、吊及诸解诂，凡二十二篇"。[③] 汉顺帝时，胡广任尚书仆射，时尚书令左雄建议修改察举制度，"限年四十以上，儒者试经学，文吏试章奏"。[④] 胡广认为不妥，上疏驳议，他在文中列举了陈平、子产、晏子、甘罗、子奇、终军、贾谊等人的事迹，说明选举人才，不能拘泥定制，指出随便改革旧制，会引起人们的质疑。该文逻辑清晰，虽是驳议，但态度谦和，语气委婉，正合时人对他的评价："万事不理问伯始，天下中庸有胡公。"[⑤]

刘焉目睹东汉统治失序，军阀割据有愈演愈烈之势，遂向灵帝上《建议选牧伯》，谓："刺史、太守货赂为官，割剥百姓，以致离叛。可选清名重臣，以为牧伯，镇安方夏。"[⑥] 这一建议史称"废史立牧"，对东汉末年的政治局面影响巨大，朝廷采纳这一建议后，反而加剧了地方割据势力的形成，刘焉在益州也不再接受朝廷控制。

以上提到的奏疏题材广泛，涉及行政、礼仪等很多有关国家和社会

---

① 《后汉书》，第 2041 页。

② 《后汉书》，第 2041 页。

③ 《后汉书》，第 1511 页。

④ 《后汉书》，第 1508 页。

⑤ 《后汉书》，第 1510 页。

⑥ 陈寿：《三国志》，第 865 页。

的大事，从中我们不仅可以看到作者的文学修养，更能看到作者的政治才能、思想品德等，例如黄琼的上疏展示出了一个有政治能力的勤勉官吏形象，胡广的驳议则展示了其中庸的思想，刘焉的建议则包藏着其政治野心。

除了传世文献中记录的传记、奏疏等，荆楚地区发现的一些汉碑也可反映当时的文学水平。如《玄儒先生娄寿碑》的价值不仅仅体现在金石学上，碑文介绍了娄寿的生平与家族，可补传世的《儒林传》，有较高史学价值。同时，碑文多四言句，如“先生童孩多奇，岐嶷有志，捥发传业，好学不厌。不攸廉隅，不饬小行。温然而恭，慨然而义。善与人交，久而能敬……下学上达，有朋自远。冕绅莘莘，朝夕讲习，乐以忘忧。郡县礼请，终不回顾。高位厚禄，固不动心”。[①] 用词简洁但表达深刻，也有很高的文学价值。

《桐柏淮源庙碑》立于延熹六年（163），主持人为当时的南阳太守。《隶释》《全后汉文》等都认为这篇碑文为王延寿所作。它的主要内容为纪念南阳太守修淮源庙的功绩。其文强调了两任南阳太守为淮源庙作出的贡献，通过修庙祈福来表达爱民护民的情感。

宜城故城前有汉南阳太守秦颉墓，墓前有二碑。秦颉，字初起，南郡鄀县（今湖北宜城）人，是东汉灵帝时期的官员。中平元年（184），黄巾起义爆发，南阳太守褚贡被黄巾军攻杀，时任江夏都尉的秦颉接任褚贡之职，此后在镇压黄巾军中有贡献。中平三年（186），秦颉被江夏叛军斩杀。《隶释》中收录了《南阳太守秦颉碑阴铭》，[②] 其中记录了一些官职名称，对史学研究极具价值。

除诗赋、散文、策论等外，其他文体如颂、铭、箴在秦汉时期也得到发展。如黄香著有《天子冠颂》《屏风铭》，胡广著有《侍中箴》《边都尉箴》《陵令箴》《印衣铭》《绶笥铭》等，体现了荆楚文学在这一时

---

① 洪适：《隶释·隶续》，中华书局1985年版，第103页。

② 洪适：《隶释·隶续》，第174页。

期丰硕的成果和对文学史的杰出贡献。

四、北士南渡与荆楚文学的繁荣

汉末董卓作乱，天下震荡，王允计诛董卓之后，又复遭李、郭之乱，长安一带，兵连祸结，遍地焦土。在这种情况下，大批北方士人，避难荆州。他们寓居荆州期间，留下了许多文学作品。

王粲就是这批士人中的一员。他的《荆州文学记官志》，描写了荆州学术的盛况。其文曰：

> 有汉荆州牧曰刘君，稽古若时，将绍厥绩，乃称曰：于先王之为世也，则象天地，轨仪宪极，设教导化，叙经志业，用建雍泮焉，立师保焉。作为礼乐，以作其性；表陈载籍，以持其志。上知所以临下，下知所以事上，官不失守，民听无悖，然后太阶平焉。夫文学也者，人伦之守，大教之本也。乃命五业从事宋衷所作文学，延朋徒焉，宣德音以赞之，降嘉礼以劝之，五载之间，道化大行，耆德故老毋闿等负书荷器，自远而至者三百有余人。于是童幼猛进，武人革面，总角佩觿，委介免胄，比肩继踵，川逝泉涌，亹亹如也，兢兢如也。遂训六经，讲礼物，谐八音，协律吕，修纪历，理刑法，六路咸秩，百氏备矣。夫《易》惟谈天，入神致用，故《系》称旨远辞文，言中事隐，韦编三绝，固哲人之骊渊也。《书》实纪言，而诂训庄昧，通乎《尔雅》，则文意晓然，故子夏叹《书》，昭昭若日月之明，离离如星辰之行，言昭灼也。《诗》主言志，诂训周书，摛风裁兴，藻词谲喻，温柔在诵，最称衰矣。《礼》以立体据事，章条纤曲，执而后显，采缀生言，莫非宝也。《春秋》辨理，一字见义，五石六鹢，以详备成文，雅门两观，以先后显旨，婉章志晦，原已邃矣。《尚书》则览文如诡，而寻理则畅。《春秋》则观辞立晓，而访义方隐。此圣文殊致，表里之异体者也。
>
> 天降纯嘏，有所底授。臻于我君，受命既茂。南牧是建，荆衡

作守。时迈淳德，宣其丕繇。厥繇伊何？四国交阻。乃赫斯威，爰整其旅。虔夷不若，屡戡寇侮。诞启洪轨，敦崇圣绪。典坟既章，礼乐咸举。济济搢绅，盛兹阶宇。祁祁髦俊，亦集爰处。和化普畅，休徵时叙。品物宣育，百谷繁芜。勋格皇穹，声被四宇。[1]

不过，最能代表王粲寓居荆州文学成就的是《七哀诗》和《登楼赋》。《七哀诗》共计三首。我们略述其一：

荆蛮非我乡，何为久滞淫。
方舟溯大江，日暮愁我心。
山冈有余映，岩阿增重阴。
狐狸驰赴穴，飞鸟翔故林。
流波激清响，猴猿临岸吟。
迅风拂裳袂，白露沾衣衿。
独夜不能寐，摄衣起抚琴。
丝桐感人情，为我发悲音。
羁旅无终极，忧思壮难任。[2]

这首诗起首“荆蛮”四句，写诗人久客荆州的苦闷和日暮乘船泛江时所引起的思乡之情，具有《古诗十九首》的悲怀伤世风格。王粲本是山阳人，遭乱流落荆州，已是不幸，身怀才华，但在荆州才干又得不到充分发挥，更添悲愤。“山冈”以下八句写日暮时的自然景色，抒发诗人思归的凄苦之情。“狐狸驰赴穴，飞鸟翔故林”这两句取《楚辞·哀郢》“鸟飞还故乡兮，狐死必首丘”之意。鸟兽尚且恋巢，何况是人类。此八句情动于中而发于景，景见真情而感人。“独夜”以下六句，写诗

① 严可均辑：《全后汉文》，第921—922页。

② 俞绍初校点：《王粲集》，中华书局1980年版，第6页。

人长夜难眠忧思难忍的情状。

前人对于王粲《七哀诗》的评价很高，何焯《义门读书记》称之为“杜诗宗祖”，沈德潜《古诗源》也说道：“《七哀诗》，杜少陵《无家别》《垂老别》诸篇之祖。”[①]

《登楼赋》是王粲寓居荆州期间创作的另一重要文学作品。该诗首段描述其登楼四顾的山川秀色，被眼前美景勾起的不是心旷神怡的悠游畅快，而是羁居异乡的眷眷忧思与的无限惆怅：

……

遭纷浊而迁逝兮，漫逾纪以迄今；情眷眷而怀归兮，孰忧思之可任？凭轩槛以遥望兮，向北风而开襟；平原远而极目兮，蔽荆山之高岑；路逶迤而修迥兮，川既漾而济深；悲旧乡之壅隔兮，涕横坠而弗禁；昔尼父之在陈兮，有归欤之叹音；锺仪幽而楚奏兮，庄舄显而越吟；人情同于怀土兮，岂穷达而异心……

乱世流离，久滞异乡，思乡之情耿耿不能释怀，先贤圣哲亦无不“人情同于怀土”。继而哀伤无所依托，蹉跎岁月，前途渺茫，期盼天下太平，能有所作为的悲凉心境，被视为我国登楼文学的开山之作。

继王粲之后不久来到荆州的文学家还有祢衡。《后汉书》载“祢衡字正平，平原般人也。少有才辩，而尚气刚傲，好矫时慢物。兴平中，避难荆州”。[②] 随后不久他迁居许昌，与大文学家孔融友善。孔融数次向曹操举荐祢衡，祢衡称病不肯去，曹操封他为鼓史，本要羞辱祢衡，却反而被祢衡裸身击鼓而羞辱。后来祢衡骂曹操，曹操就把他遣送给刘表，祢衡对刘表也很轻慢，刘表又把他送去给江夏太守黄祖，最后因言语冲撞黄祖，黄祖之子黄射营救不及被杀，时年二十六岁。

---

① 沈德潜：《古诗源》，吉林出版集团股份有限公司 2017 年版，第 121 页。

② 《后汉书》，第 2652 页。

祢衡在荆州期间著有名作《鹦鹉赋》，《后汉书·文苑列传》载：“（黄）射时大会宾客，人有献鹦鹉者，射举卮于衡曰：‘愿先生赋之，以娱嘉宾。’衡揽笔而作，文无加点，辞采甚丽。”[①]

《鹦鹉赋》共分五段，前两段从侧面描绘鹦鹉的容姿，极言鹦鹉之聪慧、志趣高洁，称其“配鸾皇而等美，焉比德于众禽”，后三段写鹦鹉境遇之惨，以抒发个人的身世之悲。我们试举一段加以赏析：

> ……
>
> 尔乃归穷委命，离群丧侣。闭以雕笼，翦其翅羽。流飘万里，崎岖重阻。逾岷越障，载罹寒暑。女辞家而适人，臣出身而事主。彼贤哲之逢患，犹栖迟以羁旅。矧禽鸟之微物，能驯扰以安处！眷西路而长怀，望故乡而延伫。忖陋体之腥臊，亦何劳于鼎俎？嗟禄命之衰薄，奚遭时之险巇？岂言语以阶乱，将不密以致危？痛母子之永隔，哀伉俪之生离。匪余年之足惜，愍众雏之无知。背蛮夷之下国，侍君子之光仪。惧名实之不副，耻才能之无奇。羡西都之沃壤，识苦乐之异宜。怀代越之悠思，故每言而称斯……[②]

“归穷委命”以下至于“载罹寒暑”，表面是写鹦鹉不幸失去自由，辗转万里来到荆州，流露出的却是自己流离失所，先是寄寓荆州，随后辗转许下，又因得罪曹操，再次来到荆州，颠沛流离，无所适从的境遇。“女辞家而适人”以下至于“将不密以致危”感慨没有能赏识自身才华的人物，自怜禄命衰薄，深恐有杀身之祸。“痛母子之永隔”以下至于本段末句，再次怀念父母妻子，抒发自己的怀乡之念。

这篇赋构思精奇，虽言鹦鹉，实指自身，一箭双雕。前人对此赋评价颇高，南宋洪迈《容斋三笔》评价道：“《鹦鹉赋》专以自况，一篇之

---

① 《后汉书》，第2657页。

② 萧统编，李善注：《文选》，第611—615页。

中，三致意焉。”[①] 元代祝尧《古赋辨体》也说：“凡咏物题当以此等赋为法。其为辞也，须就物理上推出人情，直教从肺腑中流出，方有高士气味。”[②]

王粲、祢衡、繁钦、邯郸淳等的文学成就主要完成于寓居荆州期间，这些诗文体现的哀伤悲悯的文风对“世积乱离，风衰俗怨”建安文学的出现起到过促进作用，对魏晋感伤文学思潮的形成也颇具影响。

第三节　三国两晋南北朝时期的文学

三国时期以来，荆楚地区的文学发展并没有因为战争影响而一蹶不振，相反，这一地区的局势相比中原更为稳定，吸引了不少文人学士前来避难，又是军政重镇所在地，促进了荆楚文学的繁荣。相对安定的政局和逐渐发展起来的经济促进了社会生活的多姿多彩，新的歌舞不断产生，西曲歌在南朝的荆楚地区盛行起来。这类歌词内容丰富、格式多样，在发展中与其他地区的民歌相互交流，博采众长，促进了荆楚文化的新发展。这一时期的乐府诗中也出现了新的面貌，其中南朝宋鲍照的诗作，以反映现实为主，体现了其忧国忧民的情怀。这一时期的佛教文学发展相对繁荣，这与南朝名僧、高士的传播、推崇是分不开的。

一、民歌

东晋建立以后，随着人口的增加和先进生产技术的引进，长江流域迅速得到开发，农业、手工业的长足进步促进商业、交通和城市经济的相应发展，社会生活内容开始变得丰富多彩，作为娱乐的歌舞也随之在贵族官僚和平民百姓中流行起来，成为重要的社会风尚。“凡百户之乡，有市之邑，歌谣舞蹈，触处成群，盖宋世之极盛也”。[③] “永明之世十许

① 洪迈：《容斋随笔》，上海古籍出版社 2014 年版，第 219 页。

② 祝尧：《古赋辨体》，《四库全书》1366 册，上海古籍出版社 1987 年版。

③ 《宋书》，第 2261 页。

年中，百姓无鸡鸣犬吠之警。都邑之盛，士女富逸，歌声舞节，袨服华妆。桃花绿水之间，秋月春风之下，盖以百数。”[①]新旧乐曲与歌词、下里巴人和阳春白雪便不断在民间传唱翻新，并为乐府所采集整理和加工润色。

今天所能见到的南朝乐府民歌近500首，全部录存在宋代郭茂倩所编《乐府诗集》中，其中绝大多数归入“清商曲辞”，仅《西洲曲》《东飞伯劳歌》《苏小小歌》等不足10首（不计民谣）分别归入“杂曲歌词”和“杂歌谣辞”中。“清商曲辞”中所收主要为吴歌曲辞和西曲歌两类。《乐府诗集》引《古今乐录》曰：

> 西曲歌有《石城乐》《乌夜啼》《莫愁乐》《估客乐》《襄阳乐》《三洲》《襄阳蹋铜蹄》《采桑度》《江陵乐》《青阳度》《青骢白马》《共戏乐》《安东平》《女儿子》《来罗》《那呵滩》《孟珠》《翳乐》《夜度娘》《长松标》《双行缠》《黄督》《黄缨》《平西乐》《攀杨枝》《寻阳乐》《白附鸠》《拔蒲》《寿阳乐》《作蚕丝》《杨叛儿》《西乌夜飞》《月节折杨柳歌》三十四曲。《石城乐》《乌夜啼》《莫愁乐》《估客乐》《襄阳乐》《三洲》《襄阳蹋铜蹄》《采桑度》《江陵乐》《青骢白马》《共戏乐》《安东平》《那呵滩》《孟珠》《翳乐》《寿阳乐》并舞曲。《青阳度》《女儿子》《来罗》《夜黄》《夜度娘》《长松标》《双行缠》《黄督》《黄缨》《平西乐》《攀杨枝》《寻阳乐》《白附鸠》《拔蒲》《作蚕丝》，并倚歌。《孟珠》《翳乐》，亦倚歌。西曲出于荆、郢、樊、邓之间，而其声、节、送、和与吴歌亦异。[②]

可见西曲歌是南朝以来荆楚之地广泛流行的民歌。主要流行区域在

① 萧子显：《南齐书》，第913页。

② 郭茂倩：《乐府诗集》，第688页。

当今湖北荆州、钟祥、襄阳、邓县（今襄阳樊城区、高新区）、武昌一带。夹杂有西北民族乐舞之风。《宋书·乐志一》载："又有西伧羌胡诸杂舞。随王诞在襄阳，造《襄阳乐》，南平穆王为豫州（刺史），造《寿阳乐》，荆州刺史沈攸之又造《西乌飞哥曲》，并列于乐官。歌词多淫哇不典正。"[①] 梁元帝《夕出通波阁下观妓诗》：

> 峨眉渐成光，燕姬戏小堂。胡舞开齐阁，铃盘出步廊。起龙调节鼓，却凤点笙簧。树交临舞席，荷生夹妓航。竹密无分影，花疎有异香。捉杯时笑语，欢兹乐未央。[②]

南朝"西曲"，习称"西曲歌"，与江南"吴歌"齐名，代表当时荆楚民歌最高成就，由于形式新颖，曲调婉转动听，受到社会各阶层的广泛喜爱，刘宋王僧虔描绘当时人们喜好西曲的程度是"家竞新哇，人尚谣俗"。[③]

现存的三十三曲共计一百二十九首西曲可以依据不同的标准划分成许多不同的类别。按产生的地域来划分，概略有两大类：明确知道产地的和不知产地的。其中，明确知道产地的有如下几首：产地为巴陵的《三洲歌》，巴东的《女儿子》，随州的《杨叛儿》，竟陵的《石城乐》《莫愁乐》，安徽寿阳的《寿阳乐》，樊邓的《估客乐》及豫章的《乌夜啼》。

从形式来分，西曲有五言四句式、七言二句式和杂言式。五言四句式在全部西曲中占据绝大部分，这是因为民歌素以简短活泼见称。七言二句式在西曲中数量相当少，只见于《青骢白马》《共戏乐》，对照文本不难发现，这两种曲子都有文人加工的痕迹，如"青骢白马紫丝缰，可

① 《宋书》，第552页。

② 徐坚：《初学记》卷十五《乐部上·杂乐第二》，中华书局2004年版，第223页。

③ 《宋书》，第553页。

怜石桥根柏梁”（《青骢白马》），这里借用了历史上有名的“柏梁台”的典故。“系马可怜著长松，游戏徘徊五湖中”（《青骢白马》），“五湖”也极有可能借用范蠡泛舟五湖的典故。再有“长袖翩翩若鸿惊，纤腰袅袅会人情”明显化用了《洛神赋》中“宛若矫龙，飘若惊鸿”的语句。至于“观风采乐德化昌，圣皇万寿乐未央”则更不似民间人语，纯是御用文人的口气。由此可知其原来的曲调来自民间，许多以“对歌”的形式出现，语言诙谐通俗，热辣与温柔同在，采入乐府后被加以修改润色，除去低级庸俗字眼，在宫廷中演奏，不少是由宫廷乐师、文人甚至是皇帝本人直接创作的，对后世文人绝句的发展产生过较大影响。杂言式主要有五言四句中夹有三言的形式和四言四句式。《寿阳乐》和《月节折杨柳》属于前者。《安东平》属于后者。何以出现这样的格式？大约同民间的音乐形式有一定的关系。

按内容划分，西曲也可分为好几类。一是表现爱情的民歌。这样的民歌在西曲中占大多数，如《石城乐》《襄阳乐》《乌夜啼》《襄阳蹋铜蹄》都是表现男女相思欢爱之情的，且大多以女子的口吻来叙写。二是表现劳动场面的作品，如《采桑度》《青阳度》等。这里对劳作的场面并非直接表达劳动本身，主要还是通过写劳动来间接表达相思。三是表现人生感叹的民歌。如《长松标》云：“落落千丈松，昼夜对长风。岁暮霜雪时，寒苦与谁双？”这首诗可看作写相思之情，亦可看作是对现实处境的感慨。《黄督》：“乔客他乡人，三春不得归。愿看杨柳树，已复藏班雏。”显然是对羁旅生涯的嗔怪和对时光飞逝的暗伤。四是表现社会风貌。在西曲中只有《共戏乐》四首，其反映的主要是物阜民丰的欢庆场景。五是表现劳动人民生活。例如《女儿子》二首反映了巴东渔民的生活环境及生活方式。

此外还可依照音乐形式分成舞曲、倚歌及非舞曲非倚歌。

最后还可依据每一种曲的曲牌名进行分类，即曲名有“乐”的为一类，其他为一类。西曲中曲名有“乐”的大多为舞曲，只有《平西乐》《翳乐》例外。这类作品表现的皆是欢庆的场面。

西曲的绝大多数民歌充满浓郁的生活气息。虽篇幅短小，但语言朴素而精练、虚实结合、情景交融，具有相当高的艺术水准。民歌本身具有的音韵节奏轻快激越，反映出的感情尤为真挚浓烈，虽然不回避语句的重复，但让人丝毫不觉得冗琐沉闷。西曲中对比兴手法的娴熟运用也为西曲增色不少。

二、文人乐府

六朝时期民歌的发展及其所取得成就引起了贵族、文士的兴趣，当时依据民歌所创造出现的新乐府形式，被称为新声。《宋书·范晔传》载：

> 晔长不满七尺，肥黑，秃眉须。善弹琵琶，能为新声。上欲闻之，屡讽以微旨，晔伪若不晓，终不肯为上弹。上尝宴饮欢适，谓晔曰："我欲歌，卿可弹。"晔乃奉旨。上歌既毕，晔亦止弦。①

这反映出南朝贵族对于新声有着极大的兴趣。贵族士人对新声的兴趣提升了乐府的文学水平，使其进一步典雅化，促成了对一系列民间乐府歌谣的搜集整理，为乐府的发展注入了新的活力。

贵族士人拟作的乐府诗以歌咏爱情为主，但由于其阶级局限，多不能抒发真情实感，可称者少，不过也有部分作品不仅吸收了民间乐府的表现技巧，还运用了较为高超的文笔进行创作。如梁简文帝萧纲所作的《雍州曲》三首，既雍容典雅，又不失清新，试录于下：

南湖

南湖荇叶浮，复有佳期游。
银纶翡翠钩，玉舳芙蓉舟。

① 《宋书》，第1820页。

荷香乱衣麝，桡声送急流。

北渚

岸阴垂柳叶，平江含粉蝶。

好值城傍人，多逢荡舟妾。

绿水溅长袖，浮苔染轻楫。

大堤

宜城断中道，行旅极留连。

出妻工织素，妖姬惯数钱。

炊雕留上客，贳酒逐神仙。[①]

所谓雍州，实指东晋为安置移民侨置的南雍州，以襄阳为中心的鄂西北、豫西南和陕东南一角的汉水中游地区，雍州曲是描写襄阳一带风物的曲子。萧纲颇有才华，雅好诗赋，周围聚集着一批饱学之士。

萧纲为太子时，引纳名士徐摛、庾肩吾，又选摛子陵、肩吾子信为学士，上下扇扬附和，诗赋酬对，这些人的文风浮靡轻艳，自成一派，时人以其流行于太子东宫而名之为“宫体诗”。[②]

宫体诗是在永明体基础上由太子萧纲推动发展起来的诗歌形式，内容充斥着艳情、游宴和相思，虽失之于轻靡，却精巧华丽细腻，刻意从声律、用事、对偶等方面追求对语言的雕刻提炼，对诗歌的发展有重要影响。宫体诗特色鲜明，其一为强调用典，辞藻华丽。如“复有佳期游”一句，化用了《楚辞·九歌·湘夫人》“登白薠兮骋望，与佳期兮夕张”。其二为强调格律，如上引三首，第一首韵脚为游、舟、流，第三首为连、钱、仙，叶韵优美。

文人乐府中还有一些反映底层生活现实的作品，清新淳朴，生动天然。如释宝月所作《估客乐》四首：

---

① 郭茂倩:《乐府诗集》，第704页。

② 《南史》，第232—233页。

其一

郎作十里行，侬作九里送。

拔侬头上钗，与郎资路用。

其二

有信数寄书，无信心相忆。

莫作瓶落井，一去无消息。

其三

大艑珂峨头，何处发扬州。

借问艑上郎，见侬所欢不？

其四

初发扬州时，船出平津泊。

五两如竹林，何处相寻博。①

所谓估客，即贾客，指的是行商之人。这四首诗以本色的语言写作，采用第一人称的口吻，描写了一名女子对行商的恋人的思念。第一首为女子送别恋人，拔钗相赠，依依难舍；第二首为女子嘱咐恋人，此去须多寄书信来，不要“一去无消息”；第三首写女子等待恋人，每逢过路行船，就问有没有见过自己心上人；第四首写女子的心理活动，因没有问到自己心上人的行踪，其心中担忧，但又自我开解，想到舟船如林，人们难以交流，没有自己情郎的消息也很正常。此诗清新淳朴，具有较高的文学价值。

当时的文人乐府也并不全是情歌，鲍照的诗句摆脱了卿卿我我的靡靡之态。鲍照字明远，南朝宋文学家，做过太学博士、中书舍人之类的官。后因宫廷内部斗争，死于乱兵之中。鲍照一生沉沦下僚，很不得志，但他的诗文，在生前就颇负盛名，诗、赋、骈文都不乏名篇，而成就最高的则是诗歌，其中乐府诗所占的比重很大，且多名篇。鲍照与庾

① 郭茂倩:《乐府诗集》，第700页。

信并称“鲍庾”，与颜延之、谢灵运并称“元嘉三大家”，因曾任荆州刺史临海王刘子顼军府参军而被后人称为“鲍参军”。

鲍照的乐府诗多慷慨沉郁，是当时社会纷争及其自身饱经乱离的事实反映。我们试举一首如下：

代东门行

伤禽恶弦惊，倦客恶离声。
离声断客情，宾御皆涕零。
涕零心断绝，将去复还诀。
一息不相知，何况异乡别。
遥遥征驾远，杳杳白日晚。
居人掩闺卧，行子夜中饭。
野风吹草木，行子心肠断。
食梅常苦酸，衣葛常苦寒。
丝竹徒满坐，忧人不解颜。
长歌欲自慰，弥起长恨端。[①]

这首诗首六句以顶真的手法，极写离别之痛。后文写前路漫漫，游子一人孤苦无依。整首诗将当时社会动荡，百姓流离失所的场景，将自身与类似于他一样郁郁不得志的士人形象刻画了出来。

王褒、庾信的乐府诗也是当时的代表作品。王褒是东晋宰相王导之后，梁元帝擢为侍中。王褒“识量渊通，志怀沉静。美风仪，善谈笑，博览史传，尤工属文”。[②]庾信为雍州南阳新野人，其家族“七世举秀才”“五代有文集”，父亲庾肩吾为南梁中书令，亦以文才闻名。庾信

① 郭茂倩：《乐府诗集》，第585页。

② 《周书》，中华书局1971年版，第729页。

“幼而俊迈，聪敏绝伦”，[1] 自幼随父出入于萧纲的宫廷，后来又与徐陵一起任萧纲的东宫学士，成为宫体文学的代表作家，其文学风格被称为“徐庾体”。他的赋成就很高，《哀江南赋》是骈体文的典范。

王褒的《燕歌行》从等待从军丈夫归来的妇人角度出发，描写了当时战争的艰辛：

初春丽晃莺欲娇，桃花流水没河桥。
蔷薇花开百重叶，杨柳拂地数千条。
陇西将军号都护，楼兰校尉称嫖姚。
自从昔别春燕分，经年一去不相闻。
无复汉地关山月，唯有漠北蓟城云。
淮南桂中明月影，流黄机上织成文。
充国行军屡筑营，阳史讨虏陷平城。
城下风多能却阵，沙中雪浅讵停兵。
属国小妇犹年少，羽林轻骑数征行。
遥闻陌头采桑曲，犹胜边地胡笳声。
胡笳向暮使人泣，长望闺中空伫立。
桃花落地杏花舒，桐生井底寒叶疏。
试为来看上林雁，应有遥寄陇头书。[2]

该诗前四句描写了初春的自然风光，节奏舒缓轻快，第五句笔锋陡然一变，开始描写亲人远征的内容。其中“自从昔别春燕分”一语，指出与亲人分别也是在初春时节，与前文呼应，感情却大为不同。前八句以下，描写的都是深闺妇人思念、担心亲人的情感。整首诗极具真实性，但又不乏艺术性，是一篇上乘之作。

---

① 《周书》，第 733 页。

② 逯钦立辑校：《先秦汉魏晋南北朝诗》，中华书局 1983 年版，第 2334 页。

庾信现存的乐府诗很多，其前后期的风格区别较为明显。前期多表达个人情怀，如游玩逸乐、抒发哀愁等，后期则关注家国政治，诸如政治教化、边塞征战、离合怀乡等。前期辞藻华丽，后期沉稳悲凉，无论是内容形式还是声调格律对后世诗赋创作的影响巨大。我们仅选前、后期各一则诗来讨论庾信的文学成就。

《对酒歌》云：

春水望桃花，春洲藉芳杜。
琴从绿珠借，酒就文君取。
牵马向渭桥，日曝山头脯。
山简接篱倒，王戎如意舞。
筝鸣金谷园，笛韵平阳坞。
人生一百年，欢笑惟三五。
何处觅钱刀，求为洛阳贾。[1]

这是庾信的前期作品，描写的是酒宴的场景。正值桃花盛开的春季，诗人与朋友观赏着歌舞，把酒言欢，直到天色渐晚还不愿散去。该诗涉及许多历史人物与典故，如“绿珠”“文君”“山简”“王戎”“金谷园”“平阳坞”。作者在最后两句表示，时光转瞬即逝，应当及时行乐，执着于名利还不如做个逍遥自在的商人。整首诗表达了欢快之情，也表达了贵族子弟游乐的恣意。

《同卢记室从军诗》云：

河图论阵气，金匮辨星文。
地中鸣鼓角，天上下将军。
函犀恒七属，络铁本千群。

---

① 庾信著，倪璠注：《庾子山集》，商务印书馆1935年版。

飞梯聊度绛，合弩暂凌汾。
寇阵先中断，妖营即两分。
连烽对岭度，嘶马隔河闻。
箭飞如疾雨，城崩似坏云。
英王于此战，何用武安君。[1]

这是一首庾信后期的作品。庾信有从军的经历，这首诗描写了真实的战争场面。先是战前测验吉凶，战争中利用了飞梯、箭弩等战具，在战士们攻击下，最终取得了胜利。在胜利氛围的熏陶下，诗人有了“何用武安君”的感慨。这首诗充满豪迈之情，热情歌颂了奋勇杀敌的战士与将领，风格与之前迥然不同。这应该是与庾信不同的人生阶段有着密切关系。

王褒、庾信的乐府诗对后世诗词影响深远，罗根泽先生便指出：“自周秦以迄汉魏之纯文学，除半出西戎民族之《秦风》外，其风格多温柔尔雅，其对象鲜有叙述边塞战伐者；有之，自外来之鲜卑民族始。至唐而渡辽出关，关山边徼之歌唱，遂如雨后春笋，丛生迭出；实受北方胡汉民族文学之影响。而首先开端者，为王褒、庾信。故王褒、庾信，实南北文学发生关系之第一胎儿。”[2] 给予了王褒、庾信极高的评价。

三、山水文学

山水文学源远流长。《诗经》、楚辞、司马相如《子虚赋》、张衡《归田赋》、王粲《登楼赋》都有山水描写。但这些山水描写对山水本身所蕴含的自然绚美漠不关心。然而这种情形在六朝时发生了根本改变。

六朝虽偏安南方，多数时候毕竟还算康宁和谐。外来文化显著改变

① 庾信著，倪璠注：《庾子山集》。

② 罗根泽：《乐府文学史》，东方出版社 2012 年版，第 138 页。

了世人的精神面貌。雍容度日、悠游隐逸，于山水的自然美中寻觅与其心灵契合的精神家园，没有最雅只有更雅的名士化追求，激烈的大族之间的竞争，让文士们互较雄长，争拔头筹，激发出一股一发不可收拾的创作热情。抛却文学创作的教化宗旨，放任出自性灵、心意澄澈地书写地志、描摹山水，随心所欲地纪行、写景、滋美、叙事、议论、感慨，穷形尽态地刻画亲眼所见的山水美，“巧言切状，如印之印泥，不加雕削”[①]，于“穷幽极渺”的游历中释放心灵，将情感倾注于笔端，让思绪于文字中飞扬，或抒发真实的情怀，或表达特定的情思，或浇灌心中的块垒，或排遣心中的寂寥。于是，山水文学便应时而生，“吟咏所发，志惟深远，体物为妙，功在密附”。[②]

士人依靠在创作中不断创新突破博取声名，煞费苦心地写景状物，引诗用典，“俪采百字之偶，争价一句之奇，情必极貌以写物，辞必穷力而追新”[③]，竞相追求语言文字的精雕细镂与音律气韵的戛玉敲冰，终于从传统文化的丰富营养中脱胎出一套新的文字描写系统与写作技巧，展现出山水文学的独有魅力与特性。

得江山人文之助、身履其境的荆楚文人创作出一批绘声绘色的诗铭、散文、歌赋等山水文学作品使荆楚成为建康以外的又一山水文学重镇，郭璞、慧远、陶渊明、柳恽、宗炳、萧绎、张缵、庾信等人作品是山水诗文的代表，试举例略作条陈。

传郭璞本人侨居宜昌多年，曾为临沮县长，创作了不少意味深长的作品，他的《青溪隐者》是荆楚地区较早的山水游仙诗作。

青溪千余仞，中有一道士。
云生梁栋间，风出窗户里。

① 黄叔琳注，李详补注，杨明照校注拾遗《增订文心雕龙校注》，第567页。

② 黄叔琳注，李详补注，杨明照校注拾遗《增订文心雕龙校注》，第567页。

③ 黄叔琳注，李详补注，杨明照校注拾遗《增订文心雕龙校注》，第65页。

借问此何谁？云是鬼谷子。
翘迹企颍阳，临河思洗耳。
阊阖西南来，潜波涣鳞起。
灵妃顾我笑，粲然启玉齿。
蹇修时不存，要之将谁使？[①]

诗中的青溪位于远安沮水支流。全诗赞誉“鬼谷子”隐居青溪的高蹈德行可与高士许由的隐逸行为媲美，令人景仰。以顾盼生姿、曼妙多情的宓妃渲染神仙世界的离尘美好，表达了世人渴望得道成仙，因缺乏像蹇修这样的媒使而难以达成的惆怅。

郭璞的《江赋》仍采用传统的排比铺张手法，倾情礼赞长江之浩瀚湍急与万般景象，文采宏丽，形容夷陵之“虎牙嵘竖以屹崒，荆门阙竦而磐礴”，南阳至随枣走廊间溠、淢、涢、涓四水如“龙鳞结络”，长江中游“冲巫峡以迅激，跻江津而起涨。极泓量而海运，状滔天以淼茫。总括汉泗，兼包淮湘。并吞沅澧，汲引沮漳”，誉赤壁至柴桑江流为“鼓洪涛于赤岸，沦余波乎柴桑”。信手拈来，用典周备，“悲灵均之任石，叹渔父之棹歌。想周穆之济师，驱八骏于鼋鼍。感交甫之丧珮，愍神使之婴罗”。[②]表明作者的足迹遍历过长江的主要河段与支流，对荆楚史地的熟稔烂若披掌。

葛洪的《幕阜山记》描写了荆楚名山幕阜山的磅礴气势、奇异景观与仙圣遗迹，短小精悍，言简意赅。

山有石壁刻铭，上言禹治水登此山，高于平地一千八百丈，周五百里，二十四气，福德之乡。洪水之灾，居其上，可以度世。又有列仙之宝坛场在其侧，旁有竹两本，修翠猗然，随风扫拂。其上

① 萧统编：《文选》，王友怀编：《昭明文选注析》，三秦出版社2000年版，第226—228页。
② 郭景纯：《江赋》，李善等：《六臣注文选》卷十二《江赋》，中华书局1987年版，第236—245页。

有池，水甚澄洁，时有二鱼游泳其中。有葛仙翁炼丹井，药臼尚存。[1]

地志是山水文学之重要一脉，盛弘之对三峡的描绘文字，迄今仍是对三峡风光最精彩的描写，一直为人们心追手摹的对象。

唯三峡七百里，两岸连山，略无阙处。重崖叠嶂，隐天蔽日，自非停午夜分，不见日月。所谓高山寻云怒湍流水，绝非神境至于夏水襄陵，沿溯阻绝，或王命急宣，有时朝发白帝，暮至江陵。其间一千二百里，虽乘奔御风，不以疾也。春夏之时，则素湍渌潭，回清倒影，绝巘多生柽柏，悬泉瀑布飞漱其间，清荣峻茂，良多雅趣。每至晴初霜旦，林寒涧肃，常有高猿长啸，属引清远，空岫传响，哀转久绝。故渔者歌曰"巴东三峡巫峡长，猿鸣三声泪沾裳"。[2]

荆楚地志对山水文学的贡献于第一章中已有所提及，于此不赘。

千峰竞秀、风月无边、应接不暇、景中有景的衡山胜景，让一众诗客不觉疲倦地"欣然奔悦"，游毕小憩岩旁，不意岩下溪流中传来妙胜天籁的管弦之声，让人神清气爽。

齐王中所撰《头陀寺碑文》（位于武昌蛇山中段南麓）记载了头陀寺一波三折的艰难修建过程，对头陀寺的壮丽景观与巍峨宏丽建筑佳构的描绘引人入胜，极具视觉冲击力。

……

南则大川浩汗，云霞之所沃荡；北则曾峰削成，日月之所迴

① 范致明：《岳阳风土记》"《幕阜山记》"条，文渊阁《四库全书》本，第589册，第122页。

② 王谟：《汉唐地理书钞》，中华书局，1961年，第325—326页。

薄；西眺城邑，百雉纡馀；东望平皋，千里超忽，信楚都之胜地也。

……

层轩延袤，上出云霓；飞阁逶迤，下临无地。夕露为珠网，朝霞为丹膜。九衢之草千计，四照之花万品。崖谷共清，风泉相涣；金资宝相，永藉闲安。息心了义，终焉游集……[①]

稍晚，萧绎为建于头陀寺东数里凤皇岭（今武昌洪山）中的晋安寺所撰的《碑铭》，仅寥寥数语，将晋安寺目不暇接的美景推入眼底。

凤皇之岭，芊绵映色；莲花之洞，照曜增辉。山云黄鹤，疑闻天之夜响；城称却月，似轻云之霄蔽。[②]

宗炳是南朝山水画和山水画理论家，其诗文同样过人，其山水诗《登半石山》犹可称道。

清晨陟阻崖，气志洞萧洒。崛谷崩地函，穷石凌天委。
长松列竦肃，万树巉岩诡。上施神农萝，下凝尧时髓。[③]

雍州贵胄张缵《谢东宫赉园启》是对东宫太子萧统赠送给他一座心仪园林所写的谢表。

常愿卜居幽僻，屏避喧尘，傍山临流，面郊负郭，依林结宇。

① 王中：《头陀寺碑》，李善等：《六臣注文选》卷五十九《碑文》，中华书局 1987 年版，第 1088—1094 页。

② 萧绎：《郢州晋安寺碑銘》，欧阳询撰，汪绍楹校：《艺文类聚》卷七十六《内典上》，上海古籍出版社 1982 年版，第 1305 页。

③ 欧阳询撰，汪绍楹校：《艺文类聚》卷七《山部上》，上海古籍出版社 1982 年版，第 124 页。

> 憩桃李之夏阴；对径开轩，采橘柚之秋实……此园左带平湖，修陂千顷；右临长薄，清潭百仞。前逼逸陌，朝夕爽垲；后望钟阜，表里烟霞。每媵春迎夏，华卉竞发；背秋向冬，云物澄霁。归瞰户牖，不异登临。升降堦墀，已穷历览。舟楫所届，累日不能究其源；鱼鸟之丰，山泽不能喻其美。[①]

别墅环境幽雅，花果满园，风光旖旎，湖光山色，美不胜收，满足了作者一直梦想拥有一座擅壑专丘清雅别墅的夙愿。

随着中国文人山水审美意识与能力的逐渐提升，写作技巧的日臻成熟，山水文学开始走上了独立发展道路，寄情山水，脱离政教，歌咏自然从此成为中国人精神生活不可分割的一部分，在中国文学史上具有划时代的意义。

秦汉魏晋南北朝时期的荆楚文学既有对先代的传承，也开创了许多新的文体和文学思想。荆楚地区所出秦汉简牍文学，弥补了秦代文学流传稀少的遗憾，也展示了汉代文学的多样性和生动性。汉代荆楚文人辈出，留下了一篇篇脍炙人口的优秀作品。魏晋南北朝时期荆楚地区相对稳定的局势成为文学发展的沃土，造就了西曲的盛行、新乐府的产生和佛教文学的相对繁荣。

---

① 张缵：《谢东宫赉园启》，欧阳询撰，汪绍楹校：《艺文类聚》卷六十五《产业部》，上海古籍出版社1982年版，第1164—1165页。

第七章　艺术与技艺

秦汉至魏晋南北朝时期，独具特色的楚地音乐、舞蹈不但继续在荆楚大地上繁荣发展，也对周边地区也产生了重要影响；出土文献展现的简牍书法、画像石与画像砖中的绘画、随葬的俑偶造像、佛教艺术的有机融入、逐渐成熟的书画理论，见证了荆楚艺术在实践和理论上的创新。精美的青铜器和陶瓷器、巧夺天工的漆器、华美的丝织品，都是手工技艺高度发展的产物。私家园林、佛教园林等园林建筑审美的进步，无不彰显着荆楚艺术的繁盛与发展。

第一节　音乐与舞蹈

荆楚地区自古以来便有浪漫而奔放的民风，天性豪放，巫风盛行，在音乐和舞蹈上有着独特而不凡的表现。这一地区的歌舞形式多样，深受各个阶层的喜爱。出土的秦汉魏晋南北朝时期的画像石、画像砖等材料直观地反映荆楚舞蹈，而楚歌楚曲则受到客观因素的影响无法具体展示，不过我们从史料的描述、歌词的韵律和直观的画像中依旧可以感受到其超强的感染力。

一、出土资料中的音乐、舞蹈

1975 年，在荆州纪南城凤凰山 70 号秦墓中，发现了 1 件宴饮歌舞漆画木梳。这件木梳长 7.4 厘米、宽 5.9 厘米，最厚处 1 厘米，在木梳上部弧形部位的正、背两面，均有彩绘的人物画像。漆绘木梳的正面，共有四个人物，两个男子席地相对而坐，面前各摆有一个盛放食物的豆。左边的男子头戴冠，右边的男子头挽髻。画面的中间是两个头挽髻、身穿黄裾裙、足穿双尖翘头鞋的侍女，其中靠左边的侍女手中所持的酒杯，正欲送给左边男宾的手里，靠右边的侍女手中端着盛放食物的豆，随后缓行。[①] 漆绘木梳的背面，生动地描绘了歌舞画面：中间是一舞女，她的发髻披于脑后，身穿黄、黑相间彩绘花纹宽长袖的交领衣与裾裙，腰间系红带，正伴随着悦耳的乐曲和清脆的歌声，甩动着宽广的长袖，翩翩起舞，右边为一男子，手持一长柄圆盘木钟槌，作敲击石编磬（或铜编磬）之状，为舞者奏乐，左边是一跪坐于地的女子，发髻也披于脑后，上身穿交领衣，下着裾裙，正引吭高歌，为舞者伴唱。[②] 绘者以其精湛的绘画技术将宴饮歌舞的场景惟妙惟肖地展现在我们眼前，使我们看着这幅画作时，仿佛就置身宴会中，欣赏着轻歌曼舞，感受着音乐和舞蹈的美妙享受。

两汉时期荆楚地区的歌舞艺术非常繁荣，除了典籍中的记载外，在考古资料中也有很多记录当时歌舞艺术的载体，如画像石、画像砖、陶瓷俑等。

汉画像石是附属于墓室与地面祠堂、阙等建筑物上的雕刻装饰，是我国古代一些地方发明的一种为贵族丧葬礼俗服务的独特艺术形式，具有浓郁的民族色彩和时代特征，因为是刻在石材上面的画，故称为画像石；汉画像石艺术的成型技术虽属雕刻，但也包含绘画技法，按其整体艺术形态而言，又实似绘画。[③] 汉画像砖是模印或刻画有画像和花纹的砖，主要用于嵌砌、装饰墓葬。画像砖起源于战国时期，盛行于西汉中期以后，尤其是东汉时期。

荆楚地区汉代画像砖石以南阳为代表，南阳画像砖石上刻有许多舞蹈图像，归纳起来大体有四种舞蹈：建鼓舞、踏鼓舞、长袖舞和七盘舞（见图 7–1、7–2、7–3、7–4）。[④] 建鼓舞是以建鼓为主要乐器的男子双人

---

① 陈振裕：《战国秦汉漆器群研究》，文物出版社 2007 年版，第 278 页。

② 陈振裕：《战国秦汉漆器群研究》，第 278 页。

③ 蒋英炬、杨爱国：《汉代画像石与画像砖》，文物出版社 2001 年版，《前言》第 2 页。

④ 参看南阳汉代画象石编辑委员会编：《南阳汉代画像石》，文物出版社 1985 年版，第 46 页。

舞，如图中所刻画的是两位正在表演建鼓舞的男舞者，他们每人手持一根鼓槌，一边敲鼓一边舞蹈，形神兼备，声色俱佳。

图 7–1　建鼓舞

踏鼓舞是舞者踩踏在“鼓”上进行表演的舞蹈。舞者脚下所踩的东西，实际上是一种形状像鼓，外面围皮、里面实糠的道具，名为“搉”。[1]卞兰曾在《许昌宫赋》中描绘过踏鼓舞：“振华足以却蹈，若将绝而复连。鼓震动而不乱，足相续而不并。婉转鼓侧，蟒蛇丹庭。”[2]舞者需要多么高超的舞技才能在踏鼓起舞的时候，保持舞姿优美连贯，鼓乐和鸣而不凌乱。

图 7–2　踏鼓舞

① 参看南阳汉代画象石编辑委员会编：《南阳汉代画像石》，第 46 页。

② 严可均辑：《全三国文》，第 312 页。

长袖舞，是舞者身穿长袖舞衣进行表演的舞蹈，主要是利用长袖的飘逸灵动来使舞姿更加优美。从画像石中可以看出舞者在舞蹈时通常都有乐队伴奏或歌者伴歌。史载刘邦的宠姬戚夫人擅长翘袖折腰之舞，指的应该就是这种长袖舞。

图 7–3　长袖舞

还有一种非常著名的舞蹈就是七盘舞。七盘舞与踏鼓舞有些相似，舞者要踩踏道具，七盘舞的道具是盘子和鼓，但是盘子和鼓的数量并未固定，有四盘二鼓，也有六盘二鼓。如图 7–4 画像石中所表现的舞者跳七盘舞。舞者脚下是六盘一鼓，舞者在鼓盘之间挥动衣袖，跳跃舞动，轻盈曼妙的舞姿尽现眼前。在女舞者的对面还有一位男舞者，裸露着上身，抬头仰望女舞者，男女对舞，将欢乐、活泼的气氛烘托得淋漓尽致。卞兰在《许昌宫赋》里也曾描写过七盘舞的风采："兴七盘之递奏，观轻捷之翾翾……或迟或速，乍止乍旋。似飞凫之迅疾，若翔龙之游天。"[①] 在鼓盘之上灵巧跃动，对舞者而言本就是一项挑战，而且同时还要为观众呈现精彩的舞姿，不得不让人赞叹舞者技艺高超。

① 严可均辑：《全三国文》，第 312 页。

图 7–4　七盘舞

南阳画像石中所刻画的舞蹈艺人大都衣着长袖，腰部非常纤细，跳跃时舞姿轻盈优美，这些艺人的表演展现了楚文化的神秘、自由、浪漫的艺术风格。

有舞蹈，自然少不了音乐，南阳画像石展现的舞蹈表演中，常有乐队伴奏，有张着双臂随着歌舞节奏击掌之人。“乐器的图像在南阳汉画中很多，往往是由多种打击乐器和管弦乐器组合成一支混合乐队，有的是器乐协奏，有的是为歌舞和百戏伴奏”。[①] 打击乐器主要有建鼓、鞞鼓、鼗鼓。建鼓是由两名乐者演奏的鼓，有扁圆和长圆两种，这种鼓经常放置在乐队中央，在乐队表演时是很重要的乐器；鞞鼓多为扁圆形，体积较小，大多放置在地上，乐者席地敲之；鼗鼓大多由吹奏排箫的乐者右手拿箫，左手摇鼗，鼗在乐队表演之前摇动，示意要开始表演。另外画像中还有其他的打击乐器如铙和镈钟，管弦乐器箫、埙、瑟等。

① 南阳汉代画象石编辑委员会编：《南阳汉代画像石》，第 45 页。

图 7–5　鼗鼓

除了画像石中刻画的乐器，湖北还出土了东汉时期的乐器实物——錞于。錞于是一种青铜制打击乐器，形状像圆筒，上部稍大于下部，顶上有纽，纽多铸成老虎。錞于最早作于春秋时期，盛行于汉代，主要用在征战时指挥进退。

1977 年 3 月，在湖北建始县革坦乡二台子出土了一件东汉双虎纽錞于（见图 7–6）。该錞于保存完好，出土时留下一道锄痕，以虎作纽，下承以宽沿浅盘，盘下是圆背篓状錞体，作纽的双虎一看便觉得是一对孪生的小虎，形象十分生动。虎头大，微上昂，口微张，可见上下牙齿相对，双眼外突，鼻宽而平厚，额后收，鼻嘴更为突出，耳为旋转涡状，表现出幼虎的稚气，肩宽、背平，臀部上翘，前胛有转涡状纹，前肢呈弓状，后股肥实，后肢前伸。细看这一对小虎，虽未成年，但虎的威仪已然具备，双虎四肢坚实立于盘中央的方格纹上，其势大有并肩向前的雄姿。在錞股腹下部和口沿上部的扁圆部位，有明显的敲击痕迹，证明是一件使用了很长时间的实用器。[①]

图 7-6　双虎纽錞于

1980 年，湖北鄂州市南部的七里界 4 号墓中出土了 1 件三国后期的卧箜篌乐俑（见图 7-7）。卧箜篌是我国古代的一种弦鸣弹拨乐器，与琴瑟相似，盛行于汉唐时期。汉代的卧箜篌，以竹为槽，五弦十余柱，用木拨子弹奏，曾经用于清商乐。《风俗通义》引《汉书》载："孝武皇帝赛南越，祷祠太一后土，始用乐人侯调，依琴作坎坎之乐，言其坎坎应节奏也。"[②] 七里界 4 号墓出土的卧箜篌乐俑的整体形制和《风俗通》中所述的琴状相似，它的面板上有明显的根柱的形制，琴柱的安置方法和琵琶上的"品柱"十分相似，共鸣箱呈不规则的长方形，演奏时共鸣箱的左端放在地上，右端放在腿上，演奏者左手持拨片按弦，右手进行弹弦，右手边还放着一个小鼓，有可能是用于合奏。[③] 这件卧箜篌乐俑的出土，不但完整细致地展示了卧箜篌这种早已失传的古代乐器形制，而且还通过乐俑的动作再现了当时演奏卧箜篌的真实场景。

此外，谷城肖家营出土的飞天画像砖也反映了汉代荆楚地区的音乐和舞蹈状况（见图 7-8）。

---

① 参看林奇、邓辉：《錞于刍议》，《江汉考古》1987 年第 4 期。

② 应劭撰，王利器校注：《风俗通义校注》，中华书局 1981 年版，第 297 页。

③ 参看黄淼：《魏晋时期的卧箜篌》，《北方音乐》2018 年第 22 期。

图 7-7 卧箜篌乐俑

图 7-8 谷城肖家营出土的伎乐飞天画像砖

二、传世文献中的俗乐、雅乐、舞蹈

汉朝建立初期，统治者信奉黄老思想，施行休养生息政策，使社会稳定，经济得到了恢复和发展。与此相伴的是，汉代的艺术也迅速兴盛起来。汉武帝扩建乐府机构，收集了大量民间音乐和民间音乐家进入宫廷，整理、改编、升华、创作音乐，极大地促进了汉代音乐的进步和繁荣。由于以刘邦为首的汉朝统治阶级十分喜爱楚乐，因此有汉一代将楚声音乐发展到相当高的艺术水平。

楚声，是一种发源于楚地并在楚地流行的音乐。《安世房中歌》是楚乐中雅乐的代表之一。[①]

汉末战乱连绵，宫廷乐人离散，杜夔、杜曜流落荆州，刘表让他们恢复雅乐，曹操平荆州将其带入北方。《宋书·乐志一》载：“汉末大乱，众乐沦缺，魏武平荆州，获杜夔，善八音，尝为汉雅乐郎，尤悉乐

① 详见第四章第二节《乐府诗与荆楚民歌》。

事，于是以为军谋祭酒，使创定雅乐。”

俗乐与雅乐相对。楚地的俗乐就是楚地的民间歌谣，也包括文人以楚歌形式所创作的作品。和楚乐发展的原因相同，汉朝的建立者刘邦及其主要部下都是楚人，自然推崇楚文化，因此楚歌也逐渐繁盛起来。

有了统治者的青睐，高亢嘹亮的楚歌逐渐在朝野繁盛起来，帝王将相、文人墨客都用楚歌来表达他们的情感。《古乐府》中除收录了前文提到的《大风歌》，还有《楚歌》《戚夫人歌》《赵幽王歌》《李延年歌》《瓠子歌》《天马歌》《汉成帝时歌谣》等都是这方面的精品。在刘氏皇族及一众成年楚地出身官吏的影响下，楚歌由民间深入宫廷，并进入祭祀领域，开创了以俗为雅的先河。惠帝五年（前 190），汉惠帝刘盈为纪念刘邦，诏令将泗水亭沛宫改为高祖原庙，让高祖当年在沛县唱《大风歌》时所教的一百二十名少年组成乐队，习唱《大风歌》，因此刘邦即兴所唱的宴歌便成了奠祭刘邦的祭歌。

汉代乐府扩建后，原始的民间歌曲在继承先秦楚声的基础上，经过乐工们的加工韵色，同时加入各种乐器伴奏，成为了一种新的歌曲形式——相和歌。《晋书·乐志》有载：“相和，汉旧歌也，丝竹更相和，执节者歌”，[①] 其特点是唱歌的人自己击打节鼓，与伴奏的管弦乐相应和。汉代的相和歌均不见于现在所存的汉代文献中，东晋以后，一部分相和歌被保存在清商乐里。宋代郭茂倩编撰《乐府诗集》时把相和歌词分为九类：相和六引、相和曲、吟叹曲、四弦曲、平调曲、楚调曲、大曲等，“从留存的平、清、瑟、楚调作品来看，它们是属于楚声音乐体系，是继承了先秦楚声发展而来的”。[②]

卞兰《许昌宫赋》云：“赵女抚琴，楚媛清讴。秦筝慷慨，齐舞绝殊。众技并奏，捔巧骋奇。”[③] 描写了七盘舞表演时有各种音乐伴舞，其

① 房玄龄等:《晋书》，第 716 页。

② 余甲方:《中国古代音乐史》，上海人民出版社 2014 年版，第 67 页。

③ 严可均辑:《全三国文》，第 312 页。

中就有楚地歌女优美的清唱。

汉代与楚乐、楚歌一起流行于世的还有楚舞。楚歌和楚舞常相伴出现，相辅相成，有的自唱自舞，如前文提到的刘邦作《大风歌》："酒酣，帝击筑自歌，令儿皆和习之，帝自起舞。"有的一人歌唱，旁人起舞，如刘邦悲唱《鸿鹄歌》，戚夫人翩翩起舞。汉代流行的长袖舞、七盘舞、双人舞和俳优舞，都是极具特色的楚舞种类。

长袖舞，即舞者身穿长袖舞裙，舞动时摆动长袖的舞蹈，是楚地非常盛行的一种舞蹈。长袖舞对舞者的身材、服饰都有严格的要求，这是楚舞的一大特色。在服饰方面，楚人舞蹈多用长袖来表演。南阳出土的画像石中，有很多描绘长袖舞的作品，画像中的舞女都是秀颈纤腰，恣意挥舞手臂上的长袖，在宴会中翩跹起舞，婀娜轻盈，风姿绰约。七盘舞也是一种极具荆楚特色的舞蹈，前文中已经介绍了画像石中的七盘舞，而在传世文献中，也多见风雅之士对七盘舞的赞美。如东汉张衡有《舞赋》细致描写了七盘舞之惊艳：

> 搦纤腰而互折，嬛倾倚兮低昂。增芙蓉之红花兮，光的皪以发扬。腾嫮目以顾眄，眄灿灿以流光。连翩骆驿，乍续乍绝。裾似飞燕，袖如回雪。于是粉黛施兮玉质粲，珠簪挺兮缁发乱。然后整笄揽发，被纤垂萦。同服骈奏，合体齐声。进退无差，若影追形。[1]

魏王粲《七释》云：

> 七盘陈于广庭，畴人俨其齐俟，揄皓袖以振策，竦并足而轩跱。邪睨鼓下，伉音赴节。安翘足以徐击，驳顿身而倾折。[2]

① 欧阳询撰，汪绍楹校：《艺文类聚》，第770页。

② 王粲著，吴云、唐绍忠注：《王粲集注》，中州书画社1984年版，第80—81页。

陆机《日出东南隅行》谓：

丹唇含九秋，妍迹陵七盘。赴曲迅惊鸿，蹈节如集鸾。[①]

从这些辞赋中可以感受到七盘舞的精妙绝伦，它要求舞者能在盘和鼓之间轻巧跳跃，这样必须要掌握踏鼓的技巧，同时它又要求舞者能表现出楚舞的轻盈灵动，还要与乐曲紧密配合。如此看来，七盘舞不仅仅是单纯的舞蹈，而是将舞蹈与杂技相融合，对舞者技艺有超高要求的舞蹈，成为历史上延续时间最长最受欢迎的舞蹈之一。

汉代楚舞的表演特点是：柔软、敏捷、飘逸，我们今天可以从汉代诗、赋所描写的舞蹈场面，或汉画像石和画像砖看到汉代楚舞的这些特点。据《西京杂记》记载，高祖戚夫人善翘袖折腰之舞，即舞蹈时甩开长袖，扭动腰肢，展现出飘然律动的风韵。楚舞表演者以柔美轻捷见长，却步轻举，舞姿翩翩，长袖袅袅，妙不可言，再配以开朗、活泼的音乐，极具审美情趣。

三、西曲

南朝时期的荆州地区物资富饶，农业、手工业也都有所发展，经济繁盛，百姓生活富足，而且便利的水上交通为商业的发展提供了条件，从而造就了一些新兴的商业城市，如江陵、襄阳、郢等。再加上荆楚地区的人民喜好歌舞，自古以来就有用歌曲抒发情感、祭祀祈福等传统，因此这一时期反映荆襄地区社会生活的民歌西曲，大量涌现出来。

西曲代表着南朝时期荆楚民歌的最高成就，第四章第三节《六朝时期的民歌》已从形式、内容等方面讨论过西曲的文学价值，并对部分西曲的歌词进行了赏析，本节不再赘述。但需要注意的是，因为当时的乐曲曲调无法在文本性的史料中得以保存，使得我们今天无法亲耳听到西

---

① 陆机著，杨明校笺：《陆机集校笺》（上），上海古籍出版社2016年版，第366页。

曲的生动曼妙，但它本初的意义并不仅仅在于文学，而更多地反映了当时的音乐成就。

朱金涛从音韵的角度出发，分析了西曲的用韵。指出“吴歌西曲中大部分诗押韵，绝不可能是偶然的。民歌作者有很好的音乐修养和音韵的知识”。[①]他还指出，有些西曲的诗歌内容简单，但却得到了记录和流传，原因可能是音乐好听。虽然乐谱并没有流传下来，但从歌词的节奏和诗歌的音韵也可以在一定程度上弥补这一方面的遗憾。王铮指出，荆楚大地上现存的大调曲中的音乐元素与西曲有着千丝万缕的关系，可能正是西曲的遗存。她指出，两者在演唱时，都必须有器乐伴奏。倚歌中悉用铃鼓，大调曲是执节者歌，两者在演唱时都需使用打击类乐器，由大调曲的执板者引导速度节奏，西曲的铃鼓是不是掌控板眼的还有待考证，但铃鼓也有击打节奏的作用。同时，在演唱过程中，无论是倚歌还是大调曲，除独唱以外，都有曲友“和”声的习惯。大调曲“和”声的习惯很可能是从西曲延续下来的。[②]民间收藏的西曲画像砖印证了她的这一推断（见图 7–9）。

图 7–9　西曲画像砖（襄阳民间收藏家李健收藏）

① 朱金涛：《南朝吴声歌曲与西曲歌之综合研究》，复旦大学 2007 年博士学位论文，第 143 页。

② 王铮：《西曲在民间的遗存考略——以大调曲的音乐元素分析为例》，《浙江师范大学学报》（社会科学版）2015 年第 6 期。

第二节　书法、绘画与雕塑

除歌舞外，荆楚大地上还活跃着书法、绘画、雕塑等多种艺术形式。秦汉时期正值文字的重要演变期，荆楚出土的大量秦汉简牍、碑刻为这一研究提供了重要参考资料。汉代以降，书法逐渐成为一门独立的艺术，东汉时期便出现了很多书法家和书法理论家，南朝具有代表性的书法名家庾肩吾便是荆楚人士。南阳、襄阳等地出土的画像石、画像砖在一定程度上代表了两汉六朝时期民间的绘画水平，其展现的宏富内容，也是研究当世社会史的重要材料。而宗炳、萧绎等人在绘画方面的贡献，则展示出士人阶级对艺术追求的最高境界。考古发现的随葬俑、镇墓兽等，虽多为丧葬性质，但其中不乏精品，体现了当时雕塑技术的进步。

一、秦汉简牍书法

史载秦始皇“书同文字”，将小篆作为标准字体，所以在简牍资料出现以前的很长一段时期里，很多学者都认为秦代官方和民间通用的标准字体就是小篆。直到秦简牍的大量出土，方颠覆人们的想象。在秦简牍中，虽然这些字还保留了一些小篆的书法，但是大部分字迹都已经具备了浓厚的隶书字形与笔势。睡虎地秦简和龙岗秦简所记录的内容，有的是官府文书，如《效律》《为吏之道》《秦律十八种》《法律答问》《封诊式》等，有的是民间日常生活用书，如《日书》等。睡虎地秦简书写时代是在秦始皇统一前后，龙岗秦简书写时代是秦始皇统一之后，这些说明了不管是在秦统一之前还是之后，不管是官方还是民间，当时荆楚地区通用的书写字体都是隶书。如，《效律》中字形虽偏重纵长，留有浓厚的篆意，但起笔收笔已有明显的挑拨取势，甚至个别笔画已具备头粗尾细的特征（见图 7–10）。[①]

① 宋晓寒：《秦汉简牍隶变的书法形态》，南开大学 2017 年硕士论文，第 9 页。

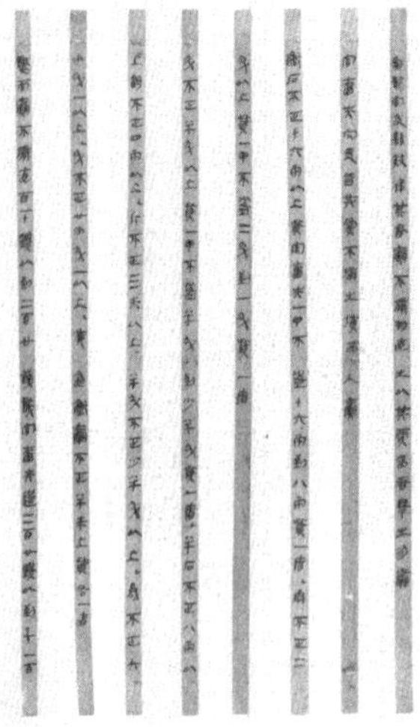

图 7–10 睡虎地秦简《效律》

汉承秦制，西汉时期继续使用隶书，汉隶的发展应该也与秦隶一脉相承，但是从出土的汉初简牍资料来看，汉初的隶书仍处于尚不完备的古隶阶段。与秦代相同，西汉时期荆楚地区官府和民间通用的仍是隶书，这在湖北江陵张家山出土的汉简中得到充分体现。该简在字体构形上较规范，用笔较有规律，线条已完全失去篆书圆转的态势。字形呈正方形或扁方形，笔画以方折为主，横画方入尖收或蚕头燕尾并用，左波右磔对比强烈，字距间规整有序，起笔藏锋，收笔露锋，排列长短相聚，肥瘦结合，点画之间互有呼应，张敛避让，各得其宜。章法布局上，一般字距大于行距，有的加朱丝栏，尽现汉隶之美。[①] 张家山汉简的字形正具备了汉隶的很多特点，大多趋方扁，有些用笔偶有篆笔，挑法十分明显，字体的撇画长度自由，捺甚至已经出现明显的凤尾形态，笔画粗细相见，富有变化，已经具有明显的隶书体态。西汉早期的简牍文字与秦小篆相比，篆引用笔和象形意味减弱，线条化圆为方，章法布局逐渐紧凑有序；与秦隶相比，横向取势的特征更为明显，用笔变转为

① 石正军《秦汉简书法赏析》，《书法赏评》2014 年第 4 期。

折，字形更加方正，趋于端正平稳，行笔间有了夸张的垂笔与提顿，线条粗细不一，横画平行等距，长捺收笔轻提呈燕尾状，逐渐形成“蚕头燕尾”的雏形，字体的隶意浓于篆意，形体上趋于简约化，呈现一种质朴简练的古隶书风，书写方式上趋于定型化，但篆书意味犹存，并未完全脱离篆书的形体特征和书写方式（见图 7–11）。[①]

图 7–11　张家山汉简《二年律令》图版（局部）

这些在荆楚地区出土的秦汉简与战国中晚期出土的楚简有一定关联性，且后者已经表现出明显的隶书特征，正是在这个意义上，刘玉堂认为：“隶书的诞生，使整个文字书写出现了前所未有的生气，成为中国书法真正走向成熟的标识。它从篆籀的行笔中奔突而出，一度风行草偃，取代了尚未在市井村野站稳脚跟的小篆，且为秦汉之际草、正、行等书体的相继出现埋下了‘伏笔’，为中国书法艺术的长足发展提供了契机。”[②] 在此基础上，经过秦隶过渡，演变出了影响深远的汉代隶书和

① 宋晓寒：《秦汉简牍隶变的书法形态研究》，南开大学 2017 年硕士学位论文，第 15 页。

② 刘玉堂：《楚书法艺术简论》，《文艺研究》1992 年第 3 期。

草书，最终成为一门独立的艺术和中国传统文化不可缺失的一部分。

二、魏晋南北朝时期的书法与《书品》

魏晋南北朝时期，是中国书法艺术史上的一个繁荣时期，不仅完成了隶书向楷书的过渡，还让书法成为一门独特的艺术，这是由多种外在和内在条件共同促成的。当时战乱频仍，社会动荡不安，许多文人为逃避现实，择居山野，追求精神上的自由和解放。特殊的社会文化背景激发了这些文人艺术创作的灵感，他们中不少人喜好书法，因此将自己的情思寄托在书法创作中。汉代书法为这一时期书法艺术的发展奠定了基础，汉代的隶书在使用中更趋于简化，横平竖直，由此演变出楷书，楷书遂成为当时的主要书体之一。另一个重要的外在条件是纸的发明和广泛应用，造纸术的成熟，不但为书法提供了便捷廉价的载体，更是大大促进了社会文明，让更多的人识文断字，有机会接触到书法。除了外在条件，书法的发展也离不开诸多内在条件的影响。思想方面，玄学、道教与佛教的盛行，三者间的相互激发碰撞，开阔了思路和眼界，对社会文化产生了重要影响，其中就包括书法艺术，书法家们不再拘泥于某种风格，开创出更广阔的艺术空间。文字是文化的基础和重要表现方式，并有其独特的艺术魅力，可以修身养性，改善个人的形象、提高身价，甚至成为晋身之资，是名士官员的脸面，在家族、地域文化竞争激烈的三国两晋南朝尤其备受青睐，出镇荆楚地区大员中精于书法的前有刘表，后有王廙、庾翼、桓温、王僧虔等。王廙为东晋初过江书画第一人，书技传给了侄子王羲之，画艺传给明帝司马绍。庾翼书法初与王羲之齐名，并不以羲之书法为事。桓温长于行草，得王羲之、谢灵运之余韵。王僧虔书承乃祖右军书法，以骨力气势见长，并撰有《论书》，倡导书法要有完美的艺术形象，庾肩吾的《书品》所用的“天然”与“功夫”概念即由其提出。五人俱入书史名家之列，都是对荆楚文教事业贡献较大且有所作为的一方雄主，对荆楚书法普及提高势必起到过一定的促进作用。

这一时期，荆楚地区较有代表性的书法作品当属收藏于襄阳市博物馆的《程虔墓志》（见图 7–12）。

从书法角度着眼，《程虔墓志》的用笔较为质朴，不同于萧敷夫妻墓志般谨严，亦和《萧憺碑》有较大差异。结体相当随意，不加修饰，一任自然，字的大小、方长、疏密、斜正皆随意而作，其神理与《瘗鹤铭》有相通之处，实属梁代碑志逸品，原拓已很少见，有翻刻本行世。原石表面有鱼鳞状石纹，石花自然，翻刻本石面光洁，石花僵硬，容易分辨。

图 7–12　《程虔墓志》拓本

前面已有所介绍的梁著名文学家庾肩吾亦是一位著名的书法家。

庾肩吾是“高斋学士”之一，除了文学，书法也为世人所称道，其《书品自序》云“余自少迄长，留心兹艺，敏手谢于临池，锐意同于削板”。[①] 对于庾肩吾的书法，后人多有评价，可分为两派：一派较为苛

① 严可均辑：《全梁文》，商务印书馆 1999 年版，第 730—731 页。

刻，如袁昂《古今书评》中谓“庾肩吾书如新亭伧父，一往见似扬州人，共语便音态出”，认为庾肩吾的书法难登大雅之堂。另一派则是以唐代书法家、书学理论家张怀瓘为代表，对庾肩吾书法的评价较为客观。张怀瓘在《书断》中云：

才华既秀，草隶兼善，累纪专精，遍探名法，可谓赡闻之士也。变态殊妍，多惭质素，虽有奇尚，手不称情，乏于筋力。“文胜质则史”，是之谓乎！尝作《书品》，亦有佳致。大宝元年卒。肩吾隶、草入能。子信，亦工草书。时有殷钧、范怀约、颜协等，并善隶书，有名于世。[①]

庾肩吾还是一位书法评论家，其所作《书品》是书论史上“品第”一类著述的开山之作。

《书品》继承了前人对书法家评论的成果，同时也借鉴了其他艺术形式的品评方法。在参考前人成果和借鉴九品中正制的基础上，《书品》将收录书中汉至梁的123位书法家，分为上、中、下三品，每品再分为上、中、下，共九等，每品之后都以“论曰”的形式进行点评。例如，他将张芝、钟繇、王羲之三人的书法列为上之上品，并评论道：

若探妙测深，尽形得势。烟花落纸将动，风彩带字欲飞。疑神化之所为，非世人之所学。惟张有道、钟元常、王右军其人也。张工夫第一，天然次之，衣帛先书，称为草圣；钟天然第一，工夫次之，妙尽许昌之碑，穷极邺下之牍；王工夫不及张，天然过之；天然不及钟，工夫过之。羊欣云：“贵越群品，古今莫二。兼撮众法，备成一家。”若孔门以书，三子入室矣。[②]

---

① 张怀瓘：《书断》，浙江人民美术出版社2012年版，第185页。

② 严可均辑：《全梁文》，第731页。

从庾肩吾对张芝、钟繇、王羲之三人书法风格的评论中可以看出，庾肩吾认为书法作品最重要的特质是“天然”与“工夫”，这也正是庾肩吾美学思想的核心。天然，是一种不加雕琢的美。崇尚自然之美，在魏晋时期尤为流行，这与当时的社会环境密不可分：“汉末魏晋南北朝是中国政治上最混乱、社会上最苦痛的时代，然而却是精神上极自由、极解放、最富于智慧、最浓于热情的一个时代，因此，也就是最富有艺术精神的一个时代。”① 这一时期，也是玄学大发展的时代，玄学倡导“得意忘言”和“越名教而任自然”。在这种思潮影响下，《书品》将“自然”作为衡量书法好坏的重要标准。而与“自然”相对的“工夫”，则指人为的修饰。东汉时期的赵壹在《非草书》中指出：“凡人各殊血气，异筋骨。心有疏密，手有巧拙。书之好丑，在心与手，可强为哉？若人颜有美恶，岂可学以相若耶？”② 赵壹认为，人有不同的性情才气，不同的体格，心思有粗有细，人的手也有灵巧和笨拙之分，而写书法的好坏就在于心和手。庾肩吾认为“天然”和“工夫”在书法作品中都很重要。庾肩吾以辩证统一的态度来看待两者在书法艺术中的作用，在书法评论史上有重要意义。

这一时期与荆楚地区相关的其他知名书法家还有梁鹄、邯郸淳、杜预、桓玄、范汪、王褒、萧子云等。

三、画像石与画像砖

汉代楚风画像石出土最为集中的当属南阳。南阳汉代画像石，在空间上，主要分布于汉代南阳郡的中心地区，“分布范围东到唐河、桐柏；北到方城、叶县、襄城；南到邓县、新野”。③ 在年代上，兴起于东汉早

① 宗白华：《论〈世说新语〉和晋人的美》，《美学散步》，上海人民出版社 1981 年版，第 208 页。

② 张彦远辑录：《法书要录》，上海古籍出版社 2013 年版，第 3 页。

③ 河南省博物馆：《南阳汉画像石概述》，《文物》1973 年第 6 期。

期，兴盛于东汉中期，衰落于东汉后期。①

汉画像石（砖）的表现形式丰富多彩，有贴面、涂抹、朱绘、刻画结合、题刻等多种形式，最后一道工序通常是赋彩。

作为反映社会生活的一面镜子，艺术往往能让我们从各个角度了解当时社会的方方面面。南阳画像石上刻画的内容十分丰富，大致包括社会生活、历史故事、神鬼祥瑞、花纹图案四大类，有舞乐百戏、历史故事、远古神话、天文图像、科技、农业手工业生产、珍禽异兽，草木虫鱼等等，囊括了政治、经济、思想、文化、教育、民俗等各个方面，对研究汉代社会生活具有重要的价值。

南阳是汉武帝刘秀的故乡，聚集了很多豪门望族、大土地所有者和富商大贾，南阳画像石刻画了很多他们日常生活的场面。如唐河针织厂汉墓出土的刻有楼阁的画像石，向我们展示了当时贵族阶级住宅的奢华——建筑高大宏伟，下为门，上为亭，屋檐和望亭装饰有朱雀、仙鹤等祥瑞。主人坐于门内，或接受宾客拜谒，或欣赏门外人跳舞鼓瑟。②

南阳画像石还展现了贵族的宴饮场面：往往一边是正襟跽坐的主人和宾客，一边是正在表演的乐者、舞者和表演杂耍者；上方激情地表演着舞乐欢歌，下方满案摆放着美味珍馐，反映了豪门贵族的奢侈享乐生活。

汉画像石中出现了大量刻画神话人物、传说故事等内容，如伏羲、女娲、嫦娥奔月、黄帝大战蚩尤等等。还有日月、苍龙星座、白虎星座、北斗星、二十八宿等。

南阳画像石除了内容上反映了汉代社会的方方面面外，在艺术上也独具风格，能以多点或散点透视的二维空间图画表达出三维空间的时空形态，其雕刻技法特点是：剔地并施有横竖纹地的浅浮雕，在浮出画像轮廓上刻有简练而较粗的阴线条表达形象的细部；大刀阔斧地琢出图像

① 河南省博物馆：《南阳汉画像石概述》，《文物》1973年第6期。

② 参看周到、李京华：《唐河针织厂汉画像石墓的发掘》，《文物》1973年第6期。

的轮廓，再用粗壮的阴线刻画神态。[1]这种雕刻方式虽然不能十分准确地表现细节部分，但对人物和动物神态豪迈古朴的刻画却也别具特色。在构图方面，南阳汉画像石早期作品主题突出，画面上仅刻画出所要表现的主要人物或建筑物，展现的多种建筑形式，成为研究实物原形早已消失殆尽的汉代地面建筑的可贵资料。中期则更加注意空间补白和局部装饰；在题材和表现手法上，南阳汉画像石已经突破了商周时期呆板抽象的模式，更加注重从社会生活中获取素材，在表现方面也更加生动，有时也会运用夸张的手法对所描绘的事物进行表现（见图 7–13、7–14、7–15、7–16）。[2]如在“象人斗兽图”中，虽然展现的是当时真实的斗兽场景，但其刻画的猛兽体型巨大、凶猛异常，斗兽者周旋于猛兽之间却毫无惧色，由此来体现斗兽者的勇猛（见图 7–17）。

图 7–13　出行图

图 7–14　宴饮图

图 7–15　伏羲和女娲

① 河南省博物馆：《南阳汉画像石概述》，《文物》1973 年第 6 期。

② 参看南阳汉代画像石编辑委员会：《南阳汉代画像石》，文物出版社 1985 年版，第 37—51 页。

图 7–16 舞蹈和百戏

图 7–17 象人斗兽图

除此之外，湖北境内比较有代表性的画像石资料就是当阳画像石。1972 年，在湖北当阳县刘家冢子，考古工作者发掘了两座东汉时期画像石墓，这两座墓都是有画像石的多室砖墓，砖为青灰色，分条砖和楔形砖两种，砖的花纹多数以菱形为主的几何纹，2 号墓还有不少是鱼纹。两座墓共出土画像石 24 块，都是门的构件，共有画像 22 幅。画像为平面浅浮雕，比较简洁、刚劲，轮廓线条也较清晰，但都未磨平，画像轮廓线以外是以阴刻的交错绳纹作底，周围一般用阴刻的菱形图案加阳刻的直线条作框。这批画像石的内容较为简单，门扇为铺首衔环，环上立一朱雀，门柱多为站立拥篲门卒或持笏的门吏，门柱上或刻有人身兽爪，或刻有直立的龙，门楣多为青龙白虎对舞（见图 7–18、7–19）。①

① 沈宜扬：《湖北当阳刘家冢子东汉画像石墓发掘简报》，《文物资料丛刊》1977 年第 1 期。

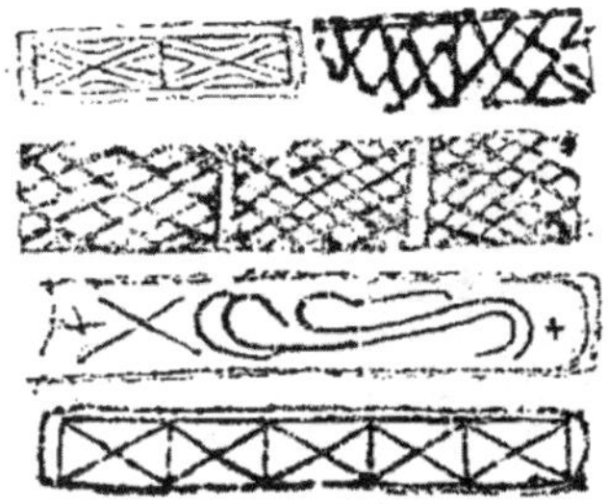

图 7–18　几何纹砖

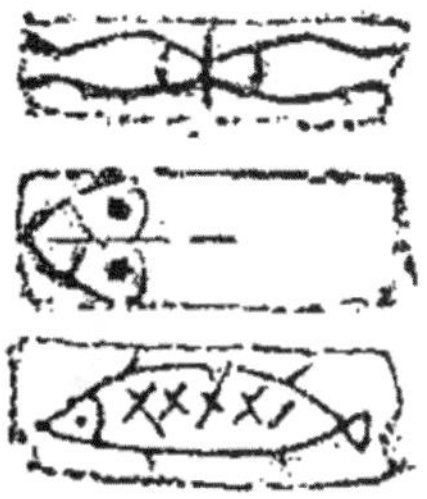

图 7–19　鱼纹砖

1994 年，当阳市郑家大坡发掘了 1 座东汉砖室墓，墓内前室和后室之间有一门，门楣正面分别有浮雕的狮子和白虎；其甬道前有一画像石门，门槛均为方形条石，门框上面刻有龙、人像等图案，门板正面有阴刻的龙、凤图案，门楣正面刻有白虎、三角形几何纹等浮雕图案（见图 7–20、7–21）。虽然这个墓内没有发现纪年资料，但其出土器物和画像石资料与当阳东汉刘家冢子所出同类器物和画像石资料比较一致，尤其是青龙、白虎、狮子等画像石刻极为相似，所处墓砖的大小及纹饰也相似，应是同一时代。[①]

在当阳刘家冢子墓之前，在湖北发现的汉画像石墓只限于鄂北的枣阳、随县地区，而当阳这两座东汉画像石墓的发掘，使我们对荆楚地区的汉画像石墓有了更多的了解。整体而言，当阳汉画像石的内容题材比较简单，只有一些人物和动物画像，而且这些画像种类也不甚丰富。从雕刻技法上来看，当阳画像石均采用平面浅浮雕，手法古拙粗粝，更注重对刻画主体姿态而非细节的表现，这一点与南阳画像石的特点十分相似，除了雕刻技法，在艺术风格和画像内容设计、布局等方面，当阳画像石与南阳画像石都极为相近。因此学者推断这两个地区的画像石是属于同一个石刻艺术传统。[②]

---

① 宜昌市博物馆：《湖北当阳市郑家大坡东汉画像石墓》，《考古》1999 年第 1 期。

② 贺中香：《湖北汉画像石初析》，《江汉考古》1987 年第 3 期。

图 7-20 门楣浮雕狮子拓本

图 7-21 门楣浮雕白虎拓本

与当阳汉画像石题材内容较为简单形成鲜明对比的是枝江姚家港汉画像砖。1974 年，姚家港古墓发掘小组在当地征集到 6 块画像砖和 1 件残块，这些砖均为灰陶，砖背面为平行细绳纹，浮雕高 1 厘米多，画面内容丰富，除了有导车图、主车图等简单题材，还有宾主拜谒、百戏和六博、盘鼓舞等具有故事性的内容。其中百戏画像颇为有趣，画面上部、左上角钟架之下有流苏，下垂一特钟，一乐人戴笼冠着袍，侧身向右，一手执桴击钟，一手执桴下垂，右边一乐人正立，戴笼冠着袍，穿圆头履，拱手捧埙吹奏；中立二乐人均戴笼冠着袍，腰系绶带，着圆头履，斜负剑，左手摇鼗鼓，右手执排箫吹奏，左乐人右侧置一铎；右乐人左侧有一器，其形两汉壁画及画像石中均未见，似为柷。该砖画面上下共有三对犁铧形乐器，成对并列，该乐器未见于出土文物，于汉砖石画像中所仅见。画面下部之中置伏虎座建鼓，鼓杆饰若干连珠，鼓上有华盖、流苏及羽葆，鼓下也有流苏，鼓身饰菱纹。鼓端各立一人，皆戴笼冠，长衣长袖，手臂上举，执桴挥袖。二人弓步相对，衣角随舞飘动如燕尾，做击鼓之戏。砖面右下角有方格纹，当为铺地席类（见图7-22）。[①]这块画像砖刻画精美，内容丰富，对研究汉代服饰、乐舞等具有重要意义。姚家港汉画像砖的出现也打破了以往人们对湖北地区汉画像石内容题材简单的印象。

图7-22　姚家港乐舞百戏画像砖

到了魏晋南北朝时期，用成套画像砖装饰整座墓室的现象出现在以襄阳为中心的雍州地区。从东汉末年开始，襄阳就是全国区域性的大城市，在东晋和南朝时，襄阳一度是雍州、宁蛮校尉、沔中都督戍的治所所在，具有举足轻重的历史地位，因此这一时期襄阳成为除了江苏南京和甘肃嘉峪关外，出土画像砖墓最集中的地区。

1984年，湖北襄阳贾家冲柳子山侧发掘了1座砖室墓，出土了大量各式各样的画像砖和花纹砖，墓室和甬道的壁全部砌画像砖和花纹砖，画面主要模印在砖的平面、侧面和端面，采用浮雕形式，富有立体感。此次收集不同类型的砖接近一千块，展现了当时建筑、雕刻、绘画三方面的风貌。画像砖的主要内容有人首鸟身，兽首鸟身、双狮、龙、虎、

① 黄道华：《枝江姚家港出土的东汉画像砖》，《江汉考古》1991年第1期。

飞仙等珍禽异兽和神话人物，也有体现日常生活的内容，如备出行图，似为墓主人准备出行场面，前面一人手执缰绳，随后一人在侧牵马，马后一人双手执华盖，最后一人手扶团扇做回顾状，四人服饰相同，头戴冠，身穿交领宽袖衫，下着喇叭长樽。还有一幅侍饮图，画面为侍饮分左右两侧，侍者居左，做跪状，双手捧樽向前伸，饮者居右，坐于案上，右手置一樽前伸，中间有香炉并有熏烟，背景有山、草、树木，四周有忍冬纹边框。①

除了贾家冲画像砖墓，在襄阳城区、谷城县、南漳县、老河口市等地相继发掘出土了多座画像砖墓。其中襄阳柿庄墓地出土画像砖最多，计有万余块。柿庄墓地位于襄阳市襄城区余家湖街道，发掘出土了六朝隋唐砖室墓 27 座。其中以 15 号墓最具代表性，墓内建筑用砖质地细腻，敲击时有金属声，烧砖所用陶土是经过淘洗沉淀之后选用的。更为难得的是，每一块砖上都模印有纹饰，有的在端面，有的在侧面或平面，其内容有龙、虎、朱雀、玄武、千秋万岁、郭巨埋儿、供养人、侍女、博山炉、莲花、瓶草、忍冬等。大多是社会生活场景，有农耕、畜牧、狩猎、宴饮、出行、庖厨、屠宰、衣着、生活用具、庄园建筑等，表现题材广泛，构图巧妙生动，内容珍奇，雕技古朴，再现了南北朝尘世生活的风貌。

除了襄阳地区，南朝时期属于雍州和沔中都督区所辖的邓州都有画像墓出土。1958 年，考古工作者在邓州发掘了 1 座彩色画像砖墓，其中有大量壁画和画像砖。壁画画在券门上的白石灰上，用朱红、黄、绿等多种颜色绘成，画中内容是：中间有一兽头，兽头两旁券门中部各画一飞仙，在门两旁各画一守门人（见图 7–23）。这个墓中有很多不同形状和花纹的画像砖，其中有券顶用的楔形砖、墓底用的花纹砖和墓壁用的各种彩色画像砖；画像砖上的内容非常丰富，有三四十种之多，有描写生活的出行、运粮图，也有描绘故事的郭巨埋儿、南山四皓等，还有飞

① 襄樊市文物管理处：《襄阳贾家冲画像砖墓》，《江汉考古》1986 年第 1 期。

仙、凤凰及音乐舞蹈的画像。[①]

图 7–23　邓州出土万岁千秋画像砖

此外，在湖北安陆黄金山、河南淅川杨家营、西岭等地也有画像砖墓出土。

汉以来南襄地区出土的这些画像砖石类大墓的地面应当放置有石雕类装饰物，如《水经注》载，汉末长水校尉汉阳亭侯蔡瑁墓前立有一头石刻大鹿（当是麒麟、天禄一类瑞兽）。[②] 史载南朝帝陵前制作最精美的石刻——宋文帝长陵前的华表、门阙和麒麟等，都是由时任雍州刺史、后来的宋孝武帝刘骏在襄阳造好后运至南京的制成品，成为南朝帝陵竞相模仿又难以企及的匠心巨制，极大地影响了南朝帝陵前的石雕艺术。[③] 表明自两汉以来雍州地区石雕艺术一直得到较好的传承和发展。

四、武昌城的人面纹瓦当

瓦当是中国古代建筑物屋顶陶制筒瓦顶端下垂的部分。瓦当上往往刻画有文字或图案，起装饰美化作用。武昌城出土的人面瓦当不仅有美观功能，更体现了一种传统风俗。

---

① 河南省文化局文物工作队：《邓县彩色画象砖墓》，文物出版社 1958 年版，第 4—5 页。

② 郦道元撰著，陈桥驿校证：《水经注校证》，第 638 页。

③ 《南齐书》，第 414 页。

瓦当纹饰可以分为云纹、人面纹、兽面纹、莲花纹、忍冬纹等，其中云纹是秦汉时期的主流，到了孙吴中后期流行起一种人面纹瓦当，随后流行的是兽面纹，莲花纹和忍冬纹则随着佛教的兴起而产生流行。

其中比较有特色的是人面纹瓦当，这种纹饰的瓦当，在战国时期的齐国临淄城、燕国下都遗址和章丘东平陵故城汉代遗址已有出土。战国时期的人面纹瓦当为半圆形，汉代和六朝人面纹瓦当均为圆形，当面的主体部分是凸起的人面图案，有眉毛、眼睛、鼻子、脸颊、口舌、牙齿、胡须等，其凸起的脸颊是其最具特色之处。

目前出土人面纹瓦当较多的地点有江苏南京、湖北鄂州等地，南京所出人面纹瓦当公布较多，而鄂州所出人面纹瓦当（见图 7–24）收藏于鄂州博物馆，书面材料公布很少，但据学者考证，人面纹瓦当应当是源自于湖北鄂州的武昌城。

王志高、马涛指出，赤乌十年（247），孙权曾下诏拆运武昌宫（在今湖北鄂州市）材瓦，来修缮太初宫（在今江苏南京），所拆运的材料中必然有瓦当。而且近年来，鄂州武昌城内东汉至孙吴时期的水井中发现有多种人面纹瓦当，其中一种与南京大行宫出土的早期人面纹瓦当极为相似。这说明人面纹瓦当应是源自于鄂州武昌城。[①] 从武昌宫拆运建筑材料到太初宫之事，在史书中记载详细，据《三国志》注引《江表传》载：

> 权有诏："建业宫乃朕从京来所作将军府寺耳，材柱率细，皆以腐朽，常恐损坏。今未复西，可徙武昌宫材瓦，更缮治之。"有司奏言曰："武昌宫已二十八岁，恐不堪用，宜下所在通更伐致。"权曰："大禹以卑宫为美，今军事未已，所在多赋，若更通伐，妨损农桑。徙武昌材瓦，自可用也。"

① 王志高、马涛：《论南京大行宫出土的孙吴云纹瓦当和人面纹瓦当》，《文物》2007 年第 1 期。

太初宫的前身是孙权于建安十六年（211）移徙建业所建将军府，所以这时的宫殿瓦当主要是当时流行的云纹瓦当。而目前在南京出土的人面纹瓦当应该是从武昌宫运去。故而推测目前所见六朝人面纹瓦当应为建武昌宫所创。人面纹瓦当存在时间很短，其产生和发展应当是受到了东吴时期武昌城特有的建筑风俗影响。而西晋灭吴后，孙吴的宫苑建筑遭到了破坏，至东晋建立，人面纹瓦当便迅速销声匿迹，与中原建筑风格有着传承关系的兽面纹瓦当开始成为主流。

图 7–24　湖北鄂州出土孙吴人面纹瓦当

五、绘画名家及其作品

中国书画具有鲜明的个性和时代风格。先秦两汉时期崇尚自然，师法自然，重视写实，表达朴素的思想或概念，较为成熟的是人物画和走兽画，山水只是作为人物故事画的衬景。汉代少府下设置有“画室署长”[①] 管理宫廷画家。随着外来绘画技法的传入，纸绢卷轴画开始出现，线描能力获得发展。一大批士大夫专志于绘画，作品开始强调情感的价值，注重抒发胸臆，表达情思，讲究神情气韵，文艺活动本身被视为目的。取得杰出成就的画家不少，他们地位显赫、画艺精湛、声誉卓著，深受时人推崇，欣赏、收藏他们的作品成为时尚。在南北朝晚期，开始

① 《后汉书》志二十六，“百官”三。

出现针对不同主题采取不同描绘方式的现象。山水画作为一个独立画种，南北朝后期趋于完成。

（一）出仕荆州的顾恺之

顾恺之与荆楚关系密切。顾恺之（348—409）生活于东晋时期，他先后出任两位酷爱艺术的桓温和殷仲堪的军府参军。兴宁元年（363）桓温职兼大司马，顾恺之入幕大司马府参军正值青春年少，却大为桓温所抬爱，其“画绝”“文绝”“痴绝”三绝亦得自于供职桓温府期间。顾恺之亦视桓温为恩公，桓温死时，恺之悲不自胜，临墓拜祭，痛哭流涕，赋诗“山崩溟海竭，鱼鸟将何依”以寄托哀思。继为殷仲堪的参军，在荆州与桓玄为一人之交，三人频繁交流戏谑。顾恺之曾送一帧封装完好的珍贵画作给桓玄，桓玄将木椟打开窃走了椟中画作，将按原样封装完好的空椟还给恺之，称说未曾打开画椟，恺之开启空椟后一笑了之。

顾恺之绘画技艺高超，以细腻传神取胜，长于画人物、佛像、禽兽、山水等。殷仲堪有目疾，恺之为他画出一双明眸，巧用飞白将其目疾予以掩饰，有如“轻云蔽月”般俊俏。

顾恺之风流浪漫，看上了江陵隔壁女子，女子不从，他将女子之肖像图画于壁上，将一枚棘刺钉在女子肖像的心窝上，女子立即心痛病发作，他遂向女子吐露爱慕之情，抱得美人归后，拔去肖像上的棘刺，女子的心痛病也随之痊愈。荆楚无疑是其成才的福地。

顾恺之多才多艺，善诗赋、精书法，尤擅绘画，还是绘画理论家，他提出的“迁想妙得”“以形写神”的绘画思想影响深远，其画作“传写形势，莫不妙绝”，为中国传统绘画的发展奠定了基础。

（二）宗炳与《画山水序》

宗炳是南朝宋时期的著名画家，也是山水画评论家。宗炳擅长弹琴作画，精通佛理，嗜好游历山水，每次游山玩水都乐而忘归。一直到他老疾缠身，不能再游历四方，只得回到江陵，犹自哀叹：“老疾俱至，名山恐难遍睹，唯当澄怀观道，卧以游之。”[①] 宗炳所谓的“澄怀观道”，即将心目中的山水绘画下来，神游于充满禅佛的山水人物画中。

由于各种原因，宗炳的山水画作没有留存于世，我们只能从古人对宗炳作品的记录中找到一些线索，如唐裴孝源的《贞观公私画史》中记录了四卷宗炳官本，其中就有几幅临摹的宗炳山水人物画，人物画占了主要部分。唐代著名画家张彦远，在他的《历代名画记》中记录了宗炳的七幅作品，分别是《惠持师像》《永嘉邑屋图》《颍川先贤图》《狮子击象图》《孔子弟子像》《嵇中散》和《周礼图》。

宗炳除了是一名画家，还是一位山水画评论家，他写过很多与绘画有关的文章，可惜大多亡佚，只有《画山水序》《狮子击象图序》存世，其中《画山水序》是中国绘画史上第一篇山水画论，在我国绘画理论史上有重要意义。

六朝之前，山水画并没有被人们当作一个独立画种看待，山水画通常被用作为人物画的背景，其功能在于装点人物或用以突出人物形象，在《画山水序》中，宗炳将山水画作为一种独立画种进行评议，整篇画论并不涉及人物或其他，都是围绕着山水展开论述的，这在山水画史上具有开创性意义。此外宗炳的山水画观也具有首创意义。他认为山水画并不是单纯的对自然景观的客观摹写，而是画家主观思想意识的体现。中国山水画从理论和技法上渐入写意之途始于宗炳。

《画山水序》中宗炳表达了对山水画的审美情趣：

> 圣人含道映物，贤者澄怀味像。至于山水质有而趣灵，是以轩辕、尧、孔、广成、大隗、许由、孤竹之流，必有崆峒、具茨、藐姑、箕、首、大蒙之游焉。又称仁智之乐焉。夫圣人以神法道，而贤者通；山水以形媚道，而仁者乐。不亦几乎？
>
> ……

---

① 沈约：《宋书》，第2279页。

夫以应目会心为理者，类之成巧，则目亦同应，心亦俱会。应会感神，神超理得。虽复虚求幽岩，何以加焉？又神本亡端，栖形感类，理入影迹。诚能妙写，亦诚尽矣。

于是闲居理气，拂觞鸣琴，披图幽对，坐究四荒，不违天励之藂，独应无人之野。峰岫峣嶷，云林森眇。

圣贤映于绝代，万趣融其神思。余复何为哉？畅神而已。神之所畅，孰有先焉。[①]

在此，宗炳主要提出了两个方面的绘画思想：一是“以神法道，而贤者通”，强调画家要有深邃的思想性，这是山水画的根本实质，即要与德行高尚的圣贤心灵相通。艺术形象与自然山川的“质有趣灵”，可以开启人的心灵，陶冶性情，与自然融为一体。[②]二是“山水以形媚道，而仁者乐”，强调山水画要有艺术性，使人们获得感官上的愉悦、精神上的享受和心灵上的抚慰。如果能进入这种境界，即使不是去游历真的山川美景，而是欣赏画卷中的山水，也能够体验到山水的美感与灵趣，仿佛可以看到真实的广阔原野、悬崖峭壁和葱郁山林。

宗炳在《画山水序》中以一种淡泊的审美方式去观照自然、观照山水，借用自然物的外在形式，将自己对生命的领悟融入山水的审美意象之中。以虚静的精神境界“映物”，容纳世间万境，发掘“道”的存在，进至亲近自然、融入自然体味道感的崇高境界，借山水画实现与天地神灵相往来的哲思情怀。

《画山水序》中还提到了山水画创作的方法和技巧。宗炳强调要画出自然景物首先要有经验积累，要细心地去观察自然风光，体会眼见的山水之美，明白美之实质所在才能更好地描绘山水；在此基础上，要做到“以形写形，以色貌色”，即要尊重客观自然，这其实是一种朴素的

---

① 宗炳：《画山水序》，人民美术出版社 1985 年版，第 1—9 页。

② 范廷义：《简析〈画山水序〉的意义及美学价值》，《肇庆学院学报》2004 年第 4 期。

现实主义的体现；宗炳还论述了如何运用透视关系，于尺寸画幅中展现出现实中宏大雄伟的自然山水：

> 且夫昆仑山之大，瞳子之小，迫目以寸，则其形莫睹，迥以数里，则可围于寸眸。诚由去之稍阔，则其见弥小。今张绡素以远映，则昆阆之形可围于方寸之内。竖划三寸，当千仞之高；横墨数尺，体百里之迥。是以观画图者，徒患类之不巧，不以制小而累其似，此自然之势。如是，则嵩、华之秀，玄牝之灵，皆可得之于一图矣。①

在这里，宗炳运用近大远小的透视学原理，领悟出描绘高山大川要远距离观察的绘画方法。

《画山水序》虽然篇幅不长，但是它包含了宗炳对山水画的理念、画理、画法、鉴赏等问题的思考，形成了一个完整的画论体系。《画山水序》是我国山水画论的开端，自此开始，山水画在理论阶段成为一种独立的画种，它给山水画的本质作出了最早的界定，对后来的山水画和山水画论产生了重要影响，在我国美术史上具有重要地位。

（三）萧绎与《职贡图》

萧绎酷爱绘画，技巧全面杰出，擅长肖像、风俗、花鸟、佛像、景物等，尤其以擅画人物肖像著称，姚最《续画品》将梁元帝萧绎排名人物绘画名家第一名，并评价他：

> 天挺命世，幼禀生知，学穷性表，心师造化，非复景行所能希涉。画有六法，真仙为难。工于象人，特尽其妙，心敏手运，不加点污。斯乃听讼部领之隙，文谈众艺之余，时复遇物援毫，造次惊艳，足使荀、卫搁笔，袁、陆韬翰。图制虽寡，声闻于外，非复讨

---

① 宗炳：《画山水序》，第5页。

论木讷，可得而称焉。[①]

梁元帝的画作虽然不多，却声名远播，质朴苍劲、集诗书画于一体是他画作的突出特点。唐朝李延寿《南史·梁本纪下》记载：“（梁元）帝工书善画，自图仲尼像，为之赞而书之，时人谓之‘三绝’。”[②]唐朝张彦远《历代名画记》卷七：“尝画圣僧，武帝亲为赞之。任荆州刺史日，画蕃客入朝图，帝极称善。又画《职贡图》并序，善于画外国来献之事。”[③]

萧绎的绘画作品，有《蕃客入朝图》《游春苑图》《鹿图》《师利图》《鹣鹤陂泽图》《芙蓉湖醮鼎图》等。但是萧绎的画作，保存到现在的只有《职贡图》的一部分。萧绎的《职贡图》描绘的是梁武帝时期外国使节向中国皇帝进贡的情景。唐代张彦远《历代名画记》中记载了萧绎任荆州刺史时创作了《职贡图》并作序。序曰：

窃闻职方氏掌天下之图，四夷八蛮，七闽九貉，其所由来久矣。汉氏以来，南羌旅距，西域凭陵，创金城，开玉关，绝夜郎，讨日逐。睹犀甲则建朱崖，闻葡萄则通大宛，以德怀远，异乎是哉。皇帝君临天下之四十载，垂衣裳而赖兆民，坐岩廊而彰万国。梯山航海，交臂屈膝，占云望日，重译至焉。自塞以西，万八千里，路之狭者，尺有六寸。高山寻云，深谷绝景，雪无冬夏，白云而共色；冰无早晚，与素石而俱贞。逾空桑而历昆吾，度青邱而跨丹穴。炎风弱水，不革其心；身热头痛，不改其节。故以明珠翠羽之珍，细而弗有；龙文汗血之骥，却而不乘。尼丘乃圣，犹有图人之法；晋帝君临，实闻乐贤之象。甘泉写阏氏之形，后宫玩单于

① 姚最：《续画品》，中华书局1985年版，第5页。

② 《南史》，第243页。

③ 张彦远：《历代名画记》，上海人民美术出版社1964年版，第148页。

之图。臣以不佞，推毂上游，夷歌成章，胡人遥集，款关蹶角，沿溯荆门，瞻其容貌，讯其风俗，如有来朝京辇，不涉汉南，别加访采，以广闻见，名为贡职图云尔。①

言其出镇荆州时，外国使臣从遥远的国度群聚荆州访问，他便观察他们的容貌，询问他们国家的风俗习惯，同时也采访了一些访问建康的外国使臣，从而绘画此图。

《职贡图》原图共描绘了35个国家的使臣，现在仅存12人，珍藏于中国国家博物馆的《职贡图》为北宋时的摹本。仅存12位外国使者朝贡的形象，依次为滑国、波斯、百济、龟兹、倭国、狼牙修、邓至、周古柯、呵跋檀、胡密丹、白题、末国的使者。每一位使者身后，都有一个简短的题记，叙述其国名、方位、自然地理、风土人情等。如北宋摹本中尚可看清的龟兹国题记：

龟兹，西域，所居曰延城。汉以公主妻乌孙，乌孙遣其女至汉学鼓琴，龟兹请为妻，其王降宾自以得为汉外孙，愿朝觐。既及京师，皆赐印绶，加其妻以公主之号，锡车骑笳鼓。既归，慕汉制，乃治宫室，作徼道周卫，出入传呼，颇自强大。历魏晋至梁，岁来献名马。普通二年，遣使康石忆、邱波那奉表入朝。②

这些题记与《梁书·诸夷传》的记载相互对照，是研究当时各国与梁经济文化往来的珍贵资料。

人物画历来被视为绘画中最难驾驭的画科。纵观《职贡图》，全图作横卷展开形式，所画各国使者全部采用列队行进式的侧向叉手站立姿态，宛若等候皇帝检阅接见之状，人物皆左向侧身，形象饱满，造型庄

① 欧阳询撰，汪绍楹校：《艺文类聚》，第996—997页。

② 王素：《梁元帝〈职贡图〉“龟兹国使”题记疏证》，《龟兹学研究》第5辑。

重，比例准确，服饰特点明显，并重用工笔刻画人物的头部特征和服饰变化，以突出主体；全图采用优美流畅的线条和淡雅的色彩，精练简洁地描绘出各国使者的人物形象、种族差异及其服饰特点。[①]在色彩运用上，《职贡图》全画人物设色淡雅，人物形象各具特色，但是画面并未显得凌乱松散，这是因为画家对重色与轻色的关系处理得当，人物的须发、鞋子等着重色，起到稳定画面的作用；肤色、空白背景为轻色；服饰则着深浅各异的色彩。另外，用红色统一画面的主调，大部分人物的着装，或多或少地用红色进行装饰，在各个位置上彼此呼应。[②]在构图方面，为了突出人物形象，全图没有关于环境的刻画，而是将塑造的重点放在对人物形态和神情上，同时为了不使画面只有人物略显单调，在空白处留有题记，填补了画面空白。作为一幅绘画杰作，《职贡图》构图严谨、用色合理，描绘的人物生动形象，是一幅难得的艺术珍品。

元帝长子萧方等也是名噪一时的知名画家，“尤能写真”，寥寥数笔即可将数人描摹得出神入化。

六、随葬俑偶造像

所谓俑，即是以陶、木、青铜等材料制作的人像、动物像或其他形象的雕塑，用来作为往昔人殉、禽兽殉的替代品。到战国时期，已有“象人百万”的记载。在秦汉时期，随葬俑更为盛行。荆楚地区出土的俑，根据形象主要分为人物俑、动物六畜俑、镇墓俑等，根据材质主要有木俑和陶俑两类，西汉时期多数为木俑，东汉时期流行陶俑。

西汉时期的木俑以人物俑数量居多，可分为彩绘木俑和素面木俑。其中彩绘木俑比较有代表性的是江陵凤凰山168号汉墓出土的46件木俑，这些木俑全部用整木雕出人物和动态，头部和服饰采用半圆雕与线雕并用的技法刻画出人物的表情和身份，再用单线平涂的方法画出面部

① 林东华：《梁元帝萧绎〈职贡图〉阐释》，《东方收藏》2018年第18期。

② 陈祥华：《工于象人，特尽其妙——评梁元帝萧绎〈职贡图〉的艺术特色》，《艺术教育》2013年第3期。

和服饰。其中，骑马男木俑，衣服有彩色花纹（见图 7–25）。[①]

图 7–25 骑马男木俑

素面木俑同样是用整木雕成，但是没有彩绘，细节刻画也不如彩绘木俑那样生动，只能分辨出基本形态，有些素面木俑可能是因为过度腐烂所致。如在湖北光化县（今老河口）西汉墓，共出土 100 多件木俑，但因朽烂过甚，形象都已损坏，大概可分为行走式俑、站立式俑、拱手式俑，跪式俑和细腰俑（见图 7–26）。[②]

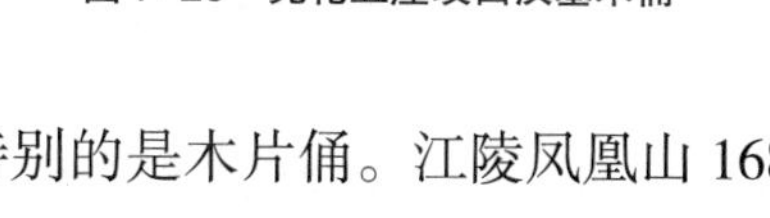

图 7–26 光化五座坟西汉墓木俑

还有一种比较特别的是木片俑。江陵凤凰山 168 号汉墓出土的辟邪

① 湖北省文物考古研究所：《江陵凤凰山一六八号汉墓》，《考古学报》1993 年第 4 期。

② 湖北省博物馆：《光化五座坟西汉墓》，《考古学报》1976 年第 2 期。

俑，共 15 件。辟邪俑是用 1 厘米厚的木片稍加刮削制成的，再用墨绘眉目、嘴鼻以及衣服（见图 7–27）。[①] 还有萧家草场 26 号汉墓出土的片形俑，都是以长方形薄木片刮削而成，矮平头，平窄肩，束腰，无手足，头顶墨涂头发，面部墨绘眉目，有的墨迹已脱落。衣交领、右衽，领、袖口及下裳均饰黑色宽带，有的衣裙饰灰白、黑、红色纹样（见图 7–28）。[②]

图 7–27 辟邪木俑

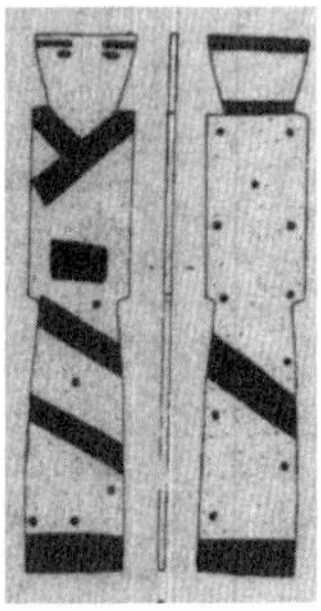

图 7–28 片形俑

东汉时期，特别是东汉后期，陶制俑较为流行，比较有代表性的是当阳刘家冢子东汉墓出土的各类陶俑，包括坐俑、执耜俑、武士俑等。[③] 与西汉时期不同的是，由于东汉时期，尤其是东汉后期庄园经济发展迅速，一些展现当时庄园经济的俑偶逐渐流行起来，比如模仿当时庄园建筑的阁楼宅院，还有六畜俑如鸡、鸭、狗等盛行。荆楚地区出土的东汉时期墓葬中出土了大量六畜俑，比如均县（今丹江口）“双塚”东汉墓中出土了两只绿釉陶鸭，其中一件为老鸭，凸背，颈向前伸，头尾上翘，背部两侧印有羽毛纹，棕绿色釉。另一件为仔鸭，颈向上，头向前，做站立状，涂草绿色釉（见图 7–29）。[④] 两只鸭子虽然形象质朴，

① 湖北省文物考古研究所：《江陵凤凰山一六八号汉墓》，《考古学报》1993 年第 4 期。

② 湖北省荆州市周梁玉桥遗址博物馆：《关沮秦汉墓清理简报》，《文物》1999 年第 6 期。

③ 沈宜扬：《湖北当阳刘家冢子东汉画像石墓发掘简报》，《文物资料丛刊》1977 年第 1 期。

④ 湖北省文物管理委员会：《湖北均县“双塚”清理简报》，《考古》1965 年第 12 期。

但是其形态被刻画得十分传神有趣。

图 7–29　绿釉陶鸭

狗是最早被人类驯服的动物之一，荆楚地区出土的很多东汉墓葬中都随葬有各式各样的陶狗。如云梦瘌痢墩 1 号东汉墓中，就出土了一只陶狗，这只狗昂首挺立，做狂吠状，颈部和胸背上都系着连环套，它机警勇猛地为主人看家护院的形象十分生动（见图 7–30）。[①]

图 7–30　陶狗

三国两晋南北朝时期，荆楚地区出土的俑仍以陶制为主，与此同时，瓷俑开始逐渐流行起来。如黄陂滠口墓出土了大量不同类型的瓷俑，包括持盾武士俑、持刀武士俑、骑俑、徒手立俑、操作俑等，不少俑眉间有白毫相（见图 7–31、7–32）。还有一个厕圈模型，呈圈圆形，

① 云梦县博物馆：《湖北云梦瘌痢墩一号墓清理简报》，《考古》1984 年第 7 期。

平底，里面有两只猪和一个方形食槽，猪圈一侧的上方有一间厕所，厕所的底部一边搭在圈墙上，另一边由两根圆柱支撑，厕所下圆上方，一面开门，屋顶为四面坡式。[1]

图 7-31　持盾武士俑

图 7-32　操作俑

1987 年，黄陂县（今属武汉市黄陂区）天河镇道店乡一位农民上交了 1 件瓷俑，根据他的描述，这件器物是他祖母在世时从附近地下挖出的。此俑为青瓷器，瓷釉基本脱落，露出灰白色内胎，残存处釉色碧绿，并见均匀鱼子纹小开片。其造型是一男性跽坐在长方形底座后部。俑身上看不出衣着，似为裸体，头戴帽，头部所占比例稍大，面庞扁平，肥鼻大眼，前额正中有一圆点。直腰，左手扶于左膝盖，右手略抬，手掌皆平直，拇指与其他四指垂直分开。长方形底座前靠左右腿处各置书纸、长石块和刀笔之类，当为文吏形象（见图 7-33）。这尊俑像与武汉黄陂滠口古墓出土的青瓷俑造型类似，俑额间也饰有“白毫相”。[2]

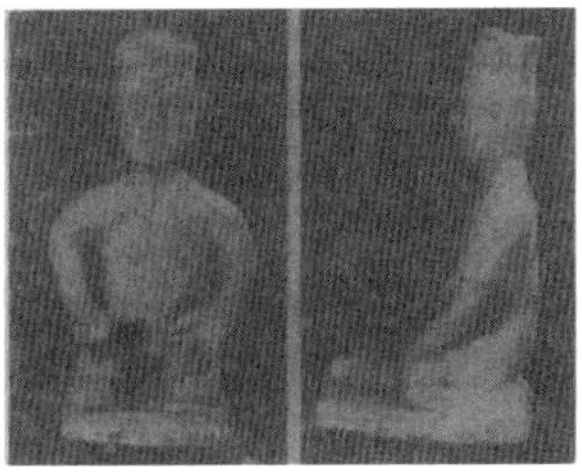
图 7-33　跪俑

① 武汉市博物馆：《武汉黄陂滠口古墓清理简报》，《文物》1991 年第 6 期。

② 黄锂：《湖北黄陂出土东吴青瓷跪俑》，《考古》1993 年第 8 期。

镇墓兽也是中国古代一种随葬明器，多为有角、恐怖怪诞的神兽形象，并与底座相组合，其质地有木质、陶质、铜质、石质、瓷质等。先秦时期，镇墓兽仅见于楚国墓葬中，多为漆木质，称为楚镇墓兽，这是中国古代镇墓神物史上的第一个高峰。考古学家认为："镇墓兽是最具特征的楚器。"[①] 秦汉至两晋时期，镇墓兽主要可分为两类：一是兽形或将人和兽结合起来的镇墓兽，二是人形镇墓俑。这里我们主要介绍第一种。

秦、西汉时期随葬镇墓兽比较少见，东汉中晚期开始，在墓葬中发现一种独角兽，如当阳刘家冢子东汉墓，出土了 2 件独角兽，均绿釉，低头，额顶有独角，角向前，短尾上翘，有脊背，后右腿伸直，空腹，似搏斗状（见图 7–34）。[②] 独角镇墓兽与古代传说中的神兽解豸相似，相传解豸很有智慧，懂得人言，知晓人性，它能辨别是非曲直，能识别善恶忠奸，如果发现有奸恶的人，它就用头顶有力的独角将其顶翻，因而解豸被当作勇猛、公正的象征，墓中放独角镇墓兽以镇妖辟邪，大概与解豸的这些特性有关。

图 7–34　独角镇墓兽

① 湖北省考古研究所编著：《江陵九店东周墓》，科学出版社 1995 年版，第 425 页。

② 沈宜扬：《湖北当阳刘家冢子东汉画像石墓发掘简报》，《文物资料丛刊》1977 年第 1 期。

两晋南北朝时期，镇墓兽明显增多，与先秦时期木质镇墓兽不同，这一时期的镇墓兽多为陶质和瓷质。陶质的如武昌莲溪寺东吴墓中出土的镇墓怪兽，陶质白色，四足直立，圆首平脸，眉、耳、鼻突出，额有圆孔斜通腹腔。[①] 瓷质镇墓兽如鄂州市百子畈旅游局基建工地 2 号墓出土的青瓷镇墓兽，该兽体肥、足壮、短尾，扁圆头、短颈、小耳，八字形粗眉下为一双圆眼，中为鼻梁，嘴微张，舌伸唇外，这种舌头外吐的镇墓兽被称为“吐舌状镇墓兽”。吐舌状镇墓兽在鄂州发掘的六朝墓中尤为常见，如 1002 号墓中出土的禽兽怪面镇墓兽，头顶有一对扁形尖角，双目大而突出，有鼻，张口有牙，长舌下垂，上肢踞地，下肢及躯体简化，外部轮廓极似鸱鸮。2081 号墓中还有人面人身的吐舌状镇墓兽，头戴双角帽或生双角，踞坐状，满脸眉须，长舌外吐，身着紧领窄袖袍，双臂合抱于前胸，双腿呈踞坐状（见图 7–35、7–36、7–37、7–38）。[②] 这些镇墓兽大多形象怪诞，造型奇特，具有很强烈的神秘巫术色彩，是研究当时丧葬风俗的重要资料。

图 7–35　镇墓怪兽

图 7–36　吐舌镇墓兽

① 湖北省文物管理委员会：《武昌莲溪寺东吴墓清理简报》，《考古》1959 年第 4 期。

② 南京大学历史系考古专业、湖北省文物考古研究所、鄂州市博物馆编著：《鄂城六朝墓》，科学出版社 2007 年版，第 217—219 页。

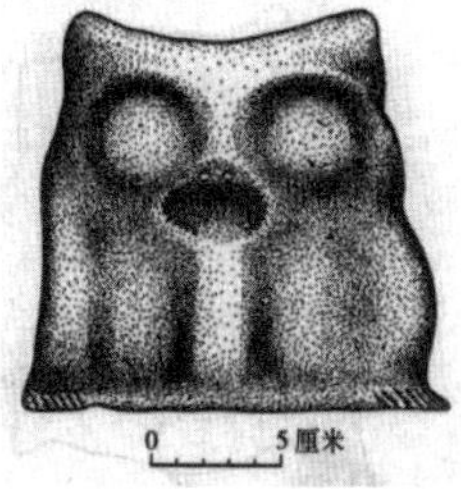

图 7-37　青瓷镇墓兽

图 7-38　人面人身吐长舌镇墓兽

第三节　工艺审美

秦汉魏晋南北朝时期荆楚地区的手工业达到了很高的水平，取得了辉煌的成就，留下了许多令人叹为观止的艺术品。

一、青铜器与铜镜

荆楚地区的青铜器制作在先秦时期达到鼎盛，到了秦汉时期，随着冶铁技术的发展，在生产和生活领域，铁器被越来越多地普遍使用，再加上漆器和瓷器制作工艺的逐渐成熟，传统礼制衰落，导致彰显礼制的青铜器开始式微，青铜器数量日渐减少，青铜器中生活用具成为主流。如湖北宜城跑马堤西汉墓出土了大量青铜器，主要包括鼎、钫等容器，镜、炉等生活用具，刮刀等工具，剑、矛等兵器，节约、马衔等车马器，带钩等饰品和合页、铜构件等杂器等，这些青铜器都偏重实用（见图 7-39）。又如，荆州张家山西汉墓出土的铜虎子，为楚汉人夜间所用之便器，器体为伏虎状，虎头高昂，四肢蜷曲，尾尖回勾，与头部相连，巧铸成把手，兼具了美观性和实用性（见图 7-40）。

图 7–39 宜城太平岗秦墓出铜鍪和釜甑

图 7–40 铜虎子

东汉时期，一种用青铜制作成树形的随葬明器流行于荆益地区，因青铜铸造的树叶上坠有各种钱币图像，所以通常被人们称为“摇钱树”。汉代摇钱树主要是作为权贵人家放置在神龛中的装饰品（有时也作为陪葬用品），一般由两部分组成，上面是青铜树，下面是陶制或石制的底座。1982 年，郧阳博物馆在郧县五峰乡东峰村征集到一株汉代青铜摇钱树，这株摇钱树是由青铜制成的树干、树叶和陶制底座组成，但是当时破碎成散乱状态。后来由湖北省博物馆文保部修复还原，复原后的青铜摇钱树高 125 厘米，分底座、树干和枝叶三部分：底座为陶质，山形，表面刻有荷花和柿蒂形纹饰造型，花瓣上有一猴形人像，猴形人像头顶有一个垂直圆孔，青铜树干插在这个圆孔里；树干共有六节，都是铜制，每节大体相同，呈扁圆形，每节树干中部的正面都铸有一浮雕式神人舞蛇造像，神人五官清晰，双手操蛇，做拱踞状；树叶和树冠主要采用西王母、仿玉璧、人形鱼身舞俑、凤鸟及凤头、凤身、凤尾、凤羽、五铢钱等造型，其中用五铢钱表现凤身上的花纹，在树叶的枝端有展翅欲飞的凤鸟和凤鸟喂食的生动场景（见图 7–41）。[①] 这株青铜摇钱树的发现及复原，为研究当时荆楚地区的风土人情、民间信仰、丧葬风俗等提供了宝贵的资料。

图 7–41　摇钱树

2008 年，樊城菜越三国墓出土了 1 件青铜马，具有很高的工艺价值。该铜马做站立引颈嘶鸣状。面颊平，双耳直立如削竹，两目凸出，翘鼻，张口露齿，双耳间立一纛，额部錾刻阴线流苏，长颈，马尾下垂。长 163 厘米、（头）高 163 厘米（见图 7–42）。[②]

① 周兴明：《湖北郧阳博物馆珍藏一株汉代青铜摇钱树——馆藏二十七年的文物摇钱树残片成功复原》，《江汉考古》2009 年第 3 期。

② 襄樊市文物考古研究所：《湖北襄樊樊城菜越三国墓发掘报告》，《考古学报》2013 年第 3 期。

图 7-42　菜越三国墓出土铜马

三国两晋南北朝时期，荆楚地区的青铜制品从器物种类到风格特征，与两汉时期非常相似，同样是以日常生活用具为主，主要有勺、耳杯、盘、盏、熨斗、带钩饰品等。这一时期的墓葬，陶瓷器成为主要随葬品，青铜器很少，如鄂州发现的 49 座墓中仅出土铜器 79 件，一般每座墓出土 1 件或 2 件。

荆楚地区铜镜制作的历史源远流长，早在春秋时期，楚国铜镜就拥有当时最为流行的种类，到了两汉时期，中国的铜镜铸造业进入第一个鼎盛时期，当时荆楚地区的铜镜制作水平领先全国，我们不妨从荆楚地区出土的汉代铜镜中一窥究竟。

2017 年，考古人员在湖北省襄阳市高新区团山镇李冲村张家岗发掘了 69 座秦汉时期的墓葬，在出土文物中有一面铜镜，只经过简单的清洗，其“久不相见，长毋相忘”的铭文和草叶纹就清晰呈现，犹如新铸。该铜镜不仅纹路精美，铭文清晰，而且在保存了两千多年后仍能光洁如新，由此可见汉代荆楚地区铸镜业之发达。

三国两晋南北朝时期，全国铜镜业低迷，但武昌（今湖北鄂州）的铸镜业并未停滞，而是凭借其精湛的工艺和独具特色的审美成为全国的铸镜中心之一。武昌铜镜铸造业之所以发达，有其独特的社会和自然原因。一方面，武昌在三国时期是吴王故都，交通便利，经济发达，文化繁荣；另一方面，武昌附近有丰富的铜矿，南朝时的陶弘景说，“吴王孙权以黄武五年（226）采武昌铜铁，作千口剑、万口刀”。[①] 能够制作数量如此庞大的刀剑，可见三国时期武昌的铜矿产量很大。

这里出土的东汉到东晋的铜镜种类繁多，有山字镜、羽纹镜、画纹带镜、佛像纹镜、日光镜、望月镜、昭明镜、规矩四神镜、鸟兽纹镜、飞凤镜、重列神兽纹镜、鎏金神兽镜、海兽葡萄镜、牛郎织女镜、双剑镜、菊花镜、带把“喜”字镜等种类；这里还铸造过不少罕见的镜类，如将佛像铸在铜镜上的四叶八凤佛兽镜、直铭云纹镜、凤尾镜等；就铜镜图像而言，其内容受到道家影响较深，尤其是神兽镜上所刻画的神，几乎都是道教信仰的神仙或道教中的传说人物。[②] 另外，许多铜镜上还刻有记录制镜时间的铭文，如：“黄龙元年”“太平元年”“嘉禾二年”“赤乌二年”“宝鼎二年”。有的铭文还记录了作镜的地点，如“会稽山阴”。有的还记录有作镜匠师，如“鲍唐”“陈氏”等字样。

1956 年，在鄂城（今鄂州）樊口朱家垴 21 号墓中出土了一面纪年为黄武六年（227）的神兽镜，上有铭文：

> 黄武六年十一月丁巳朔七日丙辰，会稽山阴作师鲍唐镜，照明服者也。宜子孙，阳遂，富贵老寿，臣先牛羊马，家在武昌，思其少天下命吉服，吾王千昔□□。[③]

这说明武昌铸镜业最初是由会稽山阴的一些著名匠师来此逐渐发展起来的。

---

① 陶弘景：《古今刀剑录》，中华书局 1991 年版，第 4 页。

② 管维良：《鄂城汉三国六朝铜镜概述》，湖北省博物馆、鄂州市博物馆编：《鄂城汉三国六朝铜镜》，文物出版社 1985 年版，第 11—12 页。

③ 俞伟超：《鄂城汉三国六朝铜镜序》，湖北省博物馆、鄂州市博物馆编：《鄂城汉三国六朝铜镜》，文物出版社 1985 年版，第 3 页。

武昌铜镜中比较有特色的是神人或人物画像镜和神兽镜。浮雕式的神人或人物画像镜本是东吴会稽铜镜中最具特色的一种，也见于武昌铜镜。如神人鸟兽纹带铜镜，神人龙虎画像镜等（见图 7–43、7–44）。这些铜镜虽然基本风格和会稽铸镜风格一致，但是就其出土地和特色推断，这些画像镜很有可能是武昌自铸镜，而不是会稽镜。[1] 神兽镜就其花纹工艺而言，主要有浮雕式和平雕式，平雕式中的柿蒂八凤镜是神兽镜最具代表性的器物之一。

柿蒂八凤镜是从东汉的那种过去习称为夔凤镜的系统演化而来的。这种铜镜再进一步发展成变异柿蒂八凤镜。其花纹更趋繁缛，在边缘的十多个内向连弧纹中心和中央的蒂瓣中心，填有生动的动物图像。值得特别提出的是在这种变异柿蒂八凤镜中间，还常常出现反映佛教信仰的图像。其中有一面铜镜，在三个蒂瓣的中心，各铸出一尊结跏趺坐的释迦像；另一个蒂瓣的中心，则是一尊勇猛跏坐的释迦像，佛后有侍者一人手持伞盖，佛前有一尊菩萨跪像。四尊佛像皆带背光，下有莲座，外面更做出佛龛之形。[2]

图 7–43　鄂州神人鸟兽画像镜

① 俞伟超：《鄂城汉三国六朝铜镜序》，湖北省博物馆、鄂州市博物馆编：《鄂城汉三国六朝铜镜》，第 4 页。

② 俞伟超：《鄂城汉三国六朝铜镜序》，湖北省博物馆、鄂州市博物馆编：《鄂城汉三国六朝铜镜》，第 6 页。

图 7–44　鄂州画纹带神兽镜

铜镜制造反映了当时手工业的发展水平，也是研究当时艺术审美、宗教信仰以及中外交流等方面的重要资料。

二、漆器

中国是世界上最早使用漆的国家，也是世界上最早制作漆器的国家。

荆楚地区出土的秦汉漆器依然延续着楚国漆器的发展势头，处于中国漆器工艺的前列，主要有文书工具、丧葬用具和酒具、食具、妆具等生活用具，其中数量和种类最多的是各式生活用具。随着青铜文化的衰落，漆器酒具逐步代替青铜酒具。很多漆器酒具的造型仍模仿青铜酒器，主要有耳杯、卮、樽、壶等，其中最为常见的是耳杯。

耳杯又名羽觞，基本形状为椭圆形，平底，有两耳，是一种较为实用的酒具，也可以作为食具使用。耳杯通体髹漆，大多是内涂红漆，外涂黑漆，有素面与彩绘两类。如云梦睡虎地 33 号秦墓出土的彩绘星点纹耳杯，内底绘星点纹、卷云纹，但卷云纹大部分已佚（见图 7–45）。[①]另外，还有一种专门用来储放耳杯的耳杯盒，云梦睡虎地 13 号秦墓就出土过 1 件，由器身盖扣合而成，器身与盖的形制相同，外部是椭圆

① 陈振裕主编：《楚秦汉漆器艺术 · 湖北》，湖北美术出版社 1996 年版，第 188 页。

形，内部是耳杯形，底部与盖顶部的剖面略呈弧形，腹外有两道凹弦纹，器内涂红漆，器外涂黑漆，盒内平放5件里红外黑的漆耳杯（见图7–46）。[①]这件耳杯盒不但非常实用，而且造型和色彩都与盒内盛放的耳杯相呼应，设计巧妙，颇具美感。荆楚地区出土的西汉时期的耳杯数量非常多，如江陵凤凰山168号汉墓就出土有各种形制的耳杯100件，其中1件三鱼纹耳杯，上绘图案十分有趣，该耳杯内外涂黑漆，内底正中为四叶纹，分别涂朱、金，两相对称；四叶纹的外缘又以黄漆勾边，可能象征水草；三条大鲤鱼环游于四叶纹周围，鱼朱绘头尾，黄线勾身，黄、金彩绘鱼鳞；鲤鱼旁绘金色圆圈纹，其外再用黄漆绘一圈小圆点，像游鱼吐出的气泡；口沿内侧绘变形鸟纹，红、黄漆绘相间；口沿外侧及耳上为黄漆绘波折纹与朱绘圆圈纹（见图7–47）。[②]整个耳杯彩绘构思巧妙，形象生动，三条鱼仿佛正在杯底游动。在实用性方面，西汉漆器也在秦代的基础上有一些进步，如江陵凤凰山168号墓出土的1件漆耳杯盒，内涂朱漆，外涂黑漆，整器除底部外，满饰以朱、灰黑无光漆彩绘花纹（见图7–48）。[③]这件耳杯盒不仅造型精美，而且它内部可竖置十个耳杯，巧妙地利用了空间，更具实用性。

图7–45　云梦睡虎地33号秦墓出土彩绘星点纹耳杯

① 《云梦睡虎地秦墓》编写组：《云梦睡虎地秦墓》，文物出版社1981年版，第34页。
② 湖北省文物考古研究所：《江陵凤凰山一六八号汉墓》，《考古学报》1993年第4期。
③ 湖北省文物考古研究所：《江陵凤凰山一六八号汉墓》，《考古学报》1993年第4期。

图 7–46　云梦睡虎地 13 号秦墓出土耳杯盒

图 7–47　江陵凤凰山 168 号汉墓出土三鱼纹耳杯

图 7–48　江陵凤凰山 168 号汉墓出土耳杯盒

壶，为盛酒或盛水器，形制为圆口、圆颈、圆鼓腹、圆圈足、圆盖；扁壶是扁腹，长方形圈足。壶如江陵凤凰山 8 号墓出土的彩绘鸟云纹壶（见图 7–49）。

图 7–49　江陵凤凰山 8 号墓出土彩绘鸟云纹壶

扁壶，如云梦睡虎地 44 号秦墓出土的彩绘牛马鸟纹扁壶，由两半木胎分别挖制再黏合而成，通体髹黑漆，扁壶的一面绘雄壮有力的犀牛，另一面绘有奔跑的骏马和飞鸟（见图 7–50）。[①] 还有江陵凤凰山 168 号墓出土的西汉时期的豹纹大扁壶，长方形口，短颈，肩上有两个对称的铜铺首，器内涂红漆，器表涂黑漆，黑漆地上绘满彩色花纹；两侧腹为朱、褐彩绘云鸟纹、点纹、鸟头纹；正、背面各绘有三只神豹：正面中下部绘一飞豹，左右各绘一神豹，三豹之间绘鸟纹、云鸟纹、圆卷纹；背面三豹分别绘于上部、中部和下部右侧；中部神豹张牙舞爪，正在追捕一只猎物；盖顶也有一豹，四周绘有纹饰；该扁壶一共有七豹，姿态各异，形象生动，其间填绘的花纹，线条勾勒交错，更突出了豹的特点，十分美观（见图 7–51）。[②]

---

① 湖北省博物馆：《1978 年云梦秦汉墓发掘报告》，《考古学报》1986 年第 4 期。

② 湖北省文物考古研究所：《江陵凤凰山一六八号汉墓》，《考古学报》1993 年第 4 期。

图 7–50 云梦睡虎地 44 号秦墓出土彩绘牛马鸟纹扁壶

图 7–51 江陵凤凰山 168 号墓出土豹纹大扁壶

另外，还有漆卮、樽等酒器，卮为圆筒状、直口、直壁、平底，樽的造型与卮相似，区别仅在于樽的底部有三个铜蹄足，盖顶有三个铜钮。樽、卮髹漆一般内红外黑，在黑漆地上用红、褐等色纹样。比较典型的器物如云梦睡虎地 11 号秦墓出土的彩绘变形鸟纹卮，器外有一环耳，器里涂红漆，器表涂黑漆，在黑漆地上用红漆绘变形凤纹和几何纹饰（见图 7–52）。[①] 还有云梦睡虎地 47 号西汉墓出土的彩绘双龙纹樽，由盖与器身套合而成，整器呈圆筒状；直口，直壁，平底，腹外有单环耳鋬，底部有道铜箍并安三铜蹄足，盖顶隆起并饰三个 S 形铜钮饰；器内涂红漆，器表涂黑漆，并在黑漆地上用红、褐漆彩绘花纹：盖顶中部绘双龙纹间变形鸟头纹，周边饰波折纹、圆点纹，器身外壁有三圈波折纹和圆卷纹（见图 7–53）。[②]

① 孝感地区第二期亦工亦农文物考古训练班：《湖北云梦睡虎地十一号秦墓发掘简报》，《文物》1976 年第 6 期。

② 湖北省博物馆：《1978 年云梦秦汉墓发掘报告》，《考古学报》1986 年第 4 期。

图 7-52　云梦睡虎地 11 号秦墓出土彩绘变形鸟纹卮

图 7-53　云梦睡虎地 47 号西汉墓出土彩绘双龙纹樽

秦汉时期，漆器中的食器作为礼器的功能已经淡化，而更趋向于实用。与酒器相比，食器的种类比较少，主要有盒、盂、盘、勺等。

盒按器形有圆盒和长盒，圆盒如云梦睡虎地 11 号秦墓出土彩绘鸟云纹圆盒（见图 7-54）；长盒如云梦睡虎地 43 号秦墓出土的彩绘变形鸟纹双耳长盒（见图 7-55）。

图 7-54　云梦睡虎地 11 号秦墓出土彩绘鸟云纹圆盒

图 7-55 云梦睡虎地 43 号秦墓出土彩绘变形鸟纹双耳长盒

盂是用来盛汤等流食的器具，盂上多绘有鱼纹或鸟纹，如云梦睡虎地 11 号秦墓出土的彩绘凤鱼纹盂，平沿外折，弧腹里收，圆底，矮圈足，口沿内外均在黑地上朱绘几何纹，内底中部的黑漆地上，用朱漆绘二鱼一凤鸟，凤鸟的头上顶着物品，形象生动逼真，色彩鲜艳（见图 7-56）。[①]

图 7-56 云梦睡虎地 11 号秦墓出土彩绘凤鱼纹盂

食器中出土盘的数量也很多，种类主要有大盘、平盘、食盘、沐盘等。代表器物有江陵凤凰山 168 号西汉墓出土的彩绘鸟云纹方平盘，长方形，周边起棱较高，平底，底部四角有曲形足；盘外与内壁髹黑漆，

① 孝感地区第二期亦工亦农文物考古训练班：《湖北云梦睡虎地十一号秦墓发掘简报》，《文物》1976 年第 6 期。

盘内底髹红、黑漆各三周，并在黑漆地上用红、褐、灰黑无光漆彩绘花纹，中心花纹与第三圈花纹均以云鸟纹为主，其间填绘圆卷纹和点纹；第二圈为变形鸟头纹；周边的内、外侧用朱、褐漆彩绘变形鸟纹、鸟首纹；出土时，盘里尚有牛排和鸡骨等食物（见图 7–57）。①

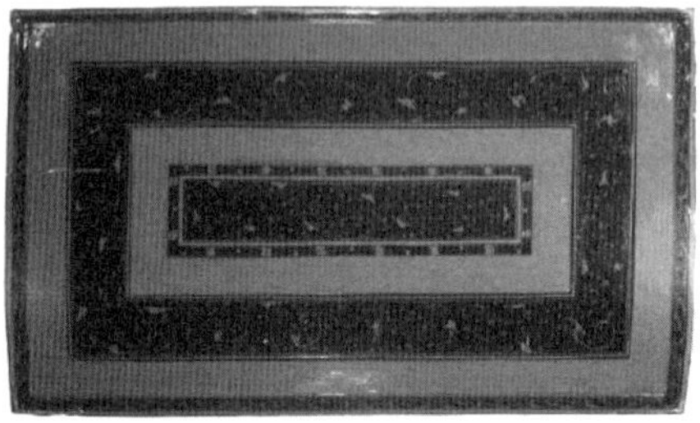

图 7–57　江陵凤凰山 168 号西汉墓出土彩绘鸟云纹方平盘

勺器中的精品当属云梦睡虎地 9 号秦墓出土的彩绘凤形漆勺，勺体挖成凤身，勺柄雕成头颈，勺内涂红漆，其余部分涂黑漆，并在黑漆地上用红、褐漆绘出凤的眼、鼻、耳及羽毛；凤尾下有“咸囗”等烙印文字（见图 7–58）。②

其他还有以奁为代表的妆具。如睡虎地 11 号秦墓出土的彩绘圆奁，由底、盖套合而成，圆筒状、平底，盖顶部隆起，器里涂红漆，器表涂黑漆，在黑漆地上用红漆绘梅花纹、云纹和点纹等（见图 7–59）。③江陵凤凰山 168 号汉墓还出土了 1 件针刻纹圆奁，盖顶有七圈花纹，其中第三圈绘有三只怪兽相互追逐，还有两只像兔子的怪兽以及云鸟纹等；盖外壁与器近底处饰云鸟纹，盖外壁下部与器内近口沿处为菱形纹和波折纹；奁内盛放有梳、篦、镜各一，还有一些竹制品（见图 7–60）。针

① 湖北省文物考古研究所：《江陵凤凰山一六八号汉墓》，《考古学报》1993 年第 4 期。

② 《云梦睡虎地秦墓》编写组：《云梦睡虎地秦墓》，文物出版社 1981 年版，第 31 页。

③ 孝感地区第二期亦工亦农文物考古训练班：《湖北云梦睡虎地十一号秦墓发掘简报》，《文物》1976 年第 6 期。

刻的花纹纤细、连续萦回，构思巧妙，反映了西汉时期针刻艺术已具有很高的水平。[①]

图 7–58　云梦睡虎地 9 号秦墓出土彩绘凤形漆勺

图 7–59　睡虎地 11 号秦墓出土彩绘圆奁

图 7–60　江陵凤凰山 168 号汉墓出土针刻纹圆奁

① 湖北省文物考古研究所：《江陵凤凰山一六八号汉墓》，《考古学报》1993 年第 4 期。

1973年，在江陵凤凰山8号汉墓，出土了1件彩绘漆木龟盾。这件盾整器呈龟腹甲状，背面有盾把手，这件龟盾不仅造型新颖别致，而且还在龟盾的正、背两面的黑漆地上，用朱漆绘神人、神兽和人物等，龟盾正面上部绘画的一神人：头发向后圆梳，前额后脑各有须状装饰一根，前后翘起，脸上朱绘眼、口、鼻，身着十字花纹宽袖上衣和长裤，腰束带，手前曲托袖不露于外，两腿前后伸开，两脚尖皆加绘禽爪，做奔走状；其下绘一神兽，左右各绘一组变形云纹图案。在龟盾的背面，盾把的两侧各绘一人，侧身相向而立，身穿十字花纹宽袖上衣和长裤，腰束带，足穿翘头鞋，手前曲托袖不露于外，佩有长剑（见图7-61）。①有学者认为，这件龟盾虽然背面也有盾把，但它的形制较小，显然不是实用兵器，以龟的形象作盾应与镇水等葬俗有关。②

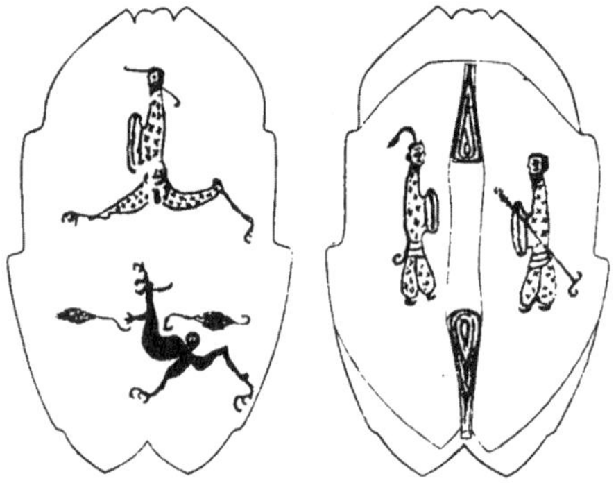

图7-61 漆龟盾

通过大量出土文物，我们了解了秦汉时期荆楚地区漆器制作工艺的发达，也使我们真切地感受到荆楚艺术的风采。荆楚地区的漆器工艺

① 长江流域第二期文物考古工作人员培训班：《湖北江陵凤凰山西汉墓发掘简报》，《文物》1974年第6期。

② 李家浩：《江陵凤凰山八号汉墓“龟盾”漆画试探》，《文物》1974年第6期。

在经历了战国、秦汉两个繁荣期，在东汉中后期瓷器成为生活器具的主力之后，漆器逐渐进入平淡期，但是即便面临各种不利条件，荆楚地区的漆器生产仍在继续。到六朝时期，随着文化和经济中心的南移，大量北方移民的迁入，荆楚地区的漆器生产也在南北文化的碰撞中诞生着新生命。

三、丝织品

丝织业一直是中国古代最重要的手工业之一，早在战国时期，荆楚大地上就开始出现锦缎织物。

1975 年，在江陵凤凰山 168 号西汉墓中出土了一批丝织品，其中 2 件纱冠获得复原，冠为长方袋状，顶部呈方形，冠两侧系有宽约 3 厘米的纱带，冠面和冠里由两种不同经纬密度的纱缝合而成，冠面饰一种经线极细的绉纱，冠里为经纬丝加拈，密度稀疏呈方孔的平纹组织；两双丝鞋，为双尖翘头方履，鞋底里、垫用麻线织成，鞋面和缘为绢缝制。素绢残片，均为细密的平纹组织，但经纬密度不尽相同；褐地朱纹锦，为经线提花的重经双面织物，褐色地，图案为动植物纹，呈鲜艳的朱红色。[①] 虽然这批丝织品大多数已经腐烂，但是残存的碎片仍向世人展示了西汉时期荆缎的华美。

2007 年，荆州市沙市区发掘了谢家桥 1 号汉初墓，出土的大量保存较为完好的丝织品让世人震惊。这些丝织品主要是囊、镜衣、车盖、袍、幡、荒帏、丝织衣衾残片等，其中有囊 33 件，质地多为绢，形状多呈袋状，少量为长方形，多以丝带束口，内盛囊、布匹、衣衾、花椒及结晶状物等，其中一件袋状，依色彩分为 4 段，自口及底依次为褐红色绢、黑褐色绢、红褐色绢、黄褐色锦，在红褐色绢上绣有金黄、朱红色八角星纹和花卉（见图 7–62）。另两件圆形车盖，双层红褐色绢质，表层涂有生漆，且在外缘朱绘点纹、条带纹，边沿有篷弓接口，内层于

---

① 湖北省文物考古研究所：《江陵凤凰山一六八号汉墓》，《考古学报》1993 年第 4 期。

绢质上绣有金黄、朱红色缠枝花卉（见图 7–63、7–64）。一件方形幡，顶端中间有一丝环，中部在红褐色绢上绣有金黄、朱红色缠枝花卉，周边为褐红色连续动物纹及菱形纹锦（见图 7–65）。[①]

图 7–62　丝织囊

图 7–63　车盖丝织

图 7–64　丝织幡

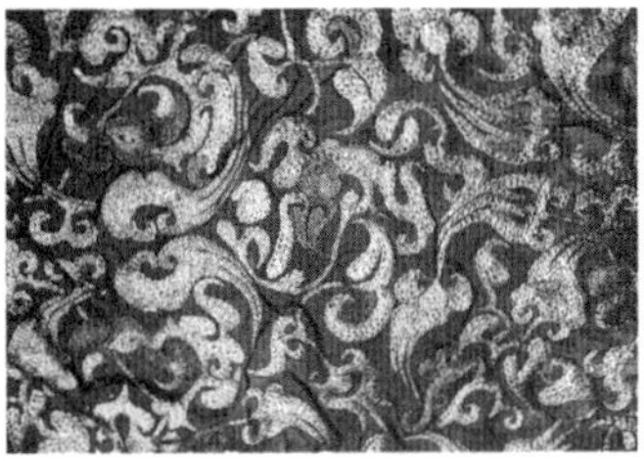

图 7–65　丝织幡局部

谢家桥 1 号汉墓出土的丝织品中还有一件国宝级文物——荒帷。荒帷又称墙柳，即棺罩，在先秦史籍中多有记载，荒帷罩在棺上，起到装饰棺材的作用，可能是对死者生前居室中帷幄一类设施的模仿。此前，人们只是在这些文献中看到过荒帷的记载，但却从来没有出土过荒帷实物。此前，在山西绛县横水墓出土过大面积的荒帷痕迹，而谢家桥 1 号墓出土的四床质地各异、造型独特、纹饰华丽、做工精细的荒帷是全国首次发现的完整荒帷实物。其中一件锦缘绢地乘云绣荒帷，顶部是一件绢地乘云绣，由三幅暗红色绢拼缝而成，四周以对兽对鸟几何纹锦

① 荆州博物馆：《湖北荆州谢家桥一号汉墓发掘简报》，《文物》2009 年第 4 期。

作缘。[①]细看局部，可以发现这件荒帷针脚细密，花纹繁复。经过修复，这件荒帷基本恢复了原貌，终于将1件精美绝伦的丝织艺术品展现在世人面前（见图7–66、7–67）。

图7–66 修复后的荒帷

图7–67 修复后荒帷局部

四、陶器与瓷器

荆楚地区的制陶业经历了漫长发展历程，至秦汉时期，制陶工艺已经非常成熟，制陶业成为一个重要的手工业部门。

荆楚地区发掘的秦墓所随葬的陶器分为仿铜陶礼器和日用陶器两大类。这一时期仿铜陶礼器的基本组合为鼎、盒、壶。以南阳地区为例，在战国晚期前段，韩文化传统的陶壶是唯一的仿铜陶礼器，而从战国晚期中段开始，楚文化影响下的仿铜陶礼器逐渐兴起，到战国晚期后段，融会了秦、楚、韩三国文化传统的新型仿铜陶礼器组合诞生并迅速发展，一直持续到西汉时期。[②]

相比仿铜陶礼器的相对固定组合，日用陶器则种类繁多。云梦睡虎地秦墓出土了大量陶器，主要为日用陶器，有小口瓮（11号墓简报称

① 楼淑琦：《谢家桥一号汉墓出土“锦缘绢地乘云绣荒帷”的修复》，《文物保护与考古科学》2010年第3期。

② 参看徐承泰、蒋宏杰：《南阳战国晚期至秦汉墓葬出土仿铜陶礼器研究》，《江汉考古》2011年第2期。

广肩罐)、大口瓮、罐、彩绘壶、盒、甑等。[①] 另外，7号墓还出土了1件陶量，器质为细泥灰陶，硬度较大。圆筒形，平口，直壁，平底，外壁饰有凹弦纹十余道，口内径约15.8厘米、底内径约16.4厘米、内壁高约8.7厘米、外壁高约9.1厘米（见图7-68）。经湖北省计量局测定，此陶量容积为2000毫升，按《汉书·律历志》，“合龠为合，十合为升，十升为斗，十斗为斛，而五量嘉矣”。在十进制的量制中，这一陶量当为秦斗，可能是当时民间使用的量具。它的出土，对于研究秦国统一度量衡的实施进程具有重要意义。[②]

图7-68 秦斗

荆楚地区墓葬所出土的两汉陶器主要为日常用器、模型明器和反映庄园经济的明器。日常用器，主要有罐、瓮、盂、盘、盆等；模型明器，主要有仓、灶、井等。

2010年，襄樊学院襄阳及三国历史文化研究所在郧县五峰乡西冯村发掘了24座汉墓，其中17座墓葬出土了大量陶器，器物种类丰富，日常用器以泥质红陶为主，泥质灰陶次之，另外还有少量泥质褐陶，纹饰多为弦纹，少量为绳纹，部分外壁施红、绿、深褐釉；模型明器以泥质

① 孝感地区第二期亦工亦农文物考古训练班：《湖北云梦睡虎地十一座秦墓发掘简报》，《文物》1976年第9期。

② 云梦县文化馆：《云梦睡虎地秦墓出土陶量——秦斗》，《文物》1978年第7期。

红陶为主，泥质灰、褐陶次之，纹饰多凹弦纹，少量饰绳纹、网格纹、菱形纹及动物图案。其中模型明器中有1座陶灶，泥质红陶，灶体平面近方形，双火眼，前壁有双圆拱形灶门，下有坎，后端近一角处有短柱状烟囱，未穿孔，火眼上各置一釜，釜、灶连体，釜上有1甑或1锅。更有趣的是，灶面模印有刀、叉、钩等厨具和勺、瓶、耳杯等盛食器以及鱼、鸡、龟、螺等食物图案。[①] 这些模印的图案让我们直观地了解到当时人们生火做饭时所用到的器具和食物，这座陶灶将一幅生动的日常烹饪场景展现在我们眼前。

1975年江陵县凤凰山167号墓出土了一个西汉时期的陶仓，通高34.5厘米，腹径20厘米。由盖、身、底座三部分构成。盖作圆攒尖顶，顶上立一振翅飞鸟。仓身近圆筒状，上有一方形窗。底座下有两个对应的方形凹缺。出土时内盛鲜黄稻穗四束。[②]

除了日常生活用品，还有反映当时建筑的陶楼。云梦癞痢墩1号东汉墓中出土了1座极其珍贵的陶楼，总体布局呈三合式，前楼为两层，下层东西并列三室，上层东西并列四室；前楼正面有腰檐，以上有横梁挑出的楼板。楼层外檐装修，正面下部为百叶板壁，中间留五个窗洞，其上靠顶檐处开四个扁窗；左山面开二窗，右山面开一窗，其余为百叶窗。楼顶为单檐四阿屋盖，前楼下层每间各开一门，门额与两侧门框刻画线条，作垂帘收卷状。两山及门与门之间各设墙垛；中室的左、右墙各开一道门，使下层三室相通；左室的东山墙下部开一拱形小门洞；右室的北壁开一门与后楼的碉楼下层相通；该室的西顶角开一楼道口，楼道口上搁一活动楼梯。陶楼的北部设有碉楼、炊间、厕间、猪圈、院落五个部分；左窗门前还设置了一座哨棚（见图7–69）。[③] 碉楼布局合理，

① 襄樊学院襄阳及三国历史文化研究所：《湖北郧县西峰汉墓群发掘简报》，《江汉考古》2011年第4期。

② 凤凰山一六七号汉墓发掘整理小组：《江陵凤凰山一六七号汉墓发掘简报》，《文物》1976年第10期。

③ 云梦县博物馆：《湖北云梦癞痢墩一号墓清理简报》，《考古》1984年第7期。

设计精美，兼具居住和防御等多种功能。

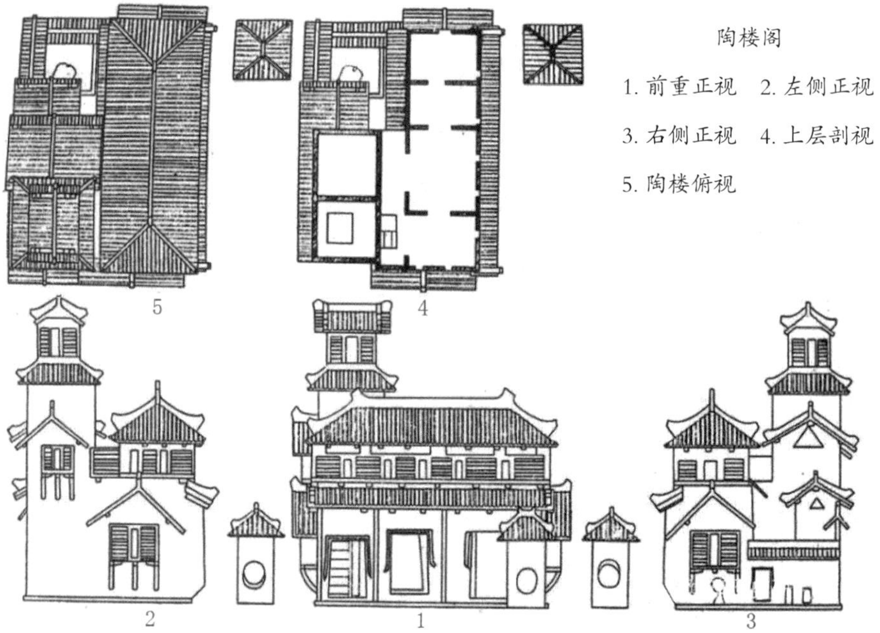

图 7–69　陶楼

反映地主庄园经济的明器中，以六畜俑最具特色，尤其在东汉后期，六畜俑如鸡、狗、鸭等盛行，在第二节中已有详细介绍。

原始瓷器出现在商周时期，经过春秋战国以及秦与西汉的发展，到东汉时期有了实质性突破，瓷器，尤其是青瓷制造业于东汉末年在我国南方长江中下游地区迅速兴盛起来，到六朝时期臻于繁荣，由于其较漆器成本更低，品质更高，使用更方便，便于塑形，耐用不惧水火，从而在生活用具方面几乎迅速取代了传统的漆器。荆楚地区虽然尚未发现这一时期的重要青瓷窑口，但从东汉晚期已经开始出现精美青瓷。东汉末期青瓷器类主要是罐和碗，如湖北省博物馆所收藏的 1 件东汉青瓷五联罐，釉色青绿而泛黄，形状如同葫芦，上下重叠，小口，圆腹，平底，肩部堆塑四个小罐，特别引人注目的是其繁缛的装饰，罐上错落有致地堆塑着不同的动物、怪兽形象，层次分明（见图 7–70）。

图 7–70　青瓷五联罐（传世品，殷屏湘捐赠）

荆楚地区已发掘的三国墓多为吴墓，出土的青瓷，数量多、品种全、器物造型生动独特，如宜昌第一中学出土的青瓷人顶灯，器表施青绿釉，有开片，器物整体由四部分组成，下层为浅盘形灯座；灯座立人形圆柱，五官扁平，刻眉毛及胡须；人形圆柱头顶中层承盘，盘中竖圆柱，柱身堆贴绳索纹构成的菱格纹；柱顶为碗状灯盏（见图 7–71）。这件青瓷人顶灯造型生动，人物刻画朴质有趣，是东吴青瓷中的精品。[①]

图 7–71　青瓷人顶灯

① 湖北省博物馆：《宜昌市一中三国吴墓清理简报》，《江汉考古》1983 年第 2 期。

2003 年鄂州市滨湖东路郭家细湾 15 号墓出土了 1 件青釉鳄鱼是目前荆楚已知最早的鳄鱼形象（见图 7–72）。[①]

图 7–72 青瓷鳄鱼

1967 年在鄂城（今鄂州市）发掘了 1 座孙吴时期的砖室墓，出土了一件建筑模型为青瓷制作，门楼上刻有“孙将军门楼也”六字，因此被称为“将军楼”。“将军楼”外围有围墙，墙头覆双坡式人字顶，围墙平面略近正方形，前后墙面正中各开一门，前门略大，上设门楼一座，门楼四壁均开设大窗，楼顶为五脊庑殿式，顶面有瓦纹装饰，檐头作瓦当纹。围墙的四角设碉楼，四座碉楼形制相同，只设两堵墙壁，其中靠外的墙壁上开一窗，用于守卫瞭望。“将军楼”内，大门正面为前堂，左右各有一厢房，再向里面是正房，正房两侧仍有厢房，在正房后面后门两侧又各有一间厢房，各房门都开在前壁，正房朝前，厢房冲院内。[②]1986 年湖北黄陂滠口出土过 1 件类似的东吴庄园式陶楼（见图 7–73）。这是我国传统的建筑布局模式。这种封闭式的门楼建筑模型，制作讲究，布局合理，被认为是当时流行的依附大族结寨自保的“坞堡”，又称“坞壁”，是一种民间防御性建筑，坞壁建筑起源较早，最初

① 湖北省博物馆编《湖北出土文物精华》，文物出版社 2006 年版，第 177 页。

② 鄂城县博物馆：《鄂城东吴孙将军墓》，《考古》1978 年第 3 期。

主要流行于边关要塞地区。东汉末年，社会动荡不安，各地豪强兴起，他们凭借着宗族力量，组织部曲家兵，修建坞堡，一直到南北朝都很流行。陈寅恪在《桃花源记旁证》中云："西晋末年戎狄盗贼并起，当时中原避难之人民……其不能远离本土迁至他乡者，则大抵纠合宗族乡党，屯聚堡坞，据险自守，以避戎狄寇盗之难。"① 描述了一幅西晋末年豪强宗族纷纷建立坞堡的场景。

图 7–73　黄陂滠口出土东吴时期庄园式陶楼

六朝时期，荆楚地区青瓷器的种类更加繁多，造型也日趋丰富。荆楚地区出土的六朝墓葬中的青瓷器仍以碗、罐、壶、盘等普通用具为主，一些墓主身份尊贵的墓葬中还出土了如唾壶、鸡首壶、水盂等更加精致的瓷制生活用品。1956 年鄂城（今鄂州市）武黄公路出土的青瓷鸡首壶（现藏于湖北省博物馆），是六朝时期典型青瓷器物之一，其造型是：盘口、细颈、鼓腹、平底，因肩部堆塑一鸡头状的流，故名鸡首壶。（见图 7–74）

① 陈寅恪：《桃花源记旁证》，《清华学报》第 11 卷第 1 期，1936 年 1 月。

图 7-74 鸡首壶

武汉市钵盂山 392 号墓出土的莲花尊也是代表当时荆楚地区制瓷工艺的典型器物，该瓷器侈口，有盖，长颈，丰肩，圆腹，颈部贴对称的两个飞天和神兽，肩部六个横穿，肩及腹堆贴刻画覆状莲瓣三层，每层均以十六个莲瓣围腹一周；下腹堆贴仰状莲瓣一层；足上刻单层覆莲瓣，莲瓣内刻画菩提叶（见图 7-75）。此尊造型线条优美流畅，装饰繁复华丽，集雕刻、堆塑、模印等多种工艺于一身，是六朝时期青瓷中不可多得的珍品。

图 7-75 莲花尊

西晋时期也有一些精美的青瓷器珍品，如鄂州七里界西晋墓出土的青瓷砚，造型十分别致，砚体子母口，底部微微凸起，下附三个兽蹄足，砚盖盖面装饰着弦纹间花蕾纹，盖顶形象地附一小蛙形水盂，水盂可充水，可作纽，其设计独具匠心（见图 7–76）。[①]

图 7–76 青瓷砚

五、园林艺术

在先秦时期，只有最高统治者才能拥有园林。到了汉代，国家统一，经济繁荣，一些受过良好教育，对生活居住品质有较高要求的王公权贵开始模仿皇家园林建造自己的私人庄园，逐渐发展出带有人文气息的私家园林。与皇家园林相比，私家园林的规模要小得多，但有自己的特色，如通常采用叠山理水而以水为中心布局，山水相映，四周散布各式建筑，景色宜人。私家园林每每都体现出主人的好尚，其主要功能是修身养性，闲适自娱。两汉魏晋南北朝时期的园林众多，颇为精致讲究，荆楚地区的习家池、湘东苑、白马寺、东林寺等，都是极具盛名的园林代表。这一时期的人们注重宅院的布局和设置，对相关装饰物也很重视。

习家池，又名高阳池，襄阳习氏名士习凿齿所撰《襄阳耆旧记》载

① 湖北省文物考古研究所编写小组：《湖北文物大观》，湖北人民出版社 1993 年版，第 296 页。

池为东汉初年襄阳侯、侍中习郁所建，明代著名园林家计成在《园冶》中以此园为例，用来阐释其郊野园林择地、构筑及意境营造理念：

> 郊野择地，依乎平冈曲坞，叠陇乔林，水浚通源，桥横跨水，去城不数里，而往来可以任意，若为快也。谅地势之崎岖，得基局之大小；围知版筑，构拟习池。

计成将习家池视为郊野园林的典范，地方专家将其称为私家园林的鼻祖。现在的习家池位于襄阳城南13里，岘山南面阎家冲西端的白马泉源旁，是著名的文物景点，1956年被湖北省人民政府公布为第一批文物保护单位。

事实上，汉宋时期的习家池并不在今天的位置，而是在今习家池东约半里汉江边上的荆襄大路旁，规模远较今址为大，宋以后重建于今址的规模要小得多。[①]

习凿齿谓习家池是其先祖、习郁模仿越国大夫范蠡的养鱼湖建造，范蠡湖在今山东定陶县城内西南角，相传是范蠡养鱼之所，明李贤等撰《大明一统志》卷二十三《兖州府》谓："范蠡湖在定陶县城内西南隅，其地洼下多水，俗传为范蠡养鱼所，今涸。"与范蠡养鱼湖有所不同的是，习郁的鱼池当时主要是用来休闲娱乐。习郁将府第置于园林的中央，宅南汇白马泉水开挖出大鱼池，从宅底用石块做出一道暗沟，将大池子的水引到府第北侧，建造了一个小鱼池，于大池中建一钓台，池中种植芙蓉、菱角、芡实等水生植物，池边堤上种植长楸、松、竹，习郁死后葬于池旁，墓前建亭。该园临坞开池，池中起台，背靠青山，面迎碧水，泉流湍动，花木掩映，使建筑与自然得以巧妙融合，空间布局大气合理，园林布置极为自然，没有刻意的做作，园主真性情为之体现，具备了中国文人私家园林的基本特点，拥有丰富的内涵和外延，有着巨

① 叶植：《汉宋襄阳习家池考辨》，《襄樊学院学报》2010年第3期。

大的改进和延伸空间，充分显示了园囿主人的文化素养和审美情趣，开创了利用自然山水配合花木房屋建造私家园林的造园风格，充溢着氤氲的书卷气和士大夫道法自然的儒雅之气，耐人吟咏，对后世影响之大，鲜有超出其右者。[①]

历代文人墨客留下的习家池诗歌无数，最早游习家池而留下诗歌的文人，当是梁简文帝萧纲及其高斋学士。普通四年（523）至中大通二年（530）身为晋安王的萧纲，两任雍州刺史，在襄阳七年。与其属下之高斋学士屡屡出游习家池，写诗奉和。萧纲在《春日想上林》诗中写道："西京董贤馆，南苑习都（郁）池。"以董贤馆与习郁池对举，可见习家池花木之美。

天下池馆园林多矣，然而其影响都远不及习家池。习家池能延续两千年独步天下，是源于习家池代表着多种文化，它是一种象征，园林文化的象征，一种诗酒文化的象征，一种隐逸文化的象征，一种放达生活方式的象征，也是一种颓废生活方式的象征，是上层社会生活方式的典型代表，代表了部分人对该生活方式的追求。[②]

湖北私家园林的另一个代表是湘东苑。湘东苑在今湖北荆州江陵古城内，是梁元帝萧绎任荆州刺史时所建。《渚宫旧事附补遗》谓：

> 湘东王于子城中造湘东苑，穿池构山，长数百丈，植莲蒲，缘岸杂以奇木。其上有通波阁，跨水为之。南有芙蓉堂，东有禊饮堂，堂后有隐士亭，亭北有正武堂，堂前有射棚、马埒。其西有乡射堂，堂前行堋、可得移动。东南有连理堂……北有映月亭、修竹堂、临水斋。斋前有高山，山有石洞，潜行委宛二百余步。山上有阳云楼，楼极高峻，远近皆见。北有临风亭、明月楼。[③]

① 叶植：《汉宋襄阳习家池考辨》，《襄樊学院学报》2010年第3期。

② 叶植：《汉宋襄阳习家池考辨》，《襄樊学院学报》2010年第3期。

③ 丛书集成初编：《渚宫旧事附补遗》，中华书局1985年版，第68页。

苑内的建筑重岩覆岭、深溪洞壑、涧道盘纡、跨水为阁，设计精美大气，重点突出，以水系为主线徐徐展开布置，有土山、钓台、曲沼、飞梁，配以楼、馆、亭、阁，山水台榭花木相映成趣，池中出水芙蓉风姿绰约，翠阁连廊的殿堂阁宇错落有致，建筑宏伟壮丽，长数百丈，其叠石造山理水技艺已远非寻常可比，是荆楚园林的巅峰之作。

第八章　科学与技术

秦汉魏晋南北朝时期，荆楚地区科技成就斐然，在天文历法、数学、医学、生产技术等领域均有瞩目成果。农业、手工业等方面的技术均有创新与发展，例如农具的改良，纺织技术、造船技术的进步等；这一时期，高超的酿酒技术使得荆楚美酒名满天下。这些成绩向我们展示了秦汉魏晋南北朝时期荆楚人民的勤劳智慧。

第一节　天文历法

秦汉魏晋南北朝时期，我国天文历法已形成了比较完整系统的科学体系。荆楚地区在秦汉天文历法史的研究上有着卓越贡献，不仅体现在这一地区培养了一些优秀的古天文学家、历法学家，也在于这一地区保留了很多涉及天文历法的简牍。

一、二十八宿体系的完善

中国的二十八宿体系萌芽于殷周，春秋战国时期已基本成熟，湖北随州曾侯乙墓出土的箱盖上彩绘有完整的二十八宿星名。二十八宿实际上指的就是：在一个恒星月中，月亮运行过程中每夜行经的二十八个星宿。恒星月为 27.322 日，取其整数便是 27 或 28 日，故而早期有二十七宿和二十八宿的说法，后来习惯使用二十八宿。

目前所见传世史料中最早记载有二十八宿名称的是《吕氏春秋》，此外，《汉书》中记录了先秦天文学家甘德、石申夫记录的二十八宿。在出土史料中，曾侯乙墓所出箱盖和云梦睡虎地秦墓出土的《日书》中，都完整记录了二十八宿的名称，对比几处先秦与秦汉史料中的二十八宿，会发现这些记载略有不同（见表 8-1）。

表 8-1　先秦与秦汉史料中的二十八宿

曾侯乙墓	甘氏	石氏	《吕氏春秋》	睡虎地《日书》	《史记·律书》	《史记·天官书》	《淮南子·天文训》	太初历	三统历
角	角	角	角	角	角	角	角	角	角
埅	亢	亢	亢	亢	亢	亢	亢	亢	亢
氐	氐	氐	氐	牴	氐	氐	氐	氐	氐
方	房	房	房	房	房	房	房	房	房
心	心	心	心	心	心	心	心	心	心
尾	尾	尾	尾	尾	尾	尾	尾	尾	尾
箕	箕	箕	箕	箕	箕	箕	箕	箕	箕
斗	建星	斗	斗	斗	建星	斗	斗	建星	斗
牵牛	牵牛	牵牛	牵牛	牵牛	牵牛	牵牛	牵牛	牵牛	牵牛
伏女	婺女	婺女	婺女	须女	须女	婺女	须女	婺女	婺女
虚	虚	虚	虚	虚	虚	虚	虚	虚	虚
产	危	危	危	危	危	危	危	危	危
西萦	营室	营室	营室	营宫	营室	营室	营室	营室	营室
东萦	东壁	东壁	东壁	东辟	东壁	东壁	东壁	东壁	壁
圭	奎	奎	奎	奎	奎	奎	奎	奎	奎
娄女	娄	娄	娄	娄	娄	娄	娄	娄	娄
胄	胃	胃	胃	胃	胃	胃	胃	胃	胃
矛	昴	昴	昴	卯	留	昴	昴	昴	昴
縪	毕	毕	毕	毕	浊	毕	毕	毕	毕
此隹	罚	觜巂	觜巂	此巂	罚	觜	觜巂	罚	觜
参	参	参	参	参	参	参	参	参	参
东井	东井	东井	东井	东井	狼	东井	东井	东井	井
与鬼	弧	舆鬼	舆鬼	舆鬼	弧	舆鬼	舆鬼	舆鬼	鬼

续表

曾侯乙墓	甘氏	石氏	《吕氏春秋》	睡虎地《日书》	《史记·律书》	《史记·天官书》	《淮南子·天文训》	太初历	三统历
酉	注	柳	柳	柳	注	柳	柳	注	柳
七星	七星	七星	七星	七星	七星	七星	七星	七星	星
素	张	张	张	张	张	张	张	张	张
冀	翼	翼	翼	翼	翼	翼	翼	翼	翼
车	轸	轸	轸	轸	轸	轸	轸	轸	轸

从这个列表不难看出，甘氏、《史记·律书》《太初历》似为一个系统，其他记载则为另一个系统。这说明我们目前通行的二十八宿名称是在西汉后期开始才逐渐成为正统，在这之前则有两种二十八宿名称系统流行于世。汉初通行的太初历采用的是甘德流传下的星名，而取代太初历的三统历采用的则是石氏和曾侯乙墓所传星名，云梦睡虎地秦墓所出星名也是此类。这一系统流传至今。

前文提到了周家台秦墓所出线图和王家台秦墓所出式盘，其中涉及二十八宿与天干地支、方位等概念的相互对照，显示了二十八宿在当时实际生活中的广泛运用和重要价值。

在周家台秦墓所出线图中，二十八宿与时辰、方位等信息的对应关系如下：

> 此图以两个大小不等的同心圆构成。在大圆外侧的上、下、左、右，分别标以“东”“西”“北”“南”，表示四方。在大小两圆之间的圆环部分，用二十八条直线分割成二十八块扇面，每块扇面由内向外书有文字，从内容看，可以分为内、中、外三圈。内圈顺时针方向依次记有二十八个时称……中圈逆时针依次列有二十八宿名。外围在上、下、左、右四个方位标有木、金、水、火，与大圆外所书“东”“西”“北”“南”相对应。《淮南子·天文》云：

> “东方木也……其日甲乙；南方火也……其日丙丁；中央土也……其日戊己；西方金也……其日庚辛；北方水也……其日壬癸。”圆环中的内、中、外三圈文字排列参差不齐，可以看出其书写次序是以扇面为单位由内向外，而并不是按内、中、外分圈书就的。在圈中央的小圆内绘有“卝”图形，以北向十二地支中的“子”为起点，按照其顺序分布于圆形四面的十二个端点，其间内侧记有除“戊”“己”以外的八干支，“戊”“己”则记于中心部位。《淮南子·天文》云：“子午、卯酉为二绳，丑寅、辰巳、未申、戌亥为四钩。”所谓“二绳”系指位于圆形中心互相垂直交叉的二线；所谓“四钩”则指圆形四角所示的“└”。《汉书·百官公卿表》颜师古注：“甲、乙、丙、丁、庚、辛、壬、癸皆有正位，唯戊、己寄位耳。”[①]

结合《淮南子》《汉书》等史料的记载可知，在这一线图中，二十八宿与方位、干支的关系并非随意臆造，而是有着固定的对应。这体现了二十八宿在当时的术数体系占据着重要位置。此外，彭锦华、刘国胜指出这一线图的作用“与紧接其后的一段以二十八星宿为题首的吉凶占验辞有着紧密的联系”。[②]利用二十八宿进行占卜的方式在先秦时期便已存在，但先秦史料中的二十八宿占卜基本围绕着君王展开，周家台墓线图和占辞的出土，说明这种占卜方式在民间也很流行，这从侧面反映了二十八宿的概念在当时的社会上已具有一定的普及性。

二十八宿的基本功能是为了更好地研究天体的运动，相当于在天空中标注了度量系统，为日月五星的运动设立了几组参照坐标。秦汉时期，这一度量功能也被逐渐运用到了地上，也就是恒星分野。例如《史

---

① 湖北省荆州市周梁玉桥遗址博物馆编：《关沮秦汉墓简牍》，中华书局2001年版，第109—110页。

② 彭锦华、刘国胜：《沙市周家台秦墓出土线图初探》，《简帛研究二〇〇一》，广西师范大学出版社2001年版，第242页。

记·天官书》载：

> 角、亢、氐，兖州。房、心，豫州。尾、箕，幽州。斗，江、湖。牵牛、婺女，杨州。虚、危，青州。营室至东壁，并州。奎、娄、胃，徐州。昴、毕，冀州。觜觿、参，益州。东井、舆鬼，雍州。柳、七星、张，三河。翼、轸，荆州。[①]

在这一对应关系中，与荆楚地区相对应的是翼、轸二宿。那么，在当时方士的概念中，如果翼、轸二宿遭到了异常天象的侵凌，则意味着荆楚地区将会受到影响，可能有相应的灾祸发生。

虽然周家台秦墓出土线图、秦汉简《日书》中的二十八宿占和恒星分野等都是为了星占服务，但它们将二十八宿与国家、地区、个人的命运紧密联系了起来，体现了当时二十八宿在社会上的普及度和认可度很高。

二、《春秋长历》等天文历法著作

《春秋长历》是西晋时期杜预所作历法著作。杜预“以时历差舛，不应晷度，奏上《二元乾度历》，行于世”。[②]武帝咸宁四年（278），杜预被任命为镇南大将军，“都督荆州诸军事”，进驻襄阳，为灭吴做准备。西晋灭吴之后杜预继续镇守襄阳，并在荆州兴修了一些水利工程，后在被调回中央任司隶校尉的途中病故。

杜预晚年是在荆州度过的，史载其“又作《盟会图》《春秋长历》，备成一家之学，比老乃成”。[③]《盟会图》《春秋长历》都是其晚年作品。

《春秋长历》是一部研究春秋历法的著作，主要研究的是《春秋》

---

① 《史记》，第1330页。

② 《晋书》，第1028页。

③ 《晋书》，第1031页。

《春秋左传》中的历日干支、晦朔闰月、四时八节等。杜预谈到撰《春秋长历》的动机时说：

> 故《传》曰："闰以正时，时以作事。"然阴阳之运，随动而差，差而不已，遂与历错。故仲尼、丘明每于朔闰发文，盖矫正得失，因以宣明历数也。[①]

指出了"历"对于研究春秋经传的重要作用，研究春秋经传者只有推明岁月，才能明了春秋大事之旨。

《春秋长历》在内容上可分为两部分，前一部分为释例，阐释其观点，后一部分则排出《春秋》的具体时间。杜预在释例部分提出，他考察了自古以来研究春秋历法的成果：

> 黄帝历得四百六十六日，一日食，失三百一十三日，三十六日食，三无甲乙；
>
> 颛顼历得五百九日，八日食，失二百七十日，二十九日食，三无甲乙；
>
> 夏历得五百三十六日，十四日食，失二百四十三日，二十三日食，三无甲乙；
>
> 真夏历得四百六十六日，一日食，失三百一十三日，三十六日食，三无甲乙；
>
> 殷历得五百三日，十三日食，失二百七十六日，二十四日食，三无甲乙；
>
> 周历得五百六日，十三日食，失二百七十三日，二十四日食，三无甲乙；
>
> 真周历得四百八十五日，一日食，失二百九十四日，三十六日

① 《晋书》，第563页。

食，三无甲乙；

鲁历得五百二十九日，十三日食，失二百五十日，二十四日食，三无甲乙；

三统历得四百八十四日，一日食，失二百九十五日，三十六日食，三无甲乙；

乾象历得四百九十五日，七日食，失二百八十四日，三十日食，三无甲乙；

泰始历得五百一十日，十九日食，失二百六十九日，十八日食，三无甲乙；

乾度历得五百三十八日，十九日食，失二百四十一日，十八日食，三无甲乙；

今《长历》得七百四十六日，三十三日食，失三十三日，经传日月误，四日食，三无甲乙。[①]

其结论是，三统历“最疏”，“《春秋》日食有甲乙者三十四，而三统历唯一食，历术比诸家既最疏”。[②]晋泰始历和乾度历是历法中比较科学合理的，而其中的乾度历是李修、卜显等历学家根据杜预的历论编写的。《春秋》经传779个历日干支中，有746个和《春秋长历》的推算相合，34个有甲乙的日食中，有33个与《春秋长历》的推算相合。这说明杜预推算的精确度很高。

杜预撰写《春秋长历》，还开创了一套研究春秋历法的新方法。他在推论历法时，并不迷信《经》，而是将《传》推到和《经》同样重要的地位，以《经》之年推《传》之年的同时，也以《传》之年推《经》之年。这一方法提高了《左传》的地位，肯定了《左传》的史学价值，将《经》《传》合二为一，对春秋历法的研究很有帮助。

---

① 杜预：《春秋释例》，中华书局1985年版，第475页。

② 杜预：《春秋释例》，第473页。

《春秋长历》考证缜密，推论严谨，相比前代有着很大进步，故而清人孙星衍评价说："今出自熙朝稽古考文之世，惮绝学微言，璨然得传于后，岂非一代之秘笈，古利之渊源。世有通经学而兼涉畴人之术者，庶研核于斯，毋致自贻凿枘云尔。"[①]后世之人研究春秋历法，基本都要以杜预之论为基础，由此可见《春秋长历》影响之大。当然，春秋二百余年的历史，记载不详之处很多，杜预身在魏晋时期，依照《春秋左传》推算春秋历法，难免会有些谬误。清人王韬评价杜预的《春秋长历》："杜之弊在徇《传》，不以为《传》误而反谓《经》误。"实际上杜预这一开创性的研究方法本身并无不妥，若《经》《传》有不同便要以《经》为准，这便过于迷信《经》了。杜预研究中的谬误是受制于时代、材料不足等多方面因素影响，并不能简单归结于研究方法上。

第二节 医学

从《楚辞》以楚简记录的药物学知识和巫医技术来看，春秋战国时期，荆楚医学已取得长足进步。从荆楚地区出土的秦汉简医书来看，到了秦汉时期，荆楚医学还在继续完善发展，尤其是周家台秦简中的病方、北大秦简《医方》、云梦睡虎地秦简《封诊式》、张家山汉简《脉书》《引书》等内容的出土，说明当时的临床医学、方剂学、法医学知识已达到相当高的水平。

一、周家台秦简中的病方与祝由术

沙市周家台秦简中，有部分内容为医药病方，整理者将这些竹简编为《病方及其他》其中有不少是具有医学价值的处方，如《下气》篇：

① 孙星衍：《春秋释例序》，载《春秋释例》，第475页。

取车前草实，以三指撮，入酒若粥中，饮，下气。[①]

车前草实即指车前子，有利水通淋的功效，中医现用其治疗小儿消化不良，秦简载其可用于“下气”，即肠道通气，适与此同。

此外，《病方及其他》中保留了很多疾病名称，如肠辟、温病、瘴、黑子、吹、瘕、痿病、齲、心疾、痈、虐等。“肠辟”指痢疾；“温病”是一种急性热病；“瘴”是一种瘟疫；“黑子”是指痣、瘊一类；“吹”指的是哮喘；“瘕”指的是血凝的积块；“痿病”是指身体某部分因肌肉萎缩而无法运动的疾病；“齲”是指蛀牙；“心疾”又见于新蔡葛陵楚简、包山楚简、放马滩秦简等，是一种与心脏或胃有关的疾病；“痈”是指脓疮；“虐”的病症是按时发冷发烧。从中可以看出，病方中涉及的疾病范围很广，有急性也有慢性，有内科亦有外科，大多是当时较为常见的疾病。每种疾病下有记录的治疗方法，有些对目前的中医学仍具有一定的借鉴意义。

《病方及其他》中还有一些类似民间偏方的记载，如《长发》谓“取新乳狗子，尽煮之。即沐，取一匕以殽沐，长发”。[②]用这种方法洗头显然无助于头发生长。

《病方及其他》中还记录了一些祝由术的方法。“祝”指的是巫“咒”，“由”指的是发病的因由，是以巫术祝祷为主、中草药为辅治疗疾病的方法。楚地重巫，在先秦楚人心目中，巫觋是民众中精神、智力、知识、德行都较为拔尖的群体。这种风俗至秦汉时期也未完全改变，周家台秦简中保留了许多祝由术，如其中的《已齲方》三则、《病心者》《癰》等。以《已齲方（一）》为例：

---

① 武汉大学简帛研究中心、湖北省博物馆编，陈伟主编：《秦简牍合集：释文注释修订本（叁）》，第227页。

② 武汉大学简帛研究中心、湖北省博物馆编，陈伟主编：《秦简牍合集：释文注释修订本（叁）》，第228页。

> 见东陈垣，禹步三步，曰："皋！敢告东陈垣君子，某病龋齿，苟（苟）令某龋已，请献骊牛子母。"前见地瓦，操。见垣有瓦，乃禹步，已，即取垣瓦貍（埋）东陈垣止（址）下。置垣瓦下，置牛上，乃以所操瓦盖之，坚貍（埋）之。所谓"牛"者，头虫也。[①]

这是个治疗蛀牙的方子，其方法是向神灵"东陈垣君子"祷告，祈求牙病康复，若获康复，会向其进献"牛子母"。此外还有一套方法步骤。见到东陈垣时，先要"禹步三步"。所谓"禹步三步"，是"闭气先前左足，次前右足，以左足并右足，为三步也"。[②]祷告完毕后，将墙上的瓦埋在东陈垣下，在上面放置天牛，再将之前拿在手里的墙瓦盖在上面，扎实地埋下，作法即告结束。凭巫术自然不可能使蛀牙痊愈，但从这一方子看，当时巫医结合是一种寻常所见的医病现象。

《病方及其他》中还涉及了兽医理念。如《马心》篇是针对马的某种疾病提出的诊治方法，虽然以巫术祝由为主，不具备科学性，但体现了时人对牲畜健康问题的重视。又如《肥牛》篇写道："善食之，而歙（饮）以鈇，一月已。"[③]喂养谷类好料，能很快使牛长得肥硕健壮。

二、北大秦简《医方》

北大秦简中也有一部分《医方》简，数量很大，有80余枚，很多内容前所未见，价值很高。但目前这批简还未公布。据整理者之一田天的《北大藏秦简〈医方杂抄〉初识》可一探其大概内容和学术价值。[④]

田天将这批医书简分为了《避兵方》和《医方杂抄》两部分，前

---

① 陈伟主编，李天虹、刘国胜等撰著：《秦简牍合集：释文注释修订本（叁）》，第232页。

② 周履靖：《玉函秘典》，中华书局1991年版，第26页。

③ 陈伟主编，李天虹、刘国胜等撰著：《秦简牍合集：释文注释修订本（叁）》，第237–346页。

④ 以下关于北大秦简《医方》的介绍和简文引用，均来自田天《北大藏秦简〈医方杂抄〉初识》一文［载于《北京大学学报》（哲学社会科学版），2017年第5期］。

一部分主要与避兵有关，后一部分内容较多，和周家台秦简中的《病方及其他》类似。这其中，“既有典型的祝由术，也有巫术色彩不那么显著的单方，还包括数种与人体健康没有直接关系的杂方”。从田天所举的例子来看，这批简中的部分单方可与马王堆汉墓所出土的《五十二病方》相对照，对现今中医药学和临床医学亦有一定的指导意义。例如简4–016：

已癰，取薟本，洗去其土，以盐齑之，以沐少和之，即以涂之，壹宿而去之。

这里呈现了以白蔹治疗疽病的处方。

《医方杂抄》中还记载了一些祝祷术，例如简 4–018 至 4–020：

正月上卯，取豕首三、韦束一，齍之，以酒淳之，而投其滓井中，以其汁祭门户、宫四　。·祝曰：“帝有神草，名为豕首，冬生夏实，与帝同室，歓之以去百疾，丈父丈母，毋令百疾过某室。”·歓之，毋庸食，先少者始。

这是一则祈求健康的祝祷，以圆点区分出制作祭祀、祝祷、服用三个步骤，非常详细。

另外《医方杂抄》中还有些与疾病无关的处方或祝祷，如关于免除婴儿啼哭的方法、养蚕浴蚕的方法等。田天指出，秦代《医方》和汉代《医方》相比，“无论是从单方针对的对象，还是从篇章整体的结构安排，秦代‘医方’的构成似乎更为复杂”。这指导着我们对秦汉时期《医方》的发展演变做进一步的分析思考。

三、睡虎地秦简《封诊式》

先秦时期已经存在法医检验，如《礼记·月令》载：“命理瞻伤，察创，视折，审断”，但缺少具体例证和详细记录。在简帛材料出土之前，有学者认为南宋宋慈所著《洗冤集录》之前的法医学并不成熟。云梦睡虎地秦简等简帛文献的出土，证明两千多年前我国的法医检验已经比较成熟，颠覆了《洗冤集录》开创了世界法医学的陈说。

云梦睡虎地秦简《封诊式》大多是关于案件的公文记录。“封，即封存、封守，以便进一步侦察、审理。封守对象，包括看押有关人犯，犯罪、肇事现场、凶器等。诊，指勘察、检验。式，相当于后世的公式令……（《封诊式》）或为某个县级执法人员平日节录官方的一些案例，以供执行任务、拟撰爰书时参考。”[①] 这些案例内容丰富，记录翔实，其中关于尸体、伤情、疾病等检验，体现了早在公元前3世纪，我国的法医检验已经取得了很大的成绩。

当时的法医检验称为“诊”，《封诊式》中记录了许多法医诊断实例，其中较为常见的是对伤口的检验，如：

> □□某爰书：某里士五（伍）甲、公士郑才（在）某里曰丙共诣斩首一，各告曰：“甲、丙战刑（邢）丘城，此甲、丙得首殹（也），甲、丙相与争，来诣之。”·诊首□鬐髪，其右角痏一所，袤五寸，深到骨，类剑迹；其头所不齐腏腏然。以书讂首曰：“有失伍及菌不来者，遣来识戏次。”[②]

在这份记录中，圆点前是案情介绍，圆点后是检验分析。士五甲和公士丙在作战时，得到了一颗首级。两人为争功互不相让，最终闹到了官府。官府令人对首级进行了检验，发现其额头的右侧有一处伤口，长五寸，深入骨，比较像剑伤，被割断的颈部很不整齐。其后官府以文书

---

① 陈公柔：《先秦两汉考古学论丛》，文物出版社2005年版，第215—220页。

② 陈伟主编，彭浩、刘乐贤等撰著：《秦简牍合集：释文注释本（壹）》，武汉大学出版社2016年版，第278页。

发布消息，征求人前来辨认首级。

尸体伤口的诊断结果对案情的侦破非常重要，《封诊式》收录的一个案例中，有一无名男子被杀害，官府派人前去查验现场，对现场的情形及死者的伤口进行了仔细地查验，并汇报如下：

男子死（尸）在某室南首，正偃。某头左角刃痏一所，北（背）二所，皆从（纵）头北（背），袤各四寸，相耎，广各一寸，皆臽中，类斧，脑角出（頔）皆血出，柀（被）污头北（背）及地，皆不可为广袤；它完。衣布禅帬、襦各一。其襦北（背）直痏者，以刃夬（决）二所，應（应）痏。襦北（背）及中衽□污血……男子丁壮，析（皙）色，长七尺一寸，发长二尺；其腹有久故瘢二所。[①]

这一验尸报告对死者的体貌特征、伤口情况、凶器推断、穿着打扮、死亡位置等都做了详细描写，可见当时法医检验技术已非常成熟。

《封诊式》中也有对身体疾病的检查记录，如下面两个案例。

第一个案例是，有人控诉自己的奴隶丙不听话，想将其卖给官府。官府在接收奴隶丙之前，先“令令史某诊丙，不病”。[②] 在确定丙无病无罪之后以市场价将其买下。这个案例中，为丙检查身体的是令史，并非医生，检查的结果比较笼统，只是判断这一奴隶是否健康。而第二个案例涉案的病人则是由医生进行诊断，其检查结果非常详细：

爰书：某里典甲诣里人士五（伍）丙，告曰：“疑厉（疠）。”来诣。·讯丙，辞曰：“以三岁时病疕，麋（眉）突，不可智（知）其可（何）病，毋（无）它坐。”令医丁诊之，丁言曰：“丙毋

① 陈伟主编，彭浩、刘乐贤等撰著：《秦简牍合集：释文注释本（壹）》，第 285 页。

② 陈伟主编，彭浩、刘乐贤等撰著：《秦简牍合集：释文注释本（壹）》，第 279 页。

（无）麋（眉），艮本绝，鼻腔坏。刺其鼻不疐（嚏）。肘厀（膝）□□□到□两足下奇（踦），溃一所。其手毋胈。令謼，其音气败。厉（疠）殹（也）。”[①]

此外，如果有自杀的情况，也需要报告官府进行检验，睡虎地秦简《法律答问》中称：“或自杀，其室人弗言吏，即狸（埋）之，问死者有妻、子当收，弗言而葬，当赀一甲。”[②] 如果有人自杀，相关人员却没有向官府报告就把尸体埋了，要受到法律惩罚。《封诊式》中恰好保留了一则有人被吊死的案情，其家人报官后，对现场和尸体进行了检验，对死因进行推断。尤为可贵的是，在这一案件后，还记录了关于缢死尸检的教程：

诊必先谨审视其迹，当独抵死所，即视索终，终所党有通迹，乃视舌出不出，头足去终所及地各几可（何），遗矢弱（溺）不殹（也）。乃解索，视口鼻渭（喟）然不殹（也）。及视索迹郁之状。道索终所试脱头；能脱，乃□其衣，尽视其身、头发中及篡。舌不出，口鼻不渭（喟）然，索迹不郁，索终急不能脱，□死难审殹（也）。节（即）死久，口鼻或不能渭（喟）然者。自杀者必先有故，问其同居，以合（答）其故。[③]

这一教程将检验缢死者的过程阐述得很详细，每一步的先后顺序都有交代，其最终目的是为判断死因为自杀还是他杀，判断的标准有好几个，如果有一项不符合，就不能轻易断定死者为自杀。可见当时官府对死亡案件非常重视。

---

① 陈伟主编，彭浩、刘乐贤等撰著：《秦简牍合集：释文注释本（壹）》，第284页。

② 陈伟主编，彭浩、刘乐贤等撰著：《秦简牍合集：释文注释本（壹）》，第213页。

③ 陈伟主编，彭浩、刘乐贤等撰著：《秦简牍合集：释文注释本（壹）》，第288页。

除此之外，睡虎地秦简中还记录了《出子》《毒言》等案例，“出子”即指流产，讲述了一位孕妇在和别人争斗后流产，官府派遣隶妾对孕妇和早出的胎儿进行检验；“毒言”是指口舌有毒，官府对被告者进行中毒检验。从这些生动的案例中可以看出，当时的法医检验已经有了一定的系统性，但尚有不少需要完善的地方，比如当时还不具备专职的法医，甚至大多检验人员根本不是医生，只是官府的小吏或者为官府做事的奴婢、刑徒，或者是乡里的相关吏员。只有在遇到如麻风病这样严重、危险的疾患时，对医学水平有较高要求，才会请专业医师查验。不过有些情况，因有清楚的诊断标准，似乎并不影响案情检验的准确性，如上文提到的缢死尸检中，检验者为令史、牢隶臣和死者的家人，这些都不是专业人员，但其检验结果却非常的专业。而其后附带的尸检教程更足以说明当时的尸检技术已经非常的成熟。

在一些案件中，还需要对牲畜进行检验，睡虎地秦简《厩苑律》载：“将牧公马牛，马〚牛〛死者，亟谒死所县，县亟诊而入之”，[①] 放牧官方的牛马，如果有死亡的，要向官府及时汇报，由官府遣人来对牛马的死因进行检验。

四、张家山汉简《脉书》《引书》

江陵张家山 247 号墓出土的《脉书》有两部分内容：一是依照从头到足的顺序记录了六十余种疾病名称；二是记录了人体内的经脉及其所主病症。

关于人体内的经脉记录，整理者已指出，其内容“大体与马王堆汉墓帛书《阴阳十一脉灸经》《脉法》《阴阳脉死候》相同”。[②] 李学勤指出，“《脉书》各部分和《内经·灵枢》的《经脉篇》有密切关系，是

① 陈伟主编，彭浩、刘乐贤等撰著：《秦简牍合集：释文注释修订本（壹）》，第 52 页。

② 张家山二四七号汉墓竹简整理小组编著：《张家山汉墓竹简［二四七号墓］（释文修订本）》，文物出版社 2006 年版，第 115 页。

《经脉篇》的一种祖本。”[①]这对研究中医学诊脉的产生与发展有着重要意义。

同墓出土的《引书》是介绍“导引术”的书籍，其中阐述了一年四季的养生之道、导引术的名称和动作、导引术与相应病症的对照等内容。《庄子》中便有导引术式的记载：“熊经”和“鸟申”；[②]东汉末年华佗所作“五禽戏”，有“熊戏”“虎戏”“鹿戏”“猿戏”“鸟戏”五种；[③]东晋葛洪所记导引则有“龙导”“虎引”“熊经”“龟咽”“燕飞”“蛇屈”“鸟伸”“猿据”“兔惊”九种。[④]20世纪70年代在马王堆3号墓出土了《导引图》和一些古籍，其中也提到了一些导引术式。这说明在当时的社会上，导引术是很普及的一种治病、养生方法。而张家山《引书》所记载的导引术式有几十种，远远多于传世史料和马王堆简帛的记载，为我们研究秦汉时期的导引术提供了重要史料。

传世史料中记载的导引术基本都是仿生式导引术，也就是模仿某种动物的动作而来。张家山《引书》中，除了记录了十六种仿生式外，还有其他术式。高大伦通过分析归纳，将其分成了“徒手引导”“器械引导”“仿生运动”“两人合作进行的导引术”“呼吸导引”五类。[⑤]同时，他通过对比《引书》和隋朝巢元方《诸病源候论》中的“养生导引方”指出二者有很多相同之处，说明二者有一定的传承关系，也证明了《引书》中的导引术很成熟、完备。此外，汉晋之前善于导引的人物和书籍大多集中在荆楚地区，高大伦指出：“导引术大概起源和形成于湖北北部、河南东南部、安徽北部、江苏北部这一地域范围内，到战国末期和汉初，可能已传播到更大的范围……但导引最为盛行的地方或者说导引

---

① 李学勤：《〈二十世纪出土中国古医书集成〉导言》，载高大伦《张家山汉简〈脉书〉校释》，成都出版社1992年版。

② 王先谦：《庄子集解　庄子集解内篇补正》，中华书局2012年版，第132页。

③ 《后汉书》，第2739页。

④ 王明：《抱朴子内篇校释》，中华书局1986年版，第274页。

⑤ 高大伦：《张家山汉简〈引书〉研究》，巴蜀书社1995年版，第14—18页。

的中心区域仍在楚文化圈范围之内。”①

张家山汉简《引书》中的导引术和马王堆出土的《导引图》，差不多是流行于同一时期的作品，可互为对照。《导引图》上画有44个人像，皆做运动状，表现的是导引术中的某个动作，图像中均有题记，因帛书出土时已破碎成小块，很多文字不可识别，现存题记有28个。

《导引图》的题记有很多都能在《引书》中找到对应，如“折阴”“支落”等。因为《导引图》上的人像是静态的，只能看出一个动作，具有一定的局限性，配合《引书》的文字记载，则可以很生动地还原当时的导引术，这也是《引书》重要价值的体现。以“折阴”为例，李学勤指出，导引图的图像是“一着灰色长服者，两臂一垂一举，双脚一前一后”。而《引书》载：“折阴者，前一足，错手，俯而反钩之。”可看出导引图的图像是动作开始尚未俯身时的姿态。②

江陵张家山汉简《脉书》《引书》对疾病、经络、导引等的记载，体现了汉代初期流行于荆楚地区的高超医术。其中导引术、辟谷术等，体现了时人的养生、保健观念，说明预防疾病、保持健康是时人很关心的问题。

第三节　数学

荆楚地区的数学形成很早，湖北京山屈家岭新石器时代文化遗址、湖北松滋桂花树新石器时代遗址均出土了“陶响铃”，其上有等腰三角形等几何图案。春秋战国时期，楚国的数学技术也很发达，据《左传》记载，公元前598年，楚国“令尹艾猎城沂，使封人虑事，以授司徒，量功命日，分财用，平板干，称畚筑，程土物，议远迩，略基趾，具糇粮，度有司，事三旬而成，不愆于素”。其中计量工程，划定日期，分

---

① 高大伦：《张家山汉简〈引书〉研究》，第26页。

② 李学勤：《〈引书〉与〈导引图〉》，《文物天地》1991年第2期。

配资金和材料，计算土石劳力等工作，都需要数学运用，负责此事的封人有条不紊地安排管理，使工程三十天就完成了，丝毫没有超过规定时间，说明时人已经可以在生产生活中熟练运用数学技巧。出土于江汉地区的北京大学藏秦简，保留了《鲁久次问数于陈起》《算书》等材料，是反映秦代数学发展水平的作品；而江陵张家山汉墓出土《算数书》、云梦睡虎地汉墓出土的《算术》则代表了西汉早期数学发展的水平。荆楚地区还培育了张衡这样一位伟大的科学家，其所著《算罔论》是一篇优秀的数学作品。

一、北大秦简《鲁久次问数于陈起》

北京大学藏秦简牍中，与数学知识相关的内容比重也很大，总计有四百多枚简和一方木牍。另外还有三组竹制算筹，“应该是主人生前用来计算的工具”。[①] 这批简牍公布了一小部分，其他则见于整理者的概述介绍。

在这些数学简牍中，有一篇独立的文章《鲁久次问数于陈起》，原文无题，按照出土简帛的命名习惯，将首句列为篇名。文章以鲁久次的提问和陈起的回答构成，解释了数学的起源、运用、重要性等问题，是一篇通过问答的方式强调学习数学重要性的文章。

在文中，鲁久次一共问了三个问题，第一个问题是：“读语和计数，何物为急？”也就是问语文和数学哪个更重要，陈起回答说：“舍语而彻数，数可语殹，语不可数殹。”如果必须二选一的话，要选择“数”，“数”可以涵盖“语”，而“语”是不能涵盖“数”的。

第二个问题是：“天下之物，孰不用数？”陈起回答说“天下之物，无不用数者”。四季节令、日月星辰的运作、音律的产生，都要用到数学。陈起托圣人以言志，指出数学在生活中无所不在：

① 韩巍：《北大秦简中的数学文献》，《文物》2012 年第 6 期。

地方三重，天圆三重，故曰三方三圆，规矩水绳、五音六律六间皆存。始诸黄帝、颛顼、尧、舜之智，循鲧、禹、皋陶、羿、簭〈筆〉之巧，以作命天下之法，以立钟之副，副黄钟以为十二律，以印记天下为十二时，命曰十二字，生五音、十日、廿八日宿。道头到足，百体各有司殹，是故百体之痈，其瘳与死各有数。曰：大方圆，命曰单薄之三；中方中圆，命曰日之七；小方小圆，命曰播之五。故曰黄钟之副，单薄之三，日之七，播之五，命为四卦，以卜天下。①

可以看出世界万物都与数学有关，远到宇宙，近到人体，古代的圣人以数学来分析万物，建立了黄钟十二律、十天干十二地支、二十八宿等概念。虽然“黄钟之副”“单薄之三”“日之七”“播之五”等具体所指还不甚清晰，但它们都是人们建立起的一些基本的“数”，由之组成的卦象可用来占卜天下。

也正是因为数学的无所不在，所以不掌握好数学，政府的工作就不能很好地展开，百姓的生活也不能正常运行。鲁久次的第三个问题便是：“临官莅政，立度兴事，何数为急？”当官治理政务，进行生产活动等，什么“数”最紧要呢？陈起回答说“数无不急者”，并进行了具体阐述，从官府处理政府的层面来看：

不循昏黑，渠漱洁齿，治官府，非数无以知之。和均五官，米粟髹漆，升料〈斗〉斗桶，非数无以命之。②

军队和工业也需要数学知识：

① 韩巍：《北大藏秦简〈鲁久次问数于陈起〉初读》，《北京大学学报》（哲学社会科学版）2015年第2期。

② 韩巍：《北大藏秦简〈鲁久次问数于陈起〉初读》，《北京大学学报》（哲学社会科学版）2015年第2期。

具为甲兵筋革，折筋、磨矢、栝猴，非数无以成之。锻铁铸金，和赤白，为柔刚，磬钟竽瑟，六律五音，非数无以和之。锦绣文章，萃为七等，蓝茎叶英，别为五彩，非数无以别之。①

金属材料和颜料的合理调配，没有数学知识的支撑也是无法完成的。

人们所进行的土木工程也需要数学知识：

外之城工，斩篱凿壕，材之方圆细大、薄厚曼狭，绝契羡杼，斲凿斧锯、水绳规矩之所折断，非数无以折之。高阁台榭，弋鬣置放御，度池岸曲，非数无以置之。②

在从各个方面论述了数学的广泛运用和重要性后，陈起指出，“民若不知度数，无以知百事经纪”。因此，统治者应当对“数”有足够的重视，让百姓通晓。而实际情况却是“凡夫数者，恒人之行也，而民弗知”，与“数”相关的知识如此重要，应当让百姓普及掌握，却无人认识到这一点。古代的圣人把数学知识写在简帛上流传后世，就是希望后世人不要忘记数学的重要性。

最后，陈起指出了学习数学知识的侧重点：

凡数之宝莫急郦（隶首），隶首者筭之始也，少广者筭之市也，所求者毋不有也。③

---

① 韩巍：《北大藏秦简〈鲁久次问数于陈起〉初读》，《北京大学学报》（哲学社会科学版）2015年第2期。

② 韩巍：《北大藏秦简〈鲁久次问数于陈起〉初读》，《北京大学学报》（哲学社会科学版）2015年第2期。

③ 韩巍：《北大藏秦简〈鲁久次问数于陈起〉初读》，《北京大学学报》（哲学社会科学版）2015年第2期。

数学知识中，最宝贵的是“隶首”的计算，这是算术的开端。而“少广”类似于算术的市场，内容广泛，包罗了算术的各个方面。

墓主将此类文献随葬入土，说明在当时，像墓主一类的人对陈起的观点是十分赞同重视的。这体现了时人不但可以在生产生活中灵活使用数学，而且注重对数学的运用和意义进行深度探索、理论升华。

二、北大秦简牍《算书》与《九九术》

北大藏秦简卷三和卷四的一部分，共计三百余枚简，其主要内容是各种算题和算术，整理者将其命名为《算书》。其中卷三保存较差，卷四的内容相对来说比较清楚。

卷四的《算书》分为甲乙两篇。甲篇的内容包括《九九术》、“算题汇编”、衡制换算等。其中，《九九术》共 8 枚简，韩巍称，其内容始于“九九八十一”，终于“一一而二”。此外，北大所藏这批秦简牍中的木牍 M-025 的内容也是《九九术》，韩巍指出，这两篇《九九术》略有不同，秦牍《九九术》“篇末多出‘二半而一’，故其乘积总计为‘凡千一百一十三字’，较竹简的乘积总和多‘一’”。[①]

可见《九九术》的内容与现在的“九九乘法表”类似，但顺序相反。

北大藏秦简《算书》甲篇的第二部分内容为“算题汇编”，与岳麓秦简《数》、张家山汉简《算数书》、传世的《九章算术》类似，记录了各种算题和从中提炼出的算术。整理者根据结构，将其分为三类。第一类以“启广术”为例：

> 曰启广术：先置其纵数以为法，欲求一亩，即置二百卌步以为实，除实如法得一［步］，不盈步者以法命分。

① 韩巍：《北大秦简中的数学文献》，《文物》2012 年第 6 期。

有田纵廿五步，欲求一亩广几何？曰：九步又五分步三。①

“启广术”又见于张家山汉简《算数书》，“启”是开的意思，“广”是指矩形的短边长。“法”指分母，“实”指分子。这是已知长方形面积和长边长度，求其短边长度的算术。

这一类算题先叙述算术方法，然后再列举多道例题，每道题都只有具体数字的差别。第二类则相反，是先举例，再总结算术方法。例如：

●田广八分步三，纵十二分步七，问田几何？·曰：母相乘为法，子相乘为实，实如法而一。②

这种先举例再说计算方法的结构，在《九章算术》和张家山汉简《算数书》中比较常见。

第三类只叙述计算方法而没有举例。这一类比较少，整理者并没有给出对应的简文。只是说此类“主要见于抽象运算，如‘乘分’‘合分’‘约分’等”。③

北大秦简所记录的算题基本都是从人们的日常生活中而来，是为解决人们日常遇到的实际问题服务的。其中比重较大的是有关田亩租税的算题。

《算书》的第三部分为“衡制换算”，“包括石、钧、斤、两、甾（锱）、朱（铢）等单位的相互换算，如‘一石而四钧’‘一钧而卅斤’等”。④

北京大学藏秦简牍中的数学文献种类多，内容丰富，对研究战国

---

① 韩巍：《北大秦简中的数学文献》，《文物》2012年第6期。其下还有四道例题，彼此仅数字有别，此处从略。

② 韩巍：《北大秦简中的数学文献》，《文物》2012年第6期。

③ 韩巍：《北大秦简中的数学文献》，《文物》2012年第6期。

④ 韩巍：《北大秦简中的数学文献》，《文物》2012年第6期。

至秦代数学史的发展有极大的贡献。据整理者介绍，北大秦简卷七的内容是田亩面积的计算，卷八的形式与卷七相似，除田亩面积外还增加了田租的计算。卷八有篇题《田书》，应是这类书的专名。[①]。关于《田书》的性质，韩巍指出，“这类书可能是为了方便日常的田亩和租税计算而编制的教材或参考书，与我们通常所说的包含各种计算方法和例题的《数书》或《算书》有别。[②] 而杨博则认为，《田书》“是一种秦代流传的初始之实用田亩‘算数书’”。[③] 另外，和简牍一起出土的还有算筹61 根，算筹是古代数值运算的工具。时人事死如事生，随葬品往往与墓主生前的生活息息相关，这些简牍和算筹的出土，体现了数学在墓主的日常生活中不可或缺。

三、张家山汉简《算数书》

湖北江陵张家山 247 号西汉墓出土《算数书》的主要内容是算题汇编，其抄写年代是在汉初，包括有六十九种算题，其中很多算术另见于岳麓秦简《数》和传世的《九章算术》，说明这种应用类数学在战国秦汉时期乃一脉相承。

《算数书》与北大秦简《算书》一样，格式并不固定，大致有以下几种：

一是先给出例题及答案，然后归纳算法。

二是先给出算法，再给例题。这两种格式在《算数书》中最为常见。因在上文已有讨论，此处不再赘言。

三是只有例题，没有归纳算法。如《乘》，只是列举了一些具体的乘法运算，如“少半乘少半，九分一也”。这里的“少半”指的是三分之一。

---

① 北京大学出土文献研究所：《北京大学藏秦简牍概述》，《文物》2012 年第 6 期。

② 韩巍：《北大秦简〈算书〉土地面积类算题初识》，武汉大学简帛研究中心主办：《简帛》第八辑，上海：上海古籍出版社 2013 年版，第 29 页。

③ 杨博：《北大藏秦简〈田书〉初识》，《北京大学学报》（哲学社会科学版）2017 年第 5 期。

四是只有算法，没有例题。如《分乘》："分乘分术皆曰：母相乘为法，子相乘为实。"[①] 这与前文提到的"启广术"类似。

五是在算题前后均归纳了算法，且算法相同。如《合分》，先在开头提到："合分术曰：母相类，子相从。母不相类，可倍，倍；可三，三；可四，四；可五，五；可六，六；七〈子〉亦辄倍，倍，及三、四、五之如母，母相类者，子相从。其不相类者，母相乘为法，子互乘母并以为实，如法成一。"[②] 可见"合分术"其实就是"同分母分数相加"的运算法则。其后列举了一则具体例题。该篇并没有到此结束，而是在例题后又将"合分术"换了一种表述，重新叙述了一遍。

另有两种严格来讲并不能算是算题。一种只是解释了某些数学知识。比如《增减分》："增分者增其子；减分者增其母。"[③] 指的是在分数中，如果分母不变，分数的数值随着分子的增大而增大，而如果分子不变，则分数数值随着分母增大而减小。另一种则是关于换算的说明，如《粟为米》："麻、麦、菽、荅三而当米二，九而当粟十；粟五为米三；米十为粺九，为毁［毇］八；麦三而当稻粟四；禾粟五为稻粟六。"[④] 它只涉及不同粮食作物之间的换算，并不涉及数学算题。

《算数书》格式上的多样性体现了它并非成于一时，从内容上看，算题的种类很分散甚至还有部分重复，尚不具备足够的系统性。相比《九章算术》的统一性，《算数书》更多地体现出了此类文献文本整理的过程。《算数书》所收录的应该是当时一些具有代表性的算题，是为了

① 张家山二四七号汉墓竹简整理小组编著：《张家山汉墓竹简［二四七号墓］（释文修订本）》，北京：文物出版社2006年版，第132页。

② 张家山二四七号汉墓竹简整理小组编著：《张家山汉墓竹简［二四七号墓］（释文修订本）》，第134页。

③ 张家山二四七号汉墓竹简整理小组编著：《张家山汉墓竹简［二四七号墓］（释文修订本）》，第133页。

④ 张家山二四七号汉墓竹简整理小组编著：《张家山汉墓竹简［二四七号墓］（释文修订本）》，第147页。

指导人们的生产生活，并非是单纯学术性质的数学著作。但《算数书》中包含了许多初级数学知识，如关于整数、分数的运算、比例问题、代数运算、几何问题等。其中一些计算方法极具创新性，体现了时人运用数学时的深入思考。比如《里田》篇：

> 里田术曰：里乘里，里也，广、纵各一里，即置一因而三之，又三五之，即为田三顷七十五母。其广纵不等者，先以里相乘，已乃因而三之，又三五之，乃成。今有广二百廿里，纵三百五十里，为田廿八万八千七百五十顷。置提封以此为之。一曰：里而乘里，里也，壹三而三五之，即顷亩数也。曰：广一里、纵一里为田三顷七十五亩。[①]

其中“里”为长度单位，“里田”即指边长以里作单位的矩形田地。“里田术”要解决的问题是：已知矩形田地的长宽边为 X 和 Y 里（X 可以等于 Y），求其面积为多少顷。

岳麓书院藏秦简 0947：

> 里田术曰：里乘里，里也，因而三之，又三五之，为田三顷七十五亩。[②]

《九章算术·方田》：

> 里田术曰：广从里数相乘得积里。以三百七十五乘之，即亩数。[③]

---

① 张家山二四七号汉墓竹简整理小组编著：《张家山汉墓竹简［二四七号墓］（释文修订本）》，第 157 页。

② 朱汉民，陈松长编：《岳麓书院藏秦简（贰）》，上海辞书出版社 2011 年版，第 10 页。

③ 李继闵：《九章算术校正》，陕西科学技术出版社 1993 年版，第 135 页。

这两个算法的思路和《算数书》中的第一种解法是一样的。只是《九章算术》中不再解释“三百七十五”的由来，体现了运算的进步。

张家山汉简《算数书》与《九章算术》从内容到结构都具有一些相似性，二者的关系早有不少学者进行过讨论。一种观点认为二者一脉相承，《九章算术》来源于《算数书》。例如陈跃钧、陈燕萍认为：《算数书》在时代上比《九章算术》早，在体例上虽均采用问题集形式，但《九章算术》对问题进行了高度的归纳、综合，更系统化、理论化；在内容方面，《九章算术》不仅包含了《算数书》的全部，而且内容丰富，“算术”起点高，深度和广度均在《算数书》之上。但两书之间无论是体例，或是内容，都能使人看到一条一脉相承的脉络，即《九章算术》源于《算数书》，《算数书》是《九章算术》的母本。[①] 也有学者认为不能将二者的关系过分亲密化，它们并没有直接关系。如邹大海认为，如果要论证两者有直接联系的话，需要一个前提：《算数书》是西汉晚期《九章》以前唯一与之有那些相似内容的数学著作。[②] 随着岳麓秦简《数》、北大秦简《算书》、睡虎地汉简《算术》等文献的出土，可以肯定这一前提是不存在的。所以不能仅凭二者有一定相似性就断言它们的关系。邹大海认为由于数学知识的广泛适用性，各个不同地域和不同历史时期都需要用到一些相近的数学方法，自然也会用文字写下来，当时这类材料应该很多，因此，任意两种材料之间有部分相似，是很正常的事，而两种材料之间没有直接的继承关系也是常例而非特例。所以，如果两种数学材料之间只是有部分相似但没有其他可判定性的特征，这两种材料之间有直接继承关系的可能性不是很大而是很小。[③] 目前从几批

---

① 陈跃钧、陈燕萍：《〈算数书〉与〈九章算术〉》，《湖北省考古学会论文集（一）》，武汉：武汉大学学报编辑部 1987 年版。

② 邹大海：《从〈算数书〉与〈九章算术〉的关系看算法式数学文献在上古时代的流传》，《赣南师范学院学报》2004 年第 6 期。

③ 邹大海：《从〈算数书〉与〈九章算术〉的关系看算法式数学文献在上古时代的流传》，《赣南师范学院学报》2004 年第 6 期。

出土的数学文献来看确实如此。但是也不能完全认定《算数书》与《九章算术》毫无关系，二者同为汇编类的算题集，或许采用过同一祖本，也或者《九章算术》对《算数书》有过部分借鉴。

四、睡虎地汉简《算术》

云梦睡虎地 77 号西汉墓出土的《算术》简有 216 枚，据整理者介绍，其内容有“一分、三分、四分、五分、六分、七分、八分、分术、田、径田、周田、土攻、合分、约分、反齐、率、通分、径分、米粟、秏、并米粟、粟半、衰分、食攻、求高、同攻、贷钱、租枲、刍稿、买犬、分攻、石率、启方等”。[①]

仅从篇题来看，《算术》中有不少算题另见于其他算法式数学文献。如《合分》《约分》《通分》《径分》都是关于分数的算术，又见于北大秦简《算书》、张家山汉简《算数书》《九章算术》等文献，“合分术”是关于同分母分数相加的算法；“约分术”是关于分数的分子、分母最大公约数的算法；“通分术”是关于化分数为整数的算法；“径分术”是关于分数的除法运算。又如《衰分》见于《九章算术·方田》，是关于比例分配的问题。再如《并米粟》《石率》见于张家山汉简《算数书》，前者关于米、粟单位换算的问题，后者是关于买卖物品计算价格的算题，也就是以石为单位，在已知物品数量和价格的情况下，求每石物品的价格。

睡虎地汉简《算术》虽尚未公布，但整理者在介绍中列举了两则例子：

> 凡生少广之法曰：置其分数以下分命倍之，令母分以为法，即左直一算，以倍分数辄倍之，以乘二百卌步，而令如法得一步，即一亩田纵也，以乘分，分田一亩。乘分曰：一不分，置如法，加以

---

① 熊北生、陈伟、蔡丹：《湖北云梦睡虎地 77 号西汉墓出土简牍概述》，《文物》2018 年第 3 期。

不而分之。

·柧田十五步，弦十步，径五步，为田卅七步半步。·术曰：令径五步乘弦十步，已乘，四而三。[①]

第一则例子为“少广”类算题，睡虎地汉简《算术》中，“少广”类算题比重较大，共有28枚简。整理者给出的这个例子与张家山汉简《算数书》《九章算术》中的“少广术”类似，都是在已知矩形面积和一边边长的情况下，求解矩形另一边边长的问题。而第二则例子为“方田”类算题。《九章算术》中有《方田》章，是关于图形面积问题的研究。简文中的“柧田”或与《九章算术》中的“弧田”同义，即圆弓形田地。

目前所见秦汉数学简牍，有大半出土于荆楚地区，其内容基本都是围绕着人们的日常生产生活需要展开，收录的都是实用性的数学知识。当时知识分子可能不少修习过数学，是各级官吏必备的基础知识。官方之所以重视算术，将其视为官员的必修课，是为了更好地计算土地面积、收取租税、分配徭役进行各种数据统计汇总等，故而较多记录了实用性数学，其难易程度并不能代表当时的数学水平。传世文献中，实用性数学的汇编最早见于《九章算术》，简牍资料的出土将这些实用数学的广泛传播时期提前了上百年，在数学史的研究上意义非凡。

第四节 生产技术

生产技术与百姓的生活息息相关，也在先民的不断摸索与创造中获得进步。秦汉魏晋南北朝时期，荆楚地区农业技术、纺织技术、铸造技术、漆器与陶瓷器的制作技术都比较发达。

① 熊北生、陈伟、蔡丹：《湖北云梦睡虎地77号西汉墓出土简牍概述》，《文物》2018年第3期。

一、农业技术的进步

荆楚地区的农业生产在先秦时期就很发达，保障了国家的繁荣富足，有力支撑了楚人北上东进的拓疆事业。秦汉时期楚越之地地广人稀，物产丰富。但荆楚地区的自然条件对农业特别是种植业来说，也有许多不利因素，比如水灾频发。据《汉书·高后纪》：“三年夏（公元前 186），江水、汉水溢，流民四千余家。”[①] 八年（公元前 181）“夏，江水、汉水溢，流万余家”。[②] 短短几年间，长江、汉水泛滥了两次，破坏极大。《后汉书》中载汉和帝永元十三年（101），“荆州比岁不节，今兹淫水为害，余虽颇登，而多不均浃”。[③] 晋成帝咸康元年（335），“荆州之长沙、醴陵，武陵之龙阳，三县雨水，浮漂屋室，杀人，损秋稼”。[④] 梁武帝普通元年（520）“江、淮、海并溢”。[⑤] 可见秦汉魏晋南北朝时期，江河纵横的荆楚地区洪水的灾害时有发生，非常不利于生产活动的开展。

当时，为了抵御水灾，发展灌溉，人们积极兴修水利。一些有作为的地方官在这一方面有所建树。《水经注·沔水》记载：“楚时，于宜城东穿渠，上口去城三里，汉南郡太守王宠又凿之，引蛮水灌田，谓之木里沟。迳宜城东而东北入于沔，谓之木里水口也。”[⑥] 曹魏时期胡烈任襄阳太守，对沔水“补塞堤决”，使得“民赖其利”。[⑦] 南朝宋张邵“至襄阳，筑长围，修立堤堰，开田数千顷，郡人赖之富赡”。[⑧] 类似的水利工程建设使当地的农业生产得到了相当大程度的恢复和发展。

---

① 《汉书》，第 98 页。

② 《汉书》，第 100 页。

③ 《后汉书》，第 188 页。

④ 《晋书》，第 822 页。

⑤ 《梁书》，第 63 页。

⑥ 郦道元著，陈桥驿校证：《水经注校证》，第 667 页。

⑦ 郦道元著，陈桥驿校证：《水经注校证》，第 662 页。

⑧ 《宋书》，第 1395 页。

据《史记·货殖列传》载："楚越之地，地广人希，饭稻羹鱼，或火耕而水耨。"[①] 在当时，"火耕水耨"的耕作方法在荆楚地区的水稻生产中占主要地位。直到隋唐时期，江南之俗依旧保留着"火耕水耨，食鱼与稻，以渔猎为业"[②] 的传统，可见这种耕作方法一直沿用到了中古时期。东汉人应劭对此耕作方法的解释是："烧草下水种稻，草与稻并生，高七八寸，因悉芟去，复下水灌之，草死，独稻长，所谓火耕水耨。"[③] "火耕"就是指在收割水稻时只收稻谷，而把秸秆留在田中，等到播种季节，放火将秸秆和杂草烧掉，这样就可以得到灰烬以作肥料。"水耨"则是指在水稻生长七八寸高时，将田中的杂草拔去埋入土中，然后灌水将其沤烂，使其变成水稻的养分。

"火耕水耨"常常用来指代比较原始的耕作方法，而以史书记载来看，秦汉魏晋南北朝时期荆楚地区的稻田耕作一直都是"火耕水耨"，似乎并无改进。然而实际上，随着人们生产技术的进步，"火耕水耨"也在不断改进，并不局限于早期的刀耕火种。《荆楚岁时记》载："四月也，有鸟名获谷，其名自呼，农人候此鸟，则犁耙上岸。"[④] 体现了犁耕技术的普及。

其时的荆楚之地，牛耕已经十分普遍。很多墓葬中都出土有牛的形象，如云梦睡虎地秦墓出土的扁壶漆器上绘有一立牛；宜昌市第一中学吴墓出土了两只陶牛；鄂城六朝墓中也出土有陶牛。秦汉魏晋南朝时期，各朝的律令中都对牛十分重视，对伤害牛、盗牛等行为有严厉的惩处。这些都表明牛已经普遍用于农业生产，而且时人对耕牛非常重视。

在这一时期，铁制农具也有了进一步发展。早在先秦时期，楚国就有开采铁矿，冶造铁农具的行为。云梦睡虎地秦简中记录有"铁器"，周家豪秦墓出土秦始皇三十四年质日简记载墓主至南郡竟陵县（今湖北

① 《史记》，第3968页。

② 《隋书》，第886页。

③ 《史记》，第1733页。

④ 宗懔撰，宋金龙校注：《荆楚岁时记》，第42页。

潜江）都乡一官营冶炼厂治事并宿于厂内：

己酉，宿竞陵。
庚戌，宿都乡。
辛亥，宿铁官。
壬子，治铁官。
癸丑，治铁官。
甲寅，宿都乡。
乙卯，宿竞陵。
丙辰，治竞陵。①

江陵凤凰山汉墓出土了一批持锄、持耒等农具的木俑；据史料记载，南阳地区在汉代是重要的铁器生产地区；西晋时，武昌有官置冶铁场，设有铁官。

此外，荆楚地区在当时还普及了一些谷物加工类的农具，如臼、磨、碓等。臼是一种舂米的器具，我国早在龙山文化时期就已经发明了臼，秦汉魏晋南北朝时期臼在长江中游已得到普及，湖北鄂城出土的东吴青瓷臼，“方形，中有圆形臼窝”。② 磨主要是用以将小麦、大豆等谷物磨成粉状，最早在北方地区出现并流行，荆楚地区的一些东汉墓葬中开始出现磨的明器，鄂城六朝墓出土了 12 件磨，基本造型由上、下两扇组成，磨面刻有磨齿，两者之间有磨心轴套合（见图 8–1）。③ 碓也是一种舂米工具，东汉时期传入江汉地区。臼是纯粹的人工用力，而碓利用了杠杆原理，相比臼更加省力、高效。湖北云梦瘌痢墩一号东汉墓、

① 湖北省荆州市周梁玉桥遗址博物馆编：《关沮秦汉墓简牍》—《周家台三〇号秦墓简牍》之《历谱·秦始皇三十四年》第 93—94 页；又《图版》二至三第 13 至第 20 简，第 12 页。

② 鄂城县博物馆：《鄂城东吴孙将军墓》，《考古》1978 年第 3 期。

③ 南京大学历史系考古专业、湖北省文物考古研究所、鄂州市博物馆编著：《鄂城六朝墓》，科学出版社 2007 年版，第 229 页。

武昌莲溪寺东吴墓、襄阳樊城菜越三国墓等墓葬中均出土有碓（见图8-2、8-3）。其中瘌痢墩东汉墓出土的碓，分碓架，碓臼，碓杆三个部分。碓架作长方形，左右两侧壁作镂空扶手，前端置碓臼，碓杆架在碓架前挡半圆槽中，碓臼的外体为柱形，平底。碓杆前端呈圆形，下有碓嘴，末端呈扁圆形。①

图 8-1　鄂城六朝墓出土的磨（明器）

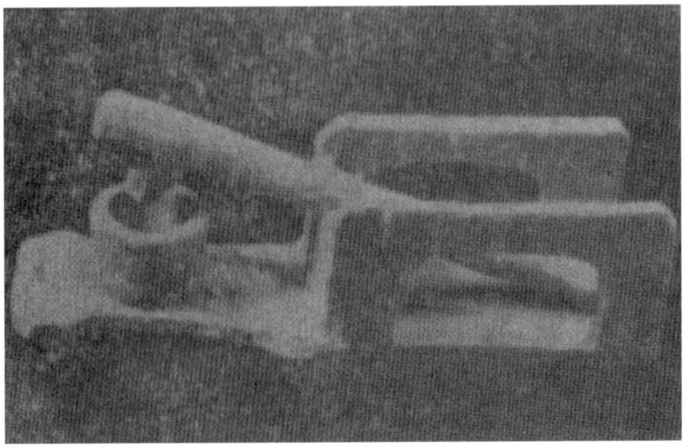

图 8-2　湖北瘌痢墩东汉墓出土的碓（明器）

① 云梦县博物馆：《湖北云梦瘌痢墩一号墓清理简报》，《考古》1984 年第 7 期。

图 8–3　襄阳樊城菜越三国墓出土陶碓

除了粮食生产的发展外，荆楚地区物产丰富，渔业、林业、牧业等副业也呈现出一片繁荣景象。这一地区河流纵横，水量丰富，奠定了渔业的发展基础，正如司马迁所言，当时的楚人“饭稻羹鱼”，鱼和稻一样，都是他们的主要食物。《战国策》载：“江汉鱼、鳖、鼋、鼍为天下饶。”[①] 东汉时期，习郁在襄阳建鱼池：

> 郁依范蠡《养鱼法》作大陂，陂长六十步，广四十步，池中起钓台，池北亭，郁墓所在也。列植松篁于池侧沔水上，郁所居也。又作石洑逗引大池水于宅北作小鱼池，池长七十步，广二十步，西枕大道，东北二边限以高堤，楸竹夹植，莲芡覆水，是游宴之名处也。[②]

这个鱼池除了养鱼外，还种着芙蓉、菱芡等水生作物。东晋时期，陶侃在武昌建立了一个池塘，“因取琅琊郡隔湖鱼、菱以着湖内”，进行水产养殖。[③]

荆楚地区桑麻的种植也很普及，江陵凤凰山汉墓中便出土有麻絮；东晋六朝时，政府征收的赋调为“丁男调布绢各二丈，丝三两，绵八

① 刘向集录：《战国策》，上海古籍出版社 1985 年版，第 1148 页。

② 郦道元著，陈桥驿校证：《水经注校证》，第 665 页。

③ 《太平御览》卷六六《地部三一·湖》引《武昌记》，中华书局 1960 年版，第 313—314 页。

两，禄绢八尺，禄绵三两二分”，从侧面反映当时的桑麻是百姓种植的主要作物。[①]《南齐书》亦载：“襄阳左右，田土肥良，桑梓野泽，处处而有。”[②]据《荆楚岁时记》载，当地人有在正月十五晚上占卜蚕桑之事的习俗，可见对桑蚕的重视。[③]

荆楚地区的瓜果蔬菜也很丰富，云梦秦墓出土有“植物果核”；江陵凤凰山168号汉墓中出土了生姜、红枣、杏、李子、梅子、花椒；江陵凤凰山8号汉墓出土遣册记录了瓜、梅、李子、姜、葵、芥等；江陵张家山247号汉墓遣册中记录了蒜、李子、瓜、姜等；云梦大坟头1号汉墓出土遣册中则记录了瓜、李子等。这一地区负有盛名的水果当属柑橘，《史记·货殖列传》有“江陵千树橘”[④]的记载，《水经注》载当时的夷道县，也就是今湖北宜都地区“橘柚蔽野”。[⑤]

荆楚地区的畜牧业在这一时期也有很大的发展，很多墓葬中都出土了家禽家畜的遗骸或相关明器。如：云梦睡虎地11号秦墓出土了“牛、猪、鸡的遗骸”。[⑥]江陵凤凰山汉墓中出土有马、牛、狗木雕塑。[⑦]宜昌市一中三国东吴墓中出土了羊舍、猪舍、犬舍、鸡舍等瓷器和鹅圈、鸭圈、猪圈、牛等陶器，对应的圈舍里有对应的牲畜，比如羊舍中有两只瓷羊，鹅圈中有大小陶鹅各一只。[⑧]荆门市麻城镇斗笠岗南朝墓出土有

① 《隋书》，第674页。

② 《南齐书》，第281页。

③ 湖北孝感地区第二期亦工亦农文物考古训练班：《湖北云梦睡虎地十一号秦墓发掘简报》，《文物》1976年第9期。

④ 《史记》，第3970页。

⑤ 郦道元著，陈桥驿校证：《水经注校证》，第795页。

⑥ 湖北孝感地区第二期亦工亦农文物考古训练班：《湖北云梦睡虎地十一号秦墓发掘简报》，《文物》1976年第6期。

⑦ 长江流域第二期文物考古工作人员训练班：《湖北江陵凤凰山西汉墓发掘简报》，《文物》1974年第6期。

⑧ 湖北省博物馆：《宜昌市一中三国吴墓清理简报》，《江汉考古》1983年第2期。

4 只形态各异的滑石猪。[①]武汉市武昌长春观 201 号三国墓还出土了青釉猪圈（见图 8–4）。[②]

图 8–4　武汉市武昌长春观 201 号墓出土青釉猪圈（明器）

二、纺织技术的发展

早在先秦时期，荆楚地区的纺织业就取得了不小的成绩。1982 年出土于江陵马山 1 号楚墓的丝织品，表明当时的楚国已经掌握了较高水平的提花、刺绣和染色技术。秦汉时期的墓葬中也有丝织品出土，云梦睡虎地 11 号秦墓中，“棺侧并有素绢与锦裹的草束护棺”。[③]江陵凤凰山 168 号墓中保留不少丝、麻织品，其中丝织品大多腐朽，只有少量残片，麻织品保存较好，有“棺束、衣、裙、履、袜和麻絮等”。[④]

除了发现的丝、麻织品成品丰富外，纺织业的发展更多地体现在各类科学技术的运用上。南梁刘孝威所作《鄀县遇见人织率尔寄妇》中，讲述了他在鄀县（今湖北宜城）看到的织布场景：

① 荆门市博物馆：《荆门市麻城镇斗笠岗南朝墓发掘简报》，《江汉考古》2006 年第 2 期。

② 刘芳芳：《己亥年说猪》，《收藏家》2019 年第 2 期。

③ 湖北孝感地区第二期亦工亦农文物考古训练班：《湖北云梦睡虎地十一号秦墓发掘简报》，《文物》1976 年第 6 期。

④ 纪南城凤凰山一六八号汉墓发掘整理组：《湖北江陵凤凰山一六八号汉墓发掘简报》，《文物》1975 年第 9 期。

妖姬含怨情，织素起秋声。
度梭琼玉动，踏蹑珮珠鸣。
经稀疑杼涩，纬断恨丝轻。
葡萄始欲罢，鸳鸯犹未成。
……
机顶挂流苏，机旁垂结珠。
青丝引伏兔，黄金绕鹿虑 。
艳彩裾边出，芳脂口上渝。
……①

诗中描述了一个多人织布的情景，上半部分截取的是对织布场面和成果的描写，织出的花样有葡萄和鸳鸯，显示了织女娴熟的高超技术。下半部分截取的是对织机的描写，这应当是花本式提花机，这种织机出现在东汉。刘孝威的这段描述，体现了在当时的荆楚地区，提花机已经运用在了人们的日常生活中。

出土文物证明六朝时期荆楚纺织技术的进步（见图 8–5）。

图 8–5　鄂城六朝墓出土纺轮

秦汉以后，与纺织业相关的服饰制作等行业也得到发展。北大秦简

① 徐陵编，吴兆宜注，程琰删补，穆克宏点校：《玉台新咏笺注》，中华书局 1985 年版，第 341—342 页。

《制衣》记载了多种服装的裁法，是一篇关于制衣工艺的书，内容罕见。这篇文章现存六百余字，其中依次记录了下裙、上襦、大襦、小襦、前袭、绔的制作方法。下面以大襦的制作为例，对《制衣》中介绍的相关工艺加以介绍。

> 大襦有衺，长丈二尺而交窬，其一尺各以其衺为上尉，褎半幅长五尺，傅之令北二尺，杀其余，以褎兼之，令兼相过五寸，长者居前，短者居后，褻长二尺八寸。
>
> 大襦无衺，长各六尺，褎半幅长五尺，傅之令北二尺，杀其余，以褎兼之，令其兼相过五寸，长者居前，短者居后，褻长二尺八寸。[①]

其中提到了一些裁衣的方法，如“交窬”。“交窬”是一种裁衣手法，可将衣服上的下垂部分裁成圭状。文中还详细介绍了袖子的尺寸和裁制方法，并记录了袖子与衣身的拼缝技艺。

《制衣》简的出土，还原了秦代的部分制衣工艺，有助于我们了解当时的服装制作，补充了传世文献的不足，有很大的史学价值。

三、采矿与铸造技术

湖北大冶西南的铜绿山矿冶遗址反映了流行于秦及西汉时期荆楚地区的采矿和冶炼技术。例如井下开采遗址有多种开掘形式，运用的木支护框结构在不同时期呈现出不同的形式，展现了采矿技术的逐渐进步。“战国以前主要采用榫卯结构支护技术。战国至西汉时期竖井主要采用垛盘结构、平巷采用鸭嘴结构等符合力学原理的木支护技术。经支护后的井巷，能有效地承受顶压、侧压、底压。”[②] 在矿井矿料提升技术上，

① 刘丽：《北大藏秦简〈制衣〉释文注释》，《北京大学学报》（哲学社会科学版）2017 年第 5 期。

② 黄石市博物馆编：《铜绿山古矿冶遗址》，文物出版社 1999 年版，第 189 页。

战国至汉代用木制辘轳取代之前的人工作业，是开采技术的重大进步。

在遗址中出土的采矿工具，也能反映采矿技术的不断进步，其中“铁制工具出现于春秋，流行于战国及以后，这里采集的同类器物似可定在战国至西汉。”[①] 战国以前的工具主要是青铜制品，其凿岩能力有限，而战国至汉代所使用的主要是铁制工具，凿岩能力提高，开采深度逐渐加深。

此外，在采矿方式上也有改进，战国以前主要是“从地表矿体露头向下开拓竖井”，这样逐渐下延，有矿即采，无矿即停。而战国至汉代采用的是“上向式方框支柱充填法”，“这种方法是将斜巷开拓到矿体底盘，再凿穿脉平巷进入矿体，在富矿带内用大方框平巷沿矿体走向水平向前伸展，然后用小方框平巷回采矿石。下层采完后再采上层。上层方框的底梁坐落在下层方框的顶梁上。上层采的矿石经手选后运到地表，将贫矿及废石充填到下层巷道。这样既有效地处理了下层采空区，保证了上层采矿的安全，又减少了大量废石的运输”。[②]

除铜绿山古矿冶遗址外，还有很多考古发现可展示荆楚地区在矿冶方面的高超技术。如云梦秦墓出土的铜丝和铁丝。表明秦代已掌握了将铜铁拉丝的技术；南阳瓦房庄等冶铁遗址发掘出的遗物表明汉代已经掌握了炒钢、灌钢技术；《荆楚岁时记》载：“人家妇女结彩缕，穿七孔针，或以金、银、鍮石为针。”[③] 体现了铜锌合金冶炼技术的普及。

东汉时期，杜诗在南阳任太守时，创制了水排，即利用水力带动机械以鼓风，以此来提高炼炉炉温，推动了冶铁业的发展。其后，这一技术在荆楚地区获得推广。西晋时，朝廷在鄂县（今鄂州鄂城西南）附近设置了铁官，便是利用水排冶铸，到了东晋时期，因水量不够而改作人工鼓排，并一直延续到刘宋时期。

---

① 黄石市博物馆编：《铜绿山古矿冶遗址》，第 182 页。

② 黄石市博物馆编：《铜绿山古矿冶遗址》，第 189 页。

③ 宗懔撰，宋金龙校注：《荆楚岁时记》，第 55 页。

1987 年 12 月，鄂钢综合原料厂出土了几件钢铁兵器，其中的孙权“百炼钢刀”至今仍锋利无比，展现了当时工匠高超的炼钢技术。而该地区临近铜矿产地，为铜器制造打下了基础。东吴时期的武昌铜镜名噪天下，目前鄂州地区出土的孙吴铜镜已有上百枚。这些铜镜的主要原料是铜和锡，除此之外还融入了其他金属，如 1975 年鄂钢邱家湾第 2 号墓出土的变异龙虎镜的铭文是：“吴作明竟（镜），幽湅三商，八公所造，后人相承，照者益好，工命吉长。”[①] 其中“三商”指的是三种金属，除铜和锡外，还有铅。铅的加入可以使铜镜更加锃亮，也可以使纹饰更加清晰。此外，还有很多铜镜的铭文中有“百湅青铜”“百湅正铜”的语句，“百湅”就是“百炼”的意思，这体现了制作铜镜时反复精炼的工作，体现了当时的冶铜工艺已有较高的水准。

荆楚地区铜镜制造技术也有相当的成就。从鄂州出土的铜镜实物分析来看，当时在铜镜的制作过程中，模和铸两道工序已有专业分工。董亚巍指出：“鄂州镜的铸镜师们大都没有雕塑原始模的技能，而是由专门从事泥雕的工匠提供原始模，然后由铸镜工匠自己设置浇铸系统后翻制阴模，铜镜背面的铭文是铸镜师翻出阴模以后才刻上去的。”[②] 所谓“原始模”就是最初的模具，又被称为母模。董亚巍指出，鄂州铜镜中，有很多的雕刻风格出于同一工匠之手，但铭文中却明确指出这些铜镜是由不同的铸镜师所造。模与铸的分工，能使工匠和铸镜师分别完成各自的专业工作，大大提高了铜镜的质量和工艺水平。

四、造船技术的进步

荆楚地区河流湖泊众多，因此生活在这里的人民很早就学会了造船。据记载，春秋战国时期楚国便拥有战船和水师，到了秦汉魏晋南北朝时期，造船技术又有新的进步。

---

① 湖北省博物馆，鄂州市博物馆编：《鄂城汉三国六朝铜镜》，文物出版社 1985 年版，第 14 页。

② 董亚巍：《谈鄂州铜镜的塑与铸》，《鄂州大学学报》2000 年第 2 期。

江陵凤凰山8号墓和168号墓出土的木船模型，呈现了西汉早期木船制作技术。8号墓出土的木船描述如下：

> 船身系用一段整木雕凿而成。全长71厘米，形状细长，头部较窄，尾部稍宽，中部最广，宽10.5厘米。底的中部齐平，平面呈梭形，中间大两头小，两端呈流线型上翘，以减少流水的阻力，很符合力学原理。船面首尾两端呈平面，中部雕空留出旁板构成底舱。舱内置横梁若干，上有盖板。中部和靠近尾部的船身板上各凿小槽，上置横过梁两根，伸出于船外。
>
> 在大量的车船零件中，有人字形木架两根，⌂形木板两块，其中一块下有凹缺似门，按两者弧度拼合，恰为舱房蓬盖的前后山墙及顶架。另有长条木板，盖上后成两个坡面的悬山式舱房顶。另有窄板两块，疑为舷板，故将其搁在出跳的过梁上，恰为舱房外撑蒿荡桨之通道。还有木柱、桨桩若干，其下皆有榫头，而船边上有许多榫眼，故将其作了适当的复原。另有木桨五只，但未见船舵，船身亦无安舵的榫眼，它是以桨代舵，亦未可知。[①]

这只木船的模型反映出时人制造船只时，已经运用了很多先进的理念和高超的技术，例如为了减少水的阻力，将船的形状制作成符合力学原理的梭形；船上还有舷板，这不仅有利于防止船舱进水，而且舷板还可以起到稳定船体等作用；木桨五只说明这个船所模拟的是多人划桨的大船；船上的桨桩均有榫头，可固定在船边上，这个支点使人在划桨时可用上全力，与之前没有桨桩固定的短桨而言是很大的进步；此外，这只木船模型虽无舵，但五只木桨中有一只起到的作用与舵类似，其后才逐渐发明了单独的舵，与桨区分。

① 长江流域第二期文物考古工作人员训练班：《湖北江陵凤凰山西汉墓发掘简报》，《文物》1974年第6期。

东汉初年，岑彭造数千艘“直进楼船、冒突露桡”战船，冲撞焚毁了公孙述军架设于长江江面上的浮桥、半楼、欑柱，攻破了公孙述军拒守于宜昌以东荆门、虎牙的长江防线，继后以舟师逆流入蜀灭公孙述。所谓“直进楼船”是一种船上加楼的战船，“冒突露桡”于船舱外增添很多小桨，船内增加不少棹卒的快速冲撞战船，岑彭调集划桨的“棹卒凡六万余人”，可见战船和水军规模之大。①

三国时期，荆楚地区的造船业依旧很发达，《三国志·吴志·周瑜传》载荆州“刘表治水军，蒙冲斗舰，乃以千数”。②“蒙冲”和“斗舰”都是战船，蒙冲是一种比较小的战船，又被称为“艨艟”，“以生牛皮蒙船覆背，两厢开掣棹孔，左右有弩窗、矛穴，敌不得进，矢石不能败。”③整体狭长，轻捷快速，攻击性比较强。斗舰则是一种大型战船，据《武经总要》记载：“斗舰者，船舷上设女墙，可蔽半身。墙下开掣棹空，船内五尺。又建棚，与女墙齐。棚上又建女墙，重列战士。上无覆背，前后左右树牙旗、金鼓。”④

另外，《三国志》注引《江表传》记载了东吴黄武五年（226）孙权在武昌为一艘大船试航一事：

（孙）权于武昌新装大船，名为长安，试泛之钓台圻。时风大盛，谷利令柂工取樊口。权曰：“当张头取罗州。”利拔刀向柂工曰：“不取樊口者斩。”工即转柂入樊口，风遂猛不可行，乃还。权曰：“阿利畏水何怯也？”利跪曰：“大王万乘之主，轻于不测之渊，戏于猛浪之中，船楼装高，邂逅颠危，奈社稷何？是以利辄敢以死争。”⑤

① 《后汉书》，第660页。

② 《三国志》，第1261页。

③ 司马光：《资治通鉴》，第2132—2133页。

④ 曾公亮著；陈建中，黄明珍点校：《武经总要》，商务印书馆2017年版，第163页。

⑤ 《三国志》，第1133—1134页。

这艘在武昌建造的名为“长安”的新船，可以容纳三千人，孙权试航时，狂风大作，谷利为了孙权的安全着想，不顾孙权的反对，将大船回转安全停泊于附近的樊口。文中所说的“柂工”便是舵手，舵手可以按照谷利的要求进行“即转柂”这一行为，说明当时“舵”不仅在船上被普遍使用，而且非常灵巧，这相比江陵凤凰山出土木船的“以桨代舵”有着极大的进步。此外，谷利提到了“船楼”，这是当时比较常见的一种船型“楼船”上的一部分，说明这艘新船是艘“楼船”。楼船多为主力战舰，船舱上建有层叠的楼，据史料记载，秦始皇曾经“使尉屠睢将楼船之士攻越”。[①] 汉武帝时“治楼船，高十余丈，旗帜加其上，甚壮”。[②] 武昌所造这艘雄伟的“长安”，便是这样的大船，体现了当时的武昌有着高超的造船技术。到了东晋的时候，武昌还设置了船官，陶侃镇守荆州时便曾在此造船。

南朝时，荆州也是非常重要的造船中心。南朝宋泰豫元年（472），荆州刺史沈攸之有不臣之心，“荆州作部岁送数千人仗，攸之割留之，簿上云‘供讨四山蛮’。装战舰数百千艘，沉之灵溪里，钱帛器械巨积”。[③] 百千艘的战舰表现了当时荆州的造船能力极高。南朝梁的将领徐世谱为巴东（今湖北省巴东县）人，世居荆州。徐世谱善造船，曾在与侯景的作战中“别造楼船、拍舰、火舫、水车，以益军势。将战，又乘大舰居前，大败景军，生擒景将任约，景退走”。[④] 其中徐世谱所造的“拍舰”是一种设有拍竿，或是可抛掷重物器具，可以远距离攻击敌船的战舰；“火舫”则可以火攻；“水车”是一种车轮战舰，这种战船中设置有水轮，可不受风力、水流的影响，靠机械游走。

此外，齐末萧衍曾在襄阳造船几千艘，更早的曹操还曾浮邓塞之舟顺汉江南下，参与征吴之战，魏末征南将军王昶于襄阳练水军，这些都

① 《汉书》，第 2811 页。

② 《史记》，第 1731 页。

③ 《南史》，第 966 页。

④ 《陈书》，第 197 页。

说明，除武昌、荆州外，荆楚地区还有一些地方拥有极高的造船能力。

五、漆器与陶瓷器的制作技术

漆器是以生漆为涂料的物品。春秋战国时，楚地的漆器工艺非常发达，现今在楚墓中出土了大量漆器，包括有兵器、乐器、家居用品等各个方面的物品，体现了漆器在楚国的普及。秦及西汉前期，漆器的使用依旧广泛，西汉中期以后，漆器的使用有所减少已见前述，六朝墓所出器物也以青瓷器居多，但漆器依旧在使用，如襄阳樊城菜越三国墓中出土了 31 件漆器，鄂州的几座六朝墓中出土有漆器 80 多件。

秦汉漆器的制作工艺与战国时期相比得到了进一步发展，主要体现在卷木胎、夹纻胎、金银镶嵌等漆器数量的增加以及制作工艺更加精美等方面。漆器制造，要先制作胎骨，然后再髹漆，漆器的胎质主要以木胎为主，也有竹胎、皮胎、陶胎、夹纻胎等。其中卷木胎是指将薄木板卷起来，用漆将衔接处黏合，再接底板，之后在木胎上髹漆，进行美术加工。云梦睡虎地几座秦墓中，很多耳杯、圆盒、圆奁等都是使用这种胎骨。夹纻胎是用漆灰和苎麻布为原料制作而成的模具，基本做法是先制作内模，然后再糊上漆灰和麻布，等到干了之后脱去内模，再在上面进行髹漆工作。夹纻胎漆器有着耐腐蚀、耐高温、质量轻、色泽光洁美观等特点，这种漆器产生于战国时期，但当时比较少见，在汉代则十分流行，云梦大坟头 1 号汉墓属于西汉早期墓葬，出土有夹纻胎漆器 24 件。卷木胎和夹纻胎都属于比较轻薄的胎骨，秦汉时期，厚胎骨减少，薄胎骨增加，成品更便于使用，体现了漆器制作工艺上的进步。

战国时期的木胎漆器上常见的雕制方法在秦汉时期逐渐减少，而镟制工艺产生并被广泛使用，不仅提高了生产效率，而且可以使成品更加美观。另外钔器法的发明也是漆器制作史上的一大进步，钔器法指的是为了加固卷制漆器，在其口沿上镶嵌金属箍。这种工艺在战国时较少见，秦汉魏晋南北朝时开始在荆楚地区流行，如云梦睡虎地 11 号墓出土的樽便采取了这种方法，这件樽“口、腹、底部均有一道银箍”；[①] 光化五座坟西汉墓出土的编号为 M5:4 的奁也是“釦器”，其“器身镶三圈银箍”；[②] 襄阳三国墓出土了一个漆罐，其“盖口沿饰铜箍一周……器身饰四周铜箍”。[③] 此外，光化五座坟汉墓中还出土了 2 件漆卮，是目前所见最早的针划填金漆器，也就是在漆器上做嵌金的花纹，又被称作铊金漆器，体现了髹漆工艺的进步。

秦及西汉早期的一些漆器上还留有铭文，有“草”“饱”“泪”“画”等字样。其中“草”就是“造”，“饱”指的是“髤”，即髹漆；“泪”指阴干，“画”指彩绘。这表明当时的漆器制作中已有了很细致的分工。

从荆楚地区秦汉魏晋南北朝墓的随葬品出土情况来看，秦及西汉早期的墓葬，漆木器出土较多，西汉后期到六朝前期的墓葬和遗址中出土有品类丰富的大量陶、釉陶和单色釉陶器，这一时期承上启下，完成了原始瓷向瓷器的过渡，南北朝时期墓葬青瓷器出土成为主流。

汉代陶器制作技术最显著的进步便体现在釉陶上，釉陶指的是在陶器上施釉，汉代的釉料中加入了铅，以氧化铅为主要熔剂，又被称为铅釉，这是一种低温釉陶。铅釉的釉面光滑平整有光泽，不仅可以保护陶器，而且可以增加器物的美观程度。荆楚地区出土的汉代釉陶有很多，例如随州安居镇西汉晚期墓出土了施黄釉的红陶罐、施绿釉的陶鸭、施釉的陶仓、陶井、陶狗、陶鸡等；[④] 宜昌前后坪东汉中期墓出土了褐色釉陶猪、陶仓、陶鸡等；[⑤] 郧县砖瓦厂东汉末期墓除了釉彩陶珠，上面

① 湖北孝感地区第二期亦工亦农文物考古训练班：《湖北云梦睡虎地十一号秦墓发掘简报》，《文物》1976 年第 6 期。

② 湖北省博物馆：《光化五座坟西汉墓》，《考古学报》1976 年第 2 期。

③ 襄樊市文物考古研究所：《湖北襄樊樊城菜越三国墓发掘报告》，《考古学报》2013 年第 3 期。

④ 随州市博物馆：《随州安居镇汉墓》，《江汉考古》1987 年第 1 期。

⑤ 宜昌市文管处、湖北省博物馆：《宜昌市前、后坪古墓 1981 年发掘简报》，《江汉考古》1985 年第 2 期。

残存有一点天蓝色、浅绿色的低温釉彩。[①] 襄阳樊城菜越三国墓出土的陶器也大多施釉。[②]

荆楚地区的六朝墓葬中不仅有低温釉陶，还有高温釉陶出土，这种陶器又被称为“原始瓷”，例如在鄂州六朝墓出土的一些高温釉陶，“其胎料多已采用瓷土，与一般陶器和低温釉陶器的区别已很明显，在造型装饰、烧制技艺方面与青瓷器有直接的发展关系，是青瓷器的前身。但高温釉陶与瓷器相比，胎土的陶炼欠精，杂有少量细砂，甚或还有少量的粗砂粒，烧成温度也未达到瓷器生产标准，致使胎质致密坚硬度不够，胎色多呈灰白色、淡灰色，少量火候较差的呈灰黄色。高温釉陶的釉质、釉色与瓷釉相比也有一定的距离，其釉质选炼不精，较浑浊，绝大多数呈黄褐色或绿褐色，极少数呈酱色；施釉欠匀，常有流釉和缩釉现象，脱釉的情况比较严重”。[③] 鄂州六朝墓所出土的高温釉陶与其他陶器比起来，制作方法也有所不同，其他陶器大多以轮制或模制为主，手制只是辅助。而高温釉陶则是采用“将口肩部与腹底部分别轮制成型后再加以粘接的方法，故肩腹分界处的外观有厚肩现象，内壁则明显有手抹粘接痕迹”。[④] 虽然在质量上与瓷器比起来还有差距，但作为青瓷的前身，高温釉陶代表了当时陶瓷技术的进步。

六朝时期极具代表性的手工业品为青瓷，在荆楚地区，东汉时期就已经有早期青瓷的出土，这在枝江百里洲赫家洼遗址和当阳刘家冢子东汉墓等地都有出土。六朝时期的墓葬中则大量出土青瓷制品，其性质多为日常用品和随葬明器。

据整理者介绍，鄂城六朝墓出土的青瓷在制作方法上已经广泛使用

① 湖北省博物馆：《湖北郧县砖瓦厂的两座东汉墓》，《江汉考古》1986 年第 2 期。

② 襄樊市文物考古研究所：《湖北襄樊樊城菜越三国墓发掘报告》，《考古学报》2013 年第 3 期。

③ 南京大学历史系考古专业、湖北省文物考古研究所、鄂州市博物馆编著：《鄂城六朝墓》，第 120 页。

④ 南京大学历史系考古专业、湖北省文物考古研究所、鄂州市博物馆编著：《鄂城六朝墓》，第 121 页。

了快轮拉坯法，“大多数碗、盏、罐、壶的外底上均遗留有从快轮切割下来的偏心轮镟纹”。[①] 快轮拉坯法是指将胎泥放在旋轮上，并使之快速转动，再用手工拉坯的方法使之成型。这样制作出的器物形状更加规整，厚薄也会比手工或者慢轮制作的瓷器更为均匀。另外还有模制法、泥条盘筑法等。模制法是利用模具做出成品，而泥条盘筑法是陶瓷器制作的一种原始办法，顾名思义就是将胎泥搓成长条，然后从下而上盘筑成型，这种器型的外部可以用工具修饰抹平，但内壁往往会留下盘筑痕迹。当时陶瓷器的施釉方法也有很多种，比如浸釉法、荡釉法、刷釉法等。浸釉法是将坯体浸入釉中，使釉附在坯体上；荡釉法是把釉倒入坯体中，通过晃荡坯体，使釉附在坯体的内壁上；刷釉法就是将釉刷在坯体上。

① 南京大学历史系考古专业、湖北省文物考古研究所、鄂州市博物馆编著：《鄂城六朝墓》，第148页。

第九章　风俗习尚

风俗是一个地区人们的生活、习惯、性格、交往、精神等方面的体现。受地理环境、时代背景、政策引导、文化艺术、传统观念等因素的影响，各个地区在各个时期的风俗各具特色。秦汉三国两晋南北朝时期的荆楚地区，既继承了先秦时期楚人“信巫鬼，重淫祀”[①]的传统；也吸收了其他地区的一些民俗。随着时代的发展，又产生出新的活力；同时，荆楚地区山河阻隔，民族众多，形成五里不同风、十里不同俗的格局。

第一节　秦汉时期的风俗习尚

风俗是一个地区的精神特征。我国地区广阔，风俗各异，历代王朝在政治统治中都很注重对地方风俗的掌控。秦占领楚地之后，为更好地统治楚民，在政治、军事、文化各个方面都采取了不少强硬措施。

从出土的秦汉简牍来看，荆楚地区保存了不少独立的地域习俗，但也有不同文化相互碰撞交融的情况。

一、饮食与娱乐

秦汉时期的荆楚地区，自身物产丰富，又处在大一统的局面下，从别的区域传入先进的生产技术和新的物种，五谷六畜、瓜果蔬菜等都得到了极大丰富。

当时荆楚地区的传统主食是水稻和淡水鱼类。《史记·货殖列传》

---

① 《汉书》，第1666页。

载："楚越之地，地广人希，饭稻羹鱼。"[①]1975年在湖北江陵凤凰山167号墓出土了四束稻穗，"出土时色泽鲜黄，穗、颖、茎、叶外形保存完好。穗形整齐，芒和刚毛清晰可见。颗粒饱满，谷粒中的淀粉已经炭化"。[②]其他谷物粮食、水产品、肉产品、水果蔬菜等也非常丰富。东汉张衡《南都赋》载：

> 冬稌夏穱，随时代熟。其原野则有桑漆麻苎，菽麦稷黍，百谷蕃庑，翼翼与与。若其园圃，则有蓼蕺蘘荷，藷蔗姜蟠，菥蓂芋瓜。乃有樱梅山柿，侯桃梨栗，梬枣若留，穰橙邓橘。其香草则有薜荔蕙若，薇芜荪苌。晻暧蓊蔚，含芬吐芳。若其厨膳，则有华芗重秬，滍皋香粳，归雁鸣鵽，黄稻鲜鱼，以为芍药，酸甜滋味，百种千名。春卵夏笋，秋韭冬菁。苏杀紫姜，拂彻膻腥。[③]

这是张衡对当时南阳地区物产的描写，提到了几十种食物。其中"稌"是指稻，"穱"是指麦，《荆楚岁时记》记有"麦饭""麦粥"，表明江陵地区已养成食麦的饮食习惯。"蓼蕺蘘荷"均为草本植物，或可食用或可入药。"藷"为薯，"蟠"即百合蒜，"菥蓂"是一种草本植物，叶子可以食用，种子可以榨油，植株均可入药。"梬枣"也叫软枣。"薜荔"是一种灌木植物，其果实可做淀粉和饮料。"蕙若"是一种香草，目前所见最早的记载是在《楚辞·九章》中。

荆楚地区一些秦汉墓葬中的遣册也多见食材的记录，其中以江陵凤凰山汉墓群、长沙马王堆汉墓出土遣册记载最为丰富。见于记载的粮食作物有稻米、粢、菽等，瓜果蔬菜有梨、枣、柚、芋、藕、葵等，肉产品有牛、羊、兔等牲畜，也有雀、雁、鹌鹑等禽类，水产品有鲫、鲤

---

① 《史记》，第3270页。

② 凤凰山一六七号汉墓发掘整理小组：《江陵凤凰山一六七号汉墓发掘简报》，《文物》1976年第10期。

③ 严可均辑：《全后汉文》，第549页。

等，此外还有黄芩、芫荑等药材，盐、糖、姜、蒜等调味品，酒、浆等饮品。从《南都赋》和汉墓遣册的记载来看，时人的饮食种类众多丰富。

荆楚地区自古多美酒，秦汉时期饮酒风气依旧盛行不改，东汉郑玄注《周礼》提到的“宜城醪”和“鄼白”，便是生产于宜城（治今湖北宜城）、鄼县（治今湖北省老河口西北）的美酒。此外还有“醴”。《汉书·楚元王传》载：“元王每置酒，常为穆生设醴”，颜师古注曰：“醴，甘酒也，少曲多米，一宿而熟。”[①] 马王堆汉墓遣册中，与酒相关的记载有十余处，其中酒的品类有白酒、温酒、助酒和米酒。其中助酒亦为白酒的一种，温酒则是指酝酒，米酒即醴。

当时楚地的烹饪方法也多种多样，据马王堆汉墓出土的遣册来看，包括有羹、炖、脍、熬、闷、濡、炙等。受到阶级地位和经济状况等因素影响，秦汉社会的饮食文化存在着一定差异，比较普遍的餐制是一日两餐，如《汉书·食货志》载：“人情，一日不再食则饥。”[②]《后汉书》中也有邓太后“朝夕一肉饭而已”的记载。[③] 但是也存在着一日三餐制，甚至有一日四餐者。比如礼制规定皇帝“平旦食，少阳之始也；昼食，太阳之始也；脯食，少阴之始也；暮食，太阴之始也”。[④]

时人饮食时的座次是有礼仪讲究的，楚人宴席以东向为上，到秦汉时期依旧如此。《史记·项羽本纪》中载鸿门宴：“项王、项伯东向坐，亚父南向坐……沛公北向坐，张良西向侍。”[⑤] 正是这一礼仪的写照。

楚人好酒，在宴饮时也常有一系列助酒兴的游戏，如行酒令。北大秦简中的《酒令》是当时流行于江汉地区的助酒辞令，本书《文学》一章对其内容有详细的分析。当时秦人已占领楚地，其酒令中既有楚文化

① 《汉书》，第 1923—1924 页。

② 《汉书》，第 1131 页。

③ 《后汉书》，第 422 页。

④ 陈立撰，吴则虞点校：《白虎通疏证》，中华书局 1994 年版，第 118 页。

⑤ 《史记》，第 312 页。

的因素，也有秦文化的反映。

除了行酒令之外，还有一些娱乐活动会在宴饮中被用来助兴，如六博戏、歌舞等。六博又称博戏、陆博。六博戏并非宴席上专用的游戏，但常用来助酒兴。这种游戏起源很早，在战国时就已在楚地流行。《招魂》载："菎蔽象棋，有六簙些。分曹并进，遒相迫些。成枭而牟，呼五白些。晋制犀比，费白日些。"[①] 这便是对玩六博游戏的具体描述，其中的"六簙"便是指"六博"，《方言》载："簙谓之蔽，或谓之箘。秦晋之间谓之簙，吴楚之间或谓之蔽，或谓之箭里，或谓之簙毒，或谓之夗专，或谓之匴璇，或谓之棋。"[②]

秦汉时期的荆楚地区，六博戏依旧盛行，在云梦睡虎地 11 号秦墓、云梦睡虎地 13 号秦墓、云梦大坟头 1 号西汉墓、江陵凤凰山 8 号西汉墓等墓葬中均出土有六博棋具，枝江姚家港东汉墓也出土有六博画像砖。云梦睡虎地 11 号秦墓中发现了六博棋局（见图 9–1）。

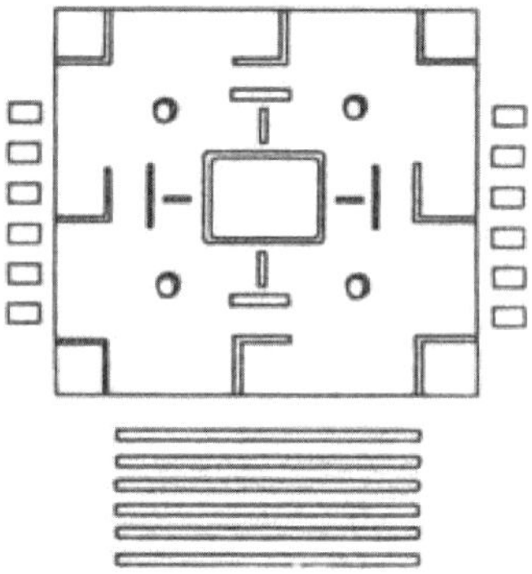

图 9–1　六博棋具线图

其中湖北江陵凤凰山 8 号西汉墓出土的博具包括：12 枚骨质的棋子，长方体，长 2.1、宽 1.4、厚 1.1 厘米，其中 6 枚是黑色，其余 6 枚

① 王逸撰，黄灵庚点校：《楚辞章句》，第 214 页。

② 钱绎撰集，李发舜、黄建中点校：《方言笺疏》，中华书局 2013 年版，第 207 页。

为灰白色；6 根箸，是将小圆竹劈开，再以其他物质加固而成，外面涂有黑漆，长 23.7、宽 0.9 厘米；1 个木棋盘，长 21.8、宽 21.1、厚 1.9 厘米。同墓出土的遣册中记载“博。算、綦、梮、博席一具、博囊一”。[①]其中，“算”指箸，“綦”指棋，“梮”是木棋盘，博席、博囊未见，然根据其字面意思来看，博席应是对弈投掷时所需的席子，博囊应该是装博具的袋子，二者与游戏本身并无关联。相较之下，长沙马王堆汉墓出土的博具更为华贵精致，这是由墓主的身份地位决定的。凤凰山汉墓的出土情况与传世史料中的记载是相吻合的，《说文解字》载：“簙，局戏也，六箸十二棋也。”[②]该书提到博戏需要 6 个箸和 12 枚棋子。

六博游戏的具体规则在文献中多有记载，如上举《招魂》，就提到了一些博戏术语，如“菎蔽”指的是筹码；“分曹”指的是对弈的双方；“枭”指的是枭棋，枭棋在对弈过程中非常重要，只要将对方的枭棋杀死就可取胜；而“五白”指的是投掷中五子皆白的采名。《颜氏家训》载：“古为大博则六箸，小博则二茕，今无晓者。比世所行，一茕十二棋，数术浅短，不足可玩。”[③]说明博戏有两种玩法，一叫“大博”，一叫“小博”，“大博”即传统的“六博”，投掷的是六箸。“小博”则是一种新玩法，不投箸，投的是茕。茕又称为“琼”，是一种多面体的小球，用于掷采，类似一种骰子，考古出土有 16 面、22 面的茕。

秦汉时期六博戏的玩法应当并不是统一的。例如同出云梦睡虎地秦墓的两套博具就并不相同，其中 11 号墓出土的是 1 个棋盘、6 个长方形棋子、6 个正方形棋子、6 个箸。两类棋子以形状相区分，各有六个，和凤凰山汉墓出土以颜色为区分的棋子同样性质，是为了区分双方的棋子，并没有区分枭棋和散棋。而 13 号墓出土的则是 1 个棋盘、1 个大棋子、5 个小棋子、6 个箸。其中的大棋子涂红漆，是枭棋，小棋子

① 长江流域第二期文物考古工作人员训练班：《湖北江陵凤凰山西汉墓发掘简报》，《文物》1974 年第 6 期。

② 许慎撰，徐铉校定：《说文解字》，中华书局 2013 年版，第 93 页。

③ 王利器：《颜氏家训集解（增补本）》，中华书局 1993 年版，第 591 页。

涂黑漆，是散棋。枭棋和散棋已作了区分，自然和 11 号墓出土的玩法不同。

北京大学藏汉简中有一篇《六博》，是利用六博走位来进行占卜的，其中附有《博局图》（见图 9–2）。

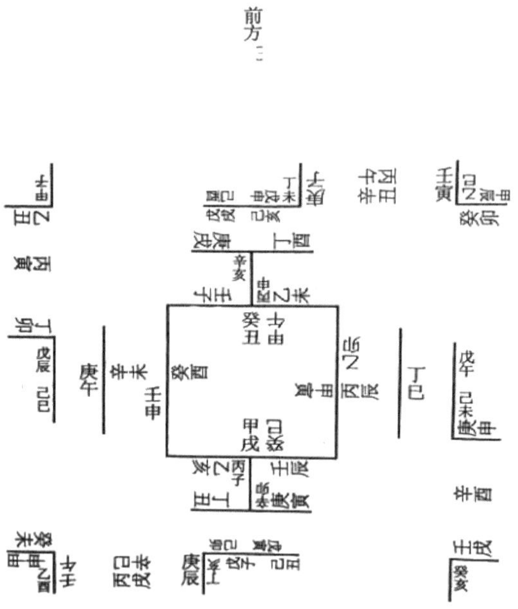

图 9–2 北京大学藏秦简《博局图》

有学者指出，六博行棋的顺序与图中的干支顺序是基本一致的。[①] 当然这也只是行棋方式之一，汉代徐博昌所言行棋规律和尹湾汉简中《博局占》的行棋规律与之并不相同。可见当时六博戏的游戏方法很多，棋盘、棋具的形制也不尽相同，并非只有《颜氏家训》所言大博、小博的区别。目前来讲，秦汉时期六博戏的玩法，尚不能予以还原。

① 北京大学出土文献研究所编：《北京大学藏西汉竹书（伍）》，上海古籍出版社 2015 年版，第 207 页。

当时的博弈活动一般为男子的游戏，但因六博戏盛行一时，女子也有进行博戏者。史载西汉时期，细君公主嫁到乌孙和亲，朝廷为给她解闷，送去了博具。当时，在男女们全都醉心于博戏的社会氛围下，甚至出现了以博戏为生的人，《潜夫论·浮侈》载："或以谋奸合任为业，或以游敖博弈为事。"[①] 博戏在当时的盛行程度可见一斑。

除了六博戏外，当时的宴饮还时常以歌舞助兴。东汉张衡《南都赋》中描写当时南阳富户宴饮时的场景："坐南歌兮起郑舞……怨西荆之折盘。"[②] 其中"南歌"指以南音为歌，"西荆"就是指楚舞。乐舞是秦汉时期荆楚人民的主要娱乐方式。楚人本就善歌善舞，尤其是汉代建立之后，由于统治者的支持，楚地歌舞得到了广泛的传播。汉高祖的《大风歌》、汉武帝的《秋风辞》等都是依据楚歌而作。在南阳、江苏等地出土的汉画像石、画像砖中，有很多击鼓作舞的场景，其中很多乐器与楚传统的乐器相同，而击鼓作舞这一乐舞形式也是楚地巫乐舞的特征，所以说，汉代一些乐舞是从楚乐舞推广发展而来。司马相如《子虚赋》中提到了"鄢郢缤纷"，其中鄢治今湖北宜城，郢治今湖北荆州郢城，说明当时鄢舞和郢舞都很出名。

除了行酒令、六博戏、乐舞之外，当时的荆楚地区还有许多娱乐活动。比如角抵戏、狩猎、杂技、蹴鞠、武术等。

角抵是一种类似现代摔跤的竞技活动，所谓"角者，角技也。抵者，相抵触也"。[③] 角抵本来是一种战斗方式，但是秦汉时期，角抵已经演变成一种娱乐游戏。"春秋之后，灭弱吞小，并为战国，稍增讲武之礼，以为戏乐，用相夸视。而秦更名角抵，先王之礼没于淫乐中矣。"[④] 汉代张衡《西京赋》、李尤《平乐观赋》中，都将角抵列入了百戏的行列。南阳画像砖中也有角抵戏的场面（见图 9–3）。

---

① 王符著，汪继培笺，彭铎校正：《潜夫论笺校正》，中华书局 1985 年版，第 161 页。

② 严可均辑：《全后汉文》，第 549 页。

③ 《汉书》，第 194 页。

④ 《汉书》颜师古注引应劭语。见《汉书》，第 1085 页。

图 9-3　南阳画像砖中的角抵戏

角抵戏在荆楚地区同样盛行。1975 年，湖北江陵凤凰山秦墓中出土了 1 件漆绘木篦，其背面绘有角抵的场面：画上有三个男子，全都赤着上半身穿着短裤，腰间系有长带，其中两人作相搏之状，另有一人立在一旁，平伸双手，似乎是裁判。画的顶部有一系带，说明这场比赛是在室内进行的（见图 9-4）。这件木篦的正面画有送别图，同墓出土的木梳上画有歌舞图、宴饮图，均为日常娱乐景象。

图 9-4　湖北江陵凤凰山秦墓出土漆绘木篦《角抵图》

狩猎是秦汉时期上层阶级的重要娱乐活动，皇室贵族甚至还有专门用来狩猎的苑囿，比如汉代的上林苑。普通百姓也有狩猎行为，只是捕捉的猎物较小，场面也没有贵族那么隆重。比如东汉后期王符所著《潜夫论》中抨击当时的一些平民，不事农业，“不传犁锄，怀丸挟弹，携手遨游”，[①]就是利用弹丸猎捕小鸟小兽的行为。

秦汉时期的杂技种类很多，如冲狭燕濯、叠案倒立、跳丸、舞盘等。张衡《西京赋》薛综注载：“卷簟席，以矛插其中，伎儿以身投，从中过之。”描述的就是冲狭燕濯。南阳画像石中便有这种穿越刃圈的场景：画中刻一狭圈（即刀圈），圈左一女伎，高髻长袖，侧身，身带向后飘拂，似刚冲过狭圈，着地未稳。圈右置一樽，一伎纵身腾空，冲向狭圈，其余四人为奏乐者（见图 9–5）。[②]

图 9–5 南阳画像砖中的冲狭

蹴鞠早在战国时期就已存在，类似于现代的足球，运动性、竞争性都比较强。《史记·苏秦列传》就有“斗鸡走狗”的记载。[③]蹴鞠发展到汉代，逐渐具备了军事训练的性质，成为练武的手段。刘向的《别录》中称：“蹴鞠，兵势也，所以练武士，知有材也。”[④]《汉书·艺文志》也将蹴鞠二十五篇写入了“兵技巧十三家”。南阳画像砖中就有蹴鞠的场景（见图 9–6）。

① 王符著，汪继培笺，彭铎校正：《潜夫论笺校正》，中华书局 1985 年版，第 161 页。

② 闪修山等编：《南阳汉代画像石刻》，上海人民美术出版社 1981 年版。

③ 司马迁：《史记》，第 2257 页。

④ 严可均辑：《全汉文》，第 396 页。

图 9-6 南阳画像砖《蹴鞠》

另外还有一些娱乐活动，如投壶、扛鼎、赛棋等。可见，当时的荆楚地区娱乐活动十分丰富。

二、服饰风尚

秦汉时期的衣服原料有丝、麻、葛、毛等，衣冠的种类也多种多样。此时的荆楚地区受大一统政权的影响，在服饰风尚方面有与其他地区趋于一致的地方，但是受到历史传统、自然环境、生产技术、审美差异、对外交流等因素的影响，这一地区的服饰也有自己的地域特色。

秦代男子冠帽有好几种，其中一种叫作“法冠”，《史记集解》引蔡邕言：“法冠，楚王冠也。秦灭楚，以其君冠赐御史。”[①] 东汉应劭《汉官仪》载：“侍御史，周官也，为柱下史，冠法冠。一曰柱后，以铁为柱，言其审固不挠。或说古有獬豸兽，主触邪佞，故执宪者以其角形为冠耳。”[②] 这种法冠发展到汉代也依旧存在。

汉代的男子冠帽种类更多，据《续汉书》记载有冕冠、长冠、法冠、武冠、爵弁等十余种。其中的“长冠”又被称为刘氏冠，源于楚冠，《续汉书·舆服志》载：

① 《史记》，第 3091 页。

② 孙星衍等辑，周天游点校：《汉官六种》，中华书局 1990 年版，第 144 页。

长冠，一曰斋冠，高七寸，广三寸，促漆纚为之，制如板，以竹为里。初，高祖微时，以竹皮为之，谓之刘氏冠，楚冠制也。民谓之鹊尾冠，非也。祀宗庙诸祀则冠之。皆服袀玄，绛缘领袖为中衣，绛绔袜，示其赤心奉神也。五郊，衣帻绔袜各如其色。此冠高祖所造，故以为祭服，尊敬之至也。[①]

马王堆1号汉墓出土有戴冠男佣，其冠呈斜板状，向后延伸（见图9–7）。这应该就是文献中所载长冠。

图9–7　马王堆出土头戴长冠的俑人

云梦睡虎地11号墓出土了1件丝帽，上面缠贯有起固定作用的铁丝，可惜这一丝帽出土时已散乱，无法复原。江陵凤凰山168号西汉墓中出土的遣册中记载了“冠二枚，在棺中”，考古人员确实在棺中发现了两枚纱冠。整理者指出这2件冠“出于外棺里东头。一件仅存残片，另一件也已残破。冠为长方袋状，顶部呈方形，高13、宽18厘米。两侧系有宽约3厘米的扁平纱带，带上有三结。冠面和冠里由两种不同经

① 司马彪撰，刘昭注补：《续汉书志》，中华书局1965年版，第3664页。

纬密度的纱缝合成”。[1]这座墓葬的墓主身份为五大夫，此二纱冠应为其生前所戴。

汉代的冠服制度有等级之分，如法冠、长冠这类，都是特定人物或在特定时间方能佩戴。官民均可戴的首服被称为“帻”，《续汉书·舆服志》载：“帻者，赜也，头首严赜也。至孝文乃高颜题，续之为耳，崇其巾为屋，合后施收，上下群臣贵贱皆服之。”[2]帻在下层民众间十分流行，秦代巾帻为黑色，故而平民阶层又被称为“黔首”，秦汉之际有以青色巾帻裹头的军队被称为“苍头军”。巾帻在汉代使用人群广泛，使用区域广泛，应在荆楚地区同样流行。

秦汉时期衣服的种类根据男女、内外、上下的区别，分为很多种。西汉统治集团兴起于楚地，汉王朝建立后，楚地服饰也相应得到了发展，史载叔孙通穿着儒服见刘邦，刘邦很不待见他，后来他“乃变其服，服短衣，楚制，汉王喜”。[3]因为受到统治者的喜爱，这种楚制的短衣在汉初成为一种习尚，如《汉书》中载，广川惠王的殿门上的画像便是“短衣大绔”。[4]

荆楚地区的一些汉代墓葬中随葬有遣册，记录了大量随葬衣物。时人“事死如事生”，社会倡导孝道，其所随葬的衣物都是死者在生时穿戴的正装，足以反映时人的穿衣习惯。我们以遣册为主，结合其他文献的记载和考古出土的明器、壁画，对当时当地的服饰加以分析。

凤凰山 8 号墓遣册记有几件“禪衣”，禪衣指的是单衣，这几件禪衣材料、颜色、新旧各不相同，有“缣禪衣”“早绪禪衣”“故布禪衣”“新白禪衣”等。其中“早”即“皂”，即黑色。“故”指的是旧衣服，与“新”相对。“缣”和“绪”都是丝织品。当时的“布”一般指

---

① 纪南城凤凰山一六八号汉墓发掘整理组：《湖北江陵凤凰山一六八号汉墓发掘简报》，《文物》1975 年第 9 期。

② 司马彪撰，刘昭注补：《续汉书志》，第 3671 页。

③ 《史记》，第 2721 页。

④ 《汉书》，第 2428 页。

的是麻、葛等物的织成品，出土资料显示禪衣也可用丝。长沙马王堆1号汉墓中曾出土了2件“素纱禪衣”，重量只有48克和49克，薄如蝉翼，可使我们一窥当时上流社会所穿禪衣的风采（见图9–8）。这种丝织禪衣在江陵马山1号楚墓也有出土。《方言》载，禪衣是关之东、西所称，“江淮南楚之间谓之褋”。[①]但从出土的遣册来看，当时在荆楚地区也已将此类衣物称为禪衣了。

图9–8 马王堆1号墓出土素纱禪衣

与禪衣相对的有複衣。複衣又称复衣，是一种比较厚的衣服，是一种夹衣或棉衣。云梦睡虎地秦简《封诊式》中载有：“缇复衣，帛里莽缘领褎”，[②]缇指“帛丹黄色”，这里提到的复衣，是一件丹黄色的衣服，有帛做的里衬，领子和袖子都有宽大的缘边。

禪衣和複衣一般泛指单层衣服和夹层衣服。凤凰山8号墓遣册中有“素禪襦”“绿绮复襦”“绣小复裙”“布禪绔”等衣服的记载。其中“禪”“复”只是对衣服厚度的描述，“襦”“绔”“裙”才是衣服的性质。“襦”是一种短上衣；“裙”是下裳；“绔”，是一种裤子。襦、裙、绔都是秦汉时期的流行服饰。前述北大秦简《制衣》便记录了襦、裙、绔等

① 钱绎撰集；李发舜，黄建中点校：《方言笺疏》，中华书局2013年版，第136页。

② 陈伟主编：《秦简牍合集（壹）》，第294页。

衣服的尺寸和制作方法。

“袍”也是当时比较常见的衣服，江陵凤凰山8号墓遣册中记录有“白纱袍”“新素袍”“绮袍”“锦袍”等。《释名·释衣服》载：“袍，丈夫着，下至跗者也。袍，苞也，苞内衣也。妇人以绛作衣裳，上下连，四起施缘，亦曰袍，义亦然也。”[①]可见袍是一种非常长，拽到脚踝的衣服，男女皆可穿。马王堆1号汉墓出土有十余种袍。湖北老河口市出土的汉代空心画像砖上画有门吏，均戴冠着长袍。[②]

此外，“深衣”在汉代的楚地也颇为流行，深衣是一种将上衣和下裳连在一起的衣服，是一种曲裾衣。《礼记·深衣》注曰：“深衣者，以余服则上衣、下裳不相连，此深衣衣裳相连，被体深邃，故谓之深衣。”[③]湖北云梦大坟头1号墓出土的彩绘木俑，其身上所绘衣服便是一种窄袖绕襟深衣（见图9-9）。深衣在东汉时期已比较少见，更为流行的是宽大的直裾长衣，这种长衣在荆楚地区被称为襜褕或襡，是一种直裾襌衣。曲裾是一种续衽绕襟的服装，故而比较显瘦长，而直裾衣服则显得宽松一些。

图9-9 云梦大坟头汉墓出土身着窄袖绕襟深衣的木俑

① 刘熙撰，毕沅疏证，王先谦补：《释名疏证补》，第175页。

② 杨柳：《湖北老河口市出土汉代空心画像砖》，《考古》1996年第3期。

③ 孙希旦撰，沈啸寰，王星贤点校：《礼记集解》，第1378页。

襦裙、深衣、袍等衣服在当时并不限男女，只略有区别。汉代女子的礼服一般都是深衣。《续汉书·舆服志》记载皇太后、皇后等贵妇进行入庙、助蚕等重要活动时所穿的衣服都是深衣。长沙马王堆1号墓出土了12件完整的老妇衣服，其中9件都属于深衣，同墓出土的帛画、木俑中的妇女也大多穿深衣。

另外，女子的服装还有“袿”，袿是上等服装。

战国时期楚地最常见的女式鞋是“履”，袜子被称为“韎”或“韈”。云梦睡虎地秦简《封诊式》中记录有“鬏秦綦履”，所谓“綦履”，就是一种有花纹的麻鞋。《后汉书·刘盆子列传》载有“直綦履”。其注曰：“綦，履文也，盖直刺其文以为饰也。”[①] 江陵凤凰山168号汉墓出土有一双双尖翘头方履（见图9–10）。其鞋面、底、垫、帮均为麻织；鞋面为白色平纹织的麻布，鞋底、里、垫均系麻线纳缝而成。长29、头宽11、后跟深6厘米。鞋底有磨损痕迹，当为生前穿用过的。[②] 同墓出土的一些木俑也穿有双尖翘头鞋，可见这种鞋子当时在当地非常流行。江陵凤凰山8号汉墓遣册记载有“新素韎一两”，指的是新的白色袜子一双。

图9–10　江陵凤凰山168号汉墓出土双尖翘头方履

① 《后汉书》，第481页。

② 纪南城凤凰山一六八号汉墓发掘整理组：《湖北江陵凤凰山一六八号汉墓发掘简报》，《文物》1975年第9期。

自古以来，爱美之心人皆有之，人们为修饰容貌，均会佩戴一些装饰品。秦汉时男子普遍喜欢以刀剑为配饰，《晋书·舆服志》载：“汉制，自天子至于百官，无不配刀。”[①]西汉董仲舒《春秋繁露》载：“剑之在左，青龙之象也。刀之在右，白虎之象也。韨之在前，朱鸟之象也。冠之在首，玄武之象也。四者，人之盛饰也。”[②]

荆楚地区许多秦汉墓中都有刀剑出土。这些刀剑大多为死者生前所用。云梦睡虎地11号秦墓出土的一把剑，实茎，圆首，茎上有两道凸箍。通长47.5、剑身长37.5、剑身宽4.3、首径3.5、格宽1.5厘米。出土时，剑插入黑漆木鞘里，鞘由两块木片黏合而成，长39.5、宽3.5—4.5厘米（见图9-11）。[③]云梦大坟头1号汉墓出土的一把剑，“圆首，有格，茎上有两道凸箍。通长35.2、茎长7、剑身宽3厘米”。[④]另外，随州周家寨8号汉墓、荆州高台秦汉墓等也出土了剑，稍晚一些的襄阳菜越三国墓也出土了铜刀。当时的刀剑上往往也配有一些饰物，如云梦大坟头1号汉墓出土的剑上就配有玉珌、玉琫和玉璏。玉珌是一种安在剑鞘尾部的玉制品，琫是配在刀鞘口的饰品，璏是一种玉制剑鼻，也就是佩剑时，可以通过璏穿带子以系在身上。

① 《晋书》，第771页。

② 苏舆撰，钟哲点校：《春秋繁露义证》，中华书局1992年版，第151—152页。

③ 《云梦睡虎地秦墓》编写组：《云梦睡虎地秦墓》，文物出版社1981年版，第43页。

④ 湖北省博物馆：《云梦大坟头一号汉墓》，文物编辑委员会：《文物资料丛刊4》，文物出版社1981年版，第13页。

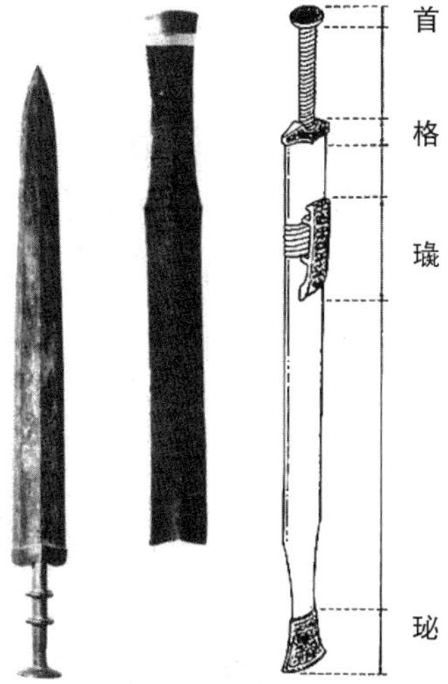

图 9-11　云梦睡虎地秦墓出土铜剑、剑鞘及剑构件图

秦汉时人佩剑的习俗来源于先秦，当时有身份的贵族都是要佩剑的，而庶人平日里是不许带剑的，可见带有佩剑是一种尊贵地位的象征。后来旧的礼制趋于崩溃，加上时人重武，庶人也可以佩剑，故而成为一时之风尚。到了两晋时期，讲究风流才艺，刀剑就已经不再是男子的流行饰物，这是整个社会思想和审美意识转变的结果。

除了刀剑之外，秦汉男子常见的配饰还有带钩。带钩又称“犀比”，是系在腰间的挂钩，有实用性，也是身份的象征。早在新石器时期人们就已发明了带钩，发展到战国秦汉时期趋于流行，制作工艺臻于鼎盛，选料上乘，纹饰精美，具有一定的装饰性。云梦睡虎地秦墓出土了 2 件带钩，其中一件出土于 5 号墓中，有涡云纹，条形；另一件出土于 13 号墓，细长条形，勾首为龙头状（见图 9-12）。[①] 云梦大坟头 1 号汉墓也出土有 2 件带钩，“形制基本相同。一件略大，钩端作龙首形，正面有卷云纹，长 6.2 厘米。另一件略小，钩端作扁圆条状，素面，长 4.5

① 《云梦睡虎地秦墓》编写组：《云梦睡虎地秦墓》，文物出版社 1981 年版，第 43 页。

厘米”。[1] 凤凰山汉墓中也出土有 2 件铜带钩，一件出土于 10 号墓，鎏金，做飞鸟状，长 5.8 厘米；另一件出土于 8 号墓，也是飞鸟状，长 2.6 厘米。[2] 荆州高台秦汉墓中出土了 3 件带钩，其中一件平面作琵琶形，钩作鸭头状，纽为束腰圆柱形；另一件首端浮雕成双眼兽面状，弯钩较大；第三件残甚。[3] 当时的带钩有玉质、铜质等，钩首常雕有龙首、兽首、鸟首等，纹饰多种多样，并出现有浮雕，相比战国时期的带钩更为精美。

图 9–12　云梦睡虎地秦墓出土带钩

荆楚地区的秦汉墓葬中还多出土“璧”，有木质、玉质等。璧在当时用途广泛，可用于祭祀，亦可佩戴，还可专用于随葬，以求辟邪和防腐。这些墓葬出土的璧尚不能完全确定属于死者生前的佩戴品还是专用于随葬的器物。但是，当时的男子确实有佩玉璧者，取平安之意。

此外，云梦睡虎地秦墓中出土了 3 件鱼形木珮，珮的上端有圆孔，其中一面有彩绘花纹。还出土了 1 件木环，2 件铜璜，两颗陶珠，“侧视

① 湖北省博物馆：《云梦大坟头一号汉墓》，文物编辑委员会：《文物资料丛刊 4》，中华书局 2014 年版，第 13 页。

② 长江流域第二期文物考古工作人员训练班：《湖北江陵凤凰山西汉墓发掘简报》，《文物》1974 年第 6 期。

③ 湖北省荆州博物馆编著：《荆州高台秦汉墓：宜黄公路荆州段田野考古报告之一》，科学出版社 2000 年版，第 113 页。

为六面体，中有圆孔。每面有两个乳丁，并绘有白点纹”。[①] 珮、环、璜本为玉器，此墓中出土的均非玉制品，或许这几件物品仅为明器。但会随葬此类明器，说明墓主生前是使用这类饰品的。陶珠的性质不详，据其形制观之，应为配饰的部件。

云梦睡虎地 11 号秦墓出土了 1 件竹笄，“出于头骨下面。由九根竹签组成，上面有二圆孔，用丝线缠缚。长 13 厘米”。[②] 江陵凤凰山汉墓出土有 1 件骨簪，上部为一小长方块，有刻划纹，内着红、黑彩。下部为簪，作鸟头形，长 10.3 厘米（见图 9–13）。[③] 簪（或称为笄）是当时男子具有实用性的装饰品，可用于固定发髻，也可用于固定冠帻。其中用于固定冠帻的冠笄、爵弁笄等，是男子专用。

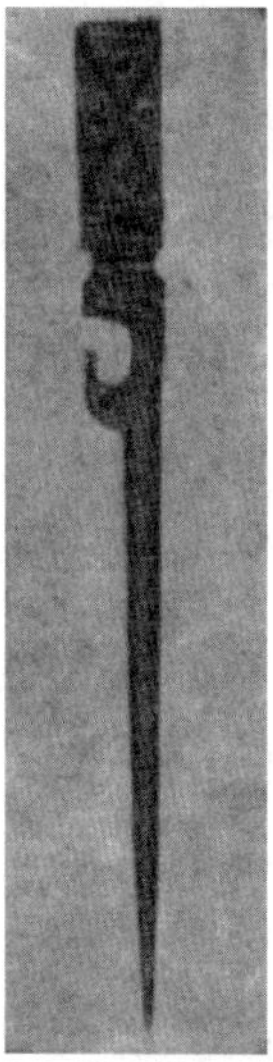

图 9–13 江陵凤凰山汉墓出土骨簪

① 《云梦睡虎地秦墓》编写组：《云梦睡虎地秦墓》，文物出版社 1981 年版，第 51 页。

② 孝感地区第二期亦工亦农文物考古训练班：《湖北云梦睡虎地十一号秦墓发掘简报》，《文物》1974 年第 6 期。

③ 长江流域第二期文物考古工作人员训练班：《湖北江陵凤凰山西汉墓发掘简报》，《文物》1974 年第 6 期。

相比男子，女子的饰品则丰富得多。当时的发饰多种多样，主要的有簪、钗、步摇、假发等。马王堆1号墓墓主为女性，其墓中有假发，系人发编缀而成。[①] 这种假发在当时被称为“髲”。步摇，据《续汉书·舆服志》载，皇后的步摇以动物为原型，装饰有翡翠、白珠，十分华美。马王堆1号汉墓的帛画中女子的头发前端便戴着步摇。

秦汉时期女子的主要配饰还有香囊，这也是来源于楚人的服饰习俗。《离骚》所说“扈江离与辟芷兮，纫秋兰以为佩”，就是以香草为配饰。马王堆汉墓出土了信期绣香囊（见图9–14）。

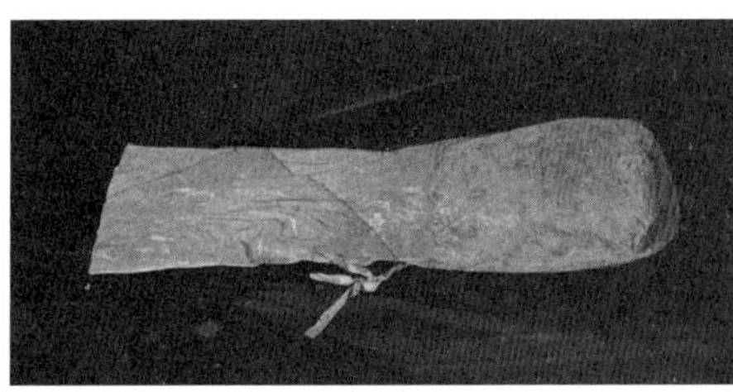

图9–14 马王堆汉墓出土信期绣香囊

综上所述，楚地被秦占领后，其服饰习俗依旧保留了一定的特色，汉代建立后，因统治者的支持，楚地的一些服饰文化得以在全国范围内推广流传。但同时，楚地也引进了其他地域的服饰，并随着时代的发展而演变。当时的服饰制度严格，有一定的等级性，传世文献大多记载的是上层社会的衣着情况，并且集中在中原皇室，尤其是女子的服饰，《舆服志》中记载的均是太皇太后、太后、皇后、公主等人的情况。好在近年来，随着楚地墓葬的不断发掘，使我们得以窥见中下层民众的服饰习俗。

三、婚丧习俗

婚丧是人类社会中很重要的社会活动，我国为礼仪之邦，自古便有

① 湖南省博物馆等：《长沙马王堆一号汉墓（上集）》，文物出版社1973年版，第89页。

“吉、凶、军、宾、嘉”五礼之称。吉礼谓祭祀之礼，凶礼指丧葬之礼，军礼为军旅之礼，宾礼为宾客之礼，嘉礼为冠婚之礼。婚丧习俗并非只是简单普通的行为规范，而是包含了时代文化、各地习俗等很多内容。

先秦时期的婚姻程序依“六礼”而行，秦汉荆楚地区的婚姻程序继承前代，一般有议婚、问名占卜、订婚下聘、选择婚期、迎亲、婚礼等流程。

议婚指的是请媒提亲，一般由父母决定。例如秦代时，刘邦到吕父家赴宴，吕父认为他是个贵人，便直接决定将女儿嫁给他，不过或许还要请人走一遍程序；东汉时期，南阳湖阳人樊鲔想与楚王英结亲，请楚王英将女儿敬乡公主嫁给了自己的儿子樊赏。问名占卜是得到对方同意后进行的环节，先秦时期这一做法的主要目的是避开同姓，因有同姓不婚的说法。秦汉时期这种理念稍减，主要是占卜吉凶。接下来是订婚下聘，婚事定下之后，由男方向女方家下聘，以显示自身的实力和对女方的尊重。婚期的选择也十分重要，荆楚地区出土简牍《日书》中有不少关于娶妻嫁女的择日宜忌。迎亲是婚礼的前奏，由男方家庭派人去女方家中接亲。婚礼当天，要宴请宾客，这也是得到国家支持的，《汉书·宣帝纪》载有宣帝的诏书，内容是：

> 夫婚姻之礼，人伦之大者也；酒食之会，所以行礼乐也。今郡国二千石或擅为苛禁，禁民嫁娶不得具酒食相贺召。由是废乡党之礼，令民亡所乐，非所以导民也。《诗》不云乎？“民之失德，乾餱以愆。”勿行苛政！[①]

秦汉时期，有“男三十而娶，女二十而嫁”的说法，但在实际生活中并非如此，汉惠帝甚至下诏：“女子年十五以上至三十不嫁，五算。”[②]

---

① 《汉书》，第 265 页。

② 《汉书》，第 91 页。

也就是女子十五岁以上不嫁者将受到经济惩罚，这则诏书面向全国，故而荆楚地区也应照此执行。东汉王充所作《论衡·齐世》也写道："人民嫁娶，同时共礼，虽言男三十而娶，女二十而嫁，法制张设，未必奉行。何以效之？以今不奉行也。"[①]

秦汉时期，结婚和离婚需要履行一定的官方程序，因为这涉及户口的变动。例如云梦睡虎地秦简《法律答问》中称："弃妻不书，赀二甲。"[②]所谓的"弃妻"指离婚，"书"就是要到官府登记报备，如果没有这么做就要受到交纳二甲的惩罚。

人死之初，要对死者进行沐浴装殓。沐浴的目的是"示洁净反本"，[③]装殓死者包括给死者准备棺椁、穿上葬衣，在死者口中放饭含之物，置办一系列随葬物品等。这些物品因社会阶层、贫富差距等方面的不同，在形制和质量上都会有所不同，比如金缕玉衣这类葬衣，只有皇室和贵族方能享用。尸体上还要覆盖织品、被子，如马王堆1号墓的女尸身上就覆盖了三条棉被。[④]饭含是指把珠玉等物放入死者口中，《续汉书·礼仪志》载："皇后诏三公……饭含珠玉如礼。"[⑤]以荆楚地区秦汉墓的发掘情况观之，当时受到时代、阶级、贫富、死者身份等因素的影响，随葬物品不尽相同，但大致包括日常生活用品、礼器、明器、木俑、文书等。总体上而言，秦及西汉早中期的墓葬随葬器物多为实际使用品，其后则越来越多地以明器代之。棺木的材质和规格也有等级贵贱之分，有单椁两棺、单椁单棺、仅有单棺等区别。

葬礼的准备工作完成后，尸体还要在埋葬前停尸，接受亲朋邻居的吊唁。家中有亲人尤其是长辈亡故是很重大的事情，在外者一般都要赶回家中赴哀，比如在外为官者要告假甚至辞官。《风俗通义》载："凡吊

---

① 黄晖：《论衡校释》，中华书局2017年版，第938页。

② 陈伟主编：《秦简牍合集（壹）》，第264页。

③ 陈立撰，吴则虞点校：《白虎通疏证》，中华书局1994年版，第547页。

④ 湖南省博物馆等：《长沙马王堆一号汉墓（上集）》，文物出版社1973年版，第31页。

⑤ 司马彪撰，刘昭注补：《续汉书志》，第3141页。

丧者，既哭，兴踊，进问其故，哀之至也。”[①] 吊唁者不能空手而来，一般都要带着赗礼，有协助丧礼的意思。江陵张家山 247 号墓有一支遣册简上写着“史光笥一”，整理者指出“史光”为人名，也就是史光赠送的竹笥一个，其中内容不详。长沙马王堆 3 号墓出土的木牍中有“右方凡用笥六十七合。其十三合受中，五十四合临湘家给”，[②] 也就是其中有 13 件为别人赠送而来，其余 54 件是自己家中准备的。这些记载都说明了当时有赗礼的普遍存在。

当时，葬地和葬日的选择也有很多需要注意的地方，秦汉简牍《日书》中有很多关于葬日的宜忌。而葬地的选择也很有讲究，当时的人认为“善地则魂神还为养也，恶地则魂神还为害也”。[③] 而且时人有归葬本土的观念，若因做官、求学、徭役而在外者身故，一般都要送回故土安葬。《汉书·高帝纪》载，在秦汉之际：“汉王下令，军士不幸死者，吏为衣食棺殓，转送其家。”[④] 江陵张家山汉墓出土的律令中也有相关记载，因公殉职者，官府要将其尸体收殓，置办棺材，送回家乡：

> 相国、御史请关外人宦为吏若徭使，有事关中，不幸死，县道若属所官谨视收敛，毋禁物，以令若丞印封椟槥，以印章告关，关完封出，勿索。椟槥中有禁物，视收敛及封。[⑤]

荆楚地区秦汉墓的葬式是以仰身直肢为主，秦及西汉早期的墓葬多为单人葬，其后则出现了双人葬或多人葬的形式。当地盛行竖穴土坑

① 应劭撰，王利器校注：《风俗通义校注》，第 166 页。

② 湖南省博物馆，复旦大学出土文献与古文字研究中心编纂；裘锡圭主编：《长沙马王堆汉墓简帛集成（陆）》，中华书局 2014 年版，第 246 页。

③ 王明编：《太平经合校》，中华书局 1960 年版，第 182 页。

④ 《汉书》，第 46 页。

⑤ 彭浩、陈伟、工藤元男主编：《二年律令与奏谳书：张家山二四七号汉墓出土法律文献释读》，上海古籍出版社 2007 年版，第 313 页。

木椁墓，还会在椁室外填青灰泥等，另外有在棺椁盖上覆盖竹席等织品的习俗。随葬品中有大量漆木器等，也是楚地墓葬的特点。还有一些比较罕见的葬俗，如光化五座坟3号墓，内部作楼房式结构，棺放于楼上，棺底用八匹木马承托，形式特殊，极为罕见（见图9-15）。[①] 据考证，这座墓的墓主身份地位较高，这种下葬方式或许是为了显示墓主人的地位。

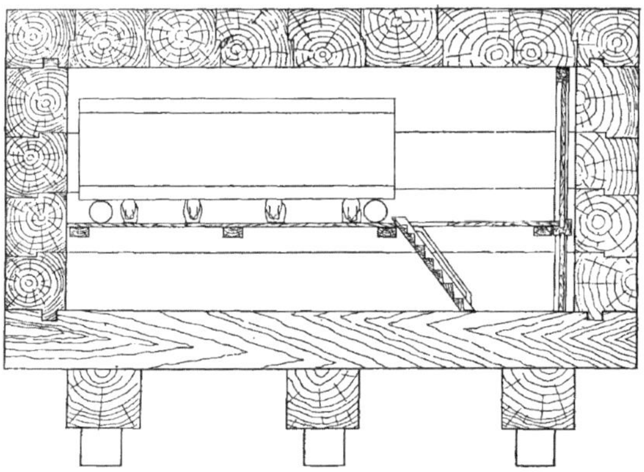

图9-15 湖北光化五座坟3号墓椁室复原图（纵剖面图）

汉代荆楚地区的葬俗，随葬有专门服务于丧葬的文书，如遣册、告地书等。其中遣册早在先秦时期就已存在，主要内容是随葬物品的清单。而告地书则是西汉早期流行于楚地的一种独特的丧葬文书（其木牍摹本见图9-16）。本书第四章中已对告地书的概念及内容有了简要介绍，从中我们不难看出，告地书模仿了官方口吻，这在丧葬文书中尤为特殊。按照秦汉法令，官方文书是不可随意伪造的，但官府并未对告地书的制作进行制止，或许是因为这是荆楚地区特有的风俗，为避免在丧葬这等大事上与百姓产生矛盾，而且告地书制作完毕后随即入土，并不会在现实社会造成影响，故而官府采取了默许的态度。

① 湖北省博物馆:《光化五座坟西汉墓》,《考古学报》1976年第2期。

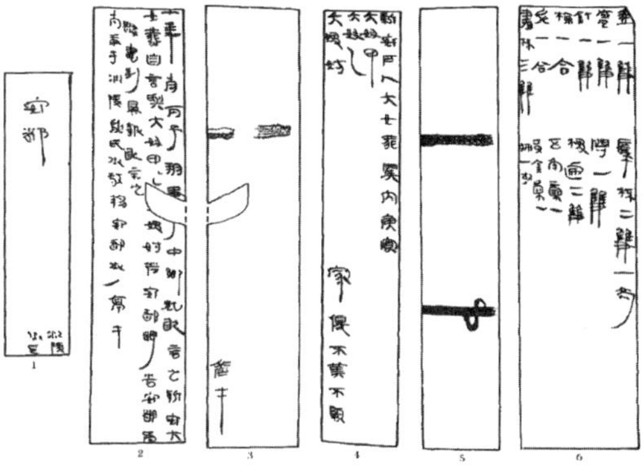

图 9–16　湖北江陵高台 18 号墓告地书木牍摹本

汉代的民间祭祀非常丰富，无论贫富，均可祭祀，只是因财力区别而不同。荆楚地区也不例外，《后汉书》载，汉宣帝时南阳人阴子方，“至孝有仁恩，腊日晨炊而灶神形见，子方再拜受庆。家有黄羊，因以祀之。自是已后，暴至巨富，田有七百余顷，舆马仆隶，比于邦君。子方常言‘我子孙必将强大’，至识三世而遂繁昌，故后常以腊日祀灶，而荐黄羊焉”。[①]

秦汉时期，人们祭祀祖先的方式从庙祭逐渐转变为了墓祭。《孝经·丧亲》记：“为之宗庙，以鬼享之。”[②] 而到了东汉《论衡》中却说：“墓者，鬼神所在，祭祀之处。”[③] 并明确指出“古礼庙祭，今俗墓祀”。《汉官仪》曰：“古不墓祭。秦始皇起寝于墓侧，汉因而不改。诸陵寝皆以晦、望、二十四气、三伏、社、腊及四时上饭。”[④] 也正因为此，人们在墓葬旁设立宗庙、祠堂等以便于祭祀。东汉时期这种现象已经非常普遍，甚至会建起院落。如汉荆州刺史李刚墓就有“石阙、祠堂、石室三

① 《后汉书》，第 1133 页。

② 王受宽：《孝经译注》，上海古籍出版社 2004 年版，第 86 页。

③ 黄晖：《论衡校释》，第 1130 页。

④ 孙星衍等辑，周天游点校：《汉官六种》，第 182 页。

间，椽架高丈余，镂石作椽，瓦屋施平天造，方井侧荷梁柱。”[①]墓祭的发展也是汉代陵墓祭台和石刻盛行的原因之一。

墓前石刻主要有碑、石兽、石柱等，唐代封演在其著作《封氏闻见记》中说：“秦汉以来，帝王陵前有石麒麟、石辟邪、石象、石马之属；人臣墓前有石羊、石虎、石人、石柱之属；皆所以表饰坟垄，如生前之仪卫耳。”[②]其中东汉墓碑的立碑者有很多都是死者的门生故吏，如熹平二年（173）的《娄寿碑》，这也是当时儒家经学熏陶下的产物，其碑文内容更多的是强调死者的品格和贡献。墓碑在东汉末年受到限制，据《宋书·礼志》载：“汉以后，天下送死奢靡，多作石室、石兽、碑铭等物。建安十年（205），魏武帝以天下凋敝，下令不得厚葬，又禁立碑。”[③]禁碑令和薄葬政策使得墓碑大量减少，而出现了很多埋葬于墓中的小型碑，后来的墓志即从这种小型墓碑演变而来。这种小型碑及后来的墓志都是随着死者下葬墓中的，其内容更多的是介绍死者的家系生平。

陵墓石兽是汉代时设置在陵墓前的圆雕石刻，其形象有狮、虎、马、鹿、神兽等，具有护卫、辟邪的作用。《风俗通义》记载：“墓上树柏，路头石虎。《周礼》：‘方相氏，葬日入圹，驱魍象’，魍象好食亡者肝脑，人家不能常令方相立于墓侧以禁御之，而魍象畏虎与柏，故墓前立虎与柏。”[④]据《水经注》载，东汉末年名将蔡瑁墓（在今湖北襄阳）前便立有一头石刻大鹿（注：应是麒麟类瑞兽），南阳宗资墓前立有石兽，自铭一曰“天禄”，一曰“辟邪”。这种墓前立墓碑、列石兽的风俗在后世流传恒久。

---

① 郦道元著，陈桥驿校证：《水经注校证》，第216页。

② 封演撰，赵贞信校注：《封氏闻见记校注》，中华书局2005年版，第58页。

③ 《宋书》，第407页。

④ 应劭撰，王利器校注：《风俗通义校注》，第574页。

四、岁时节日

先秦时期楚国所运用的历法与秦国并不相同，表明秦国在占领楚地以后，将秦历推行楚地，此后汉代四百年间历法数易，荆楚地区遵循的自然是政府所推行的历法。岁时节日与历法紧密相关，是古代人民为达到指导农业生产等目的，根据天候、气候、物候等因素的规律性变化，约定俗成的、具有特定意义的时日。汉代是我国传统岁时节日发展的重要阶段，这主要体现在两个方面：第一，汉代是岁时禁忌向民俗节庆过渡的重要时期；第二，在这一时期确立了后世传统节日的基本系统。

有很多传统节日在汉代已经得到完全确立，并因国家的统一而在全国范围内得到广泛流行传播。彭卫、杨振红根据现存史料统计，秦汉时期大致定型的传统节日有十四个，分别为：正旦、立春、正月上丁日、正月上亥日、社日、三月上巳日、五月五日、夏至、伏日、貙刘（立秋日）、八月节、十月旦、冬至、腊日。[①]我们可以从秦汉时期全国几个比较重要的岁时节日来一窥荆楚地区节日习俗的状况。

1. 正旦。即正月一日，秦历本以十月为岁首，汉初袭之，汉武帝时才改为以正月为岁首，而楚历则本就以正月为岁首。正旦为新年伊始，故颇受重视，不仅朝廷要举行大型朝会，民间也会举办各种活动。据《四民月令》载，北方的正旦之日要全家祭祖，举行家宴，喝椒柏酒，走亲访友，恭贺新年。[②]而南方的习俗与之相类似，左思《蜀都赋》中载蜀地人民在正旦之日要欢聚宴饮："若其旧俗，终冬始春，吉日良辰。置酒高堂，以御嘉宾。"[③]这说明此时南北正旦习俗相差不大，推测这种习俗也已在荆楚地区流行。

2. 立春。立春仪式始于东汉明帝永平年间（58—75）。在这一天，从中央到地方都要举行迎春礼。在地方上，郡国县道官下至斗食吏"皆

① 彭卫、杨振红：《秦汉风俗》，上海文艺出版社 2018 年版，第 438—453 页。

② 崔寔著，石声汉校注：《四民月令校注》，中华书局 1965 年版，第 1 页。

③ 严可均辑，何宛屏等审订：《全晋文》，商务印书馆 1999 年版，第 778 页。

服青帻，立青幡”，把土做的牛和耕人置于城门外，以此仪式告诉百姓已到了立春时节。土牛和耕人一直要摆至立夏。皇帝还要下宽大书，令三公“退贪残，进柔良”，不要妨碍农时。

3. 三月上巳日。即三月的第一个巳日，这是一个通过洗浴以祈求驱除疾病的节日，至迟在战国时期这一种禊灾礼仪就已出现。东汉时期，这一禊灾仪式就已成为全民的节庆活动。张衡《南都赋》描述了南阳地区居民的禊祓活动：“于是暮春之禊，元巳之辰，方规齐轸，祓于阳濒。朱帷连网，曜野映云。男女姣服，骆驿缤纷。致饰程蛊，偠绍便娟。”[①]三月上巳日在曹魏以后由不确定的日期改为三月三日。

4. 五月五日。东汉应劭《风俗通义》载“五月五日，以五彩丝系臂，名长命缕，一名续命缕，一名辟兵缯，一名五色缕，一名朱索，辟兵及鬼，令人不病温。又曰，亦因屈原”。[②]可见至晚在东汉后期，五月五日就已开始与纪念屈原联系在一起。

5. 貙刘。又称“貙膢”。湖北云梦出土的龙岗秦简中有“时来膢，黔首欲弋射兽者勿禁”[③]的内容，说明膢时始杀的习俗在秦代就已经存在。貙膢的时间是有地域区别的，以立秋日为膢是北方习俗，而在楚俗中，则是以二月或十二月为膢，《说文解字》载：“瀏，楚俗以二月祭饮食也。”[④]另外，《风俗通义》载：“楚俗常以十二月祭饮食也。”[⑤]

6. 十月旦。秦以十月为岁首，汉武帝时改用《太初历》，但之前的十月旦庆贺习俗却被保留下来。《续汉书·礼仪志》云：“其每朔，唯十月旦从故事者。”[⑥]而据《后汉书·郅恽列传》载，在汝南地区，“十月

① 严可均辑：《全后汉文》，第549页。

② 应劭撰，王利器校注：《风俗通义校注》，中华书局1981年版，第605页。

③ 刘信芳、梁柱：《云梦龙岗秦简》，北京：科学出版社1997年版，第21页。

④ 许慎撰，徐铉校定：《说文解字》，第83页。

⑤ 应劭撰，王利器校注：《风俗通义校注》，第378页。

⑥ 司马彪撰，刘昭注补：《续汉书志》，第3130页。

飨会，百里内县皆赍牛酒到府宴饮”。[1] 场面非常隆重。

7. 腊日。腊日的起源很早。从现存史料记载来看，其出现的时间应不晚于春秋早期。《说文解字》载：“腊，冬至后三戌，腊祭百神。”[2] 可见腊日这天要进行大型祭祀活动，而汉代的腊日并不是固定的日期，而是在冬至后第三个戌日，推算下来应该是在腊月下旬。

虽然目前没有太多直接的材料可以论证荆楚地区在汉代时的节日习俗，但通过对上述节日的分析，可知当时的岁时节令具有全国性的普遍意义，并且其中一些节日和荆楚地区密切相关，相信这些全国性节日及相关习俗基本都会在荆楚地区流行。当然，由于地域文化不同、饮食差别和风俗习惯的延续性，荆楚地区节令在内涵和形式上的侧重点肯定与其他地区的风俗有所差异。

第二节　三国两晋南北朝时期的风俗习尚

东汉末年，群雄逐鹿，割据四起，政局上开始了长达 4 个世纪的分裂动荡，期间政权交替，民族迁徙，使得南北交流和各民族文化融合频繁而活跃。这一时期荆楚地区的风俗习惯，一方面延续着传统，传承秦汉时期的主流而不断发展；另一方面又受到朝代更迭、北人南迁、玄风吹拂、佛教风靡、道教盛行等因素的影响，显现出独特的时代特征。

一、饮食与娱乐

在饮食方面，因受到地理位置、自然环境的影响，相较秦汉时期，三国两晋南北朝时期荆楚地区的基本饮食没有太大变化，还是主食鱼米，物产丰富。这在此期间成书的一些著作中多有记载。晋史筌所撰《武昌记》载：“武昌长湖通江，夏有水，冬则涸，于时靡所产植。陶太

---

① 范晔:《后汉书》，第 1027 页。

② 许慎撰，徐铉校定:《说文解字》，第 83 页。

尉立塘，以遏水于此，常自不竭。因取琅琊郡隔湖鱼菱，以著湖内。菱甚甘美，异于他。故所产鲥鱼，乃长三尺。”[①] 刘弘让襄阳放开岘、万二山泽禁捕，汉江的槎头鳊鱼为当世美食，雍州刺史一次送给齐高帝一千八百头。[②] 大约成书于晋宋时期的《荆州图副》记载：“百里洲，其上平广，土沃人丰。湖泽所产，足穰俭岁。又特宜五果，甘、柰、梨、蔗，于此是出。”[③]《荆州记》记载：“枝江有名甘。宜都郡旧江北有甘园，名宜都甘。”[④] 又谓“宜都出大枇杷”。[⑤]《荆州土地记》载：“江陵（今湖北荆州市）有名梨。”[⑥]《荆楚岁时记》载：“菰菜、地菌之流，作羹甚美。”[⑦]《荆南记》载：“芰荷殷生，鳞羽滋阜。”[⑧]

图 9–17　三国吴青瓷庖厨俑

① 史筌：《武昌记》，刘纬毅：《汉唐方志辑佚》，北京图书馆出版社 1997 年版，第 114 页。

② 习凿齿著，黄惠贤校补：《校补襄阳耆旧记》，中州古籍出版社 1987 年版，第 81、56 页。

③ 《荆州图副》，刘纬毅：《汉唐方志辑佚》，北京图书馆出版社 1997 年版，第 230 页。

④ 《荆州记》，刘纬毅：《汉唐方志辑佚》，北京图书馆出版社 1997 年版，第 224 页。

⑤ 《荆州记》，刘纬毅：《汉唐方志辑佚》，第 225 页。

⑥ 《荆州土地记》，刘纬毅：《汉唐方志辑佚》，北京图书馆出版社 1997 年版，第 114 页。

⑦ 宗懔撰，宋金龙校注：《荆楚岁时记》，第 128 页。

⑧ 萧绎：《荆南志》，刘纬毅：《汉唐方志辑佚》，北京图书馆出版社 1997 年版，第 305 页。

当时的人们为了储藏蔬菜，将蔬菜做成菜菹，即酸菜。《荆楚岁时记》载：“仲冬之月，采撷霜芜菁、葵等杂菜干之，并为咸菹。”[①]

鄂州出土的三国吴青瓷庖厨俑反映了当时厨工工作的场景（见图9–17）。

除了常见的谷物、水产、蔬菜、水果等，荆楚地区还有盐、蜂蜜、茶等物的产出。东晋袁山松所撰《宜都山川记》载：“佷山县（在今湖北长阳土家族自治县）东有温泉……此泉先出盐也。”[②]《荆州记》载：“朐忍县（今重庆市云阳县东）北岸有阳溪，溪内有盐井百二十所。巴峡一川，悉资此盐，周于煮。又，海盐水自凝生伞子盐。大者方寸，中央隆起，形如张伞。”[③]

这一时期荆楚地区的蜂蜜酿造业兴隆，《荆州图副》记载：“钟（僮）阳县（今湖北保康县南）有赤马山，其东十里点溪与岸，有蜜房二百所，罗缀相望。”[④]盐和蜂蜜都是饮食中的重要调料品。

荆楚地区盛产茶，《荆州土地记》载：“武陵七县通出茶，最好。”[⑤]东晋陶渊明《搜神后记》记载了一个故事：

> 晋孝武世，宣城人秦精，常入武昌山中采茗，忽遇一人，身长丈余，遍体皆毛，从山北来。精见之，大怖。自谓必死。毛人径牵其臂，将至山曲，入大丛茗处，放之便去。精因采茗。须臾复来，乃探怀中二十枚橘与精，甘美异常。精甚怪，负茗而归。[⑥]

---

① 宗懔撰，宋金龙校注：《荆楚岁时记》，第62页。

② 袁山松：《宜都山川记》，刘纬毅：《汉唐方志辑佚》，北京图书馆出版社1997年版，第118页。

③ 《荆州记》，刘纬毅：《汉唐方志辑佚》，第224页。

④ 《荆州图副》，刘纬毅：《汉唐方志辑佚》，第231页。

⑤ 《荆州土地记》，刘纬毅：《汉唐方志辑佚》，第114页。

⑥ 陶潜：《搜神后记》，中华书局1981年版，第50页。

这则故事虽为志怪传奇，其设定的背景则是真实的，反映出晋代荆楚地区产茶和橘。

这一时期，全国经济、文化重心开始南移，北方人口大量南迁，一些先进生产技术也被引进，这使得南方地区得到广泛开发。在这个过程中，南北的习俗也有所碰撞、交融，人们的饮食内容更为丰富。在这个时期出现了发酵面食，比如馒头，不过当时的馒头有馅，类似现在的包子。《南齐书》中载，齐武帝“永明九年（491）正月，诏：太庙四时祭，荐宣皇帝面起饼”。[①] 其中“面起饼”就是一种发酵的面食。

这一时期的名士大多好酒，例如山简都督荆州时，常到当地大族习氏的高阳池喝酒，而且每喝必醉，后世也常以“醉倒山公”来形容酒醉的样子。此外，考古发掘资料也可以反映荆楚地区的好酒之风，1984 年 2 月在襄阳贾家冲南朝砖室墓出土的画像砖上就有侍饮的图案（见图 9–18）。[②]

图 9–18 襄阳贾家冲画像砖《侍饮图》

汉代便已流行的宜城（今湖北宜城）美酒在此时依旧声名远播，西晋傅玄的《酒赋》云：“课长兴与中山，比苍梧与宜城。”南朝梁刘潜的《谢晋安王赐宜城酒启》更是生动地描写了宜城酒受欢迎的盛况：

① 《南齐书》，第 133 页。

② 襄樊市文物管理处：《襄阳贾家冲画像砖墓》，《江汉考古》1986 年第 1 期。

孝仪启：奉教，垂赐宜城酒四器，岁暮不聊，在阴即惨，于斯二理，总萃一时。少府关猴，莫能致笑，大夫落雉，不足解颜。忽值瓶泻椒芳，壶开玉液，汉樽莫过，殷杯未逢，方平醉而遁仙，羲和耽而废职。仰凭殊途，便申私饮。未瞩璩埽已观愤岸，倾耳求音，不闻霆击，澄神密氐。岂觌山高，愈疾消忧，于斯已验，遗荣忽贱。即事不欺，酩酊之中，犹知铭荷不任，谨启事。[①]

刘潜写这篇文章所感谢的是晋安王，这说明在当时，宜城酒不仅在王室宫廷间享誉盛名，而且是王室赏赐臣属的佳品。

楚地本就有着“信鬼神，重淫祀”的传统，随着佛教慢慢地传入和深入，此地的饮食文化逐渐有了浓郁的宗教信仰特色。

《荆楚岁时记》中记载了很多饮食习俗与祭祀、辟鬼等信仰相关，可见巫鬼文化对楚地饮食的广泛影响。例如“社饭”，《荆楚岁时记》载：“社日，四邻并结综会社，牲醪，为屋于树下。先祭神，然后飨其胙。”[②] 即在社日这天，要聚众祭祀，祭神之后共同享用用于祭祀的酒肉。此俗是时人淳朴的农神崇拜，以祈求农事顺利。社日祭祀的聚会、“社饭”等习俗在今荆楚地区均有保存。[③] 再如粽子，荆楚之人在当时的夏至日有吃粽子的习俗，“夏至节日，食粽。按周处《风土记》谓为角黍。人并以新竹为筒粽。楝叶插五綵系臂，谓为长命缕”。[④] 后将夏至节与端午节混淆，楚地一直有“初五小端阳，十五大端阳（即夏至）”之说。两个节日汇合，食粽系缕之俗与竞渡、采草药之俗遂结合在一起，再后来，端午节又与纪念屈原联系在一块，遂成后世之俗。从中可以看出，荆楚人民在世世代代的生活中保留着楚文化，并与日常生活相

① 张溥编；吴汝纶选：《中华传世文选·汉魏六朝百三家集选》，吉林人民出版社 1998 年版，第 613 页。

② 宗懔撰，宋金龙校注：《荆楚岁时记》，第 94 页。

③ 韩致中：《新荆楚岁时记》，上海文艺出版社 2001 年版，第 66—67 页。

④ 宗懔撰，宋金龙校注：《荆楚岁时记》，第 51—52 页。

联系，把信仰融入日常，从而形成了楚地特有的、内涵丰富的荆楚饮食习俗。

佛教的传入对当地饮食习俗也有影响，其中最具代表性的是素食主义饮食观的传入。东汉时期，佛教传入之初，素食主义还未得到彻底的贯彻，当时还有很多僧人饮酒吃肉，直到南朝时期这种情况依然存在，但是也有一些僧人已经开始恪守清规，根据《高僧传》记载，晋代在荆州上明寺修行的竺僧辅“单蔬自节”，南朝宋时在江陵修行的释僧隐、释昙鉴、释慧猷都只吃蔬食，此外，南朝齐时在武昌樊山修行的释法晤、南朝梁时在荆州竹林寺修行的释慧球都能做到秉承训诫。南朝梁武帝崇尚佛教，并融合了儒家的仁、孝思想和佛家的理念，制定了《断酒肉文》，试图将素食主义推行在全社会。在这一倡议下，荆楚地区的饮食习俗的确发生了变化，不再有正月一日吃鸡蛋的习俗。

魏晋南北朝时期的饮食方式也有发展，先秦秦汉时期比较流行的是一日两餐，也有一日三餐的习惯，但其彻底取代两餐制是在唐代以后，魏晋南北朝时期的餐制处于过渡时期。

此时也是分食制向合食制过渡的时期。所谓分食制就是在宴会中，每个人面前都会放置几案，大家分别据案而食，互相并不混淆（见图9-19）唐代以后，围桌而坐的合食制才彻底取代了分食制。这一变化与魏晋南北朝时期的民族融合是分不开的，随着胡床等坐卧工具的传入和普及，汉族原本席地而坐、据案而食的饮食方式便受到了冲击，到了唐代，高桌大椅开始普及，这致使合食制逐渐取代了传统的分食制。

图 9-19　马王堆汉墓“案盘分餐”

由上可知，魏晋南北朝时期的荆楚地区，在饮食结构和饮食方式等方面都变得更为丰富多样，尤其受到外来文化，如其他少数民族以及佛教的影响，产生了很多新的食物品种和习俗。当然，习俗的变化发展是缓慢的，此时的饮食习俗中依旧保留了很多独具特色的地区风采。

这一时期荆楚地区的娱乐活动非常丰富，《荆楚岁时记》中便记录了很多，如饮酒、施钩之戏、秋千、斗鸡、斗百草之戏、竞渡、藏弧之戏等。

所谓“施钩之戏”指的是“以緪作篾缆相罥，绵亘数里，鸣鼓牵之”。杜公瞻注：“按施钩之戏，求诸外典，未有前事。公输子游楚，为载舟之戏，退则钩之，进则强之，名曰‘钩强’。遂以钩为戏，意起于此。《涅槃经》曰：‘斗轮罥索。’其外国之戏乎？今秋千亦施钩之类也。”杜金龙注：“类似拔河的游戏。”[①] 可知施钩之戏是源于楚地水师训练，后发展成类似于现在拔河的游戏。也有认为施钩就是秋千，“‘秋千本北方山戎之戏，以习轻趫者。’后中国女子学之，乃以彩绳悬木立架，士女炫服，坐立其上，推引之，名曰‘秋千’。楚俗亦谓之‘施钩’”。[②] 但是杜公瞻注《荆楚岁时记》，同时提到“施钩”与“秋千”，说明二者并非一物。至今荆楚地区还有“牵钩戏”的游戏，正是《荆楚岁时记》中提到的“施钩”。《隋书·地理志》中写道：“（南郡、襄阳）二郡又有牵钩之戏，云从讲武所出，楚将伐吴，以为教战，流迁不改，习以相传。钩初发动，皆有鼓节，群噪歌谣，振惊远近，俗云以此厌胜，用致丰穰。其事亦传于他郡。”[③] 唐代《封氏闻见记》也有记载：“拔河，古谓之牵钩。襄汉风俗，常以正旦望日为之。”[④] 可见“施钩”为原产于荆楚地区的游戏，后来才传播到其他地区和国家，如今之韩国、日本。

“斗百草”是一种端午节游戏，时人认为五月为恶月，需要采集百

① 宗懔撰，宋金龙校注：《荆楚岁时记》，第 20—21 页。

② 宗懔撰，宋金龙校注：《荆楚岁时记》，第 22 页。

③ 魏征等：《隋书》，第 897 页。

④ 封演撰，赵贞信校注：《封氏闻见记校注》，中华书局 2005 年版，第 54 页。

草来解厄，逐渐产生了“斗百草”的游戏，即竞采花草，比赛多寡优劣。“竞渡”也是端午节的活动，也就是划船比赛，现今还有端午节赛龙舟的习俗。

“藏之戏”即“藏钩”，相传源于汉武帝的钩弋夫人，是一种猜谜游戏，玩家分为两组，其中一组将一个物品藏在某一个人手中，由另一组人来猜东西是在谁的手中。

当然，在秦汉时期就已流行于荆楚之地的娱乐活动，三国两晋南北朝时期也在延续着，六博戏、角抵戏等活动也依旧在丰富着荆楚人民的日常生活。

此外还应注意的是三国两晋南北朝时期士庶生活上的差异，王先福通过对襄阳地区几处画像砖墓的考察，指出这些墓主大多为世家大族，而一些人物画像砖可反映当时的贵族生活，有“备马出行图”“备舆出行图”“备车出行图”“骑马出行图”“武士出行图”“贵妇出行图”“侍女出行图”“步行吹奏出行图”等，[①]显示了当时的世家大族惬意奢靡的生活，而这样的生活质量是寒门无法比拟的。

二、服饰文化

我国古代服饰在魏晋南北朝时期有着较大转变，因北方少数民族南下，胡服开始在中原地区流行，逐渐成为人们的常服。而南方也受到了一定影响，东晋葛洪《抱朴子外篇·讥惑》中称：“丧乱以来，事物屡变：冠履衣服，袖袂裁制，日月改易，无复一定。乍长乍短，一广一狭，忽高忽卑，或粗或细。所饰无常，以同为快。其好事者，朝夕放效，所谓京辇贵大眉，远方皆半额也。”[②]

这一时期服饰变化的具体表现在史料中也有记载，《晋书·五行志》中指出，在孙吴时期，“孙休后，衣服之制上长下短，又积领五六而裳

① 王先福：《襄阳南朝画像砖研究》，《秦汉魏晋南北朝史国际学术研讨会论文集》，2016 年 8 月。

② 葛洪撰，杨明照校笺：《抱朴子外篇校笺（下）》，第 11 页。

居一二”。[①] 到了东晋初年，“为衣者又上短，带纔至于掖，著帽者又以带缚项”。[②] 而到了东晋末年，“皆冠小而衣裳博大，风流相放，舆台成俗”。[③] 这种变化体现出了东晋初年百姓战乱迁徙，需要行动方便的服饰和东晋末年士族生活优裕，风流不羁的气度。《颜氏家训》中载：“梁世士大夫，皆尚褒衣博带，大冠高履。”[④] 体现出了梁朝与晋末相似的、追求峨冠博带的服饰风格。衣服的款式趋向博大，这与当时经济的恢复发展、士大夫生活日益优裕相关，同时也与当时玄学风尚流行，士人追求自由飘逸有关。此外，奢华之风也助长了这一风气，据《宋书·周朗传》记载，南朝宋孝武帝时周朗曾上书指责：

> 凡一袖之大，足断为两，一裾之长，可分为二；见车马不辨贵贱，视冠服不知尊卑。尚方今造一物，小民明已睥睨。宫中朝制一衣，庶家晚已裁学。侈丽之原，实先宫闱。[⑤]

可见这种侈丽的宽袍大袖风气，来自于皇家的推许，引致上行下效。荆楚地区南朝墓中普遍出土有陶俑，这些陶俑往往造型瘦长，刻画精美，体现了当时以“秀骨清像”和“褒衣博带”为美的审美倾向。另外，襄阳贾家冲、柿子园等南朝墓出土有大量画像砖，画像砖中供养人的穿着也能体现这种服饰风尚：其中的正面供养人头戴冠，上穿开领广袖衫，肩披巾，侧面供养人身穿抬肩开领广袖衫，侧面女供养人身穿宽袖开襟衫，腰系长裙（见图 9–20）。[⑥]

---

① 《晋书》，第 823 页。

② 《晋书》，第 826 页。

③ 《晋书》，第 826 页。

④ 王利器：《颜氏家训集解（增补本）》，第 322 页。

⑤ 《宋书》，第 2098 页。

⑥ 襄樊市文物管理处：《襄阳贾家冲画像砖墓》，《江汉考古》1986 年第 1 期。

图 9-20　襄阳贾家冲南朝墓画像砖供养人形象

与此同时，随着南北文化的交流，北方少数民族的一些服饰也渐渐普及到了南方。例如裤褶服的流行。所谓“裤褶服”又称“绔褶服”，指的是上身穿褶，下身穿绔的搭配，属于一种胡服，因为其形制便于行动，故而最初于军旅中流行。《急就篇》颜师古注曰：“褶，谓重衣之最在上者也，其形若袍，短身而广袖，一曰左衽之袍也。”[①]“绔褶”连用的说法最早见于《三国志》注引《江表传》：“（吕）范出，更释褠，著绔褶，执鞭，诣閤下启事，自称领都督，策乃授传，委以众事。”[②]可见在东吴时期，南方就已舍弃原来简单的窄袖单衣，流行起时尚的裤褶服。《晋书·舆服志》详细介绍了当时文武百官穿着裤褶服的情况：

> 袴褶之制，未详所起，近世凡车驾亲戎、中外戒严服之。服无定色，冠黑帽，缀紫摽，摽以缯为之，长四寸，广一寸，腰有络带以代鞶。中官紫摽，外官绛摽。又有纂严戎服而不缀摽，行留文武悉同。其畋猎巡幸，则惟从官戎服带鞶革，文官不下缨，武官脱冠。[③]

① 史游撰，颜师古注，王应麟补注，钱保唐补音：《急救篇》，中华书局 1985 年版，第 144 页。

② 《三国志》，第 1310 页。

③ 《晋书》，第 772 页。

《宋书·后废帝纪》载，南朝宋后废帝常著小裤褶，未尝服衣冠，而南齐武帝曾“以行北诸戍士卒多褴褛，送裤褶三千具”。[①] 从这些记载来看，当时上至皇帝百官下至戍边士卒，都已普遍穿着裤褶服。据史料记载，至晚在东晋时期，这种裤褶服就已在荆楚地区流行，《晋义熙起居注》载：“安帝自荆州至新亭，诏曰：‘诸侍官戎行之时，不备朱服，悉令裤褶从之。’”[②] 襄阳贾家冲南朝墓出土的侍卫俑，均穿有裤褶（见图9–21）。

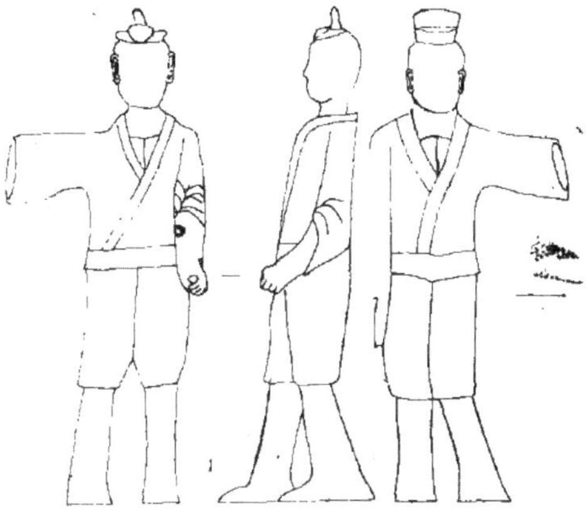

图9–21　襄阳贾家冲南朝墓身着裤褶的侍卫俑

除了裤褶服外，胡人一些其他装束也对荆楚的穿衣习惯有影响，在鄂城六朝墓出土的人物俑中，有不少胡俑，这些俑偶头戴尖帽，身穿紧领窄袖袍，要么上身穿紧身衣，下身穿分裆裤。另外一些非胡俑也多是身穿窄袖长袍或紧身衣、分裆裤。这种衣服比起宽袍大袖，少了飘逸的美感，但便于活动，在当时也比较流行。

当时平民常穿的衣服被称为“白衣”，又称布衣，一般由麻制作，时人也常以“白衣”来指代平民。据《三国志·吴书·吕蒙传》载，吕

① 《南齐书》，第849页。

② 李昉等：《太平御览》卷六九〇《服章部七·朱衣》引，中华书局1960年版，第3081页。

蒙从关羽手中袭取南郡时，“至寻阳，尽伏其精兵舻中，使白衣摇橹，作商贾人服，昼夜兼行，至羽所置江边屯候，尽收缚之，是故羽不闻知”。[①] 寻阳即今湖北武穴东南龙坪镇。正是因为“白衣”在当时的荆楚地区是平民的常服，吕蒙让人穿着白衣摇橹，打扮成普通商客模样，这才使关羽荆州军放松了警惕，从而中计。当然，白衣并非某一种衣服的特指，而是对平民衣服的泛称，是和绫罗绸缎相对应的朴素衣物。当时常见的服装有襦、裤、衫、袄、裙等。

当时的人们用来束衣的腰带也是多种多样，上层阶级的腰带多用绅制成，被称为“绅带”，也有用皮革做成的“鞶”，平民百姓所用的腰带多由熟牛皮制成，被称为“韦带”，故而“韦带”也是平民的代称。腰带上或有花纹、镶嵌金银为装饰。女子的束带一般都很长，如南梁刘孝绰所作《古意送沈宏》中说道：“荡子十年别，罗衣双带长。”[②] 襄阳贾家冲南朝墓中出土画像砖中有仙人画像，其中仙人的裙带均向上飞舞，有飘逸出尘之美。

此时的首服有冠、帢、巾等。“冠”种类和名称与秦汉时期差别不大，不过汉代的冠大多前高后低，魏晋时转变为宽平，到了南北朝时期则变成了前低后高。帢相传为曹操所发明，《晋书·五行志》载：“魏武帝以天下凶荒，资财乏匮，始拟古皮弁，裁缣帛为白帢，以易旧服。”[③] 初造白帢时，为了区分前后，遂在帢的前面加了一条线缝，称为“颜帢”，流传到了永嘉年间（307—313），这条缝被去掉了，被称为“无颜帢”。帢在南朝时多用于军帽，武汉黄陂滠口晋墓中出土的持盾武士俑头上所戴便是帢（见图9-22）。当时的冠帽有等级之分，而巾则无论士大夫还是平民都可以戴，主要是对长发起到固定作用。当时的士大夫喜欢用幅巾包头，并在社会上形成流行趋势，《宋书·礼志》载：“巾以葛

① 陈寿：《三国志》，第1278页。

② 逯钦立辑校：《先秦汉魏晋南北朝诗》，中华书局1983年版，第1837页。

③ 《晋书》，第822页。

为之……今国子太学生冠之，服单衣以为朝服，执一卷经以代手板。居士野人，皆服巾焉。”①

图 9-22　武汉黄陂滠口晋墓中出土持盾武士俑

三国两晋南北朝时期女子的发式多种多样，与秦汉相比有所变化。据《晋书·五行志》载，西晋永嘉年间（307—312），“妇人束发，其缓弥甚，紒之坚不能自立，发被于额，目出而已”。② 这时女子的束发越来越松弛，甚至任由头发披散下来。而到了东晋太元年间（376—396），假发又盛极一时：“公主妇女必缓鬓倾髻，以为盛饰。用髲既多，不可恒戴，乃先于木及笼上装之，名曰假髻，或名假头。至于贫家，不能自办，自号无头，就人借头。”③ 宋文帝元嘉六年（429），“民间妇人结发者，三分发，抽其鬟直向上，谓之‘飞天紒’。始自东府，流被民庶”。④

这一时期女子的头饰有簪、钗、步摇、钿等，与秦汉时期相类。女

① 《宋书》，第 520 页。
② 《晋书》，第 825 页。
③ 《晋书》，第 826 页。
④ 《宋书》，第 890 页。

子喜欢用花形的饰品，《通俗编》载：“妇饰之有假花，其来已久。其以珠宝穿缀，则仅著于六朝。”[①] 其中比较有代表性的就是用金银珠宝等制作的花钿。南梁沈约所作《丽人赋》中有“陆离羽佩，杂错花钿”之语。丘迟的《敬酬柳仆射征怨诗》中也有“耳中解明月，头上落金钿”的描写。当时女子对花的喜爱还体现在用鲜花做头饰，如西曲歌《石城乐》中所载：“阳春百花生，摘插环髻前。”[②] 鄂城东吴、东晋墓中出土过花瓣形饰片，为金银制品（见图 9–23）。[③] 推测应是当时女子的发饰。除了花瓣形的饰片，还有椭圆形、桃形、环形等，样式很多。

图 9–23 鄂城东吴、东晋墓出土花瓣形饰片

当时流行的男子配饰有玉器、刀剑、麈尾等。玉器、刀剑皆是传统配饰，而麈尾则是受当时社会风气的影响所至。麈尾本是扫除尘埃、驱除蚊蝇的工具，但由于当时的名士清谈时经常手持麈尾，用以指划，且

① 翟颢：《通俗编》，商务印书馆 1959 年版，第 563 页。

② 逯钦立辑校：《先秦汉魏晋南北朝诗》，中华书局 2014 年版，第 1346 页。

③ 南京大学历史系考古专业、湖北省文物考古研究所、鄂州市博物馆编著：《鄂城六朝墓》，科学出版社 2007 年版，第 256 页。

“麈尾”还有一定的含义,《名苑》载“鹿之大者曰麈,群鹿随之,皆视麈所往,麈尾所转为准”,故而清谈时使用麈尾,也可显示说者的气度,故而麈尾逐渐成为南朝名士常携之物。《晋书·王衍传》载:“(王衍)妙善玄言,唯谈《老》《庄》为事。每捉玉柄麈尾,与手同色。”[①]南齐时名士王僧虔曾告诫子孙在未真正弄懂玄学时,不要轻易参与清谈,“盛于麈尾,自呼谈士,此最险事”。[②]《世说新语·言语篇》中也记载了西晋时期,庾稺恭任荆州刺史时,向晋武帝进献“毛扇”的故事,这里的“毛扇”就是麈尾。

南朝时期,团扇也是一种常见的装饰物,团扇又被称为绫扇、纨扇,因为其一般由绫、纨所制。南朝文人留下了许多描写团扇的作品,例如东晋王献之的《桃叶团扇歌》、南齐丘巨源的《咏七宝画图扇诗》、南梁江淹的《扇上彩画赋》、梁武帝萧衍的《团扇歌》等。

如意也是南朝士人比较喜爱的装饰品,如意本是一种用以搔痒的工具,这一时期的如意材质有金、玉、木、犀等多种原料。当时的名士放荡不羁,豁达不在意细节,常手持如意,久而久之如意便不再只是一个工具,而被赋予了风雅的意蕴,成为一种争相效仿的名士风度。襄阳贾家冲南朝墓出土画像砖中有一女供养人的形象,其“右手持莲草,左手执一类似‘如意’的长柄物”,[③]反映了当时如意的盛行。

此外,镯子、指环、带钩、鸳鸯坠、辟邪等也是当时的配饰,鄂城六朝墓中就出土了多件金鸳鸯坠、辟邪等饰品(见图9-24)。[④]

---

① 《晋书》,第1236页。

② 《南齐书》,第598页。

③ 襄樊市文物管理处:《襄阳贾家冲画像砖墓》,《江汉考古》1986年第1期。

④ 南京大学历史系考古专业、湖北省文物考古研究所、鄂州市博物馆编著:《鄂城六朝墓》,科学出版社2007年版,第253—255页。

图 9-24　鄂城六朝墓出土的金鸳鸯坠、辟邪

竞相奢丽的生活方式导致了很多不同于前代的习俗，例如男子傅粉。秦汉时期男子亦有对其面目进行修饰者，但多是修眉留须等，用来体现男子的阳刚之美，傅粉等化妆手段则主要是女子的行为。而延至魏晋南北朝，社会上出现了男子化妆的情况。如梁朝全盛之时，贵族子弟间便流行“熏衣剃面，傅粉施朱”，[①] 史书中也常有提到男子“善修饰”的内容，不过这种男子化妆的情况多见于贵族士人，当时的民间似乎并无普及。这一现象应该和当时社会对士人的评定有关系，当时对士人品评的范围不仅包括品行、才情等，还包括容貌、气质等，故而造成了男子也熏衣傅粉的风气。

三、婚丧习俗

魏晋南北朝时期，主要婚姻形式还是以聘娶制为主，并沿用前代的六礼制度。但在动荡的东汉末年至东晋时期，因时局艰难，无法完成烦琐的婚礼仪式，曾出现一种“拜时”婚，这种婚礼颇为简洁，六礼都不需要，只要用纱巾盖住女方头部，由男方揭去，拜过公婆，即算礼成。

受到战乱等因素的影响，魏晋南北朝时期的婚嫁还出现了一些其他的特殊情况，如《通典·礼志》载：“咸康二年（336），零陵李繁姊先适南平郡（治今湖南安乡）陈诜为妻，产四子而遭贼。姊投身于贼，请活姑命，贼略将姊去。诜更娶严氏，生三子。繁后得姊消息，往迎还

① 王利器：《颜氏家训集解（增补本）》，第 148 页。

诜，诜籍注领二妻。”[①] 陈诜先后娶了李氏和严氏，并在户籍中将二人都登记为妻子，是一种“二妻并嫡”的特殊情况。陈诜这种做法在当时虽然受到了指责，但当时战乱四起，很多家庭被迫分离，重婚现象很多，容易出现一夫二妻的情况。

这一时期普遍早婚，政府也会予以强制或鼓励，晋武帝泰始九年（273）曾下诏：“制女年十七父母不嫁者，使长吏配之。”[②] 若女子在十七岁前不出嫁，政府将会强行婚配。

这一时期，婚礼上有了却扇之礼。《世说新语》载东晋温峤娶妻，“女以手披纱扇”，[③] 南梁何逊《看伏郎新婚诗》载“青扇掩红妆”，[④] 都是却扇礼的写照。却扇是指新娘用团扇遮住面部的做法，体现了一种娇羞。却扇礼延续到了后世，在唐代颇为盛行。

当时的婚礼崇尚奢侈之风，使得官方不得不出台相关禁令。如南齐武帝永明七年（489）诏：“婚礼下达，人伦攸始，《周官》设媒氏之职，《国风》兴及时之咏。四爵内陈，义不期侈，三鼎外列，事岂存奢！晚俗浮丽，历兹永久，每思惩革，而民未知禁。乃闻同牢之费，华泰尤甚；膳羞方丈，有过王侯。富者扇其骄风，贫者耻躬不逮。或以供帐未具，动致推迁，年不再来，盛时忽往。宜为节文，颁之士庶。并可拟则公朝，方樏供设，合卺之礼无亏，宁俭之义斯在。如故有违，绳之以法。”[⑤] 但是这种禁令的约束力比较低。

荆楚地区民族众多，风俗各异，南阳、襄阳、江陵及新崛起的江夏、武昌、宜都均是长江流域的发达地区，“故益多衣冠之绪，稍尚礼义经籍焉”。[⑥] 而一些山地和偏僻的边缘地区依然保留着蛮族比较独特

① 杜佑撰，王文锦等点校：《通典》，第2444页。

② 《晋书》，第63页。

③ 刘义庆著，刘孝标注，余嘉锡笺疏：《世说新语笺疏》，中华书局1983年版，第1007页。

④ 何逊著，李伯齐校注：《何逊集校注》，中华书局2010年版，第47页。

⑤ 《南齐书》，第56—57页。

⑥ 《隋书》，第897页。

的风俗，据《隋书·地理志》载，荆州地区“多杂蛮左，其与夏人杂居者，则与诸华不别。其僻处山谷者，则言语不通，嗜好居处全异，颇与巴、渝同俗”。秦汉魏晋南北朝时期荆楚地区的蛮族数量巨大，风俗与汉人大为不同，以其丧葬风俗而言：

> 其死丧之纪，虽无被发袒踊，亦知号叫哭泣。始死，即出尸于中庭，不留室内。敛毕，送到山中，以十三年为限。先择吉日，改入小棺，谓之拾骨。拾骨必须女婿，蛮重女婿，故以委之。拾骨者，除肉取骨，弃小取大。当葬之夕，女婿或三数十人，集会于宗长之宅，着芒心接篱，名曰茅绥。各执竹竿，长一丈许，上三四尺许，犹带枝叶。其行伍前却，皆有节奏，歌吟叫呼，亦有章典。传云盘瓠初死，置之于树，乃以竹木刺而下之，故相承至今，以为风俗。隐讳其事，谓之刺北斗。既葬设祭，则亲疏咸哭，哭毕，家人既至，但欢饮而归，无复祭哭也。其左人则又不同，无衰服，不复魄。始死，置尸馆舍，邻里少年，各持弓箭，绕尸而歌，以箭扣弓为节。其歌词说平生乐事，以到终卒，大抵亦犹今之挽歌。歌数十阕，乃衣衾棺敛，送往山林，别为庐舍，安置棺柩。亦有于村侧瘗之，待二三十丧，总葬石窟。[①]

这反映了荆楚地区的丧葬习俗是汉族和蛮族的相互混杂，汉族习俗夹杂着蛮族遗俗，与传统的儒家丧葬礼仪不合。蛮族者似无祭仪，葬礼原始质朴独特，重在抒发对死者的怀念之情。在《隋书》作者眼中，这些不合汉族礼仪的风俗是非常落后的，但它同时反映出，经过长期的杂居和交融，相当一部分蛮族在社会组织、言语、风俗等方面与汉人趋同，逐渐完成汉化或日益趋于汉化。[②]

---

① 《隋书》，第897—898页。

② 牟发松：《湖北通史》(魏晋南北朝卷)，华中师范大学出版社1999年版，第491—492页。

这一时期葬俗中很大的一个变化是薄葬的盛行。秦汉一直以厚葬为主流，以厚葬来表达对死者的情感、对死亡的敬畏，也以厚葬来表达孝道甚至博取声名利益。东吴基本依旧延续了这种先代的厚葬之风，但到了东晋便有了变化，东晋延续了曹魏、西晋的薄葬风气，统治者大力倡导薄葬，东晋明帝临终遗诏中强调："敛以时服，一遵先度，务以简约，劳众崇饰，皆勿为也。"[①]晋穆帝陵中想用"宝器"，也遭到了大臣的反对。东晋诸陵规模都不大，且大多没有高大的坟封。荆楚地区发掘的东晋墓葬也反映了这种薄葬风气，其墓葬形制大大简化，多为单室，随葬品中的精美器物也大大减少。这种风气在南朝时期更盛，《隋书》载，南朝梁天监六年（507）："申明葬制，凡墓不得造石人兽碑，唯听作石柱，记名位而已。"[②]可见朝廷对葬制的节俭要求严格，甚至对墓前的石碑、镇兽都加以限制。从荆楚南朝墓葬的发掘来看，这个时期墓葬的葬制依旧简单，随葬品也和东晋时期差不多。可见在这一时期，除东吴外，基本各代都在推行薄葬。

导致薄葬风俗盛行的原因是多方面的，例如它受到了时局的影响，魏晋南北朝的乱世中，不少厚葬的陵墓被大肆偷盗挖掘，使得早已入土为安的死者暴尸荒野，让世人的思想受到巨大冲击，从中吸取了教训。而薄葬的思想虽然早在战国时期就已形成，两汉之间也有不少名士倡议，但这种思想在和平富裕的时代很难获得推广，况且尚有以孝道理政拔士政策的推动。再者，这一时期政局不稳，南北分裂，朝代更迭频仍，各朝各代所能统治的区域都比较小，经济实力也远逊于两汉，这种经济因素也会或多或少影响到丧葬风俗。此外，这一时期的军事压力与国防消耗太大，社会上盛行淡泊名利的玄学思想，士大夫追求的是现实洒脱放达，对身后之事自然不会过于看重，这也是影响当时葬制改变的因素之一。

---

① 《晋书》，第 165 页。

② 《隋书》，第 153 页。

当时，因为宗族观念的增强，聚族而葬和夫妻合葬墓大量出现，南朝宋孝武帝大明六年（462）曾有诏令指出："上林苑内民庶丘墓欲还合葬者，勿禁。"[①] 从侧面体现了当时民间合葬成风。

六朝时期，相墓术得到了进一步发展，从鄂城六朝墓的发掘情况来看，"鄂州西山和雷山一带襟江带湖，为形胜之地，遂成为六朝武昌城近郊的主要墓区……从墓葬均埋葬在山冈余脉和丘陵岗地等高亢的地方看，当时选择墓地已相当讲究。"[②]

荆楚魏晋南北朝的墓葬主要以砖室墓为主，具体到各个时期，其葬制有一个发展演变过程。据目前所公布的魏晋南北朝墓分析，东汉末年至孙吴时期，荆楚墓葬主要有横前堂双后室墓和"中"字形墓，前者在东汉后期已存在，后者则是从前者简化而来。这一时期的随葬品以陶器为主，漆木器较多，此外还有少数青瓷器及其他物品，以生活用器为主。孙吴后期的大型墓主要为双"凸"字形，此类墓形是由"中"字形墓演化而来。中型墓则有"凸"字形和"刀"字形，小型墓多为长方形单室墓。此时墓葬随葬品中瓷器、金银饰品的比例增加，铜铁漆木器、陶器的数量减少。到了西晋时期，大型墓葬的墓形稍有变化，主要是双"凸"字形墓以及用砖柱分隔成前、中、后三室的"凸"字形墓。随葬品方面，青瓷器开始成为主要的随葬品，种类依旧是以生活用品为主。陶器和铜铁器都很少，金银饰品却有增加。东晋时期的葬制普遍简化，此时的大型墓葬主要为"凸"字形，并在墓室用砖柱或者拱券分隔前后室。中型墓中，除了凸形墓和刀形墓外，还有双室并列长方形墓。小型墓相比之前变化不大。随葬品方面，东晋早中期墓葬中仍以青瓷器为主，到了东晋晚期，陶器数量增加。南朝时期的大型墓葬主要流行"吕"字形墓，这一时期的墓砖花纹比较繁荣，在墓壁上常常镶嵌有

① 《宋书》，第130页。

② 南京大学历史系考古专业、湖北省文物考古研究所、鄂州市博物馆编著：《鄂城六朝墓》，科学出版社2007年版，第20页。

画像砖。随葬品中，陶器的数量和种类都有增加，一度消失的买地券也重新出现。[①] 鄂州六朝墓出土的香薰见证了这一时代的丧葬习俗（见图9-25）。

图 9–25　鄂州六朝墓出土的香薰

如前所述，买地券是一种丧葬文书，是一种虚拟的买卖土地契约，其内容是为死者在冥界置办房产、田产。目前所见最早的买地券属于东汉早期，东汉时期的买地券主要出土于中原地区，三国以降流传到其他地区。迄今为止，出土于荆楚地区的三国六朝时期买地券公布的已有多件，如出土于武昌任家湾 113 号东吴墓的黄武六年（227）郑丑买地券、出上于武昌莲溪寺东北小土山 475 号东吴墓的永安五年（262）彭卢买地券、出土于鄂州郭家细湾的南朝宋元嘉十六年（439）蔺谦买地券、出土于武昌东郊何家大湾 193 号墓中的南齐永明三年（485）刘觊买地券等。本书以郑丑买地券为例，分析这类丧葬文书的主要特征。郑丑买地券的全文内容如下：

黄武六年十月壬戌朔十日辛未，吴郡男子郑丑，年七十五，以六年六月□□□江夏沙羡县物故。今从主县买地立冢，□□比：东

① 参看尹弘兵、黄莹编著:《荆楚古墓揭秘》，武汉出版社 2012 年版，第 147—149 页。

> 比，西比，南比，北比，合四亩半地，直钱三万，钱即日交毕，立此证。知者东王公、西王母。若后有安□□者，盘□所勒田记□埋穴□□□。[1]

券文略有残缺，但并不影响理解文意。据券文可知，郑丑的籍贯是吴郡，[2]黄武六年（227）六月在江夏沙羡县（在今武汉市江夏区）死亡，享年七十五岁，停灵到同年十月十日下葬。所买冢地共计四亩半，价格是三万，当日结算，见证人是东王公、西王母。最后一句残缺较多，结合其他买地券的内容推测，其大意可能是在说此券的效力。对比东汉时期的买地券，东吴买地券的虚拟性和随意性有所增加，比如券文中只是象征性地提到了所买冢田的四至，却根本没有提到四至的具体地点；见证人也从具体的人改为了“东王公”“西王母”这样的神灵。这份买地券比较有意思的地方是，它的左下角刻有当时葬俗中流行的符号，有一种宗教性质。而同时出土的木简上写有“道士郑丑再拜”的字样，所以有学者推测买地券上的符号为道符。与道教相结合的特征是汉代买地券所不具备的，这体现了道教在当时当地的葬俗中具有一定的影响力。

流行于这一时期的丧葬文书还有衣物疏，魏晋南北朝时期从江苏、山东一带流传至其他地方。1954年长沙桂花园出土了东晋升平五年（361）周芳命妻潘氏物疏，其内容分两部分，第一部分是列举了随葬的衣物大概有几十条，这一部分和前代衣物疏无异，但是随葬清单后的第二部分内容则是汉代衣物疏中所没有的：

> 升平五年六月丙寅朔廿九日甲午，不禄。公国典卫令荆州长沙

① 参看武汉市文物管理委员会：《武昌任家湾六朝初期墓葬清理简报》，《文物参考资料》1955年第12期；鲁西奇：《中国古代买地券研究》，厦门大学出版社2014年版，第83页。

② 吴郡为汉旧名，鲁西奇指出，东吴黄武时期，吴郡的范围有吴、海盐、无锡、余杭、阳羡等十余县。参看鲁西奇：《中国古代买地券研究》，厦门大学出版社2014年版，第83页。

郡临湘县都乡吉阳里周芳命妻潘氏，年五十八，以即日醉酒不禄，其随身衣物，皆潘生存所服饰，他人不得妄诘诋债，东海僮子书，书迄还海去，如律令。[①]

这一部分内容与流行于当时的镇墓文有异曲同工之妙，镇墓文和买地券、衣物疏都属于丧葬文书，但又有本质不同，买地券是以土地买卖为中心，侧重于对地产的所有权，衣物疏侧重于随葬品的记录，而镇墓文则更侧重于为逝者解谪祛过，为生人祈福。

镇墓文出现并集中于汉代的关洛地区，两汉魏晋南北朝时期的荆楚地区目前尚无出土，但以周芳命妻潘氏物疏的内容来看，镇墓文在当时的荆楚地区也有体现，它是楚地原本的随葬物疏习俗和从北方传入的镇墓文相结合的产物。

周芳命妻潘氏衣物疏也体现了一定的道教思想，如“醉酒不禄”的说法，并非说潘氏死于醉酒，而是道教所认为的人之死即仙人赐酒，可以得道成仙的意思。《神异经》载：“西北荒中有酒泉，此酒美如肉、清如镜。其上有玉樽，取一樽复一樽……饮此酒人不死不生。”[②]《时镜新书》中也记载：“瀛洲有玉膏如酒味，名曰玉酒，饮数斗辄醉，令人长生。”[③]所以“醉酒不禄”实际上是一种对死亡的美化，不言死，而说是羽化登仙了。另外“如律令”等说法，原本是官方文书用语，道教发展起来后，这句话成为道教用语，这里所奉“律令”不再是人间的法律条文，而是道教所制定的神仙教条。

佛教的影响力也渗透到了此时的丧葬文化中，鄂城六朝墓中随葬的夔凤纹铜镜上，画有坐佛、飞天、居士等佛教形象。例如东吴铜镜M4037：1，“线式四出四叶座形同柿蒂，叶呈桃形，内皆饰佛像。一尊

① 窦磊：《汉晋衣物疏集校及相关问题考察》，武汉大学博士2016年学位论文，第131—132页。

② 《太平御览》，第3775页。

③ 《太平御览》，第3777页。

佛左向侧坐于莲花之上，一腿垂地，后面胁侍单手持宝盖站立于后，前有女性跪地作礼佛状；其他三尊佛像正面端坐于桃形叶中，上有‘八’字形象征性佛龛，佛坐莲花台之上，莲台两侧各有一条中国式的护法神龙。佛像皆有头髻和佛（头）光”。[①] 襄阳几座南朝墓出土画像砖中也有大量佛像题材，如供养人画像砖、小佛像画像砖，还有狮子、飞仙等形象，其他主题的画像砖上也有莲花和忍冬纹等佛教因素（见图 9-26）。[②] 画像石、砖起源于战国时期，盛行于汉代，其艺术高峰在东汉、六朝时期。贾家冲南朝墓和谷城六朝墓的画像砖，不仅有佛教题材，还有龙、虎、凤凰、郭巨埋子等儒家题材。这反映了当时佛教在民俗中的渗透，也反映了当时佛教和传统儒家学说并存共生的盛况。

图 9-26　襄阳贾家冲南朝墓画像砖小佛像形象

① 南京大学历史系考古专业、湖北省文物考古研究所、鄂州市博物馆编著：《鄂城六朝墓》，科学出版社 2007 年版，第 275 页。

② 襄樊市文物管理处：《襄阳贾家冲画像砖墓》，《江汉考古》1986 年第 1 期；襄樊市考古队，谷城县博物馆：《湖北谷城肖家营墓地》，《考古》2006 年第 11 期；谷城县博物馆：《湖北谷城六朝画像砖墓发掘简报》，《文物》2013 年第 7 期；襄阳市文物考古研究所：《湖北襄阳麒麟清水沟南朝画像砖墓发掘简报》，《文物》2017 年第 11 期。

镇墓兽在荆楚地区的六朝墓葬中颇为常见，是一种辟邪的明器，用以镇压邪魔，保佑死者安宁。六朝时期镇墓兽多为陶质，也有瓷质，形象有很多种。六朝时期的墓前延续汉时风俗，设有陵墓石兽和祭台等，湖北均县（今丹江口）“双塚”墓便出土有祭台和石人骑兽。[①]《南齐书·豫章文献王传》载：“上数幸嶷第。宋长宁陵遂道出第前路上，曰：‘我便是入他冢墓内寻人。’乃徙其表阙骐驎于东岗上。骐驎及阙，形势甚巧，宋孝武于襄阳致之，后诸帝王陵皆模范而莫及也。”[②]所见南朝诸陵前的石兽与汉南阳所出之麒麟、天禄，荆楚地区陵前普遍设置石兽由此可知。

四、岁时节日

魏晋南北朝时期荆楚地区的岁时节日可参看《荆楚岁时记》的记载，《荆楚岁时记》为南梁宗懔所著，宗懔，梁朝末年历任高官，江陵被西魏攻破后宗懔被俘往长安，受到礼遇，于周武帝保定年间（大概563）卒，年六十四。

《荆楚岁时记》的内容按照一年间的时间顺序撰写，起自元旦，迄于除夕。虽然此书亡佚甚多，后人辑录只得到二十余则，纂为一卷，但其所载内容丰富多彩，蕴含着很高的学术价值。隋时，河北曲阳人杜公瞻为其作注，与原书具有同等价值，但也往往错将北方和隋代的风俗注于书中，使这部著作成为反映南北朝后期至隋代岁时风俗的经典著作，引用时需要有所甄别。

宗懔长期居住于江陵，对家乡的感情很深，而且宗懔博学多才，精通掌故，熟悉当地民情，为《荆楚岁时记》的撰写奠定了基础。现存《荆楚岁时记》中记录了南朝时期荆楚地区所过的二十余个节日及相应的风俗。以正月为例，就有五个节日：

---

① 湖北省文物管理委员会：《湖北均县“双塚”清理简报》，《考古》1965 年第 12 期。

② 《南齐书》，第 414 页。

正月一日，被称为三元之日（岁之元、月之元、时之元）。在这一天里，人们要早起、放爆竹、贴画鸡、立桃符、贴门神、相互拜贺、喝椒柏酒、桃汤和屠苏酒、吃胶牙饧、五辛盘、却鬼丸和鸡蛋、杖打粪扫等，大都是为了厌胜恶鬼，祈求好运。

正月七日，被称为人日。三国魏董勋《问礼俗》中载："正月一日为鸡，二日为狗，三日为猪，四日为羊，五日为牛，六日为马，七日为人。"鸡、狗、猪、羊、牛、马、人，在秦简《日书》中被称为"七畜"，并用来占卜，可见这种信仰由来已久。在这一天要吃七种菜、剪人形彩纸、造华胜、登高赋诗。

立春之日，要剪彩纸为燕，宴请亲朋，吃春饼、生菜，贴"宜春"字，玩施钩、打毬、秋千等游戏。

正月十五，祠门户、迎紫姑、占卜农事等。紫姑是传说中的司厕之神。

正月未日，这天要送走穷鬼，夜晚要用芦苣火照井厕以厌胜百鬼。

此外，正月为每年的开始之月，颇受时人重视，所以在正月里，还有酺食、泛舟、临水宴请、行乐饮酒的习俗。

从正月的这些节日和相应习俗来看，风俗的产生源于当地的地域特征和历史延续，例如泛舟、临水宴请等行为，无疑是荆楚水乡的产物，又如七畜日的划分至晚在战国时期就已经萌芽。

现存《荆楚岁时记》中还提到了许多鬼神，有山臊恶鬼、门神（左神荼，右郁垒）、紫姑、鬼鸟度、穷鬼、牵牛、织女、灶神等，这些鬼神都为当时荆楚地区的人们所信仰。其中，有些鬼神是荆楚地区的原始神灵，具有一定的区域性。如前文提到的阴子方祭灶神，到了南梁时期，荆楚地区仍然有腊日"以豚酒祭灶神"的风俗。而另外一些鬼神信仰则在当时的多个区域普遍流行，具有广泛性。如门神神荼和郁垒。汉代时，已经有在除夕之日，制作代表二神的桃木人以厌鬼的习俗。六朝时期荆楚地区关于此二神的习俗与汉代略有不同，一是并非是在除夕，而是在正月一日；二是并非制作桃人，而是将二神之像画下来，贴在门上，并已有了“门神”的称号。这一“贴门神”的习俗至今仍在我国的民间广泛流行。

驱鬼活动也是习俗中重要的一部分，如正月一日贴桃符、正月未日芦苣火照井厕等等。而对于灾祸疾病，则是希望尽可能消除，如正月一日喝椒柏酒、饮桃汤、进屠苏酒等，都有消除疾病的涵义。

《荆楚岁时记》中记载了荆楚地区风俗的一些新的变化。如正月一日这天，“长幼悉正衣冠，以次拜贺……各进一鸡子……梁有天下，不食荤，荆自此不复食鸡子，以从常则”。[①]也就是说，原本在正月一日这天，人们在拜贺后有吃鸡蛋的习俗，但是梁武帝萧衍继位后，因其信奉佛道，倡议禁食酒肉，所以荆楚地区不再有正月一日吃鸡蛋的习俗。

受到佛教发展的影响，荆楚地区还产生了一些新的节日，如二月八日为释迦牟尼诞生之日，四月八日为浴佛之日，四月十五日为结夏之日，七月十五日为盂兰盆节。盂兰盆节与“目连救母”的佛教故事有关。传说有一僧人名曰目连，其母死后为饿鬼，目连给她的食物都会变成炭火而没有办法食用，目连求助于佛，佛说目连之母罪孽深重，以目连一人之力无法拯救她。需要十方众僧威神之力。所以在七月十五这天，要用盆装着百味五果以供养十方大德。这些习俗的记载体现了当时佛教在民间的影响已很深远。

我们从《荆楚岁时记》的记载中，还可以看到那个时期荆楚一带普通民众的生存状态。《荆楚岁时记》中所记录的节日习俗，大多与人们的信仰有关，而这其中与生存有关的内容，占据了主要的位置，这是人们将现实中的渴望在精神世界的反映。“在荆楚民众的传统民俗观念中，人与神灵鬼怪没有截然的空间分隔，人时常感受到鬼魅邪神的威胁，特别是在重要的人文节点与自然季节的转换时期，人们在生理与心理上遭

① 宗懔撰，宋金龙校注：《荆楚岁时记》，第7页。

遇到一个时间过渡的危机，需要巫术的帮助”。[①]这一心理活动反映在习俗行为上大致有辟邪、祈福、占卜预知等几个方面。辟邪的主要活动在年初和年末举行。在正月一日里放爆竹、燃草、制作桃符、贴门神等是为了驱鬼和压制邪气；十二月八日，人们要击腰鼓，戴胡头，扮作金刚力士以逐疫；而在冬至日，则要吃赤豆粥以避免疾病。祈福主要包括祈求丰收、祈求健康长寿等方面，比如正月七日这天，不吃鸡肉、呼牛马鸡畜，是希望新的一年物产丰富；社日这天，要结社祭神，然后飨其胙，是为了祈祷来岁丰收；六月时相贺天降嘉雨，是因为这个时节雨水充足往往意味着丰收；除夕守岁，有着使人添寿添福的含义，九月九日饮菊花酒，也是为了令人长寿。占卜方面，如迎紫姑，“以卜将来蚕桑，并占众事”[②]、七月七日的夜晚，“妇女结彩缕，穿七孔针，或以金、银、鍮石为针，陈几筵、酒、脯、瓜、果、菜于庭中以乞巧”。[③]

五、交际习尚

魏晋南北朝时期，社会动荡引起了大规模的人口流离迁徙，在这期间，人们更加深刻地体会到宗族组织的重要性，再加上门阀士族制度的进一步成长，使得这一时期的宗族关系相比两汉时期更为强化。而与此同时，宗族、家庭之外的关系维持变得更为紧密，人们更加重视交际。

在当时，个人的发展和宗族的兴衰荣辱密切相关，“个人与乡里与宗族不可分割，仕宦之始在乡里，进身之途在操行”。[④]一方面，个人的发展有赖于宗族的支持，另一方面，个人的发展成败也会影响宗族的兴衰。

---

① 萧放：《〈荆楚岁时记〉研究——兼论传统中国民众生活中的时间观念》，北京师范大学出版社2000年版，第211页。

② 宗懔撰，宋金龙校注：《荆楚岁时记》，第25页。

③ 宗懔撰，宋金龙校注：《荆楚岁时记》，第55页。

④ 唐长孺：《魏晋南朝的君父先后论》，《魏晋南北朝史论拾遗》，中华书局1983年版，第235页。

受到宗族观念强化和汉代以来重孝思想的影响，形成了孝文化。后世“二十四孝”故事中的“哭竹生笋”“尝粪心忧”均取材于这一时期的荆楚人物。

“哭竹生笋”讲的是三国江夏人孟宗在冬日为母亲求笋的故事，据《三国志》裴松之注引《楚国先贤传》载：“宗母嗜笋，冬节将至。时笋尚未生，宗入竹林哀叹，而笋为之出，得以供母，皆以为至孝之所致感。”冬天本无笋，但孟宗的孝心感动上天，竟让竹子长出了新笋。

“尝粪心忧”讲的是南齐新野人庾黔娄在任孱陵县令时突感不适，辞官回家后得知父亲重病，大夫说，如果病人粪便味苦，那就好了。庾黔娄遂尝了父亲的粪便，发现是甜的，因而内心非常忧虑，甚至希望能代替父亲去死。

这种孝悌观念的强化，也引起了当时复仇之风的兴盛，大部分是为父母兄弟等家人复仇，还有门生故吏为主复仇者，如西晋末荆州刺史王澄免去了天门太守扈瑰的职务，“以杜曾代瑰，夷袁遂，瑰故吏也，托为瑰报仇，遂举兵逐曾”。[①]

宗族是由一个个家庭构成的，三国两晋南北朝时期的北方仍有很多数代同居的大家庭，而南方则以小家庭居多。北魏名将裴叔业的子弟“各别资财，同居异爨，一门数灶”，被认作是“盖亦染江南之俗也”。[②]从侧面反映出当时南方家庭的结构。南朝宋大臣周朗上书中称：“今士大夫以下，父母在而兄弟异计，十家而七矣。庶人父子殊产，亦八家而五矣。凡甚者，乃危亡不相知，饥寒不相恤，又嫉谤谗害，其间不可称数。宜明其禁，以革其风，先有善于家者，即务其赏；自今不改，则没其财。”[③]提出了这种小家庭结构过于泛滥会造成一定的危害，应当加以管理。但是随着政局的局部稳定和经济的逐渐恢复，同居共财的大家庭

① 《晋书》，第1240页。

② 《魏书》，第1571—1572页。

③ 《宋书》，第2097页。

结构必然无法满足大部分人的利益追求，会逐渐被小家庭所取代。

三国两晋南北朝时期的政治家和士人都很重视交游，南朝宋南阳人蔡局“善接待宾客，客至无少多，皆资给之，以此为郡县所有意，蠲其调役”。[①]通过广交朋友，赢得了声望，也打开了仕途，其弟蔡那后来官至太守。

汉人为了交际，广泛运用名谒和名刺，这是类似于现代名片的物品。清代学者赵翼指出：“古人通名，本用削木书字，汉时谓之谒，汉末谓之刺。汉以后则虽用纸，而仍相沿曰刺。”[②]这种说法虽略不严谨，但指出了汉代有名谒和名刺，并传至后世。

名谒和名刺并非如赵翼所说，是前后相继的关系，安徽马鞍山东吴将军朱然墓出土了十余枚木简，其中三枚自名“谒”，其余则自名“刺”，说明两者是并行于世的。名谒和名刺的内容和形制都有所不同，“名谒多用宽板，内容上往往会复合上拜谒人、拜谒对象、拜谒目的等信息，礼仪性较重；而名刺则多写在狭长的木简上，且仅会说明投刺人的信息，使用起来更为轻便”。[③]但是二者均为通名交际工具的性质却是一致的。

湖北鄂城东吴墓M2190中出土有6件名刺（见图9-27），具体如下：

> 2件墨书“童子史绰再拜，问起居；广陵高邮字浇瑜”；2件墨书“广陵史绰再拜，□”；1件墨书“广陵史绰再拜，问起居”；1件墨书“广陵□”，皆为隶体。分别长24.1–24.8厘米，宽3.2—

① 《宋书》，第2113页。

② 赵翼：《陔余丛考》，商务印书馆1957年版，第638页。

③ 王彬：《汉晋间名刺、名谒的书写及其交往功能》，李学勤主编：《出土文献》（第八辑），中西书局2016年版，第223页。

3.3 厘米，厚 0.4 厘米。[①]

在名刺的书写上，投刺者要先自报家门，这也是向对方表示尊重的体现，其次则是简单的问候语。在这个时期，名刺的运用要比厚重的名谒广泛。而在战乱纷仍之际，投刺甚至带有了归附臣服的意味，例如东晋元帝“欲赐诸吏投刺劝进者加位一等，百姓投刺者赐司徒吏，凡二十余万”。[②] 这些都从侧面体现了此时名刺的流行。

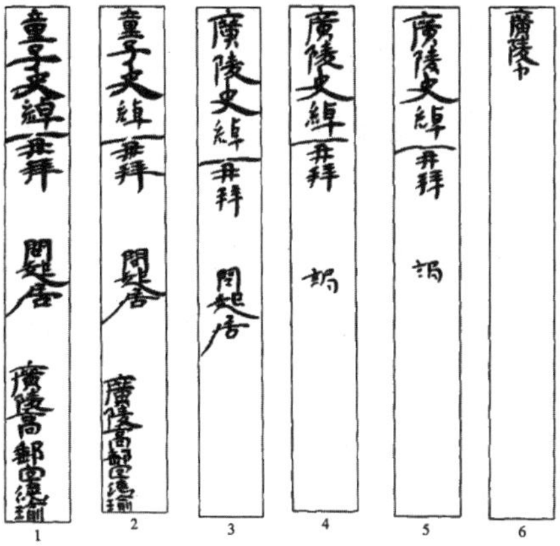

图 9–27　湖北鄂城东吴墓 M2190 出土名刺

魏晋南北朝时期士庶的差异也影响到了人们的交际。名门望族一般只愿与同阶级的人交往，即《南史》所载“士庶区别，国之章也”。时人好交游，很多是为了自身的利益，或求名，或求利，或求仕途。东汉初期便有“三府掾属专尚交游，以不肯视事为高”[③] 的情况，东汉后期的王符在《潜夫论》中提到人人都争先恐后去结交富贵之人，却又争先

① 南京大学历史系考古专业、湖北省文物考古研究所、鄂州市博物馆编著：《鄂城六朝墓》，科学出版社 2007 年版，第 299 页。

② 《晋书》，第 1886 页。

③ 范晔：《后汉书》，第 1548 页。

恐后离开贫贱之友，是因为“与富贵交者，上有称举之用，下有货财之益。与贫贱交者，大有赈贷之费，小有佳节之损”[①]。梁武帝也指出，“其有勇退忘进，怀质抱真者，选部或以未经朝谒，难于进用。或有晦善藏声，自埋衡荜，又以名不素著，绝其阶绪。必须画刺投状，然后弹冠，则是驱迫廉捻，奖成浇竞”[②]。说明当时交游泛滥，许多并没有真才实学的人通过“画刺投状”得到进仕的机会，而真正的人才却被拒之门外了。

时人重视人际交往，即使在日常交际中也颇重礼数，但南北有差异，例如迎客之道，颜之推写道：“南人宾至不迎，相见捧手而不揖，送客下席而已；北人迎送并至门，相见则揖，皆古之道也。”[③]可见在招待宾客上，北方的人保留了许多旧俗，而南方人则将这些礼仪简化了很多。

风俗反映的是一个时期国家与民众的元气。秦汉魏晋南北朝时期荆楚地区产生和盛行的风俗习尚不仅显示着当时的社会变迁、精神面貌，也对后世影响深远。

① 王符著，汪继培笺，彭铎校正：《潜夫论笺校正》，中华书局1985年版，第333—334页。

② 《梁书·武帝纪》。

③ 王利器：《颜氏家训集解（增补本）》，中华书局1993年版，第85页。

参考文献

历史文献

《史记》，中华书局 2014 年版。

《汉书》，中华书局 1964 年版。

《三国志》，中华书局 1959 年版。

《后汉书》，中华书局 1965 年版。

《魏书》，中华书局 1974 年版。

《宋书》，中华书局 1974 年版。

《南齐书》，中华书局 1972 年版。

《隋书》，中华书局 1973 年版。

《南史》，中华书局 1975 年版。

《晋书》，中华书局 1974 年版。

《梁书》，中华书局 1973 年版。

《陈书》，中华书局 1972 年版。

《周书》，中华书局 1971 年版。

李贤等撰:《大明一统志》，天顺五年司礼监刻本，三秦出版社 1985 年影印版。

穆阿彰等修:《嘉庆重修一统志》，中华书局 1986 年版。

司马彪撰，刘昭注补:《续汉书志》，中华书局 1965 年版。

司马光撰，胡三省音注:《资治通鉴》，中华书局 1956 年版。

刘向集录:《战国策》，上海古籍出版社 1985 年版。

诸祖耿:《战国策集注汇考》，凤凰出版社 2008 年版。

王先谦：《庄子集解》，中华书局 2012 年版。

孙希旦撰，沈啸寰、王星贤点校：《礼记集解》，中华书局 1989 年版。

王逸撰，黄灵庚点校：《楚辞章句》，上海古籍出版社 2017 年版。

刘熙著，毕沅疏证，王先谦补：《释名疏证补》，中华书局 2008 年版。

应劭撰，王利器校注：《风俗通义校注》，中华书局 1981 年版。

许慎撰，徐铉校定：《说文解字》，中华书局 2013 年版。

桓谭：《新论》，上海人民出版社 1977 年版。

蔡邕：《独断》，中华书局 1985 年版。

郑玄注，贾公彦疏：《周礼注疏》，北京大学出版社 2000 年版。

王符著，汪继培笺，彭铎校正：《潜夫论笺校正》，中华书局 1985 年版。

张仲景：《金匮要略》，中国医药科技出版社 2018 年版。

崔寔著，石声汉校注：《四民月令校注》，中华书局 1965 年版。

史游撰，颜师古注，王应麟补注，钱保唐补音：《急救篇》，中华书局 1985 年版。

吴云、唐绍忠注：《王粲集注》，中州书画社 1984 年版。

夏传才校注：《曹操集校注》，河北教育出版社 2013 年版。

王弼注，楼宇烈校释：《老子道德经注校释》，中华书局 2008 年版。

葛洪著，王明校释：《抱朴子内篇校释》，中华书局 1986 年版。

陶弘景：《真诰》，《道藏》第 20 册，天津古籍出版社 1988 年版。

法显著，郭鹏译：《佛国记注译》，长春出版社 1995 年版。

皇甫谧撰，刘晓东校点：《高士传》，辽宁教育出版社 1998 年版。

杨明校笺：《陆机集校笺》（上），上海古籍出版社 2016 年版。

杜预：《春秋释例》，中华书局 1985 年版。

干宝撰，马银琴，周广荣译注：《搜神记》，中华书局 2009 年版。

嵇含：《南方草木状》，上海古籍出版社 1993 年版。

刘义庆著，刘孝标注，余嘉锡笺疏：《世说新语笺疏》，中华书局 1983 年版。

郦道元著，陈桥驿校证：《水经注校证》，中华书局 2007 年版。

戴凯之：《竹谱》，中华书局 1985 年版。

宗炳：《画山水序》，人民美术出版社 1985 年版。

姚最：《续画品》，中华书局 1985 年版。

刘勰著，范文澜注：《文心雕龙注》，人民文学出版社 1958 年版。

黄叔琳注，李详补注，杨明照脚注拾遗：《增订文心雕龙校注》，中华书局 2000 年版。

陶弘景：《古今刀剑录》，中华书局 1991 年版。

萧统编，李善注：《文选》，上海古籍出版社 1986 年版。

宗懔撰，宋金龙校注：《荆楚岁时记》，山西人民出版社 1987 年版。

释慧皎撰，汤用彤校点：《高僧传》，中华书局 1992 年版。

释僧祐撰，李小荣校笺：《弘明集校笺》，上海古籍出版社 2013 年版。

徐陵编，吴兆宜注，程琰删补，穆克宏点校：《玉台新咏笺注》，中华书局 1985 年版。

虞世南：《北堂书钞》，天津古籍出版社 1988 年版。

李吉甫著，贺次君点校：《元和郡县图志》，中华书局 1983 年。

元稹著，杨军笺注：《元稹集编年笺注（诗歌卷）》，三秦出版社 2002 年版。

许嵩撰，张忱石点校：《建康实录》，中华书局 1986 年版。

刘知幾：《史通》，辽宁教育出版社 1997 年版。

释道宣：《广弘明集》，上海商务印书馆 1929 年影印版。

释智升：《开元释教录》，文渊阁四库全书本，上海古籍出版社 1987 年影印版。

释道世著，周叔迦、苏普仁校注:《法苑珠林校注第十六》，中华书局 2003 年版。

欧阳询撰，汪绍楹校:《艺文类聚》，上海古籍出版社 1982 年版。

封演撰，赵贞信校注:《封氏闻见记校注》，中华书局 2005 年版。

张怀瓘:《书断》，浙江人民美术出版社 2012 年版。

张彦远辑录:《法书要录》，上海古籍出版社 2013 年版。

张彦远著，俞剑华注释:《历代名画记》，上海人民美术出版社 1964 年版。

瞿昙悉达撰，常秉义点校:《开元占经》，中央编译出版社 2006 年版。

庾信著，倪璠注:《庾子山集》，商务印书馆 1935 年版。

谢枋得著，黄屏点校:《谢注唐诗绝句》，浙江古籍出版社 1988 年版。

陆游、范石湖:《入蜀记》，日本早稻田大学藏明治十三年刻本。

范致明:《岳阳风土记》，文渊阁《四库全书》本。

朱熹撰，蒋立甫校点:《楚辞集注》，上海古籍出版社 2010 年版。

曾枣庄、刘琳主编；四川大学古籍整理研究所编:《全宋文》，巴蜀书社 1992 年版。

《太平御览》，中华书局 1960 年版。

张君房编，李永晟点校:《云笈七签》，中华书局 2003 年版。

乐史著，王文楚等点校:《太平寰宇记》，中华书局 2007 年版。

王象之编著，赵一生点校:《舆地纪胜》，浙江古籍出版社 2012 年版。

郭茂倩:《乐府诗集》，中华书局 1979 年版。

洪适:《隶释·隶续》，中华书局 1985 年版。

赵彦卫:《云麓漫钞》，中华书局 1988 年版。

王应麟:《通鉴地理通释》，中华书局 1985 年版。

马端临:《文献通考》，中华书局 1986 年版。

祝尧:《古赋辩体》,《四库全书》1366 册,上海古籍出版社 1987 年版。

胡应麟:《少室山房笔丛》,中华书局 1958 年版。

胡应麟:《诗薮》内编,上海古籍出版社 1979 年版。

张溥编,吴汝纶选:《中华传世文选·汉魏六朝百三家集选》,吉林人民出版社 1998 年版。

计成:《园冶》,华日堂藏书。

周履靖:《玉函秘典》,中华书局 1991 年版。

徐国相、王新命《湖广通志》,文渊阁《四库全书》本,台北商务印书馆 1986 年影印版。

马国翰:《玉函山房辑佚书》,上海古籍出版社 2004 年版。

汤球辑:《汉晋春秋辑本》,中华书局 1985 年版。

王夫之:《楚辞通释》,上海人民出版社 1975 年版。

王先谦撰,沈啸寰、王星贤点校:《荀子集解》,中华书局 1988 年版。

永瑢等:《四库全书总目》,中华书局 1965 年版。

严可均辑,冯瑞生审订:《全梁文》,商务印书馆 1999 年版。

严可均辑:《全后汉文》,商务印书馆 1999 年版。

顾祖禹撰,贺次君、施和金点校:《读史方舆纪要》,中华书局 2005 年版。

沈德潜:《古诗源》,吉林出版集团股份有限公司 2017 年版。

陈立撰,吴则虞点校:《白虎通疏证》,中华书局 1994 年版。

钱绎撰集,李发舜、黄建中点校:《方言笺疏》,中华书局 2013 年版。

孙星衍等辑,周天游点校:《汉官六种》,中华书局 1990 年版。

严可均辑,何宛屏等审订:《全晋文》,商务印书馆 1999 年版。

翟颢:《通俗编》,商务印书馆 1959 年版。

赵翼:《陔余丛考》,商务印书馆 1957 年版。

王原祁:《佩文斋书画谱》，北京市人民书店 1984 年版。

毕沅校注:《墨子》，上海古籍出版社 2014 年版。

王先慎撰，钟哲点校:《韩非子集解》，中华书局 1998 年版。

程效倩著；李平，楚更五整理:《伤寒论后条辨整理与研究》，中医古籍出版 2012 年版。

傅泽洪:《行水金鉴》，文渊阁《四库全书》本，台北商务印书馆 1986 年影印版。

陈奇猷校注:《韩非子新校注》，上海古籍出版社 2000 年版。

许维遹:《吕氏春秋集释》，中华书局 2009 年版。

吴毓江撰，孙启治点校:《墨子校注》，中华书局 1993 年版。

蒋礼鸿:《商君书锥指》，中华书局 1986 年版。

何宁:《淮南子集释》，中华书局 1998 年版。

苏舆撰，钟哲点校:《春秋繁露义证》，中华书局 1992 年版。

刘文典撰，冯逸、乔华点校:《淮南鸿烈集解》，中华书局 1989 年版。

万国鼎辑释:《氾胜之书辑释》，农业出版社 1980 年版。

陈直校证:《三辅黄图校证》，陕西人民出版社 1980 年版。

黄晖:《论衡校释》，中华书局 2017 年版。

王利器:《颜氏家训集解（增补本）》，中华书局 1993 年版。

王利器校注:《盐铁论校注》，中华书局 1992 年版。

王叔岷:《列仙传校笺》，中华书局 2007 年版。

陈松长主编:《岳麓书院藏秦简（肆）》，上海辞书出版社 2015 年版。

丁福保编:《全汉三国魏晋南北朝诗》，中华书局 1959 年版。

李继闵:《九章算术校正》，陕西科学技术出版社 1993 年版。

楼宇烈:《王弼集校释》，中华书局 1980 年版。

逯钦立辑校:《先秦汉魏晋南北朝诗》，中华书局 1983 年版。

王明:《太平经合校》，中华书局 1960 年版。

杨伯峻编著:《春秋左传注》，中华书局 1990 年版。

俞绍初校点:《王粲集》，中华书局 1980 年版。

袁珂:《山海经校注》，上海古籍出版社 1980 年版。

学术著作

北京大学出土文献研究所:《北京大学藏西汉竹书（肆）》，上海古籍出版社 2015 年版。

北京大学出土文献研究所编:《北京大学藏西汉竹书（伍）》，上海古籍出版社 2015 年版。

蔡先金:《简帛文学研究》，学习出版社 2017 年版。

曹建主编:《书法鉴赏》，西南师范大学出版社 2009 年版。

陈公柔:《先秦两汉考古学论丛》，文物出版社 2005 年版。

陈国符:《道藏源流考》，中华书局 2012 年版。

陈伟主编，彭浩、刘乐贤等撰著:《秦简牍合集：释文注释修订本（壹）》，武汉大学出版社 2016 年版。

陈伟主编，李天虹、刘国胜等撰著:《秦简牍合集：释文注释修订本（叁）》，武汉大学出版社 2016 年版。

陈伟主编，孙占宇、晏昌贵等撰著:《秦简牍合集：释文注释修订本（肆）》，武汉大学出版社 2016 年版。

陈伟等著:《秦简牍整理与研究》，经济科学出版社 2017 年版。

陈寅恪著，万绳楠整理:《陈寅恪魏晋南北朝史讲演录》，黄山书社 1987 年版。

陈振裕主编:《楚秦汉漆器艺术·湖北》，湖北美术出版社 1996 年版。

陈振裕:《战国秦汉漆器群研究》，文物出版社 2007 年版。

程国政编著:《中国古代建筑文献集要［增补篇］》（修订本），同济大学出版社 2016 年版。

褚斌杰、谭家健主编:《先秦文学史》，人民文学出版社 1998 年版。

崔恒升:《安徽出土金文订补》，黄山书社 1998 年版。

邓瑞全、王冠英主编:《中国伪书综考》，黄山书社 1998 年版。

丁毅华著:《湖北通史·秦汉卷》，华中师范大学出版社 1999 年版。

杜石然、范楚玉等编著:《中国科学技术史稿》(上册)，科学出版社 1982 年版。

范文澜:《中国通史简编·第二编》，华东人民出版社 1950 年版。

高大伦:《张家山汉简〈引书〉研究》，巴蜀书社 1995 年版。

高敏:《云梦秦简初探(增订本)》，河南人民出版社 1981 年版。

广州市文物管理委员会，中国社会科学院考古研究所，广东省博物馆编辑:《西汉南越王墓(上)》，文物出版社 1991 年版。

郭德维:《楚都纪南城复原研究》，文物出版社 1999 年版。

国家文物局主编:《中国文物地图集·湖北分册·洪湖市》，陕西地图出版社 2002 年版。

韩致中:《新荆楚岁时记》，上海文艺出版社 2001 年版。

河南省文化局文物工作队:《邓县彩色画象砖墓》，文物出版社 1958 年版。

何堂坤、何绍庚:《中国魏晋南北朝科技史》，人民出版社 1994 年版。

湖北省博物馆编:《湖北出土文物精华》，文物出版社 2006 年版。

湖北省考古研究所编著:《江陵九店东周墓》，科学出版社 1995 年版。

湖北省荆州博物馆编著:《荆州高台秦汉墓：宜黄公路荆州段田野考古报告之一》，科学出版社 2000 年版。

湖北省荆州市周梁玉桥遗址博物馆:《关沮秦汉墓简牍》，中华书局 2001 年版。

湖北省文物考古研究所、随州市考古队:《随州孔家坡汉墓简牍》，文物出版社 2006 年版。

湖北省文物考古所:《江陵凤凰山西汉简牍》，中华书局 2012 年版。

湖北省文物考古研究所编写小组:《湖北文物大观》，湖北人民出版社 1993 年版。

湖南省博物馆等;《长沙马王堆一号汉墓（上集）》，文物出版社 1973 年版。

湖南省博物馆，复旦大学出土文献与古文字研究中心编纂；裘锡圭主编:《长沙马王堆汉墓简帛集成（伍）》，中华书局 2014 年版。

湖南省博物馆，复旦大学出土文献与古文字研究中心编纂，裘锡圭主编:《长沙马王堆汉墓简帛集成（陆）》，中华书局 2014 年版。

湖南省文物考古研究所编著:《里耶发掘报告》，岳麓书社 2007 年版。

胡平生、李天虹:《长江流域出土简牍与研究》，湖北教育出版社 2004 年版。

华学诚:《周秦汉晋方言研究史》，复旦大学出版社 2003 年版。

黄惠贤、李文澜主编:《古代长江中游的经济开发》，武汉出版社 1988 年版。

黄石市博物馆编:《铜绿山古矿冶遗址》，文物出版社 1999 年版。

蒋英炬、杨爱国:《汉代画像石与画像砖》，文物出版社 2001 年版。

李零:《中国方术考》（修订本），东方出版社 2001 年版。

李零:《楚帛书研究（十一种）》，中西书局 2013 年版。

李学勤:《比较考古学随笔》，香港中华书局 1991 年版。

李一氓:《道藏》，天津古籍出版社 1988 年。

连建伟:《连建伟金匮要略方论讲稿》，人民卫生出版社 2008 年版。

林甘泉主编:《中国经济通史(秦汉经济卷)》，经济日报出版社 1999 年版。

刘乐贤:《睡虎地秦简日书研究》，文津出版社 1994 年版。

刘纬毅:《汉唐方志辑佚》，北京图书馆出版社 1997 年版。

刘信芳、梁柱:《云梦龙岗秦简》，科学出版社 1997 年版。

刘玉堂、雷家宏、徐凯希:《荆楚经济史话》，苏州大学出版社 2013 年版。

鲁西奇:《中国古代买地券研究》，厦门大学出版社 2014 年版。

罗福颐:《偻翁一得录》，中华书局 1958 年版。

罗根泽:《乐府文学史》，东方出版社 2012 年版。

罗振玉、王国维:《流沙坠简》，中华书局 1993 年版。

吕思勉:《秦汉史》，上海古籍出版社 2005 年版。

毛礼锐、瞿菊农、邵鹤亭编:《中国古代教育史》，人民教育出版社 1979 年版。

牟发松:《湖北通史》(魏晋南北朝卷)，华中师范大学出版社 1999 年版。

南京大学历史系考古专业、湖北省文物考古研究所、鄂州市博物馆编著:《鄂城六朝墓》，科学出版社 2007 年版。

南阳汉代画像石编辑委员会编:《南阳汉代画像石》，文物出版社 1985 年版。

彭浩、陈伟、工藤元男主编:《二年律令与奏谳书：张家山二四七号汉墓出土法律文献释读》，上海古籍出版社 2007 年版。

彭卫、杨振红:《秦汉风俗》，上海文艺出版社 2018 年版。

卿希泰主编:《中国道教史(修订本)》第一卷，四川人民出版社 1996 年版。

瞿安全、王奎:《荆州学派及其影响研究》，湖北人民出版社 2013 年版。

饶浩洲:《鄂州博物馆藏文物精品图录》，湖北美术出版社 2016

年版。

饶宗颐:《饶宗颐史学论著选》，上海古籍出版社 1993 年版。

任继愈主编:《中国道教史》，上海人民出版社 1990 年版。

闪修山等编:《南阳汉代画像石刻》，上海人民美术出版社 1981 年版。

睡虎地秦墓竹简整理小组:《睡虎地秦墓竹简》，文物出版社 1990 年版。

随州博物馆编:《随州出土文物精粹》，文物出版社 2009 年版。

汤用彤:《魏晋玄学论稿》，上海古籍出版社 2001 年版。

唐长孺:《魏晋南北朝史论拾遗》，中华书局 1983 年版。

唐长孺:《唐长孺社会文化史论丛》，武汉大学出版社 2001 年版。

田余庆:《秦汉魏晋史探微》，中华书局 2004 年版。

王国维:《观堂集林（外二种）》，河北教育出版社 2001 年版。

王玲:《汉魏六朝荆州地区的经济与社会变迁》，中国社会科学出版社 2010 年版。

王晓光:《秦简牍书法研究》，荣宝斋出版社 2010 年版。

王勇:《楚文化与秦汉社会》，湖南大学出版社 2009 年版。

伍成泉:《汉末魏晋南北朝道教戒律规范研究》，巴蜀书社 2006 年版。

武汉大学简帛研究中心、荆门市博物馆编著:《楚地出土战国简册合集（一）·郭店楚墓竹书》，文物出版社 2011 年版。

武汉大学考古教研室等:《西花园与庙台子遗址》，武汉大学出版社 1993 年版。

萧涤非:《汉魏六朝乐府文学史》，人民文学出版社 1984 年版。

萧放:《〈荆楚岁时记〉研究——兼论传统中国民众生活中的时间观念》，北京师范大学出版社 2000 年版。

熊贤君主编:《湖北教育史（上卷）》，中华书局 2007 年版。

徐利明:《中国书法风格史》，人民美术出版社、河南美术出版社

2009 年版。

徐龙国:《秦汉城邑考古学研究》，中国社会科学出版社 2013 年版。

严耕望:《中国地方行政制度史·魏晋南北朝地方行政制度》，上海古籍出版社 2007 年版。

姚小鸥主编:《出土文献与中国文学研究》，北京广播学院出版社 2000 年版。

银雀山汉墓竹简整理小组:《银雀山汉墓竹简（贰）》，文物出版社 2010 年版。

尹弘兵、黄莹编著:《荆楚古墓揭秘》，武汉出版社 2012 年版。

余甲方:《中国古代音乐史》，上海人民出版社 2014 年版。

张德芳主编，杨眉著:《居延新简集释（二）》，甘肃文化出版社 2016 年版。

张德芳主编，马智全著:《居延新简集释（四）》，甘肃文化出版社 2016 年版。

张家山二四七号汉墓竹简整理小组:《张家山汉墓竹简二四七号墓（释文修订本）》，文物出版社 2006 年版。

张岂之:《中国思想学说史》，广西师范大学出版社 2007 年版。

张正明:《楚文化史》，上海人民出版社 1987 年版。

赵德鑫主编，何德章著:《中国经济通史·魏晋南北朝时期》，湖南人民出版社 2002 年版。

中国文物学会专家委员会编:《中国文物大辞典（上）》，中央编译出版社 2008 年版。

周振鹤:《西汉政区地理》，人民出版社 1987 年版。

朱汉民、陈松长主编:《岳麓书院藏秦简（壹）》，上海辞书出版社 2011 年版。

宗白华:《美学散步》，上海人民出版社 1981 年版。

邹逸麟:《中国历史地理概述》，上海教育出版社 2005 年版。

戚安道著，毕云译：《中古中国的荫护与社群民：公元400—600年的襄阳城》，南京大学出版社，2020年版。

陆威仪（Mark Edward Lewis）著，李磊译：《哈佛中国史·分裂的帝国：南北朝》，中信出版社2016年版。

宫川尚志：《山岳仏教の成立》，载《六朝史研究·宗教篇》，平乐寺书店1964年版。

大西克也撰，任锋译，宋起图校：《“殹”“也”之交替——六国统一前后书面语言的一个侧面》，李学勤，谢桂华主编：《简帛研究二〇〇一》，广西师范大学出版社2001年版。

工藤元男著，广濑薰雄、曹峰译：《睡虎地秦简所见秦代国家与社会》，上海古籍出版社2010年。

学术论文

北京大学出土文献研究所：《北京大学藏秦简牍概述》，《文物》2012年第6期。

北京大学出土文献研究所：《北京大学藏西汉竹书概说》，《文物》2011年第6期。

蔡先金、刘晓彤：《银雀山汉简〈唐勒赋〉与宋玉赋学案》，《合肥学院学报》（社会科学版）2014年第4期。

长江流域第二期文物考古工作人员训练班：《湖北江陵凤凰山西汉墓发掘简报》，《文物》1974年第6期。

常昭：《北京大学藏汉简〈反淫〉篇与七体》，《济南大学学报》（社会科学版）2016年第5期。

陈国灿：《论习凿齿的史学思想》，《成长中的新一代史学——1991年全国青年史学工作者学术会议论文集》，陕西人民教育出版社1995年版。

陈国灿：《“火耕水耨”新探》，《中国农史》1999年第1期。

陈金凤：《孙吴建都与撤都武昌原因探析》，《河南科技大学学报》

（社会科学版）2003 年第 4 期。

陈金刚、李倩:《〈楚辞〉〈汉赋〉中巫之称谓及巫风盛行原因》,《江汉论坛》2007 年第 12 期。

陈琳国:《论南朝襄阳的晚渡士族》,《北京师范大学学报》（社会科学版）1991 年 4 期。

陈伟:《〈鄂君启节〉之“鄂”地探讨》,《江汉考古》1986 年第 2 期。

陈祥华:《工于象人，特尽其妙——评梁元帝萧绎〈职贡图〉的艺术特色》,《艺术教育》2013 年第 3 期。

陈寅恪:《桃花源记旁证》,《清华学报》第 11 卷第 1 期，1936 年 1 月。

陈跃钧、陈燕萍:《〈算数书〉与〈九章算术〉》,《湖北省考古学会论文集（一）》，武汉：武汉大学学报编辑部 1987 年版。

陈志远:《六朝前期荆襄地域的佛教》,《中山大学学报》（社会科学版）2019 年第 2 期。

程欣人:《我国现存古代佛像最早的一尊造像》,《现代佛学》1964 年第 2 期。

楚皇城考古发掘队:《湖北宜城楚皇城勘查简报》,《考古》1980 年第 2 期。

邓声国:《试论王逸〈楚辞章句〉的文学阐释》,《江西社会科学》2007 年第 1 期。

邓以蛰:《辛巳病余录》，载《邓以蛰全集》，安徽教育出版社 1998 年版。

邓振男:《三至六世纪江汉地方豪族的发展历程：以襄阳、江陵为中心的探讨》,《中国中古史研究：中国中古史青年学者联谊会会刊《中国中古史研究：中国中古史青年学者联谊会会刊》第 1 卷，中华书局 2011 年。

董亚巍:《谈鄂州铜镜的塑与铸》,《鄂州大学学报》2000 年第

2 期。

董亚巍:《浅谈鄂州出土铜镜与日本神兽镜的关系》,《中国历史文物》2003 年第 3 期。

杜林渊:《从秦简日书看战国时期的相宅术》,《文博》2007 年第 5 期。

鄂城县博物馆:《鄂城东吴孙将军墓》,《考古》1978 年第 3 期。

范廷义:《简析〈画山水序〉的意义及美学价值》,《肇庆学院学报》2004 年第 4 期。

冯汉江、陈中林:《赤壁之战古战场新考》《荆州师范学院学报》,2001 年第 6 期。

凤凰山一六七号汉墓发掘整理小组:《江陵凤凰山一六七号汉墓发掘简报》,《文物》1976 年第 10 期。

高中正:《年代、地域与家庭——北大汉简〈妄稽〉新研》,《文献》2018 年第 3 期。

谷城县博物馆:《湖北谷城肖家营墓地》,《考古》2006 年第 11 期。

谷城县博物馆:《湖北谷城六朝画像砖墓发掘简报》,《文物》2013 年第 7 期。

管维良:《鄂城汉三国六朝铜镜概述》,湖北省博物馆、鄂州市博物馆编:《鄂城汉三国六朝铜镜》,文物出版社 1985 年版。

韩树峰:《河东柳氏在南朝的独特发展历程》,《中国史研究》2000 年第 1 期。

韩巍:《北大秦简中的数学文献》,《文物》2012 年第 6 期。

韩巍:《北大秦简〈算书〉土地面积类算题初识》,武汉大学简帛研究中心主办:《简帛》第八辑,上海古籍出版社 2013 年版。

韩巍:《北大藏秦简〈鲁久次问数于陈起〉初读》,《北京大学学报》(哲学社会科学版)2015 年第 2 期。

河南省博物馆:《南阳汉画像石概述》,《文物》1973 年第 6 期。

贺忠香等:《鄂城六朝文物的佛像装饰与南方佛教》,《文物》1997年第6期。

湖北省博物馆:《光化五座坟西汉墓》,《考古学报》1976年第2期。

湖北省博物馆:《云梦大坟头一号汉墓》,文物编辑委员会:《文物资料丛刊4》,北京:文物出版社1981年版。

湖北省博物馆:《宜昌市一中三国吴墓清理简报》,《江汉考古》1983年第2期。

湖北省博物馆:《1978年云梦秦汉墓发掘报告》,《考古学报》1986年第4期。

湖北省博物馆:《湖北郧县砖瓦厂的两座东汉墓》,《江汉考古》1986年第2期。

湖北省荆州市周梁玉桥遗址博物馆:《关沮秦汉墓清理简报》,《文物》1999年第6期。

湖北省文物管理委员会:《武昌莲溪寺东吴墓清理简报》,《考古》1959年第4期。

湖北省文物管理委员会:《湖北均县"双塚"清理简报》,《考古》1965年第12期。

湖北省文物考古研究所:《江陵凤凰山一六八号汉墓》,《考古学报》1993年第4期。

湖北省文物考古研究所等:《湖北随州文峰塔M1(曾侯舆墓)、M2发掘简报》,《江汉考古》2014年4期。

湖北省文物考古研究所、随州市曾都区考古队:《湖北随州市周家寨墓地M8发掘简报》,《考古》2017年第8期。

湖北孝感地区第二期亦工亦农文物考古训练班:《湖北云梦睡虎地十一座秦墓发掘简报》,《文物》1976年第9期。

胡可先:《杜甫的家世、家学与家风》,《杜甫研究学刊》2018年第4期。

黄道华:《枝江姚家港出土的东汉画像砖》,《江汉考古》1991 年第 1 期。

黄凤春、刘国胜:《记荆门左家楚墓漆梮》,第四届国际中国古文字学研讨会论文,香港,2003 年 4 月。

黄锂:《湖北黄陂出土东吴青瓷跪俑》,《考古》1993 年第 8 期。

黄淼:《魏晋时期的卧箜篌》,《北方音乐》2018 年第 22 期。

黄盛璋:《云梦秦简辩证》,《考古学报》1979 年第 1 期。

黄盛璋:《关于江陵凤凰山 168 号汉墓的几个问题》,《考古》1977 年第 1 期。

黄盛璋:《云梦秦墓两封家信中有关历史地理的问题》,《文物》1980 年第 8 期。

纪南城凤凰山一六八号汉墓发掘整理组:《湖北江陵凤凰山一六八号汉墓发掘简报》,《文物》1975 年第 9 期。

季勋:《云梦睡虎地秦简概述》,《文物》1976 年第 5 期。

《江汉考古》编辑部:《“随州文峰塔曾侯舆墓”专家座谈会纪要》,《江汉考古》2014 年 4 期。

蒋义斌:《秦简“为吏之道”在思想史上的意义》,《简牍学报》1981 年第 10 期。

荆门市博物馆:《荆门市麻城镇斗笠岗南朝墓发掘简报》,《江汉考古》2006 年第 2 期。

荆州地区博物馆:《江陵王家台 15 号秦墓》,《文物》1995 年第 1 期。

李柏武:《长坂古战场遗址考辨》,《沙洋师范高等专科学校学报》2008 年第 4 期。

李家浩:《江陵凤凰山八号汉墓“龟盾”漆画试探》,《文物》1974 年第 6 期。

李家浩:《王家台秦简“易占”为〈归藏〉考》,《传统文化与现代化》1997 年第 1 期。

李京华:《南阳北关瓦房庄汉代冶铁遗址发掘报告》,《华夏考古》1991 年第 1 期。

李零:《北大藏秦简〈酒令〉》,《北京大学学报》(哲学社会科学版)2015 年第 2 期。

李零:《北大秦牍〈泰原有死者〉简介》,《文物》2016 年第 6 期。

李学勤:《唐勒》《小言赋》和《易传》,《齐鲁学刊》1990 年第 4 期;

李学勤:《睡虎地秦简中的〈艮山图〉》,《文物天地》1991 年第 4 期。

李学勤:《〈引书〉与〈导引图〉》,《文物天地》1991 年第 2 期。

李学勤:《〈二十世纪出土中国古医书集成〉导言》,高大伦:《张家山汉简〈脉书〉校释》,成都出版社 1992 年版。

李学勤:《论张家山 247 号墓汉律竹简》,大庭修编:《一九九二年汉简研究国际讨论会报告书,汉简研究的现状与展望》,关西大学出版部 1993 年版。

李学勤:《〈归藏〉与清华简〈筮法〉、〈别卦〉》,《吉林大学社会科学学报》2014 年第 1 期。

连劭名:《江陵王家台秦简与〈归藏〉》,《江汉考古》1996 年第 4 期。

连劭名:《张家山汉简盖庐考述》,《中国历史文物》2005 年第 2 期。

廖名春:《王家台秦简〈归藏〉管窥》,《周易研究》2001 年第 2 期。

林东华:《梁元帝萧绎〈职贡图〉阐释》,《东方收藏》2018 年第 18 期。

林奇、邓辉:《錞于刍议》,《江汉考古》1987 年第 4 期。

刘刚、金宝:《先秦两汉的"太一"崇拜与屈宋辞赋中"太一"的考释(上)》,《湖北文理学院学报》2019 年第 1 期。

刘国胜:《楚地出土数术文献与古宇宙结构理论》，丁四新主编:《楚地简帛思想研究（二）》，湖北教育出版社 2005 年版。

刘江生:《湖北襄樊樊城菜越三国墓发掘简报》,《文物》2010 年第 9 期。

刘乐贤:《印台汉简〈日书〉初探》,《文物》2009 年第 10 期。

刘丽:《北大藏秦简〈制衣〉释文注释》,《北京大学学报》(哲学社会科学版）2017 年第 5 期。

刘信芳:《包山楚简神名与〈九歌〉神祇》,《文学遗产》1993 年第 5 期。

刘玉堂、陈绍辉:《刘表与汉末荆州学术文化》,《江汉论坛》2001 年第 4 期。

刘玉堂:《楚书法艺术简论》,《文艺研究》1992 年第 3 期。

楼淑琦:《谢家桥一号汉墓出土“锦缘绢地乘云绣荒帷”的修复》,《文物保护与考古科学》2010 年第 3 期。

鲁迅:《汉文学史纲要》,《鲁迅全集（第九册）》，北京：人民文学出版社 2005 年版。

牟发松:《汉唐间的荆州宗氏》,《文史》第 44 辑，中华书局 1998 年版。

欧潭生:《罗山天湖商周墓地》,《考古学报》1986 年第 2 期。

彭锦华、刘国胜:《沙市周家台秦墓出土线图初探》,《简帛研究二〇〇一》，广西师范大学出版社 2001 年版。

沈宜扬:《湖北当阳刘家冢子东汉画像石墓发掘简报》,《文物资料丛刊》1977 年第 1 期。

释道安:《摩诃钵罗若波罗密经钞序》，罗新璋编:《翻译论集》，商务印书馆 2009 年版。

石泉、鲁西奇:《东晋南朝西阳郡沿革与地望考辨》,《江汉考古》1996 年第 2 期。

石正军:《秦汉简书法赏析》,《书法赏评》2014 年第 4 期。

史延廷:《东汉张衡所造“候风地动仪”补论》,《郑州大学学报》(哲学社会科学版)1994年第3期。

宋杰:《孙吴武昌军镇的兴衰》,《军事历史研究》2015年第1期。

宋杰:《蜀吴统治下江陵军事地位之演变》,《首都师范大学学报》2015年第3期。

宋镇豪:《试论殷代的纪时制度——兼谈中国古代分段纪时制》,《考古学研究(五):庆祝邹衡先生七十五寿辰暨从事考古研究五十年论文集》上册,科学出版社2003年版。

随州市博物馆:《随州安居镇汉墓》,《江汉考古》1987年第1期。

孙进、江林昌:《出土秦简〈成相篇〉与楚民族的瞽史说唱传统》,《民族艺术》2006年第2期。

谭家健:《〈唐勒〉赋残篇考释及其他》,《文化遗产》1990年第2期。

汤用彤:《汉魏学术变迁与魏晋玄学的产生》,《中国哲学史研究》1983年第3期。

滕壬生:《江陵发现战国“丝绸宝库”——马山砖瓦厂一号楚墓发掘简记》,《江汉考古》1982年第1期。

田旭东:《张家山汉简盖庐中的阴阳家》,《历史研究》2002年第6期。

田天:《西汉太一祭祀研究》,《史学月刊》2014年第4期。

田天:《北大藏秦简〈医方杂抄〉初识》《北京大学学报》(哲学社会科学版)2017年第5期。

王彬:《汉晋间名刺、名谒的书写及其交往功能》,李学勤主编:《出土文献》(第八辑),中西书局2016年版。

王辉:《古封泥的发现、著录及其研究概说》,陕西历史博物馆馆刊第24辑。

王建:《〈竹谱〉略论》,《贵州文史丛刊》1992年第1期。

王力平:《四至九世纪襄阳杜氏家族述论》,《中国社会历史评论》

第三卷，中华书局 2001 年版。

王玲:《六朝时期荆州地区的粮食贸易》,《中国社会经济史研究》2009 年第 1 期。

王明钦:《〈归藏〉与夏启的传说——兼论台与祭坛的关系及钧台的地望》,《华学》1988 年第 3 辑。

王明钦:《王家台秦墓竹简概述》，艾兰、邢文主编:《新出简帛研究：新出简帛国际学术研讨会文集》，北京：文物出版社 2004 年版。

王三峡:《“日有八胜”与“天之八时”——汉简〈盖庐〉词语训释二题》,《长江大学学报》(社会科学版) 2008 年第 5 期。

王使臻、杨博、屈艳辉:《云梦睡虎地秦简“语书”与汉代地方长官“教”令的关系新探》,《陕西理工学院学报》(社会科学版) 2014 年第 4 期。

王素:《梁元帝〈职贡图〉“龟兹国使”题记疏证》,《龟兹学研究》第 5 辑。

王先福:《襄阳南朝画像砖研究》,《秦汉魏晋南北朝史国际学术研讨会论文集》，2016 年 8 月。

王先明、王仁湘:《竟陵地理沿革考略》,《武汉师范学院学报》(哲学社会科学版) 1982 年第 4 期。

王铮:《西曲在民间的遗存考略——以大调曲的音乐元素分析为例》,《浙江师范大学学报》(社会科学版) 2015 年第 6 期。

王志高、马涛:《论南京大行宫出土的孙吴云纹瓦当和人面纹瓦当》,《文物》2007 年第 1 期。

王仲殊:《再论日本出土的景初四年铭三角缘盘龙镜》,《考古》2012 年第 6 期。

王琢玺:《汉晋当阳县小考》，中国地理学会历史地理专业委员全:《历史地理》第三十三辑。

魏斌:《安世高的江南行迹——早期神僧事迹的叙事与传承》,《武汉大学学报》(人文科学版) 2012 年第 2 期。

魏益想等:《湖北黄陂鲁台山两周遗址与墓葬》《江汉考古》1982年2期。

吴成国:《论六朝时期夏口城市军事功能的提升》,《江汉论坛》2003年第11期。

武汉市博物馆:《武汉黄陂滠口古墓清理简报》,《文物》1991年第6期。

武汉市文物管理委员会:《武昌任家湾六朝初期墓葬清理简报》,《文物参考资料》1955年第12期。

襄樊市文物管理处:《襄阳贾家冲画像砖墓》,《江汉考古》1986年第1期。

襄樊市文物考古研究所:《湖北襄樊樊城菜越三国墓发掘报告》,《考古学报》2013年第3期。

襄樊学院襄阳及三国历史文化研究所:《湖北郧县西峰汉墓群发掘简报》,《江汉考古》2011年第4期。

襄阳市文物考古研究所:《湖北襄阳麒麟清水沟南朝画像砖墓发掘简报》,《文物》2017年第11期。

孝感地区第二期亦工亦农文物考古训练班:《湖北云梦睡虎地十一号秦墓发掘简报》,《文物》1974年第6期。

邢文:《〈归藏〉的分篇及其学派》,艾兰、邢文主编《新出简帛研究:新出简帛国际学术研讨会文集》,文物出版社2004年版。

熊北生、陈伟、蔡丹:《湖北云梦睡虎地77号西汉墓出土简牍概述》,《文物》2018年第3期。

徐承泰、蒋宏杰:《南阳战国晚期至秦汉墓葬出土仿铜陶礼器研究》,《江汉考古》2011年第2期。

徐少华:《论随州文峰塔一号墓的年代及其学术价值》,《江汉考古》2014年第4期。

徐信印、鲁纪亨:《陕西安康近年发现的几处画像砖》,《考古》1987年第3期。

颜尚文:《后汉三国西晋时代佛教寺院之分布》,《中国史研究动态》1988 年第 5 期。

晏昌贵:《日书“艮山·离日”之试解》,《周易研究》2014 年第 1 期。

杨博:《北大藏秦简〈田书〉初识》,《北京大学学报》(哲学社会科学版)2017 年第 5 期。

杨华:《三国夷陵之战后“备升马鞍山”的地理位置考》,《四川师范大学学报》(社会科学版)2007 年第 1 期。

杨柳:《湖北老河口市出土汉代空心画像砖》,《考古》1996 年第 3 期。

杨勇:《随州叶家山西周早期曾国墓地研究综述》,《中国史研究动态》2015 年 2 期。

叶植:《汉宋襄阳习家池考辨》,《襄樊学院学报》2010 年第 3 期。

宜昌市博物馆:《湖北当阳市郑家大坡东汉画像石墓》,《考古》1999 年第 1 期。

宜昌市文管处、湖北省博物馆:《宜昌市前、后坪古墓 1981 年发掘简报》,《江汉考古》1985 年第 2 期。

尹弘兵:《楚国地理空间体系与丹阳地望》,《楚文化研究论集》第九辑,上海古籍出版社 2011 年版。

于豪亮:《帛书〈周易〉》,《文物》1984 年第 3 期。

于豪亮:《秦简〈日书〉记时记月诸问题》,中华书局编辑部:《云梦秦简研究》,中华书局 1981 年版。

袁仲一:《秦代金文陶文杂考三则》,《考古与文物》1982 年第 4 期。

云梦县博物馆:《湖北云梦癞痢墩一号墓清理简报》,《考古》1984 年第 7 期。

云梦县文化馆:《云梦睡虎地秦墓出土陶量——秦斗》,《文物》1978 年第 7 期。

张灿辉:《南朝河东柳氏家族研究》,《晋阳学刊》1995 年第 6 期。

张春龙、张兴国:《湖南益阳兔子山遗址九号井出土简牍概述》,《国学学刊》2015 年第 4 期。

张金光:《论秦汉的学吏制度》,《文史哲》1984 年第 1 期。

张琳:《南朝时期侨居雍州的河东柳氏与京兆韦氏比较》,《武汉大学学报》2000 年第 2 期。

张修桂:《赤壁古战场的争论和旅游资源的开发——兼与冯金平先生商榷》,《历史地理》第二十九期。

郑伊凡:《战国楚县初探》,武汉大学 2017 年硕士论文。

周到、李京华:《唐河针织厂汉画像石墓的发掘》,《文物》1973 年第 6 期。

周锦屏:《连云港唐庄高高顶汉墓发掘报告》,《东南文化》1995 年第 4 期。

周兴明:《湖北郧阳博物馆珍藏一株汉代青铜摇钱树——馆藏二十七年的文物摇钱树残片成功复原》,《江汉考古》2009 年第 3 期。

朱凤瀚:《北大藏秦简〈教女〉初识》,《北京大学学报》(哲学社会科学版)2015 年第 2 期。

朱凤瀚:《北大藏秦简〈公子从军〉再探》,《北京大学学报》(哲学社会科学版)2017 年第 5 期。

朱金涛:《南朝吴声歌曲与西曲歌之综合研究》,复旦大学 2007 年博士学位论文。

邹大海:《从〈算数书〉与〈九章算术〉的关系看算法式数学文献在上古时代的流传》,《赣南师范学院学报》2004 年第 6 期。

程刚:《东晋南朝荆州政治地理研究》,南京大学 2014 年博士论文。

徐成:《东晋南朝雍州尚武豪族研究》,扬州大学 2010 年硕士论文。

窦磊:《汉晋衣物疏集校及相关问题考察》,武汉大学博士学位论文，2016年。

孟祥娟:《隋唐京兆韦氏家族文学论考》，吉林大学博士论文，2010年。

宋晓寒:《秦汉简牍隶变的书法形态研究》，南开大学硕士学位论文，2017年。

王伟:《唐代京兆韦氏家族与文学研究》，西北大学2009年博士论文。

杨芬:《出土秦汉书信汇校集注》，武汉大学2010年博士学位论文。

尹民冬:《庾肩吾〈书品〉研究》，首都师范大学2009年硕士论文。

袁浩:《六朝时期江汉地区政治地理研究》，湖南师范大学2008年硕士论文。

章水根:《江陵凤凰山汉墓简牍集释》，吉林大学2013年硕士论文。

后　记

组织撰写《荆楚文化史》是湖北省荆楚文化研究会近十年来最重要的工作之一。研究会自成立以来，一直致力于荆楚文化的研究、宣传和普及工作，每年召开学术年会和青年学者论坛，先后出版了“荆楚八个一百”、《楚文化概要》等荆楚文化普及丛书、学术专著和一大批研讨会论文集，并且与中央新影集团联合拍摄《凤舞神州》电视纪录片（十集），纪录片经中央电视台播出后在国内外产生良好反响。在此基础上，有些专家建议应当撰写一部全面阐述荆楚文化的专著。时任省九届政协主席、省荆楚文化研究会名誉会长王生铁同志高度重视这一建议，在同荆州博物馆原馆长滕壬生等几位资深专家进行深入讨论后，考虑到湖北发现年代最早的新石器时代文化——宜都城背溪文化距今八千年左右，故暂定书名为《荆楚文化八千年》。

王生铁同志一贯关心、支持荆楚文化的研究与普及工作。他在任荆州地委书记时紧抓不放建成了以楚文化藏品为镇馆之宝而闻名的荆州博物馆，并在全省成立了第一个荆楚文化研究所；他任省委常委、副省长、省委副书记和省九届政协主席时，依然将考古发掘、遗址保护等荆楚文化工作时刻挂在心头，并经常关心和请益于张正明、魏昌等一批楚文化研究专家。2010 年 3 月 23 日，他与时任会长武清海同志研究工作时，正式提出研究会要尽快组织专家学者撰写《荆楚文化八千年》，并强调，本书的写作原则是“无据不入书”，其核心要义是为中华文化“充实内容，填补空白，纠正误差，还原真实”，要在对长江文明集中梳理研究的基础上，充分展现荆楚大地辉煌灿烂的历史文化。武清海会长在随后的会长办公会上要求秘书处对此展开调查研究和意见征询。经过一年多的筹备，2012 年 1 月 11 日，会长办公会正式确定，将成立写作班子和拟定写作提纲列入研究会的主要工作日程。此后武清海会长多次召开调研会反复讨论，密切关注工作进展。

2014 年 2 月 22 日，我会将本书列为第三届理事会工作的重中之重，并于同年 3 月 8 日召开了《荆楚文化八千年》项目启动会，武清海会长代表研究会作了动员讲话，围绕“提高认识、统一思想，把握原则、深入发掘，广集史料、科学利用，明确体例、严格要求，组织专班、精心运作”五个方面提出了具体要求。会议确定由张硕、尹弘兵、叶植、吴成国、任放、严昌洪、袁北星等 7 位专家担任分卷主编，组织各分卷撰写团队，拟定写作提纲和安排写作进度，《荆楚文化八千年》一书的撰写工作正式拉开帷幕。工作一段时间后，张硕研究员因任务分工、严昌洪教授因健康原因辞去分卷主编一职，并推荐宋海超副教授、张继才教授分别担任史前卷、近代卷主编，继续编撰工作。

为争取有关方面的重视和支持，武清海会长率相关同志两次向省委宣传部主要领导汇报《荆楚文化八千年》的工作进度，并积极争取省新闻出版局的支持。2014 年 11 月，本书被湖北省社科工作领导小组列入湖北省社科基金重点项目。为加快写作进度和提高书稿质量，研究会确定由七位时任副会长陈昆满、柳菊兴、刘玉堂、邱久钦、李德华、张武、杜建国分别担任七个分卷的联系人，以利工作推进。

在中共中央组织部作出有关离退休领导干部在群团任职一般不得超过 70 岁的规定以后，王生铁同志和武清海同志先后辞去了名誉会长和会长职务。2017 年 9 月 23 日，研究会召开三届三次理事会，选举省十届政协常务副主席李佑才同志为会长。李佑才会长强调要一以贯之地继续抓好《荆楚文化八千年》的编撰工作，并聘请了一批热衷于荆楚文化研究的老领导和老专家担任研究会的特邀研究员，按原定计划不断推进《荆楚文化八千年》的编撰工作。

为更好地开展相关工作，研究会成立《荆楚文化八千年》编辑出版委员会，王生铁同志担任主任，武清海、李佑才同志担任副主任；聘请省社科院原副院长、知名荆楚文化研究专家刘玉堂研究员担任主编，省委宣传部原常务副部长李德华、省社科联原党组书记陈昆满、原省文化厅厅长杜建国担任副主编。

为保证书稿质量，编委会聘请省内相关领域的知名学者担任各分卷一审、二审的评审专家，并且委托有相当理论素养和工作经验的武清海、李德华、陈昆满3位特邀研究员再次对各分卷进行详细审读。

2018年8月，研究会在《荆楚文化八千年》申请湖北省学术著作出版专项资金资助项目过程中，经编辑出版委员会研究，决定将本书更名为《荆楚文化史》，并成功申报2018年省级和2019年国家级出版基金资助项目。2018年11月19日省委办公厅、省政府办公厅印发《关于传承发展中华优秀传统文化的实施意见》（鄂办发［2018］44号文）确定《荆楚文化史》为湖北传承发展优秀传统文化重点项目中的优秀传统文化出版项目，由省委宣传部牵头负责。

为切实提高《荆楚文化史》一书的质量，根据王生铁同志的提议，2019年6月，研究会副会长兼秘书长杜建国、主编刘玉堂及特邀研究员陈昆满代表编委会专程赴京，聘请中国社会科学院荣誉学部委员、中国历史学会原会长张海鹏教授担任北京专家审稿组组长，邀请北京大学、中国社科院等单位的知名专家分别对各卷进行终审。

在多方力量的支持下，7个分卷写作团队的专家们废寝忘食、呕心沥血地开展工作。经过数载披阅增删，各卷初审稿、二审稿、终审稿次第送审，最后由主编刘玉堂研究员精心修改、定稿并撰写总序。惜在明清卷即将定稿之际，该卷主编任放教授不幸英年早逝。经武汉大学陈锋教授推荐，武汉大学历史学院杨国安教授不顾工作任务繁重，毅然承担了明清卷的修改完善工作。

近十年来，王生铁、武清海、李佑才等几位老领导高度重视《荆楚文化史》的编撰出版工作，先后17次带领相关专家学者前往省内外进行考察调研，搜集第一手材料；前后20余次主持召开编撰工作会议，从确定写作提纲、选定分卷主编、召集全体写作人员进行动员，到了解各阶段研究进展情况、解决所遇到的各类难题，以及参与每卷的多次审稿会，每个环节都浸透着他们的心血。

此外，还有一大批领导、专家、工作人员密切关注着书稿的进展。如：研究会特邀研究员胡嘉猷，时任副秘书长古红英、刘胜瑜，荆楚文化研究中心原主任劳志强、副主任张艳鸽和工作人员陈波、肖幼琴、吴胡珂曜、段帅等，都为本书的出版做了大量具体工作。

在本书撰写、修改和审定过程中，还得到了省委宣传部、省政协办公厅、省政协文史和学习委员会、省财政厅、省新闻出版局、省社科联、省社科院、湖北教育出版社等单位的大力支持和帮助，在此，谨一并表示衷心感谢！

由于研究团队水平所限，本书不足之处在所难免，敬请读者批评指正。

湖北省荆楚文化研究会

2021 年 11 月 8 日